D0586052

CASH

Wie volgt?

Van dezelfde auteur

De verliezers

William Lashner

Wie volgt?

A.W. Bruna Uitgevers B.V., Utrecht

Oorspronkelijke titel
Marked man

Published by arrangement with William Morrow,
an imprint of HarperCollins Publishers, Inc.
Vertaling
Riek Borgers-Hoving
Omslagontwerp
Wil Immink Design

ISBN 978 90 229 9268 5
NUR 332

Dit boek is gedrukt op papier dat het keurmerk van de Forest Stewardship Council (FSC) mag dragen. Bij dit papier is het zeker dat de productie niet tot bosvernietiging heeft geleid. Een flink deel van de grondstof is afkomstig uit bossen en plantages die worden beheerd volgens de regels van FSC. Van het andere deel van de grondstof is vastgesteld dat hiervoor geen houtkap in de laatste resten waardevol bos heeft plaatsgevonden. Daarom mag dit papier het FSC Mixed Sources label dragen. Voor dit boek is het FSC-gecertificeerde Munkenprint gebruikt. Dit papier is 100% chloor- en zwavelvrij gebleekt en wordt geleverd door Arctic Paper Munkedals AB, Zweden.

Voor mijn maatje, Jack,
hardball pitcher, bluesgitarist en
koning van de Dance Dance Revolution

1

Het moet me het nachtje wel zijn geweest. Een van die lange, gevaarlijke nachten waarin alles op zijn kop wordt gezet, deuren opengaan en je gehoor geeft aan de duistere roep van je innerlijk. Een nacht met inschattingsfouten en verkeerde beslissingen, slopend, hilarisch, en vol seksuele spanning die je beangstigt en tegelijkertijd voortdrijft. Een nacht waarin je leven voor altijd verandert, ten goede of ten slechte, maar dat zal je een rotzorg zijn, zolang er maar iets verandert. Zet je schrap, mannen, we gooien de beuk erin.
Ja, zo'n soort nacht moet het zijn geweest. Kon ik het me maar herinneren.
De aanloop ernaartoe was eigenlijk al een teken aan de wand geweest. De dagen ervoor had ik in het middelpunt van een mediastorm gestaan. *The New York Times* op lijn één, *Live at Five* op lijn twee, *Action News* om zes uur en achtergronden om elf uur. Nu ben ik niet iemand die vies is van een beetje gratis publiciteit – het enige wat je niet kunt kopen, zeg ik altijd – maar toch, alle aandacht en commotie, het constant moeten opletten of mijn naam wel goed werd gespeld, de idiote telefoontjes, de bedreigingen en halsstarrige pogingen om me om te kopen; het begon allemaal zijn tol te eisen. Dus die avond na het werk maakte ik een omweg langs Chaucer's, mijn stamkroeg.
Ik ging aan de bar zitten en bestelde een Sea Breeze. De scherpe smaak van alcohol in combinatie met de zoete belofte van zalige ontspanning gleed door mijn keel. Op de barkruk naast me zat een oude man die tegen me aan begon te praten. Ik knikte nu en dan bij zijn woorden, ja, ja, ja, terwijl ik om me heen keek of er nog andere, interessante mensen aanwezig waren. In een hoek zat een vrouw die me aanstaarde. Ik staarde net zo hard terug. Ik sloeg mijn drankje achterover en bestelde er nog een.
Dat klinkt alsof mijn geheugen nog volledig intact was, maar vergis je niet. Zelfs het moment dat ik beschrijf, is wazig. Zo kan ik me bijvoorbeeld niet herinneren hoe die oude man eruitzag. En in mijn herinnering kan ik mijn voeten niet voelen.
Uit de jukebox klinkt *Imagine* van John Lennon. De oude man kankert over het leven, zoals oude mannen in dit soort kroegen altijd doen. Ik giet mijn Sea Breeze naar binnen en bestel er nog een.
De deur gaat open en ik draai me ernaartoe in de ijdele hoop die iedereen in een kroeg heeft dat de volgende persoon die binnenkomt degene is die je

leven verandert. Ik zie een aantrekkelijk gezicht, breed en sterk, met een blonde paardenstaart die erachteraan huppelt. Dat gezicht staat in mijn geheugen gegrift, het enige wat me nog helder voor de geest staat. Ze ziet eruit alsof ze net van haar motorfiets is gestapt: zwartleren jasje, spijkerbroek, en de zwalkende gang van een zeeman op het droge.
Alleen al bij haar aanblik voel ik de behoefte om meteen een Harley te gaan kopen. Ze blijft staan als ze me ziet, alsof ze mijn gezicht al eerder heeft gezien. En dat zou heel goed kunnen. Ik ben beroemd, net zo beroemd als al die anderen die een minuutje of tien met hun gezicht op de lokale televisie zijn geweest. Ik grijns haar toe, ze loopt langs me en gaat naast de oude man aan de bar zitten.
Ik sla mijn drankje achterover en bestel er nog een. Ik bestel ook een drankje voor de vrouw en om de schijn van beleefdheid op te houden, bestel ik er ook eentje voor de oude man.
'Ik hield van mijn vrouw, echt waar,' zegt de oude man. 'Zoals een dik kind van gebak houdt. We hadden allerlei plannen, zoveel plannen dat zelfs een cherubijntje ervan zou gaan huilen. Dat was mijn eerste fout.'
Ik leun naar voren en kijk naar het blondje. 'Hallo,' zeg ik.
'Bedankt voor het biertje,' zegt ze en ze houdt haar glas Rolling Rock omhoog.
Ik hef mijn glas. 'Proost.'
'Wat drink je?'
'Een Sea Breeze.'
'Dat zal best.'
'Hoor ik daar een spottende ondertoon? Ik ben een echte vent die niet bang is om een truttig drankje te bestellen. Zullen we een potje armworstelen?'
'Ik zou je elleboog volledig aan gort draaien.'
'Vast.'
'Jij je zin, kom maar op,' zegt ze.
Ik ram mijn elleboog op de bar en houd mijn hand in een worstelgreep.
'Je drankje,' zegt ze.
'Want je kunt geen plannen maken,' zegt de oude man, terwijl ik het drankje voor hem langs naar de vrouw schuif. 'Dat laat het leven niet toe. Het duurde niet lang voor ik erachter kwam dat ze vreemdging. Met mijn broer, Curt.'
'Niet te geloven,' zeg ik.
'Geloof het maar wel,' zegt de oude man. 'Maar daar kon ik nog wel mee leven. Ze hield het in elk geval binnen de familie. Daarom heb ik geen rel geschopt.'
'Wat vind je ervan?' zeg ik tegen de vrouw, die een slokje van mijn drankje neemt, waarna haar gezicht vertrekt van afschuw.
'Het smaakt als kolibriekots,' zegt ze en ze schuift het drankje mijn richting uit.

'Ik heet trouwens Victor. Victor Carl.'
'Wat, waren de achternamen op toen jij geboren werd?' vraagt ze. 'Moesten ze je daarom twee voornamen geven?'
'Jij snapt het. En hoe heet jij?'
'Dat zou je wel willen weten, hè?'
'Ik probeer alleen vriendelijk te zijn.'
'Ik snap heel goed wat jij probeert,' zegt ze, maar toch breekt er een glimlach door.
'Het was de kanker, daardoor vielen alle plannen in het water,' zegt de oude man. 'Het vrat zijn keel op. Curts keel. Toen hij stierf, ging ze ervandoor met de nachtbroeder. Het was de gelukkigste dag van mijn leven toen ze wegging. En nu mis ik haar elke minuut van elke dag. Ik hield zielsveel van haar, net als in die songs van Hank Williams, maar wat heb je daaraan?'
Ik giet de rest van mijn drankje naar binnen en dat is waarschijnlijk het moment dat mijn mentale recorder er de brui aan geeft. Ik herinner me dat Jim Morrisons stem uit de jukebox klinkt. Ik herinner me dat mijn drankje vreemd smaakt en dat ik daarom moet lachen. Ik herinner me dat de oude man opstaat van zijn barkruk en dat ik snel op de warme kruk schuif zodat ik naast de vrouw zit. Ik herinner me dat ik nog een rondje voor ons tweetjes bestel.
Ze rook naar bier en benzine en naar puur zweet, dat herinner ik me. Ik dacht toen ik naast haar zat dat als je dat luchtje in een flesje kon stoppen, je een fortuin in de parfumhandel kon verdienen. Ik hoop tenminste dat ik dat alleen dacht, want als ik dat had gezegd, was dat wel heel afgezaagd, wat misschien de verklaring is voor wat ik me er daarna van herinner, namelijk dat ze me een vreemde, beklagenswaardige blik toewierp voor ze van haar barkruk opstond en naar de deur liep.
Ik weet niet meer of ik haar volgde of niet, ik denk het wel. Dat denk ik omdat er in mijn herinnering toen een deur openging en ik erdoor stapte en in een vreemde duisternis terechtkwam die zich als een deken om me heen wikkelde.
Dat herinner ik me van die nacht. Daarna, niets meer.

Ik werd wakker van de kramp in mijn lijf. Ik lag op een tegelvloer. Mijn hoofd steunde tegen een muur, mijn benen lagen verdraaid onder me en een van mijn armen was weg.
Een halve seconde nadat het tot me doordrong dat een van mijn armen was verdwenen, vond ik hem weer, hij lag onder me en voelde aan als een dood gewicht. Ik rolde om, bevrijdde hem, ging paniekerig overeind zitten en zwaaide het dode aanhangsel op mijn borstkas. Ik sloeg erop, kneep erin, en voelde tot mijn opluchting dat de zenuwen in mijn arm tintelend en verrekte pijnlijk weer tot leven kwamen.

Het drong tot me door dat ik op de grond zat in de hal van het gebouw waar ik woonde. De nacht die achter me lag was voorbij. Het grijze licht van de nieuwe ochtend sijpelde door het raam naar binnen en liet me de belazerde toestand zien waarin ik verkeerde.

Mijn pak was naar de maan: mijn overhemd was gescheurd en hing uit mijn broek en mijn das was losgeknoopt, maar hing nog wel om mijn nek. Ik had mijn stevige, zwarte schoenen nog aan maar mijn sokken waren verdwenen. En ik stonk als een straathond die in iets had liggen rollen. Mijn nek was stijf, mijn heup deed pijn, de smaak in mijn mond deed denken aan een beerput, iemand hakte hout in mijn hoofd en ik voelde een scherpe, stekende pijn in mijn borst, alsof ik midden in een hartaanval was beland.

Verdomme, dacht ik, toen ik trillend overeind probeerde te komen, wat niet lukte, en weer op mijn zere heup terechtkwam, dat moet me het nachtje wel zijn geweest. Ik probeerde het me te herinneren, maar er kwam niets bovendrijven, alleen het beeld van een blondje met een leren jack.

Bij mijn tweede poging wist ik overeind te komen, ik knalde tegen de rij brievenbussen aan maar bleef overeind. De kleine hal leek uit te zetten en in te krimpen en de tegelvloer draaide in het rond. Ik probeerde de tussendeur te openen, maar hij zat op slot. Ik klopte op mijn jaszakken, vervolgens op mijn broekzakken en was stomverbaasd toen bleek dat mijn sleutels en portefeuille zich nog steeds op hun rechtmatige plekken bevonden. Oké, mooi zo, dus de zaken waren niet helemaal uit de klauwen gelopen. Ik was thuis en ik was niet beroofd. Ik kwam er wel weer overheen. Ik gebruikte mijn sleutels, duwde de deur open en viel plat op mijn gezicht.

Mijn appartement op de tweede verdieping verkeerde in net zo'n belazerde toestand als ikzelf. De kussens van de bank waren kapotgesneden, de muren waren beklad en de kappen van alle lampen waren kapotgemaakt. Boven op een grote televisie met een versplinterd scherm stond een andere televisie, een kleine draagbare, waarvan de antenne kromgebogen was als een kapot rietje. Je zou misschien denken dat het de fall-out van mijn wilde nacht was, maar dat was niet zo. Zo was het al maanden. Dat had ik te danken aan een overijverige mondhygiëniste die haar woede op mij op mijn appartement had afgereageerd. Hoe minder ik over haar vertel hoe beter. Het punt was niet dat het gebeurd was, maar dat ik er sindsdien niets aan had gedaan, afgezien van mijn geïmproviseerde reparatie van de kussens met een paar rollen tape. Wat dat over mijn leven zei, zou boekdelen kunnen vullen, maar dat hield me niet bezig toen ik mijn deur door strompelde en naar de badkamer wankelde.

Toen ik voor de spiegel stond en met de achterkant van mijn hand het kwijl van mijn mond veegde, deinsde ik terug van de afschrikwekkende verschijning die terugstaarde. Lon Chaney had de hoofdrol in de film over mijn leven en het was zonder twijfel een B-film. Ik richtte mijn aandacht op mijn

kleding en al snel begreep ik dat alleen mijn das nog te redden was: een onverwoestbaar stukje rode, synthetische stof dat een wonder van de moderne wetenschap was. Wil je weten waar al het geld uiteindelijk is beland dat in de ruimtevaartprogramma's werd gepompt? In mijn das.
Ik rukte mijn das los, trok mijn jasje uit en vervolgens mijn schoenen en mijn broek. Maar toen ik mijn overhemd losknoopte, stopte ik halverwege. Op mijn linkerborst zat een groot stuk verband. De pijn die ik daar voelde, was kennelijk toch niet ingebeeld. En tot mijn grote schrik zag ik dat er bloed door het verband sijpelde.
Mijn bloed.
Ik rukte de pleisters los en trok voorzichtig het verband los. Ik zag bloed en een zalfachtige substantie, alsof ik een of andere operatie had ondergaan, en onder het verband leek iets vreemds op mijn huid geplakt te zitten, vlak boven de tepel.
Ik begon de zalf weg te wrijven, maar dat deed te veel pijn. Mijn huid was om de een of andere reden heel gevoelig. Met behulp van een beetje water en zeep waste ik voorzichtig het bloed en de zalf weg. En langzamerhand werd het ding eronder zichtbaar.
Een felrood hart met twee kleine bloemetjes die er aan beide zijden achter vandaan kwamen. Over het hart zat een banier gedrapeerd waarin een naam stond die ik in de spiegel las: Chantal Adair.
Een paar seconden begreep ik niet wat het was. Toen het tot me doordrong, probeerde ik het eraf te wrijven. Ik wreef zo hard als de pijn toeliet, maar er gebeurde niets. Het was er niet op geplakt. Het zat er en zou er altijd blijven zitten. Voor de rest van mijn leven.
Verdomme. Ik had me laten tatoeëren.

Nadat ik me gedoucht en geschoren had, trok ik een spijkerbroek aan maar geen shirt. Ik plofte op mijn geruïneerde bank met een lamp en een spiegel in mijn handen. Ik keek in de spiegel naar de tatoeage op mijn borst.
Chantal Adair.
Ik deed mijn best me te herinneren wie ze was en waarom ik haar zo belangrijk vond dat ik haar naam voor altijd op mijn linkerborst had laten zetten. Ik speurde diep in de krochten van mijn herinneringen maar vond niets. Vanaf het moment dat ik Chaucer's uit was gestrompeld, was de nacht één groot zwart gat. Joost mocht weten wat er was gebeurd. Was het de naam van mijn blonde motorbabe? Waarschijnlijk. Maar misschien was het de naam van iemand anders, een mysterieuze vrouw die ik tijdens mijn lange, wazige tocht door de duisternis had ontmoet. Was mijn poging om haar te vereeuwigen op de huid boven mijn hart het gevolg van een dronkenmansgril of was het iets anders?
Chantal Adair.

De naam gleed zoetsmakend over mijn tong. Twee jambes die een mysterie inhielden.
Chantal Adair.
De tatoeage zelf was vreemd. Hij deed ouderwets aan. Het hart was felrood, de bloemen geel met blauw en rond de banier waren schaduwen aangebracht. Het was niet het soort tatoeage dat je bij studenten aantrof die vol trots met hun verfraaide huid pronkten op een zonnige middag in het park. Je verwachtte zo'n tattoo eerder op de onderarm van een oude zeeman met de bijnaam 'Pappy', die de naam van een hoer uit Shanghai in het hart had laten zetten. Het was – hoe zal ik het zeggen – romantisch.
Chantal Adair.
Ik staarde naar de tatoeage, zei de naam hardop en probeerde een bijbehorend beeld uit de puinhopen van mijn herinneringen op te diepen, maar het enige wat naar boven kwam, was een felle steek emotie die ik niet kon thuisbrengen. Toch bleef ik erover nadenken. Natuurlijk was het mogelijk dat ik de naam van een vreemde op mijn borst had laten tatoeëren als gevolg van een dronkenmansgril die ik al betreurde terwijl de zoemende naald de inkt nog tussen de verschillende huidlagen aanbracht. Maar ik bleef me afvragen en ik bleef hopen dat het misschien iets anders was.
Misschien was ik in de loop van die lange nacht via een kronkelweg van uitputting en dronkenschap terechtgekomen in iets wat een staat van genade benaderde. Misschien kon ik alleen een band met een vrouw krijgen die niet besmet was met ironie en berekening, wanneer mijn verdediging tot het nulpunt was gezakt en mijn smachtende hart openstond voor de overweldigende schoonheid van deze wereld. En misschien had ik besloten om haar naam op mijn borst te tatoeëren zodat ik haar niet zou vergeten.
Chantal Adair.
Het zat er dik in dat ze alleen een hersenspinsel van een dronkenlap was, maar misschien was ze iets anders. Misschien, heel misschien, was ze wel de liefde van mijn leven.
Daar zat ik dan, omringd door de puinhoop van mijn appartement, omringd door de puinhoop van mijn leven – geen liefde, geen vooruitzichten, maar wel een knagend gevoel van existentiële futiliteit gecombineerd met de overtuiging dat iedereen een fijner leven leidde dan ik – daar zat ik dan, ik staarde naar een naam die met inkt in de huid van mijn borst was gegraveerd en hoopte dat de naam me misschien zou redden. Het menselijk vermogen tot zelfmisleiding kent geen grenzen.
Toch stond het voor mij als een paal boven water dat ik de vrouw zou vinden die bij de naam op mijn borst hoorde. De zaak die me alle publiciteit in de kranten en op televisie had bezorgd, ging over diefstal op grote schaal, over hoog spel en verloren zielen, over een dominante Griekse matriarch, over een vreemd klein mannetje dat naar bloemen en kruiden rook, en over

een Hollywoodproducer die de verkeerde fantasieën probeerde te slijten. Het draaide om geknakte dromen en grote successen, en moord, ja, moord, en meer dan een. En midden in een zaak waarin ik het oog van de oorkaan vormde, dacht ik aan een naam op mijn borstkas, dacht ik dat Chantal Adair op een of andere manier mijn leven zou redden.
Het had een hopeloze fantasie van de zieligste soort kunnen zijn, maar op haar eigen vreemde wijze deed ze dat ook.

2

De tatoeage op mijn borstkas verscheen op een nogal ongelukkig tijdstip. Ik bevond me op dat moment midden in een delicate onderhandelingssituatie die als een bom uit elkaar was geknald. Nu werd ik met de dood bedreigd en zat ik midden in het oog van een mediastorm. Toch had ik kunnen weten dat er problemen dreigden, gezien het onheilspellende begin van de hele toestand. Het was begonnen toen ik aan het sterfbed werd geroepen van een oude Griekse weduwe met knokige handen en een smerige adem die stonk als de pest.

'U dichterbij komen, meneer Carl,' zei Zanita Kalakos, een verdord overblijfsel van een vrouw die ondersteund door kussens rechtop in bed zat. Elke raspende ademhaling klonk alsof het haar laatste was. Haar huid was zo dun als perkament en ze sprak met een duidelijk accent, net zo duidelijk als de stoppels op haar kaak.

'Noemt u me toch Victor,' zei ik.

'Oké, Victor. Ik jou niet zien kunnen. Jij dichterbij komen.'

Ze kon me niet zien omdat er geen licht brandde in haar kleine slaapkamer en de gordijnen potdicht zaten. Het enige licht bestond uit een flikkerende kaars op haar nachtkastje en het gloeiende puntje van een staafje wierook.

'Niet bang zijn. Jij dichterbij komen.'

Ik stond bij de deur en deed een stap naar haar toe.

'Dichterbij,' zei ze.

Ik zette nog een stap.

'Nog dichterbij. Jij stoel bijtrekken. Ik jouw gezicht willen aanraken. Ik willen voelen wat jouw hart zeggen.'

Ik zette een stoel bij haar bed neer, ging zitten en boog me naar voren.

Haar vingers dwaalden over mijn neus, mijn kin en mijn ogen. Haar huid voelde ruw en tegelijkertijd vettig aan. Het was alsof ik betast werd door een paling.

'Jij krachtig gezicht hebben, Victor,' zei ze. 'Grieks gezicht.'

'Is dat goed?'

'Natuurlijk, wat jij dan denken? Ik jou geheim vertellen.'

Haar hand klauwde naar de zijkant van mijn gezicht en met verbazingwekkende kracht trok ze me dichterbij en fluisterde: 'Ik doodgaan.'

En dat geloofde ik, jawel, omdat haar adem aan rotting en ontbinding deed

denken, aan kleine beestjes die in de aarde wroeten, aan kale woestenij en de dood.
'Ik doodgaan,' zei ze, terwijl ze me naar zich toe trok, 'en ik jouw hulp nodig hebben.'
Mijn vader had me hierbij betrokken. Hij had me gevraagd of ik Zanita Kalakos wilde bezoeken om hem een plezier te doen. Dat was op zich al vreemd, omdat mijn vader nooit iemand om een gunst vroeg. Hij was er eentje van de oude stempel. Hij vroeg niemand om de weg als hij verdwaald was, hij vroeg niemand om geld als hij krap bij kas zat. Hij vroeg niet eens om hulp toen hij met moeite van de longoperatie herstelde die zijn leven had gered. De laatste keer dat mijn vader mij om iets had gevraagd, was toen we naar een wedstrijd van de Eagles keken en ik een bijdehante opmerking maakte over de doeltreffendheid van hun West Coast Offense, hun strategie.
'Doe me een plezier,' had hij gezegd, 'en hou je kop.'
Maar een paar dagen geleden had hij me op kantoor gebeld en gezegd: 'Ik wil dat je bij iemand langsgaat. Een oude vrouw.'
'Waarvoor?'
'Dat weet ik niet,' zei hij.
'Waarom wil ze dat ik langskom?'
'Dat weet ik niet.'
'Pa?'
'Doe me een plezier en ga gewoon, oké?'
'Om jou een plezier te doen?'
'Lukt dat, denk je?'
'Tuurlijk, pa,' zei ik.
'Mooi zo.'
'Om jou een plezier te doen.'
'Neem je me in de maling?'
'Nee. Maar het is net zo'n vader-en-zoonding. Elkaar opbellen. De een die de ander een pleziertje doet. Voor je het weet, staan we een balletje over te gooien in de achtertuin.'
'De laatste keer dat we dat deden, ving jij de bal op met je gezicht en ging je er jankend vandoor.'
'Ik was acht.'
'Wil je het nog een keer proberen?'
'Nee.'
'Oké, dat is dan geregeld. Ga bij die oude vrouw langs.'
Het adres dat hij me gaf, bleek bij een rijtjeshuis te horen in het noordoostelijke deel van de stad, mijn vaders oude buurt. Een gezette vrouw met grijs haar en een kromme rug opende de deur en nam me van top tot teen op terwijl ik op de stoep stond en vertelde wie ik was. Ik nam aan dat zij de oude

vrouw was die mijn vader bedoelde, maar ik vergiste me. Ze was de dochter van de oude vrouw. Ze schudde haar hoofd toen ze hoorde wie ik was, en bleef haar hoofd schudden terwijl ze me voorging op de krakende trap die naar gekookte azijn en geplet komijnzaad rook.
Wat de moeder ook van me wilde, de dochter scheen het er niet mee eens te zijn.
'Toen jouw vader klein knulletje was, ik hem al kennen,' zei Zanita Kalakos, toen ik naast haar bed zat in de mausoleumachtige slaapkamer. 'Hij goede jongen. Sterk. En hij niet vergeten. Toen ik hem bellen, hij beloven jij komen.'
'Wat kan ik voor u doen, mevrouw Kalakos?'
'Ik doodgaan.'
'Ik ben geen dokter.'
'Ik weten, Victor.' Ze stak haar hand uit en gaf een klopje op mijn wang. 'Te laat voor dokters. Zij porren, prikken en mij opensnijden als gebraden speenvarken. Maar te laat.'
Ze hoestte en haar uitgemergelde lichaam schokte heftig.
'Kan ik iets voor u halen?' vroeg ik. 'Een glas water?'
'Nee, maar dank, lieverd,' zei ze. Ze had haar ogen dichtgeknepen tegen de pijn. 'Te laat voor water, te laat voor alles. Ik doodgaan. Daarom ik jou nodig hebben.'
'Wilt u dat ik uw nalatenschap regel? Of een testament voor u opstel?'
'Nee, dank je. Ik alleen paar snuisterijen en dit huis hebben en dat voor Thalassa zijn. Arm kind. Zij altijd voor moeder zorgen, daarom zij leven vergooid hebben.'
'Wie is Thalassa?'
'Zij jou bij mij brengen.'
Aha, dacht ik, een arm kind van zeventig.
'Jij getrouwd zijn, Victor?'
'Nee, mevrouw.'
Ze opende een oog en richtte haar blik op mijn gezicht. 'Thalassa, zij beschikbaar zijn en zij huis hebben. Mooi huis, niet, Victor?'
'Het is een heel mooi huis.'
'Jij interesse hebben? Misschien wij wat regelen?'
'Bedankt voor het aanbod, mevrouw Kalakos. Maar liever niet.'
'Natuurlijk. Jij man met goed Grieks gezicht. Jij iemand zoeken met groter huis. Dan wij terug zijn bij probleem. Ik doodgaan.'
'Dat zei u, ja.'
'In mijn dorp, wanneer dood huis binnensluipen en op schouder kloppen, zij bel luiden van kerk zodat iedereen weten. Jouw buren, vrienden, familie. Iedereen komen. Laatste keer voor lachen en huilen, rekeningen vereffenen en vervloekingen bezweren' – ze legde twee vingers op haar lippen en spoog

ertussendoor – 'dan iedereen laatste keer afscheid nemen voor gezegende reis. Zo met grootouders en moeder gaan. Ik met boot naar moeder gaan voor afscheid nemen toen voor haar bel luiden. Was geen keus, maar noodzaak. Jij begrijpen?'
'Ik denk het wel.'
'Nu bel voor mij luiden. Nu ik afscheid moeten nemen. Maar tijd snel gaan, snel als wind.'
'Ik weet zeker dat er meer tijd is dan u...'
Ik werd tot zwijgen gebracht door een hoestbui die als een rochelend onweer in de kamer klonk en haar lichaam deed verkrampen van pijn.
'Wat kan ik voor u doen?' vroeg ik.
'Jij advocaat zijn.'
'Dat klopt.'
'Jij idioten bijstaan.'
'Ik sta mensen bij die beschuldigd worden van misdrijven.'
'Idioten.'
'Sommige zijn inderdaad idioten.'
'Mooi zo. Dan ik jou nodig hebben.' Ze gebaarde met een vinger dat ik dichterbij moest komen. 'Ik zoon hebben,' zei ze zachtjes. 'Charles. Ik veel van hem houden, maar hij grote idioot zijn.'
'Juist, ja,' zei ik. 'Nu begrijp ik het. Wordt Charles beschuldigd van een misdaad?'
'Hij van heleboel beschuldigd zijn.'
'Zit hij in de gevangenis?'
'Nee, Victor. Hij niet in gevangenis. Vijftien jaar geleden hij gearresteerd worden voor dingen, te veel dingen voor herinneren. Vooral stelen, maar ook bedreiging en uitpersing.'
'Afpersing?'
'Misschien dat ook. En voor praten met anderen over alles doen.'
'Samenzwering.'
'Hij voor rechtbank komen. Hij geld nodig hebben, anders hij gevangenis in gaan.'
'Borgtocht?'
'Ja. Dus ik, domme vrouw, ik huis als onderpand geven. De dag nadat hij gevangenis verlaten, hij verdwijnen. Mijn Charles, hij vlucht. Pas na tien jaar ik huis terug hebben voor Thalassa. Tien jaar van hard zwoegen. En sinds hij vluchten, ik hem nooit meer zien.'
'Wat kan ik doen om hem te helpen?'
'Hem thuisbrengen. Hem bij moeder brengen. Voor afscheid nemen.'
'Ik weet zeker dat hij kan komen om afscheid te nemen. Het is al zo lang geleden. Ze zitten allang niet meer achter hem aan.'
'Jij denken? Jij naar raam gaan, Victor, en naar straat kijken.'

Ik deed wat me verteld werd en trok voorzichtig het gordijn open. Het licht stroomde naar binnen en ik tuurde naar buiten.
'Jij busje zien?'
'Ja.' Het was een gedeukt wit busje met een paar flinke roestplekken aan de zijkant. 'Ik zie het busje.'
'FBI.'
'Zo te zien zit er niemand in, mevrouw Kalakos.'
'FBI, Victor. Zij nog steeds mijn zoon zoeken.'
'Na al die jaren?'
'Zij weten ik ziek, zij verwachten hij thuiskomen. Zij mijn telefoon afluisteren. Zij mijn post lezen. En elke dag dat busje voor deur staan.'
'Laat me dat even controleren,' zei ik.
Ik stond nog steeds bij het raam, haalde mijn mobieltje tevoorschijn en toetste het alarmnummer in. Ik noemde mijn naam niet, maar meldde dat er een verdacht busje stond in de straat waar mevrouw Kalakos woonde. Ik vertelde dat er berichten waren geweest over een kinderlokker die in eenzelfde soort busje reed en ik vroeg of de politie kon langskomen omdat ik mijn kinderen niet meer op straat durfde te laten spelen. Toen mevrouw Kalakos iets probeerde te zeggen, hield ik haar tegen. Ik bleef bij het raam staan en verwachtte dat het busje leeg zou zijn. Waarschijnlijk was het daar neergezet door een van de buren en was er niets mee aan de hand, behalve dan dat het als voer had gediend voor de paranoia van een oude, zieke vrouw.
Haar raspende ademhaling was het enige wat de stilte doorbrak terwijl we wachtten. Een paar minuten later zag ik een surveillanceauto aankomen, die achter het busje stilhield. Even later kwam er nog eentje die de mogelijke vluchtweg van het busje blokkeerde. Toen de agenten op het busje afstapten, kwam een grote man met stekeltjeshaar, een bril met een hoornen montuur en een ruimvallend pak vanaf de andere kant van het busje aanlopen. Hij liet een legitimatiebewijs zien. Terwijl de ene agent dat controleerde en de andere agent een praatje met hem maakte, keek de man omhoog naar het raam waar ik stond.
Ik keek naar het tafereeltje dat zich voor mijn ogen afspeelde en zag de man met het ruimvallende pak weer in het busje stappen en de twee politieauto's wegrijden. Ik trok het gordijn dicht, draaide me om naar de oude vrouw en zag dat haar ogen, die glinsterden door het licht van de kaars, me recht aankeken.
'Wat heeft uw zoon gedaan, mevrouw Kalakos?' vroeg ik.
'Alleen wat ik net gezegd hebben.'
'U hebt me niet alles verteld.'
'Zij wrok hebben, daarom zij nog steeds mijn zoon zoeken.'
'Wrok?'
'Hij alleen dief, meer niet.'

'De FBI zoekt niet vijftien jaar lang naar een ordinaire dief omdat ze wrok koesteren.'
'Jij mij helpen, Victor? Jij mijn Charlie helpen?'
'Mevrouw Kalakos, ik heb het gevoel dat ik me verre van deze zaak moet houden. U vertelt me niet alles.'
'Jij mij niet vertrouwen?'
'Niet nu ik dat busje heb gezien.'
'Jij zeker weten jij niet Grieks?'
'Tamelijk zeker, mevrouw.'
'Oké, misschien nog iets anders. Charlie in jeugd vier goede vrienden hebben. En misschien, lang geleden, die vrienden grap uithalen.'
'Wat voor grap?'
'Jij met mijn Charlie praten. Hij niet meer in stad kunnen komen, maar wel dichtbij. Ik al ontmoeting geregeld hebben.'
'Dat was een beetje voorbarig, vindt u ook niet?'
'De promenade aan Seventh Street in Ocean City, New Jersey. Hij daar morgenavond om negen uur zijn. Jij met hem praten.'
'Dat weet ik zo net nog niet.'
'Negen uur. Voor mij, Victor. Als gunst.'
'Als gunst?'
'Jij dat voor mij doen, Victor. Jij met hem praten en dingen regelen, zodat mijn jongen thuiskomen voor afscheid nemen. Voor afscheid nemen, ja. En jij zorgen Charlies leven weer in orde komen. Jij dat kunnen?'
'Ik heb het idee dat zoiets het takenpakket van een advocaat overstijgt, mevrouw Kalakos.'
'Jij hem thuisbrengen en jouw vader vertellen na dit, wij quitte.'
Ik vroeg me af waarom de FBI nog steeds geïnteresseerd was in Charlie Kalakos, vijftien jaar nadat hij op de vlucht was geslagen en zijn borgtocht had verbeurd. Zijn moeder had verteld dat Charlie een dief was. En dat Charlie en zijn vrienden lang geleden een grap hadden uitgehaald. Het busje buiten maakte duidelijk dat het geen huis-tuin-en-keukengrapje was geweest. Misschien dat Charlies grapje van lang geleden en de vreemde, aanhoudende interesse van de FBI mij ook nog een paar centen kon opleveren.
'Weet u, mevrouw Kalakos,' zei ik, nadat ik alles had overdacht, 'in een zaak zoals deze, zelfs als het een gunst betreft, verwacht ik een voorschot op mijn honorarium.'
'Wat voorschot zijn?'
'Een bedrag van tevoren.'
'Aha. Dus jij geld willen?'
'Ja, mevrouw. Daar komt het op neer.'
'Niet alleen Grieks gezicht, maar ook Grieks hart.'
'Dank u, denk ik.'

'Ik geen geld hebben, Victor, helemaal niets.'
'Dat spijt me voor u.'
'Maar ik misschien iets anders voor jou hebben.'
Langzaam kwam ze uit bed, als een lijk dat uit een graf oprijst, en met krakende gewrichten bewoog ze zich moeizaam en met veel pijn in de richting van een bureau dat in een hoek van de kamer stond. Ze had al haar kracht nodig om een lade te openen. Ze gooide een paar overmaatse directoires aan de kant en schoof zo te zien een valse bodem open. Ze reikte er met beide handen in en haalde er twee handen vol juwelen uit die glinsterden in het kaarslicht: gouden kettingen, zilveren hangers, broches met robijnen, en parelsnoeren. Het leek wel een piratenschat.
'Hoe komt u daaraan?' vroeg ik.
'Van Charles,' zei ze en ze strompelde naar me toe. Haar handen dropen van de juwelen, die tussen haar vingers door gleden en op de grond vielen. 'Hij mij lang geleden gegeven hebben. Hij zeggen, hij op straat gevonden.'
'Dat kan ik niet aannemen, mevrouw Kalakos.'
'Hier.' Ze stak haar handen naar me uit. 'Jij nemen. Ik dit jaren bewaard hebben voor Charlie. Ik nooit iets van gebruiken. Maar nu, hij mij nodig hebben. Dus jij nemen. Maar jij beloven jij niet uitgeven tot Charlie thuis zijn. Maar jij nemen.'
Ze deponeerde de hele handel in mijn handen. De juwelen waren zwaar en voelden koud aan, alsof ze de last van het verleden met zich meedroegen en tegelijkertijd voelde ik de rijkdom.
Als foie gras op stukjes beboterde toast, als champagne die uit zwarte pumps werd gedronken, als zwoele nachten en prachtige zonsondergangen boven de oceaan.
'Jij mijn zoon thuisbrengen.' Ze greep de revers van mijn jasje beet en trok me zo dicht naar zich toe dat haar smerige, pestilente adem over me heen spoelde. 'Jij mijn zoon thuisbrengen. Dan hij mijn oude, verschrompelde gezicht kunnen kussen voor afscheid nemen moeder.'

3

Die middag liep ik met kwieke tred naar mijn kantoor ondanks het feit dat mijn jaszakken bijna uitscheurden door het gewicht van de buit die ik erin had verscholen. Het kantoor van Derringer & Carl bevond zich aan 21st Street, iets ten zuiden van Chestnut, boven het uithangbord met de reuzenschoen dat reclame maakte voor de eersteklas schoenmaker die op de begane grond zijn bedrijf had. We huisden in een onopvallend kantoor in een onopvallend gebouw. De inrichting was sober en we hadden één werknemer, onze secretaresse, Ellie, die de telefoon aannam, het typewerk verzorgde en de boekhouding deed. Ik vertrouwde Ellie met onze financiën omdat ze een betrouwbare vrouw met een eerlijk gezicht was: het resultaat van een strenge, katholieke opvoeding. Daar kwam nog bij dat geld achteroverdrukken van ons bedrijf net zo moeilijk zou zijn als een biertje scoren tijdens een bijeenkomst van mormonen.

'O, meneer Carl, er is een boodschap voor u,' zei Ellie, toen ik langs haar bureau liep. 'Meneer Slocum heeft gebeld.'

Ik bleef abrupt staan, legde een hand op een van mijn uitpuilende jaszakken en keek snel om me heen alsof ik op heterdaad betrapt was op iets. 'Heeft hij gezegd waar het over ging?'

'Alleen dat hij u dringend wilde spreken.'

Ik dacht aan de FBI in het busje voor het huis van de oude vrouw en aan het onvermijdelijke telefoontje dat zou komen zodra ze wisten wie ik was. 'Dat was snel,' zei ik.

'Hij zei "dringend" twee keer, meneer Carl.'

'Dat zal best.'

Ik stapte mijn kantoor binnen, sloot de deur achter me, ging aan mijn bureau zitten en haalde handen vol kettingen, broches en andere sieraden tevoorschijn. Ik genoot ervan om de juwelen door mijn vingers te laten glijden, waardoor er een kleine berg sieraden op mijn bureaublad ontstond. In het felle licht van de tl-buizen leken ze iets minder te glinsteren, zelfs een beetje dof te zijn. Ik nam aan dat de oude vrouw niet de gewoonte had om de illegaal verkregen rijkdom van haar zoon op te poetsen. Ik had geen flauw idee hoeveel het waard was en ik was niet van plan om daar op korte termijn naar te informeren. Ik wilde voorkomen dat de juwelen in de belangstelling kwamen te staan aangezien mijn wettelijke aanspraak op wat

ongetwijfeld gestolen goed was, dubieus was, en dat was nog zachtjes uitgedrukt. Nee, ik zou niemand vertellen wat ze me had gegeven.
Er werd op mijn deur geklopt. Ik schoof het stapeltje snel in een bureaula, die ik met een klap dichtschoof.
'Kom binnen,' zei ik.
Het was mijn partner, Beth Derringer.
'En, wat is er aan de hand?'
'Niets.'
Ze staarde me aan alsof ze dwars door me heen kon kijken. 'Waar was je vanmorgen?' vroeg ze, terwijl ze haar hoofd een beetje schuin hield.
'Ik deed mijn vader een plezier.'
'Je deed je vader een plezier? Het moet niet gekker worden.'
'Ja, ik stond ook verbaasd van zijn verzoek. Een oude vrouw wil dat ik een schikking tref voor haar zoon.'
'Heb je hulp nodig?'
'Nee. Het zou een fluitje van een cent moeten zijn, tenminste, als de FBI niet verdacht veel interesse voor hem had getoond.'
'Heb je een voorschot gekregen?'
'Nog niet.'
'Dus je hebt de zaak aangenomen zonder voorschot? Dat is niets voor jou.'
'Ik doe mijn vader een plezier.'
'Dat is ook niets voor jou. Wat zit er in die la?'
'Welke la?'
'De la die je dichtkwakte toen ik op de deur klopte.'
'Alleen papieren.'
Ze keek me onderzoekend aan alsof ze inschatte of het nut had om erover door te gaan en besloot er kennelijk van af te zien – wat een enorme opluchting was – en liet zich in een stoel voor mijn bureau zakken.
Beth Derringer was de beste vriendin die ik had en mijn zakenpartner, en als mijn zakenpartner had ze recht op de helft van het voorschot van Zanita Kalakos. Begrijp me goed, het is niet zo dat ik haar een poot wilde uitdraaien omdat ik verblind was door de zucht naar goud, maar Beths ethische opvattingen waren niet zo flexibel als de mijne. Als ik haar vertelde wat mevrouw Kalakos mij gegeven had, zou ze ongetwijfeld informeren naar de herkomst van het spul, en dan zou ze zich genoodzaakt voelen om het hele handeltje over te dragen aan de politie. Zo'n soort vrouw was ze. Maar ik ging ervan uit dat de juwelen lang geleden van een stelletje rijke stinkerds waren gestolen die allang door hun verzekeringsmaatschappijen schadeloos waren gesteld en ik voelde niet de minste behoefte om mijn Robin Hood-neigingen de kop in te drukken. Zo had Robin Hood het toch ook gedaan, de verzekeringsmaatschappijen bestelen en de buit aan de advocaten geven? Daarom zouden de juwelen veilig op hun geheime plekje in mijn bureaula

blijven tot ik de kans kreeg om ze in contant geld om te zetten. Ik had al een ideetje hoe ik dat voor elkaar kon krijgen.
'Er komt vanmiddag een cliënte langs. En ik wil graag dat jij erbij bent,' zei ze.
'Eentje die betaald heeft?'
'Ze heeft betaald wat ze kon.'
'Dat klinkt niet best.'
'Wil je liever praten over het voorschot dat je niet hebt gekregen van die oude vrouw?'
'Nee. Ga je gang. Vertel maar.'
'Haar naam is Theresa Wellman. Ze heeft in een dip gezeten en is haar dochter kwijtgeraakt.'
'Kwijtgeraakt als in: misschien zoekgeraakt onder het bed of zo?'
'Ze is de voogdij kwijtgeraakt aan de vader.'
'En wat is het dipje dat die overtrokken reactie tot gevolg had?'
'Alcohol, verwaarlozing.'
'Aha, de dubbele jackpot.'
'Maar ze is veranderd. Ze heeft haar leven gebeterd, een baan gezocht en een huis gehuurd. Echt, ik heb bewondering voor haar. En nu wil ze ten minste gedeelde voogdij over haar dochter.'
'En wat wil de dochter?'
'Geen idee. Niemand mag met haar praten van de vader.'
'En waarom bemoeien wij ons ermee?'
'Omdat ze een vrouw is die uit de goot is opgekrabbeld en nu voor haar dochter vecht met een man die geld en invloed achter zich heeft staan. Ze heeft iemand nodig die haar bijstaat.'
'En dat zijn wij?'
'Daarom zijn we toch rechten gaan studeren, of niet soms?'
Ik wierp een blik op mijn bureaula. 'Niet echt.'
'Victor, ik heb haar gezegd dat ik mijn uiterste best zou doen om haar dochter terug te krijgen. En daar kan ik wel een beetje hulp bij gebruiken.'
Ik dacht er een paar tellen over na. De zaak stond me niet aan, voor geen meter. Ik bedoel maar, wie weet in vredesnaam welke ouder het best geschikt is om een kind op te voeden? Ik zat niet op die verantwoordelijkheid te wachten. Maar Beth leek de laatste tijd geen voldoening meer te scheppen in haar werk. Ze had niets tegen me gezegd, maar ik voelde de ontevredenheid in haar. Ik maakte me steeds meer zorgen dat ze een punt wilde zetten achter onze samenwerking en op zoek zou gaan naar iets wat haar meer voldoening zou schenken, waardoor ik in mijn eentje achterbleef. Ik was bang dat ik de zaak niet in mijn eentje draaiende kon houden, ik wist niet eens of ik dat wel wilde. De enige reden waarom ik zou voortploeteren, was dat ik geen flauw idee had wat ik anders zou moeten doen. Dus als ik

mijn partner kon behouden door haar bij een van haar liefdadigheidsprojecten te helpen, had ik weinig keus.
'Oké,' zei ik. 'Ik kom er wel bij zitten.'
'Bedankt, Victor. Je mag haar vast. Dat weet ik gewoon.' Ze was even stil. 'En dan is er nog iets.'
'Dat klinkt niet best.'
'Dat is het ook niet.' Ze wendde zich gegeneerd van me af. 'Ik word uit mijn huis gezet.'
'Dat is zeker niet best. Heb je je rock-'n-rollmuziek weer voluit gedraaid?'
'Dat ook, maar daar gaat het niet om.'
'Ik weet zeker dat we wel wat geld uit de zaak kunnen schrapen om achterstallige huur te betalen.'
'Dat is het niet. Geloof het of niet, maar ik ben helemaal bij met mijn huur. Maar nu de onroerendgoedmarkt zo gunstig is, heeft de woningcorporatie nieuwe plannen. Ze willen het gebouw renoveren en elke verdieping voorzien van luxueuze appartementen die ze voor obsceen hoge prijzen denken te verkopen. Ik zit in de weg.'
'Hoe staat het met je huurcontract?'
'Dat loopt volgende maand af. Ze hebben me een brief gestuurd en aangekondigd dat ik eruit moet.'
'Wanneer was dat?'
'Een maandje geleden of zo.'
'Waarom heb je het me toen niet verteld?'
'Ik weet het niet. Ik denk dat ik hoopte dat als ik de brief negeerde, de hele toestand zou overwaaien. Maar dat is niet gebeurd en de datum dat ik eruit moet, komt nu wel heel dichtbij.'
'Hoe zit het met de andere huurders?'
'Die zijn hun verhuizing aan het voorbereiden. Maar ik wil niet weg. Ik ben gek op mijn appartement. Ik wil nergens anders wonen. Kan ik het niet op de een of andere manier tegenhouden?'
'We gaan in elk geval een bezwaarschrift indienen. Er bestaan allerlei bizarre huurwetjes. We houden ze maandenlang bezig, torpederen hun hebberige plannetje en maken hun leven tot een hel. Dat is een van de leuke dingen van ons vak, toch? Dat soort klootzakken in het stof laten bijten?'
'En wat zijn de andere leuke dingen?'
'Daar ben ik nog niet achter. Geef mij die brief, dan zal ik een bezwaarschrift indienen.'
'Bedankt, Victor.' Ze stond op. 'Ik voel me meteen een stuk beter.'
'Maak je geen zorgen, Beth. Het komt in orde.'
Bij de deur draaide ze zich om. Er lag een flauwe glimlach om haar lippen. 'Ik wist wel dat ik op je kon rekenen.'
Arme meid, dacht ik, toen ik de hoopvolle uitdrukking op haar gezicht zag.

Je zult op zoek moeten naar een ander huis. Nadat ze de deur achter zich had dichtgetrokken, opende ik mijn bureaula weer om nog een blik op mijn verborgen schat te werpen.
Daarna schraapte ik al mijn moed bij elkaar en belde ik Slocum.
'Je hebt je wel in een wespennest gestoken, Carl,' zei K. Lawrence Slocum, die de scepter zwaaide over de afdeling Moordzaken van het OM.
'Ik weet niet waar je het over hebt,' loog ik.
'De FBI heeft ons in paniek opgebeld om erachter te komen wie jij was. Volgens de FBI heb jij vanmorgen ene mevrouw Kalakos een bezoekje gebracht.'
'Is dat zo?'
'Doe niet zo bijdehand. Dat past niet bij je.'
'Hoe weten ze zo zeker dat ik het was?'
'Hoe ze dat zo zeker weten? Dat zal ik je vertellen. Ten eerste hebben ze vanuit hun surveillancebusje een foto van je gemaakt. Toen je binnen was, hebben ze je auto gevonden en de kentekenplaat nagetrokken. En vervolgens hebben ze het telefoontje naar het alarmnummer nagetrokken dat ervoor zorgde dat er een stel dienders op hun mensen werd afgestuurd die aan het posten waren.'
'Zo dus.'
'Waar ben je in verzeild geraakt, Carl?'
'Nergens in, echt niet. Ik ben zo onschuldig als een pasgeboren lammetje.'
'Waarom heb ik het gevoel dat je liegt?'
'Omdat je een moeilijke jeugd hebt gehad en nooit geleerd hebt om anderen te vertrouwen.'
'Waar hebben jij en die oude vrouw het over gehad?'
'Dat valt onder de geheimhoudingsplicht die ik als advocaat tegenover mijn cliënten heb.'
Het was stil aan de andere kant van de lijn. 'Daar was ik al bang voor.'
'Maar ik zou graag willen weten wat jij over haar zoon weet.'
'Charlie de Griek?'
'Je hoeft niet meteen met racistische labels te gooien, Larry.'
'Zo werd hij in de bende genoemd. Charlie de Griek.'
'Bende?'
'De Warrick-bende. Ooit van gehoord?'
'Nee.'
'Een plaatselijke bende die genoemd is naar hun leiders, twee psychopathische juwelendieven. Twee broers. Ze gingen heel geraffineerd te werk en waren verantwoordelijk voor een golf aan inbraken, inclusief een paar spectaculaire juwelendiefstallen die plaatsvonden in chique villa's van Newport, Rhode Island tot aan Miami Beach. Ze opereerden vanuit Camden en Philadelphia, vandaar dat wij ze ook in de gaten hielden.'
'Zijn ze nog steeds bezig?'

'De broers zijn uit de roulatie, de ene is dood en de ander zit in Camden in de gevangenis. Maar er zwerven nog een paar bendeleden rond die zich met allerlei criminele activiteiten bezighouden in het noordoostelijke deel van de stad. We krijgen ze maar niet achter de tralies.'
'Maar waarom hebben jullie bij Moordzaken een dossier over die gasten?'
'Elke keer dat er een getuige opduikt die misschien iets interessants heeft te vertellen, legt de getuige het loodje. Hij drijft rond in de rivier of wordt dood aangetroffen in zijn auto. Een vent opende de kofferbak van zijn auto en kreeg zijn gezicht vol lood omdat er een geweer op scherp stond in zijn kofferbak.'
'Akelig.'
'Het onderzoek naar de bende en naar de moorden loopt nog steeds.'
'En hoe past Charles Kalakos in dat plaatje?'
'Hij was een van de oorspronkelijke bendeleden. Hij werd vijftien jaar geleden gearresteerd op verdenking van een hele reeks misdaden, maar hij wist op de een of andere manier het geld bij elkaar te krijgen voor zijn borgtocht en toen verdween hij voor de zaak voor de rechter kwam. Sindsdien is er nooit meer wat van hem gehoord.'
'Dat verklaart niet waarom de FBI nog steeds achter hem aan zit.'
'Omdat een federale aanklaagster, ene Jenna Hathaway, vastbesloten schijnt te zijn die Warrick-bende voor eens en altijd achter de tralies te zetten. En zij gelooft dat Charlie de Griek een sleutelfiguur is in het geheel. Ik heb het gevoel dat die Hathaway harde bewijzen tegen Charlie wil hebben, zodat ze hem onder druk kan zetten voor iets anders. Iets wat helemaal niets met de Warrick-zaak heeft te maken.'
'Dat is vreemd.' Zou dat met de bewuste grap te maken hebben? 'Heb je enig idee wat dat kan zijn?'
'Nee, maar ik krijg er een ongemakkelijk gevoel van. Er is zoveel belangstelling voor die vent dat het nooit om iets kleins kan gaan. Iedereen die tussen Charlie en Jenna Hathaway terechtkomt, wordt geplet. Geloof me. Ik zou er nog maar een keertje goed over nadenken voor je de zaak van die sukkel aanneemt.'
Ik dacht na over zijn woorden, opende mijn bureaula en wierp er een blik in.
'Eerlijk gezegd, Larry, heb ik niet veel keus.'
'Ik heb je gewaarschuwd.'
'Ik neem de zaak alleen aan om mijn vader een plezier te doen.'
'Om je vader een plezier te doen?'
'Ja.'
Hij lachte. 'Nu weet ik zeker dat je liegt.'
Toen hij ophing, wierp ik nog een blik op de schat in mijn la. Ik floot bewonderend. Zo moet Trump zich voelen als hij voor het raam van zijn

penthouse staat met zijn modelechtgenote aan zijn arm en naar alle gebouwen kijkt die hij bezit. Misschien ook niet, maar ik vond het geweldig aanvoelen. Ik had nu een aardig idee waar de juwelen vandaan kwamen: uit de villa's in Newport en de chique strandhuizen in Miami Beach. Ja, ik wist waar ze vandaan kwamen en ook waar ze naartoe gingen. Ik pakte mijn sleutelbos, haalde de sleutel van mijn bureau tevoorschijn en sloot de la af.

Nu hoefde ik alleen nog uit te vogelen hoe ik die lieve Charlie veilig naar huis kon brengen. Dat kreeg ik wel voor elkaar, dacht ik, en dat was niet de laatste keer in deze zaak dat ik de plank volledig missloeg.

4

'Ik ben een ander mens geworden, meneer Carl,' zei Theresa Wellman. 'Gelooft u me alstublieft.'

Waarom? Waarom zou ik dat geloven? Omdat ze knap was en een leuk jurkje droeg dat strak om haar heupen spande? Omdat ze in haar slanke handen wrong als teken van oprechtheid? Omdat haar ogen en stem me smeekten elk woord dat uit haar mooi gevormde mondje kwam, te geloven? Het was allemaal heel fascinerend, dat geef ik toe, maar niet genoeg om mijn twijfels weg te nemen.

Ik betwijfelde eerlijk gezegd of iemand die zijn tienerjaren achter zich had liggen, nog wel kon veranderen. We waren allemaal gevangenen van onze eigen aard en waren niet in staat om te veranderen. Wanneer we zeiden dat we veranderd waren, bedoelden we in feite dat de omstandigheden in ons voordeel waren veranderd. Plaats ons terug in de oude situatie en we zouden meteen terugvallen in ons oude gedrag. Daar was ik van overtuigd en daarom geloofde ik Theresa Wellman niet helemaal.

'Ik heb in het verleden fouten gemaakt, dat geef ik toe,' zei ze. 'Maar ik ben veranderd. Ik ben haar moeder en ze hoort bij mij.'

We zaten in onze nogal sjofele vergaderkamer. Beth zat naast Theresa Wellman; ik stond in de hoek met mijn armen over elkaar. Je zou kunnen zeggen dat Beth de vriendelijke advocaat speelde en ik de advocaat van de duivel, alleen was het niet gespeeld.

'Vertel het hele verhaal maar, Theresa,' zei ik. 'En begin met de vader. Hoe heet hij?'

'Hij heet Bradley Hewitt. Ik ontmoette hem toen ik twintig was en bij een Toyota-dealer werkte. Hij wilde een Lexus kopen en maakte een praatje met me terwijl hij op de verkoper wachtte. Die middag belde hij me op. Eigenlijk mocht ik geen afspraakjes met klanten maken, maar ik kon geen nee zeggen. Hij was lang, knap, rijk, en gaf zijn geld gemakkelijk uit. Ik vond het opwindend om alleen al bij hem te zijn.'

'Dus het was zijn innerlijke schoonheid die je aantrok.'

'Ik was jong, meneer Carl, en had nog nooit een afspraakje gehad met iemand als hij. Zoals hij praatte, zoals hij zich kleedde, en zoals hij me aanraakte, teder maar vastberaden. Hij was ouder, hij wist dingen, en voor de prijs van een van zijn pakken koopt een ander een auto. In die tijd woonde ik nog thuis. Mijn ouders waren heel beschermend en daar verzette ik me met hand en tand tegen. Bradley leek mijn uitweg. Hij installeerde me in een leuk flatje, hielp met de huur en een tijd lang was het fantastisch. Maar dat veranderde.'

'Zo gaan die dingen meestal,' zei ik.

'Bijna elke avond feestten we met zijn vrienden. We gingen regelmatig op vakantie met een oud studievriendje van hem en dat waren geweldige tijden. Zijn vrienden waren allemaal mensen die strooiden met geld. Champagne, kreeft, en ja, ook drugs, maar nooit rare drugs, en nooit overdreven. We deden het gewoon voor de lol. Bradley was een echte charmeur en je kon ontzettend met hem lachen, behalve als hij boos was en gewelddadig werd. In het begin heb ik die kant van hem weinig gezien, later kwam dat steeds vaker voor. Als hij boos was om iets kon hij vreselijk uithalen, als er anderen bij waren alleen met woorden, maar als we alleen waren, gebruikte hij daar ook weleens zijn vuisten voor.'

'Heeft iemand ooit gezien dat hij je sloeg?'

'Nee, zo voorzichtig was hij wel. En naderhand had hij altijd spijt. Dan vroeg hij me of ik hem wilde vergeven en deed hij heel lief.'

'Wat voor soort werk doet hij?'

'Hij zit in de bouw, maar niet als bouwvakker of zo. Hij draagt een pak en sluit deals met behulp van zijn studievriend. Hij zorgt ervoor dat een project van de grond komt en krijgt een bepaald percentage van de totale projectkosten omdat hij de hele zaak heeft opgezet.'

'Klinkt niet verkeerd.'

'Het was niet altijd rozengeur. Als het zakelijk gezien niet lekker liep, leerde ik uit de buurt te blijven want anders moest ik wekenlang mijn blauwe plekken met make-up maskeren. Toch vond ik het een fantastisch leven. Ik had nooit gedacht dat ik zo zou leven met een man van wie ik dacht te houden, hoewel hij niet altijd lief voor me was. Ons leven verliep rustig met af en toe wat opwinding en een beetje gevaar. En toen werd ik zwanger.'

'Hoe reageerde Bradley?' vroeg Beth.

'Eerlijk gezegd, reageerde hij nauwelijks. Hij ging er gewoon van uit dat ik abortus zou laten plegen. Hij maakte de afspraak en zorgde voor het geld. Maar ik wilde geen abortus. Ik wilde de baby.'

'Waarom?' vroeg ik.

'Ik weet het niet.'

'Om Bradley vast te houden? Zodat de geldkraan openbleef? Waarom wilde jij die baby, Theresa?'

'Ik weet het niet. Het was een baby. Ik wilde altijd al een baby en was niet van plan me ervan te ontdoen alsof het een oude trui was of zo.'

'Het is goed, Theresa,' zei Beth. 'Ik begrijp het.'

Ik keek naar mijn partner. Begreep ze die intense kinderwens echt? Was dat

de reden dat ze tegenwoordig zo moedeloos leek of was ik gewoon een klootzak omdat ik me er zo gemakkelijk vanaf maakte door dat te denken?
'Vertel verder, Theresa,' zei Beth.
'Hij probeerde me over te halen, hij schreeuwde en sloeg me zelfs, maar ik was vastbesloten en hij kon me niet ompraten. Toen dat eindelijk tot hem doordrong, stopte hij.'
'Hij stopte, als in: hij probeerde je niet langer over te halen?'
'Ja. En hij stopte ook met onze relatie. Hij verdween uit mijn leven. Ik stopte met drinken, zorgde goed voor mezelf, en mijn familie steunde me. Ik kreeg een prachtig dochtertje, Belle. En een tijdje waren we heel gelukkig.'
'Betaalde Bradley mee aan de opvoeding?'
'Als ik belde en klaagde, kreeg ik af en toe wat geld voor Belle, maar niet genoeg. Ik zat nog steeds in mijn flat, die eigenlijk te duur voor me was. En omdat ik voor de baby moest zorgen, was ik niet altijd op tijd voor mijn werk. Op een gegeven moment kreeg ik de zak en toen werd het nog moeilijker. Ik had geen beroep geleerd. Daarom besloot ik tot een wanhoopsdaad.'
'En wat was dat, Theresa?'
'Ik nam een advocaat in de arm.'
Onwillekeurig kromp ik ineen. 'En wat leverde dat op?'
'Een hoop ellende. We spanden een kort geding aan om kinderalimentatie voor Belle te eisen. Bradley diende een tegeneis in. Hij wilde de voogdij over Belle, dat maakte me razend, omdat hij voor die tijd nooit interesse in haar had getoond. En toen liep het helemaal fout.'
'Wat bedoel je?' vroeg ik.
'Het was doorgestoken kaart. Ja, ik had problemen. Ik dronk te veel, dat was nog een overblijfsel uit mijn tijd met Bradley, en ik gebruikte af en toe wat drugs met een paar mensen aan wie hij me had voorgesteld. En ja, het is een paar keer gebeurd dat ik haar even alleen heb gelaten. Dat had ik niet moeten doen, maar alles bij elkaar was het niet ernstig genoeg om mijn kind van me af te nemen.'
'Maar dat deden ze wel,' zei ik.
'Dat waren ze van plan. Voor de hoorzitting vertelde mijn advocaat me dat het er niet best uitzag, dat de andere partij overwoog me van strafbare feiten te beschuldigen en dat invloedrijke personen me tegenwerkten. Hij drong erop aan dat ik een schikking zou treffen.'
'Invloedrijke personen?'
'Bradley heeft invloedrijke vrienden.'
'Dus je zag af van de voogdij?'
'Ik ben in de gang van de rechtbank op Bradley afgestapt. Hij was met een groep vrienden en waar iedereen bij was heb ik hem gesmeekt ermee op te houden. Maar Bradley bleef ijskoud, hij was woest. Ik kon niet geloven dat

de kans bestond dat mijn dochter, mijn Belle, bij zo'n agressieve, gewelddadige man in huis zou komen. Mijn advocaat zei dat ik geen keus had. Het was doorgestoken kaart.'

'Als je het over doorgestoken kaart hebt, bedoel je dan de rechtszaak?'

'Ja. Dat weet ik zeker. Het was zijn studievriend die daarvoor gezorgd had.'

'Dus je gaf je dochter gewoon weg. Je hebt niet eens de hoorzitting afgewacht.'

'Ik was zwak. Ik was ziek.'

'Heb je geld gekregen?'

'Er was een financiële regeling.'

'Dus je hebt je dochtertje verkocht en nu wil je haar terug.'

'Zo was het niet. En ik ben van de drank en de drugs af, meneer Carl. Ik heb een nieuwe baan. Ik heb hard gewerkt om mijn leven weer op orde te krijgen. Ze hoort bij mij.'

'Ik heb een verzoekschrift ingediend om de voogdij te wijzigen,' zei Beth. 'De hoorzitting is eind volgende week.'

'Wat wil je nu eigenlijk, Theresa?'

'Ik wil gewoon mijn dochtertje terug.'

'We dienen een verzoek in om gedeelde voogdij,' zei Beth.

'Bradley is geen slechte vader,' zei Theresa, 'maar een dochter heeft haar moeder nodig, vindt u ook niet?'

'Wie is Bradleys advocaat?'

'Herinner je je Arthur Gullicksen van de Dubé-zaak nog?' vroeg Beth. 'Hij vertegenwoordigt de vader en hij zegt dat Bradley er niet over peinst om de voogdij te delen met Theresa. Hij wil niet eens dat ze het kind ziet.'

'Wat hebben we aan bewijsstukken?'

'Theresa's getuigenis,' zei Beth. 'Haar nieuwe werkgever. En de uitslagen van de drugstests in de kliniek wijzen allemaal uit dat ze clean is. We kunnen bewijzen dat ze veranderd is.'

'Kunnen we dat?'

'Jij kunt dat,' zei Beth.

'Theresa, waarom heb je bij Beth aangeklopt?' vroeg ik.

'De vrouwengroep waar ik bij zat, raadde haar aan. Ze zeiden dat Beth haar uiterste best voor me zou doen.'

'Op die manier.' Eens een sukkel, altijd een sukkel, schoot door mijn hoofd. 'Ik weet zeker dat er bosjes advocaten zijn die meer ervaring hebben met voogdijzaken dan Beth. En die willen jouw zaak vast wel aannemen.'

'Dat heb ik geprobeerd. Niemand wilde. Ze zeiden dat ik niet genoeg geld had. Ze zeiden dat ik geen poot had om op te staan. Volgens mij waren ze gewoon bang om het tegen Bradley op te nemen.'

'Waarom dan?'

'Vanwege zijn vrienden.'

'En vooral zijn oude studiemaatje?'
'Precies.'
'Degene die Bradley al die projecten bezorgt, degene die ervoor gezorgd heeft dat de rechtszaak doorgestoken kaart was? Die al die advocaten heeft geïntimideerd om jouw zaak niet te nemen? Vertel je me nog wie dat is, of moet ik ernaar blijven raden?'
'Bent u niet snel geïntimideerd, meneer Carl?'
'Theresa, als het om intimidatie gaat, ben ik net een olifant. Ik sla al op hol als ik een muis zie. En ik weet zeker dat Bradleys oude studiemaatje heel wat imposanter is dan een muis.'
'Het is de burgemeester,' zei Beth.
'Wie anders,' zei ik. 'Kan ik je even op de gang spreken, Beth?'
Toen ik de deur van de vergaderzaal achter ons had dichtgetrokken, draaide ik me naar Beth toe en gaf ik haar de blik. Je kent die blik wel, de blik die je moeder je vroeger gaf als je de badkuip liet overstromen waardoor het water via het plafond de woonkamer blank zette, met het gevolg dat de koffietafel en de vloerbedekking bij het oud vuil konden. Die blik.
'Waar ben je in vredesnaam mee bezig?'
'Ze heeft iemand nodig.'
'Natuurlijk heeft ze iemand nodig, dit is haar finaal boven het hoofd gegroeid. Maar waarom heeft ze ons nodig?'
'Omdat niemand anders stom genoeg is om die zaak aan te nemen.'
'Dus in dit geval doe je een beroep op mijn stupiditeit en niet op mijn hebzucht en belazerde ethische normen.'
'Dat klopt.'
'We halen ons een paar machtige vijanden op de hals, dat besef je toch wel, hè?'
'Ja.' Ze glimlachte plagerig naar me.
'En het is niet zo dat jij jezelf herkent in een jong meisje dat bij een van haar ouders is weggesleurd?'
'Geen idee, misschien heb ik gewoon een zwak voor vermiste kinderen.'
'Ze wordt niet vermist, ze is bij haar vader.'
'Zo te horen is dat een klootzak.'
'Ja, als je gelooft wat onze cliënte zegt.'
'Ik geloof dat Theresa een tweede kans verdient,' zei Beth. 'Iedereen verdient een tweede kans, Victor. En ze is veranderd.'
'Echt?'
'Dat denk ik wel.'
'Daar zullen we nog wel achter komen. Oké, vertel maar dat we haar zullen helpen' – ik keek snel op mijn horloge – 'maar nu moet ik ervandoor.'
'Heb je een afspraakje?'
'Ja,' zei ik, 'met een zeemeeuw.'

5

Charlie de Griek vond mij. Ik leunde over de balustrade op de promenade in Ocean City, New Jersey, tegenover het ijskraampje dat bij de ingang vanaf 7th Street stond. Ik snoof de zilte lucht op, om me heen flikkerden de lichtjes van de kermis, het reuzenrad draaide, en boven mijn hoofd zwermde een troep zeemeeuwen. Kinderen schreeuwden van plezier en trokken hun ouders van de ene naar de andere attractie en stoere knullen kochten skimboards bij de surfshop. Patattentjes, popcornkraampjes, ijsverkopers. Zomer aan het strand. Het bracht zoete herinneringen boven aan een idyllische jeugd. Helaas waren het niet mijn herinneringen en niet mijn jeugd.
'Ben jij Carl?' vroeg iemand op gejaagde, schorre toon. Zijn accent maakte duidelijk dat hij uit het noordoostelijke deel van Philadelphia kwam.
Ik draaide me om en zag een kleine, oude man met korte armpjes, die naast me was komen staan. Zijn voorhoofd kwam ongeveer tot mijn elleboog. Ik schatte hem in de zestig en zo te zien waren het zestig zware jaren geweest. Hij had een groot, rond en kaal hoofd, kleine oogjes, droeg witte sokken in zijn sandalen en had zijn geruite korte broek tot ver boven zijn middel opgesjord.
'Ik ben Carl,' zei ik.
'Je valt wel op, zeg! Waarom heb je niet iets anders aangetrokken?'
'Had je geweten wie ik was als ik geen pak had gedragen?'
'Misschien niet. Maar, jezus, wat zie je eruit.' Zijn hoofd draaide van links naar rechts en zijn ogen schoten nerveus heen en weer. 'Zelfs de grootste idioot hier heeft je in de peiling.'
'Zal ik je eens wat zeggen, Charlie? Zelfs op het strand zou jouw korte broek meer opvallen dan mijn pak.'
'Het is een bermuda,' zei hij en hij sjorde zijn broek nog verder omhoog. 'Hij was in de uitverkoop bij Kohl's.'
'Dat geloof ik graag.'
'Heeft iemand je gevolgd? Heb je opgelet of je niet gevolgd werd?'
'Wie zou mij nu volgen?'
Hij keek weer nerveus om zich heen. 'Ik maak geen geintjes, dus vertel op.'
'Dat heb ik gecontroleerd voor ik de stad verliet en nog een keer toen ik onderweg een parkeerplaats langs de snelweg op schoot. Niemand te zien.'

'Mooi zo.' Hij was even stil. 'Hoe is het met mijn moeder?'
'Ze is stervende.'
'Die ouwe tang is al jaren stervende.'
'Ze zag er echt slecht uit.'
'Die heeft er nog nooit goed uitgezien. Geloof me, die leeft nog als ik allang in mijn graf lig.'
Hij trok zijn korte broek omhoog tot net onder zijn oksels en liet zijn ogen over de promenade dwalen. 'Weet je waarom ik hem al die jaren geleden gesmeerd ben? Zo lang hoefde ik ook weer niet achter de tralies te zitten, daar ging het niet om. Maar zij zou elke bezoekdag komen opdraven om me er vanachter het glas van langs te geven. Dat zag ik niet zitten. Halverwege zo'n preek zou ik me van kant hebben gemaakt.'
'Ze wil dat je naar huis komt.'
'Dat weet ik.'
'En?'
'Heeft ze je gezegd wat me dan te wachten staat?'
'Ze heeft er wel iets over verteld. En de openbare aanklager heeft me ook het een en ander ingefluisterd.'
'Als ik naar huis kom, kan ik het wel schudden. En niet alleen omdat ik dan de cel indraai. Ik mag al blij zijn als ik het overleef.'
'Vanwege de Warrick-bende?'
'Zachtjes een beetje. Of wil je dat ik hier ter plekke koud gemaakt word?'
'Weet je, Charlie, op mij kom je niet over als een gangstertype.'
'Dat zijn niet allemaal van die enorme kleerkasten. Ik mag dan geen grote brede vent zijn, maar dat was Meyer Lansky ook niet.'
'Zelfs Meyer Lansky was groter dan jij.'
'Ik wilde alleen iets duidelijk maken, dat is alles. En ik beschik over zekere kwaliteiten, neem dat maar van me aan.'
'Waarom heeft die Warrick-bende het op jou gemunt?'
'Omdat ik misschien iets tegen bepaalde mensen heb gezegd. Hé, ik heb wel trek in een ijsje. Wil je even een ijsje halen?'
Ik haalde diep adem, zuchtte en zei: 'Best. Welke smaak?'
'Vanille. Met een topping van M&M's. Ik ben dol op al die kleuren. Dat staat zo vrolijk. Net een feestje in je mond.'
'Komt voor elkaar.'
'En niet zo'n trutterig klein ijsje.'
Ik draaide me om en ging in de rij staan bij het ijskraampje. Ik wilde weg van zijn geklaag. Niet dat hij geen recht had om te klagen. Ik hoefde alleen maar aan de moeder te denken die op hem wachtte. Maar als hij besloot om niet mee terug te komen, zou ik de roofbuit in mijn la moeten teruggeven. Aan de andere kant was het misschien voor iedereen beter als hij wegbleef, gezien de niet-aflatende interesse die de FBI voor hem toonde en als ik in

overweging nam wat Charlie over zijn voormalige bendemaatjes had verteld.
'Hou je niet van ijs?' vroeg Charlie, toen ik hem een ijsje bracht dat bijna half zo groot was als hij.
'Als ik een ijsje neem, druipt er altijd wel wat op mijn schoenen.'
'Dan moet je sandalen kopen, daar glibbert het gewoon doorheen.'
'Charlie, waarom ben ik hier eigenlijk? Zo te horen peins je er niet over om naar huis te komen.'
'Daar heb je gelijk in, maar toch.'
'Maar toch wat?'
'Mijn moeder. Ze zegt dat ze wil dat ik afscheid kom nemen. Ze zegt dat alles vergeven en vergeten is als ze me nog één keer kan zien.'
'En hoe zit het met jou?'
'Ik heb er genoeg van om altijd op de vlucht te zijn. En het is ook niet zo dat ik als Riley leef, snap je wel?'
'Wie is Riley in godsnaam?'
'Dat is iemand die niet van motel naar motel zwerft en vloeren moet vegen om zijn brood te verdienen. Hij kan bijna niet wachten tot hij vijfenzestig is en een pensioentje krijgt. Hij hoeft niet bang te zijn dat er ineens iemand voor de deur staat die niet om de huur vraagt of de ratten een kopje kleiner komt maken, maar het liefst hem een kopje kleiner zou maken.'
Ik zag een vader die zijn drie kinderen meenam naar een bankje bij de balustrade om hun ijsjes op te eten. De gezichten van de kinderen zaten onder de chocola. De jongste jankte om iets, de middelste sloeg de oudste, en de vader negeerde alle drie en zat met open mond de minderjarige meisjes na te kijken die langsliepen. Ach, de geneugten van het vaderschap.
'Kun jij die zaak voor me regelen?' vroeg Charlie.
'Dat weet ik niet.'
'Mijn moeder zei van wel.' Hij nam een lik van zijn ijsje. 'Ze zei dat jij het voor elkaar kon krijgen.'
'Ik weet niet of me dat wel lukt. Het ligt wat gecompliceerder dan ze misschien dacht.' Ik keek even naar het gezinnetje. 'Laten we een wandelingetje langs het strand maken.'
'Ik wil niet over het strand lopen. Dan krijg ik zand in mijn sokken en dat schuurt langs mijn tenen.'
'Misschien dat een beetje meer privacy niet verkeerd zou zijn, denk je ook niet?'
Charlie keek weer eens nerveus om zich heen. Hij wierp een blik op de vader en de drie kinderen die links van ons zaten en een halve seconde later schoten zijn ogen naar een jong stel dat bij een bankje rechts van ons stond.
'Oké, dan.'
We namen de houten trap naar het strand. Charlie struikelde halverwege en

schoot met een ruk naar voren. Hij wist de metalen trapleuning te grijpen, maar deed dat zo wild dat het ijs uit zijn hoorntje schoot en op de trap spetterde.
'O, nee, hè. Mijn ijsje.'
Hij staarde verdrietig naar zijn lege hoorntje en de kwak ijs aan zijn voeten. De lichtjes van de promenade beschenen hem van achteren en vormden hem tot een rond, kaal silhouet. Hij leek net een overmaatse kleuter die op het punt stond in huilen uit te barsten.
'Zal ik een nieuwe voor je halen?'
'Meen je dat serieus? Wil je dat echt doen?'
'Ik zie je zo wel bij het water.'
Charlie stond aan de vloedlijn net buiten het bereik van het water op me te wachten. De zee was zwart en het schuim vormde witte, fosforescerende strepen die dansten op de golven. De geluiden van de promenade achter ons vervaagden, alsof ze afkomstig waren uit een oude transistorradio.
'Waarom zit de FBI nog steeds achter je aan, Charlie?' vroeg ik toen ik hem het ijsje overhandigde. Hij likte een paar minuten gulzig aan zijn ijsje en staarde naar het water.
'Misschien vanwege iets wat ik lang geleden heb gedaan.'
'Had dat met de Warrick-bende te maken?'
'Nee. Het was voor die tijd. Toen ik nog op het rechte pad was en iets aan mezelf en mijn moeder wilde bewijzen. Vier jeugdvrienden en ik hebben iets uitgehaald.'
'Een of andere grap, bedoel je dat?'
'Zo zou je het kunnen noemen.'
'Hoe lang geleden was dat?'
'Bijna dertig jaar geleden. Het is een lang verhaal.'
'Ik heb de tijd.'
'Ik kan er niet over praten.'
'Waarom niet?'
'Omdat ik mijn oude maatjes niet verraad, dat verdom ik. Die Warrick-bende kan naar de hel lopen, maar die vrienden waren als familie voor me. En die familie was me liever dan mijn eigen familie, als je begrijpt wat ik bedoel.'
'Vertel me dan over die maten van je.'
'Veel valt er niet te vertellen. We waren met zijn vijven en groeiden samen op.'
'Als broers.'
'Ja. Je had Ralphie Meat, die maar een paar straten verderop woonde. Hij was een beer van een vent, echt, zo'n grote vent heb je nog nooit gezien en hij was spijkerhard. Hij heeft zijn bijnaam niet zomaar gekregen. Die klopte echt. Hij was de schrik van de gymles. Na de les stonden al die knulletjes

met hun kleine pikkies onder de douche en dan werd er met zo'n groot, harig ding onder hun neus gezwaaid. De hele klas is jarenlang in therapie geweest om daar overheen te komen. Ralphie Meat.'
'Leeft hij nog?'
'Hoe moet ik dat nu weten? Ik heb geen flauw idee hoe het met ze gaat. Hugo woonde bij Ralph in de straat. Hij was een herrieschopper, zo eentje die altijd probeert om iemand voor een paar dollar op te lichten. En dan had je Joey Pride, die op de grens van onze buurt en Frankford woonde. Joey was compleet gestoord, misschien moest je dat in die tijd ook wel zijn als je een zwarte knul was die met een paar blanke vrienden optrok. Maar het kwam door Teddy Pravitz, de joodse knul van de overkant, dat we het deden. Hij zei dat we het konden.'
'Wat konden?'
'Dat we het voor elkaar konden krijgen.'
'Dat jullie wat voor elkaar konden krijgen?'
'Ik kan er niet over praten,' zei Charlie.
'Kom nou, Charlie. Wat hebben jullie in jezusnaam uitgespookt?'
'Dat is niet belangrijk. Dat ga ik toch niemand aan zijn neus hangen. Ik ben trouw aan mijn vrienden. En ik ken geheimen, duistere geheimen, snap je? Ze kunnen proberen wat ze willen, maar daar zeg ik niets over.'
'Ik heb met het OM gepraat. Als je helpt om de overgebleven leden van de Warrick-bende achter de tralies te krijgen, willen ze je wel tegemoetkomen, maar de FBI zit kennelijk achter iets anders aan.'
'Dat zal best. Ik weet waar ze achteraan zitten, ik kan er zo de hand op leggen.'
'En wat is dat?'
'Maakt dat wat uit? Ik weet waar het is, het ding dat ze willen hebben.'
'Als dat waar is, kan ik misschien iets regelen.'
'Zou ik dan naar huis kunnen om afscheid te nemen van mijn moeder zonder overhoop geschoten te worden of in de gevangenis te belanden?'
'Ik kan proberen een deal te sluiten en te regelen dat je in het getuigenbeschermingsprogramma terechtkomt, als dat is wat je wilt. Dan zou je bijvoorbeeld een nieuw leven kunnen beginnen in Arizona.'
'Arizona?'
'Dat is een mooie omgeving.'
'Wel heet.'
'Maar droge hitte.'
'Dan heb ik ook niet meer zo vaak holteontsteking.'
'Dat is zo.'
'Ik mis haar.'
'Je moeder?'
Hij draaide zich naar me toe. Wat was het toch bizar dat deze oude man, als

hij in de schaduw stond, zoveel op een klein kind leek. Het licht van de promenade hoopte zich op in zijn ogen en druppelde toen langzaam over zijn wang.
'Wat dacht jij dan? Het is wel mijn moeder.'
'Oké.'
'Ze is stervende. En ik ben te oud om altijd maar op de vlucht te zijn. Ik ben moe. En ik ben veranderd.'
'Jij ook al?'
'Ik ben niet langer die crimineel van vroeger. Kun jij het voor elkaar krijgen? Kun jij zo'n deal sluiten? Kun jij ervoor zorgen dat ik naar huis kan?'
Op dat moment kwam het omhoog, een golf van emotie die mijn kaken liet trillen en me week maakte bij het zien van zijn ellende. Als er één ding was waarin ik uitblonk als advocaat, waar ik een natuurtalent voor had, dan was het wel dat ik ontzettend goed kon meeleven met een cliënt. Ja, ik had een voorschot gekregen waar ik 's nachts bijna natte dromen van kreeg, en ja, ik hield mijn declarabele uren met argusogen in de gaten, maar toch was geld niet mijn drijfveer, althans niet langer. Als ik naar het geld keek dat we met onze praktijk verdienden, kon ik beter als winkelbediende bij de dassenafdeling van Macy's gaan werken. Polyester is de zijde van deze tijd en die rode kleurt fantastisch bij uw ogen. Waar ik echt warm voor liep, was een cliënt in nood en daar was Charlie Kalakos een schoolvoorbeeld van. Zijn dagen leken geteld; hij was aan beide kanten van de wet zijn leven niet zeker; hij was al meer dan vijftien jaar op de vlucht; en hij wilde niets liever dan vrede sluiten met zijn moeder, die hem zijn hele leven getreiterd had. En hij vroeg mij of ik ervoor kon zorgen dat hij naar huis kon.
'Ik kan het in elk geval proberen,' zei ik.
'Best,' zei hij. 'Doe maar.'
'Hoe kan ik je bereiken?'
'Als je me wilt spreken, ga dan naar mijn moeder. Zij is de enige die ik met een telefoonnummer vertrouw.'
'Afgesproken. Maar ik heb informatie nodig. Je moet me vertellen waar de FBI achteraan zit.'
'Heb ik een keuze?'
'Als je een goede onderhandelingspositie wilt, dan niet.'
'Het stelde helemaal niet zoveel voor. Het was eigenlijk maar iets kleins.'
'De FBI denkt daar anders over, anders hadden ze niet zoveel belangstelling voor je.'
'Misschien was het wel niet zo klein. Net als het blondje dat ik altijd een beurt gaf toen ik nog een beetje vlees op mijn botten had. Haar naam was Erma.'
'Alleen al van die naam krijg ik de rillingen.'
'Erma was een forse, mooie meid. Een dijk van een wijf.' Hij glimlachte een

beetje en leek trots te zijn op die ene mooie herinnering in een leven vol infantiele stupiditeit. 'En die stunt die we hebben uitgehaald, was een dijk van een stunt.'
Ik staarde naar zijn silhouet op het donkere strand en voelde opwinding in me opwellen. 'Vertel het maar, Charlie. Waar kun jij in vredesnaam je hand op leggen?'
'Heb je ooit gehoord,' zei Charlie, 'van een vent die Rembrandt heet?'

6

De Randolph Stichting is gehuisvest in een lommerrijke straat in het hart van de Main Line. Een straat waar je een paar villa's zou verwachten, een paar zwembaden en tennisbanen, een raszuivere dalmatiër die patrouilleert over een grasveld ter grootte van een voetbalveld, en kasten vol schoenen die je je niet kunt veroorloven. Je verwacht niet dat daar een van de schitterendste kunstgalerieën ter wereld is gevestigd. Toch is dat zo en dat is te danken aan de iconoclastische vastgoedmagnaat Wilfred Randolph, die op die onopvallende locatie een enorm granieten gebouw had laten bouwen. In een reeks kleine galerieën binnen in dat granieten gebouw hing een aantal van de mooiste schilderijen ooit door mensenhanden gemaakt; het resultaat van Wilfred Randolphs obsessieve passie voor kunst. Je vindt er zijn hele collectie op twee kunstwerken na, die lang geleden verdwenen.

Ik klopte op de grote, rode dubbele deuren van het gebouw en wachtte. Een paar minuten later werd een van de deuren op een kiertje geopend en stak een oude bewaker zijn stompe neus om de hoek van de deur.

'Vandaag zijn we niet open voor bezoekers,' zei hij. 'De galerieën zijn dinsdags gesloten. Bezoekers worden alleen toegelaten op de tweede maandag van de maand en om de andere week op woensdag.'

'Niet op donderdagen?'

'Op donderdagen wordt er lesgegeven.'

'En hoe zit het met vrijdagen?'

'We zijn alleen op Goede Vrijdag geopend.'

'Indrukwekkende openingstijden.'

'Zo heeft meneer Randolph het in zijn testament bepaald.'

'Indrukwekkend testament. Maar ik ben hier niet voor een bezoekje aan de galerieën. Ik heb een afspraak met meneer Spurlock.'

Hij nam me van top tot teen op voor hij op het klembord in zijn hand keek.

'Bent u Victor Carl?'

'Dat klopt.'

'Waarom zei u dat niet? Kom binnen, u wordt verwacht.'

Ik stapte naar binnen en de deur werd met een doffe klap achter me dichtgeslagen en op slot gedraaid. Via een kleine hal ging de man me voor naar een grote zaal met bankjes in het midden en schilderijen aan de muren. Het klinkt zo gewoontjes, schilderijen aan de muren. Dat hebben we allemaal vaak genoeg

gezien. Maar geloof me, wat ik daar onder ogen kreeg had ik nog nooit gezien. Mijn mond viel bijna open toen ik de kunstwerken aan de muur zag.
'Mevrouw LeComte wil u persoonlijk naar meneer Spurlock brengen. Ze komt er zo aan,' zei de bewaker voor hij wegliep. Ik keek met grote ogen om me heen.
Wilfred Randolph had zijn immense rijkdom op de ouderwetse manier vergaard, door moerasland te kopen en dromen te verkopen. De Randolph Estates was het exclusiefste woningbouwproject in Florida; vanwege de mangrovebossen en muskieten woonde er niemand. Toch kochten velen de droom en Wilfred Randolph verdiende bakken met geld. Randolph, die een fortuin had vergaard en vastbesloten was hogerop te komen, ontdekte een opening in het stekelige, bijna ondoordringbare elitaire kunstwereldje en in dat onwaarschijnlijke landschap vond hij zijn levensdoel. Hij besloot kunst te kopen. Zijn bankiers en adviseurs streken als een zwerm uitgehongerde sprinkhanen neer op Europa, dat in de nasleep van de Eerste Wereldoorlog een economische puinhoop was, en hele stukken werden kaalgevreten. Hij kocht werken van oude meesters, ging voorbij aan meesterwerkjes voor bodemprijzen en kocht schilderijen van onbekende kunstenaars die in eigen land nog geen naam hadden gemaakt. Hij had te veel geld en te veel adviseurs om er geen zooitje van te maken, maar hij had ook iets waardoor zijn collectie anders was dan alle andere. Wilfred Randolph had een uitstekend oog voor kunst en de onbekende kunstenaars die hem hun schilderijen voor een habbekrats hadden verkocht, bleken de meesters van de twintigste eeuw te zijn. Om me heen hingen kunstwerken van Matisse en Renoir, van Picasso, Degas en Monet.
'Indrukwekkend, nietwaar?' hoorde ik een vrouwenstem achter me zeggen.
'Is dat een Seurat?' Ik wees naar een groot pointillistisch werk boven een deur aan de andere kant van de zaal.
'Heel goed, meneer Carl.'
'Hoe komt het dat ik die nooit in een naslagwerk over kunst heb gezien?'
De vrouw achter me snoof. 'We staan niet toe dat er foto's van onze kunstwerken worden gemaakt. Meneer Randolph was van mening dat mensen kunstwerken in levenden lijve moesten ervaren.'
Ik draaide me om. De vrouw was lang, kaarsrecht en had prachtig verzorgd, grijs haar. Ze was een goed geklede, goed geconserveerde vrouw van in de zeventig. Je kon zien dat ze vroeger heel aantrekkelijk was geweest met haar smalle gezicht en fijne gelaatstrekken, maar de tand des tijds had zijn sporen achtergelaten.
'Ik ben mevrouw LeComte,' zei ze. 'Ik breng u naar meneer Spurlock.'
'Ik ben er helemaal klaar voor.'
'Wilt u me eerst vertellen wat het doel is van uw bezoek aan meneer Spurlock?'

'Het spijt me,' zei ik, 'dat kan ik niet doen.'
'U bent strafpleiter, nietwaar, meneer Carl?'
'U laat het klinken alsof ik daar straf voor verdien.'
'Ik ben benieuwd waarom een strafpleiter een afspraak heeft met meneer Spurlock in het gebouw van de stichting. Dat is hoogst ongebruikelijk.'
'Zo ongebruikelijk lijkt me dat nu ook weer niet. Maar zoals ik al zei, ik kan er niets over vertellen. Dat valt namelijk onder mijn geheimhoudingsplicht.'
Haar ogen vernauwden zich. 'Ik ben de hoofdbeheerder van de stichting, al meer dan veertig jaar. Ik ben door meneer Randolph aangesteld in deze functie.'
'Zo, zo. Wat voor soort man was hij?'
'Hij was een bijzondere man, heel betrokken en heel loyaal. Hij heeft me persoonlijk de volledige verantwoordelijkheid gegeven over alle zaken die met de stichting te maken hebben en over de educatieve doelstellingen die hij had opgezet. Ik ben ervan overtuigd dat ik uw eventuele vragen zonder problemen kan beantwoorden.'
'Misschien is er een fout gemaakt,' zei ik. 'Ik dacht dat meneer Spurlock de president van de Randolph Stichting was.'
'Dat is zijn titel. Dat klopt. Maar ik heb de leiding over de dagelijkse gang van zaken.'
'Ik praat liever met de titel. Verwacht hij me? Ik wil niet te laat komen.'
Met moeite wist ze haar woede te bedwingen en haar mond vertrok zich tot een dunne streep. 'Deze kant op, alstublieft,' zei ze.
Mevrouw LeComte leidde me door de galerieën op de begane grond en ging me voor op een brede trap naar een galerie op de eerste verdieping, die vol hing met enorme canvasboeketten in uitzinnige kleuren.
'Matisse,' zei ik.
'Ja. Er hangen vijf van zijn werken in deze zaal.'
Ik bleef staan en keek om me heen. 'Ze zijn fantastisch.'
'Als u de kunstwerken wilt bekijken, meneer Carl, moet u een kaartje kopen. Op de tweede maandag van de maand en om de andere week op woensdag zijn we open voor het publiek.'
'En vergeet Goede Vrijdag niet.'
'Meneer Spurlock wacht op u in de vergaderzaal,' zei ze op ijskoude toon. Er is niets zo verfrissend als een kille vlaag woede, toch vroeg ik me onwillekeurig af waar die vlaag vandaan was gekomen en waarom hij op mij was gericht.
'Laten we een keertje samen gaan koffiedrinken,' zei ik tegen haar.
Ze deed een stap naar achteren, hield haar hoofd schuin en nam me van top tot teen op, niet alsof ik een of ander smerig insect in een potje was, maar meer alsof ze zich afvroeg of ik een man was die wat extra tijd waard was.

Ooit was mevrouw LeComte iemand van formaat geweest, dat stond wel vast.
'Misschien,' zei ze, 'als u zich gedraagt. Wilt u nu meekomen? We moeten meneer Spurlock niet laten wachten.'
Mevrouw LeComte klopte op de deur aan het einde van de gang, opende een van de dubbele houten deuren en stapte de vergaderzaal binnen met mij in haar kielzog.

7

Aan een grote mahoniehouten vergadertafel in het midden van de vergaderzaal, die van donkere, houten lambrisering was voorzien, zaten twee mannen te wachten. Een van de twee was een bekende figuur in de plaatselijke orde van advocaten. Stanford Quick was lang, gedistingeerd en droeg een grijs pak en een clubdas. Quick was senior vennoot bij Talbott, Kittredge & Chase, een van de meest vooraanstaande advocatenkantoren in de stad en daarnaast was hij de advocaat van de stichting. Hij leek zo'n advocaat van de oude stempel die zijn plek aan de tafel had geërfd en zich vooral druk maakte over zijn tafelmanieren. Ik had geleerd met dat type advocaat om te gaan en hun subtiele neerbuigendheid hield mijn ingebakken rancune op peil. Ik had Quick gebeld na mijn ontmoeting met Charlie Kalakos en hij was degene die deze afspraak had geregeld. De andere man was kleiner, jonger en aanzienlijk beter gekleed: Jabari Spurlock, president en algemeen directeur van de Randolph Stichting.

'Dank u, mevrouw LeComte,' zei Spurlock, nadat ze me had voorgesteld.

'Wellicht dat ik u bij deze bespreking van dienst kan zijn.' Nu deed ze niet zo hooghartig.

'Dat is niet nodig, mevrouw LeComte,' zei Spurlock. Hij staarde haar aan tot ze vertrok en de deur achter zich sloot. 'Een moeilijke vrouw, maar ze zwaaide hier al de scepter toen ik nog niet eens geboren was. Ga zitten, meneer Carl. We hebben veel te bespreken.'

'Dank u.' Ik ging tegenover de twee zitten. 'Aardig optrekje hebt u hier.'

'Hebt u de stichting nooit eerder bezocht?'

'Nee,' zei ik, 'en dat is ook geen wonder met die bizarre openingstijden.'

'Meneer Randolph heeft de openingstijden in zijn testament vastgelegd,' zei Quick. Hij leek op zijn gemak, zat achterovergeleund in zijn stoel en scheen zelfs een beetje verveeld. 'Wij kunnen dat niet veranderen, hoe graag we dat ook zouden willen. We zijn slechts de beheerders van meneer Randolphs passies en intenties,' zei Spurlock. 'Hij wilde dat zijn kunstcollectie ten goede kwam aan de arbeidersklasse en niet alleen aan de rijken die de tijd hadden om op hun gemak musea af te struinen. Daarom zijn de openingstijden van de galerieën beperkt. In plaats daarvan besteedt de stichting het grootste deel van haar tijd aan kunstonderwijs aan de minder bedeelden en aan degenen die er bijzondere interesse voor hebben. Zo had hij het bepaald.'

'Dat klinkt heel nobel.'
'Dat is het ook, meneer Carl, en toch worden onze werkwijze en aanpak constant onder vuur genomen door dat kleine groepje bevoorrechten.'
'Victor, je bent uiteraard op de hoogte van de strijd die de stichting met haar buren levert,' zei Stanford Quick. 'En je hebt vast ook wel gelezen dat invloedrijke figuren gebruik willen maken van de huidige economische malaise van de stichting om de complete collectie naar de stad over te brengen en over te dragen aan het kunstmuseum.'
'Dat heeft met vette koppen in de krant gestaan.'
'Inderdaad, meneer Carl,' zei Spurlock, 'helaas wel. En dat brengt ons op de reden van uw bezoek.'
'Ik heb alleen aan Stanford doorgegeven dat ik mogelijk informatie heb over een vermist schilderij.'
'Nee, Victor,' zei Quick. 'Je was iets specifieker. Je had het over een vermiste Rembrandt. De enige Rembrandt die ooit door meneer Randolph werd aangeschaft, was een zelfportret uit 1630 dat achtentwintig jaar geleden van de stichting is gestolen. Is dat het schilderij dat je bedoelde?'
'Was het een schilderij van een vent met een hoed op?'
'Hebt u dat schilderij in uw bezit, meneer Carl?' vroeg Spurlock.
'Nee,' antwoordde ik. 'Ik heb dat schilderij zelfs nog nooit gezien.'
'Maar u weet waar het is,' zei Spurlock.
'Nee, dat weet ik niet. Ik weet niets over de verblijfplaats van het schilderij, hoe het werd gestolen of door wie.'
'Wat doen we hier dan?' vroeg Quick.
'Het punt is dat ik een cliënt heb die beweert daar wel het een en ander over te weten.'
'Een cliënt?' vroeg Quick. 'Wie dan?'
'Ik wil eerst een paar dingen weten: zoals in de eerste plaats hoe het schilderij is verdwenen.'
'Het werd gestolen,' zei Spurlock. 'Er is een inbraak geweest.'
'Een professionele klus door een groep inbrekers van het hoogste kaliber,' vertelde Quick. 'Waarschijnlijk geen lokale criminelen. De planning was voortreffelijk en de uitvoering vlekkeloos. Ze hebben meneer Randolphs collectie religieuze iconen waarin veel goud en zilver was verwerkt ook buitgemaakt. Geen van die iconen is ooit teruggevonden en er wordt aangenomen dat ze omgesmolten zijn om het goud en zilver te bemachtigen. Er werd ook een bepaald geldbedrag en een grote hoeveelheid sieraden en juwelen van mevrouw Randolph gestolen, die hier in de stichting werden bewaard vanwege de vermeende goede veiligheidsmaatregelen.'
Ik dacht aan de buit in mijn bureaulade en had moeite mijn gezicht in de plooi te houden toen ik dat hoorde.
'Enig idee wie erachter zaten?' vroeg ik.

'Niet echt. Het leek erop dat ze hulp van binnenuit hadden gehad, wat verbazingwekkend was, omdat de meeste werknemers van de stichting door meneer Randolph zelf waren aangenomen en zeer loyaal waren. Men verdacht een jonge curatrice van betrokkenheid bij de diefstal, maar er werden niet genoeg bewijzen gevonden om haar aan te klagen. Uiteraard kreeg ze ontslag.'

'Hoe heette ze?'

'Chicos, geloof ik,' zei Quick. 'Serena Chicos. Het feit dat er bij die inbraak ook een Rembrandt werd gestolen, heeft ons altijd voor een raadsel gesteld. Het was een kenmerkend werk dat niet gemakkelijk te verkopen viel en zover we weten, is het nooit opgedoken op de zwarte markten die zich bezighouden met gestolen kunst. Het is domweg verdwenen, samen met een klein landschapje van Matisse dat tegelijkertijd werd gestolen. Van beide schilderijen is nooit meer een spoor teruggevonden.'

'Tot het moment,' zei Spurlock, 'dat u contact opnam en beweerde dat u een cliënt had die ons de Rembrandt kon terugbezorgen. Tegen een geldelijke vergoeding, neem ik aan. U wilt ons geld uit de zak kloppen, neem ik aan.'

'Waarom gaat u daarvan uit?'

'Uw reputatie is u vooruitgesneld, meneer Carl.'

'Wij kunnen niet betrokken raken bij afpersing, ongeacht de omstandigheden,' zei Quick.

'Alleen al het idee is afgrijselijk,' zei Spurlock, 'ronduit afgrijselijk. Aan de andere kant is het ook zo dat het kunstwerk in kwestie een zeer kostbaar stuk voor de stichting is, in meer dan één opzicht. Een van de redenen die worden aangevoerd om de controle over de stichting over te nemen is dat we door de jaren heen laks zijn geweest wat de beveiliging betreft, en de vermiste Rembrandt wordt als voornaamste bewijsstuk genoemd. Het zou ons dan ook veel waard zijn om dat schilderij terug te krijgen. Helaas is onze financiële positie op dit moment uiterst wankel. Eerlijk gezegd hebben we grote schulden. We kunnen met geen mogelijkheid een bedrag op tafel leggen dat ook maar in de buurt van de waarde van de Rembrandt komt.'

'Hoeveel is het eigenlijk waard?' vroeg ik.

'Het is van onschatbare waarde,' zei Quick.

'Alles is van onschatbare waarde tot iemand er een prijskaartje aan hangt,' zei ik.

'Op veilingen,' vertelde Spurlock, 'hebben soortgelijke werken van Rembrandt meer dan tien miljoen dollar opgebracht.'

'Wauw!' was mijn commentaar.

'Uiteraard waren die schilderijen niet gestolen,' zei Quick snel. 'De stichting is de rechtmatige eigenares van dat schilderij. Daarom kan het schilderij niet op een veiling aangeboden worden, kan het niet verkocht worden aan een

legitieme verzamelaar en kan het niet vertoond worden. Het is van ons. Als we het vinden, kunnen we het gewoon terugnemen.'
'Als jullie het vinden.'
'Hoe weet u dat uw cliënt ons niet voor de gek houdt?' vroeg Quick. 'De details van de inbraak zijn breed uitgemeten in de kranten. U bent niet de eerste die bij ons aanklopt en beweert dat u informatie hebt over een van de vermiste schilderijen. Die anderen bleken allemaal oplichters te zijn. En ik heb het idee dat we daar hier ook mee te maken hebben.'
'Er is een L,' zei ik.
'Pardon?' Spurlock klonk verbaasd.
'Op de achterkant van het doek. Kennelijk is er ooit schade geweest. Dat is aan de voorkant niet te zien, maar mijn cliënt vertelde dat het schilderij gerestaureerd was. Aan de achterkant van het doek is dat duidelijk te zien. Een L-vormige restauratie.'
Spurlock keek naar Quick, die een dossier opensloeg. Langzaam bladerde hij erdoorheen tot hij vond wat hij zocht. Een oude foto van een stuk bruin canvas. Hij kon zijn opwinding nauwelijks bedwingen toen hij de foto aan Spurlock gaf.
'Wie is je cliënt, Victor?' vroeg Quick, die zich over de tafel heen boog. 'En wat wil hij?'
'Hij wil alleen naar huis toe.'
'Ga door, meneer Carl,' zei Spurlock. 'Vertel ons wat we voor u kunnen doen.'
'Mijn cliënt is aangeklaagd voor misdrijven die hij lang geleden heeft begaan. Er wordt actief naar hem gezocht door het OM, de FBI, en door zijn voormalige bende die hem het zwijgen wil opleggen. Hij wil een deal met de overheid sluiten zodat hij bescherming krijgt en niet achter de tralies hoeft. Dat lijkt me heel redelijk. Maar de FBI wil zo'n deal niet accepteren. Ik hoopte dat iemand met invloed de FBI misschien op andere gedachten zou kunnen brengen. Zit er geen lid van het Huis van Afgevaardigden in het bestuur van de stichting? En is een grote donateur van de Republikeinse Partij niet een van de beschermheren van de stichting?'
'U hebt uw huiswerk gedaan, meneer Carl. Dus u beweert dat er geen geld aan te pas komt?'
'Dit is Amerika,' zei ik. 'Er komt altijd geld aan te pas. Mijn cliënt zou graag een nieuw leven beginnen met een leuk appeltje voor de dorst, maar zoveel vraagt hij niet en dat bedrag kunnen jullie gemakkelijk ophoesten, zelfs gezien jullie financiële problemen. Ik ben ervan overtuigd dat we eventueel wel iets kunnen regelen.'
'Dat geloof ik ook,' zei Spurlock. 'Ja, dat weet ik wel zeker.'
'En met welke vertegenwoordiger van de overheid zouden we moeten gaan praten?' vroeg Quick.

'Kent u K. Lawrence Slocum van het OM?'
'Larry? Zeker. Hij heeft Moordzaken onder zijn beheer, nietwaar?'
'Dat klopt. Hij behandelt de zaak voor het OM. Dan is er ook nog een federale aanklaagster met de naam Jenna Hathaway die zich met de zaak bezighoudt.'
'Hathaway, zei je?' vroeg Quick.
'Dat klopt. Kennelijk hoopt ze met mijn cliënt een groot succes te boeken. Als jullie druk kunnen uitoefenen, moet je het op haar doen.'
'Begrepen. Oké, Victor,' zei Quick, 'maar dan hebben we wel de naam van je cliënt nodig. Dus, wie is je cliënt?'
'Zijn naam is Kalakos. Charles Kalakos. Slocum kent hem als Charlie de Griek.'
Op dat moment zag ik iets in Stanford Quicks ogen, een kleine flikkering die aangaf dat hij de naam al eens had gehoord. Interessant. Misschien had Quick zijn huiswerk ook gedaan.
'Ik wil wel benadrukken,' zei ik, 'dat discretie van het grootste belang is. Er lopen gevaarlijke figuren rond die niet blij zijn als Charlie naar huis komt. Als er ook maar iets uitlekt van wat we van plan zijn, kan er geen sprake meer zijn van een deal. Dan loopt het leven van mijn cliënt gevaar en zien jullie dat schilderij nooit meer terug.'
'Dat begrijpen we,' zei Spurlock.
'Als er iets uitlekt, wordt er geen deal gesloten.'
'Laat me u verzekeren, meneer Carl,' zei Jabari Spurlock, die zijn handen ineen had geslagen en ernstig knikte, 'dat we uiterste discretie zullen betrachten.'
Die discretie duurde ongeveer vierentwintig uur en toen brak de hel los.

8

Het leek zo simpel. Ik had plannen voor mijn cliënt, maar Jenna Hathaway had heel andere plannen. De eenvoudigste manier om dat op te lossen was er iemand anders bij te betrekken, vandaar mijn bezoekje aan de Randolph Stichting. Ik geloofde dat een paar discrete telefoontjes van invloedrijke bestuursleden over een vermiste Rembrandt ervoor zouden zorgen dat de FBI uit mijn hand zou eten.

Ik was er zo van overtuigd dat mijn plan zou slagen, dat ik niet eens had nagedacht over de vragen die mijn bezoekje hadden opgeroepen. Waarom was mevrouw LeComte zo bezorgd geweest over mijn afspraak met Spurlock? Waarom leek Stanford Quick Charlies naam te herkennen? En de grootste vraag: hoe hadden een sukkel als Charles Kalakos en de kruimelbende uit zijn jeugd het in vredesnaam voor elkaar gekregen om zo'n perfect voorbereide inbraak vlekkeloos uit te voeren? Ach, wat kon het me ook schelen. Ik wilde een deal sluiten en zo te zien zou dat lukken.

Tot iemand de vuile was buiten hing en het leven van mijn cliënt in gevaar bracht. En niet alleen zijn leven.

'Ik ken jou.' Aan zijn accent te horen kwam de man uit een achterbuurt van Philly. 'Jij bent die Victor Carl.'

Ik was net van kantoor vertrokken toen hij me aansprak. Ik had lang doorgewerkt, het was al na zevenen, en 21st Street was zo goed als verlaten: de schoenmaker was dicht en de Koreaanse kruidenier was bezig met opruimen. Over Chestnut reed nog aardig wat verkeer, maar ik liep de andere kant op. Ik was net voorbij het steegje dat grensde aan mijn kantoor, toen de man mijn pad versperde.

'Dat klopt,' zei ik. 'En wie ben jij?'

Hij haalde een digitale camera tevoorschijn en nam een foto; het flitslicht verblindde me een paar seconden.

'Wacht eens eventjes,' zei ik, terwijl ik met mijn ogen knipperde. 'Wie ben jij, een verslaggever of zo?'

'Niet precies,' zei hij. Hij zag er ook niet uit als een journalist: geen versleten jasje, geen gekreukt overhemd, geen mosterdvlekken op zijn das, en hij straalde ook geen teleurstelling over zijn leven uit. In plaats daarvan droeg hij hagelwitte sportschoenen, een gestreken spijkerbroek, een vintage shirt van de 76'ers over een wit T-shirt, een paar lange zilveren kettingen, en op

zijn hoofd prijkte een wit honkbalpetje met het crèmekleurige logo van de Sixers. Het was een vreemde uitdossing en zeker voor deze vreemde snuiter met grijs haar en een peerfiguur.
'Draai je hoofd een stukje, Victor, dan kan ik je van de zijkant fotograferen.'
'Waar ben je in jezusnaam mee bezig?'
'Luister eens, maat, ik wil alleen een paar foto's maken. Doe niet zo agressief. Draai gewoon je hoofd een stukje.'
'Verrek maar.' Zodra ik dat had gezegd, greep iets mijn nek vast. Ik reikte naar achteren en voelde een knokige hand die aan een belachelijk dikke pols vastzat. De hand draaide mijn hoofd opzij. Toen zag ik dat ik werd vastgehouden door een jongere man die eenzelfde soort uitdossing droeg, behalve dat zijn vintage shirt groen was, van de Bucks, en dat hij gouden kettingen droeg. De man was zeker een kop kleiner dan ik, maar hij was zo sterk als een os.
De fotograaf nam nog een foto en bekeek het resultaat op zijn kleine beeldschermpje.
'Jezus, dat is zeker niet je goede kant,' zei hij. 'Draai zijn hoofd eens de andere kant op, Louie.'
Louies hand voldeed aan het verzoek en draaide me honderdtachtig graden om, alsof we partners waren in een linedance.
Er werd nog een foto genomen.
'Volgens mij hebben we er genoeg,' zei de fotograaf. 'Bedankt voor je medewerking, Victor.'
Louie liet mijn hoofd los. Ik trok mijn jasje recht en probeerde iets van mijn waardigheid te herstellen.
'Wat is er verdomme aan de hand?' vroeg ik.
'Louie en ik komen je een boodschap brengen.'
'Van wie? De burgemeester?'
'De burgemeester? Waarom zou de burgemeester een boodschap hebben voor iemand als jij?'
'Vanwege zijn maatje, Bradley. Om duidelijk te maken dat we de zaak Theresa Wellman niet moeten aannemen.'
De man met het Sixers-shirt trok teleurgesteld zijn wenkbrauwen op en schudde zijn hoofd.
'Gaat het daar niet over?'
'Helaas voor jou,' zei hij, 'zijn we hier niet als afgevaardigden van de gemeente Philadelphia. Maar ik zal je eens wat vertellen, Victor. Als je de burgemeester ook al tegen je in het harnas hebt gejaagd, moet je je toch eens afvragen of je niet iets verkeerd doet. Wij zijn hier met een boodschap voor dat vriendje van je, Charlie.'
'Charlie?'
'Ja, Charlie. Charlie de Griek. En dit is de boodschap. Zeg tegen dat kleine

ettertje dat we niet zijn vergeten dat hij ons verraden heeft de laatste keer dat hij achter de tralies zat. Vijftien jaar is voor ons helemaal niks. Vertel hem dat als hij het gore lef heeft om naar de stad te komen, ik persoonlijk zijn kop van zijn romp ruk, schilderij of geen schilderij.'
Op dat moment besloot Louie ook een duit in het zakje te doen. 'Finaal van zijn romp, eikel,' zei hij op zachte, onheilspellende toon.
'We hebben al een plee voor hem uitgezocht. Hij snapt het wel. Zeg hem dat hij dan tot in de eeuwigheid veenbessen zal schijten.'
'Veenbessen,' zei Louie.
'En zeg tegen Charlie dat hij zich maar beter uit de voeten kan maken, waar hij ook is, want we hebben onze vriend uit Allentown een belletje gegeven.'
'Jullie vriend uit Allentown?'
'Uit Allentown, eikel,' zei Louie.
'Charlie weet wel wat we bedoelen,' zei de man met de camera. 'Hij weet dat hij dat serieus moet nemen.'
'Wie zijn jullie in jezusnaam?'
'Ik ben Fred. Charlie weet nog wel wie ik ben, omdat ik degene ben voor wie hij vijftien jaar geleden op de vlucht sloeg. En wat jou betreft, Victor, laat ik je één ding zeggen. Als Charlie opduikt, is dat voor jouw gezondheid ook niet best.'
'Waarom denk je dat ik die Charlie vertegenwoordig?'
'Is dat dan niet zo?'
'Ik bedoel alleen...'
Fred gaf me een duw. Ik stapte al struikelend achteruit en viel toen over een groot hard ding, dat Louie bleek te zijn, die voorovergebogen stond. De laatste keer dat ik dáár in was getrapt, zat ik nog op de basisschool.
'Jij, achterlijk huftertje.'
Ik lag als een vod op de grond en Fred keek smalend op me neer. 'Dat gedoe met jou en Charlie en dat schilderij staat godver in alle kranten.'
Toen ze zij aan zij van me wegliepen in de richting van Walnut, lag ik nog op de grond.
Ik wist me omhoog te werken tot ik overeind op de stoep zat met mijn benen gestrekt voor me. 'Hé, jullie daar!' riep ik hun achterna.
Fred en Louie draaiden zich tegelijkertijd om. In hun identieke outfits leken ze net leden van een hiphopband. Up with Hoods.
'Waarom die foto's?' vroeg ik.
Fred deed een paar stappen mijn richting uit, boog zich naar me toe en zei: 'Voor onze vriend uit Allentown,' zei hij. 'Na wat er een keer in West Philly gebeurde, wil hij foto's hebben. Dat voorkomt fouten. Hij is echt een pietje-precies, onze vriend uit Allentown.'
'Ik geloof niet dat ik daar blij mee ben,' zei ik.
Kijk, dat bedoelde ik toen ik zei dat ik met de dood was bedreigd. Maar eer-

lijk is eerlijk, zover ik wist loog Fred niet, want ja, ik was een achterlijk huftertje en ja, dat gedoe met Charlie en mij en dat schilderij stond godver in alle kranten.

9

Ik had de nieuwsuitzendingen aan het begin van de avond gemist, maar ik was op tijd voor het nieuws van elf uur, en alle drie de zenders hadden een misdaadjournalist laten opdraven die het hele verhaal over het vermiste schilderij uit de doeken deed. Ze lieten het gebouw van de Randolph Stichting zien, foto's van het schilderij zelf – Rembrandt als jongeman met zijn stompe neus, indringende ogen en maffe hoed – en ze hadden politiefoto's van een jongere Charlie Kalakos die met half dichtgeknepen ogen in de politielens was gevangen, en ze lieten oude beelden van mij zien toen ik jubelend de pers te woord stond na een van mijn vorige zaken.

Alles bij elkaar een goede avond voor iemand die dol is op publiciteit en dat ben ik, dat geef ik ruiterlijk toe, maar een belazerde avond voor een advocaat die juist probeert een delicate onderhandelingssituatie buiten de publiciteit te houden. En in dat laatste had ik gelijk, het eerste telefoontje dat ik kreeg, bewees dat.

'Carl, ik word zo moe van je,' zei Slocum.

'Ik had er niets mee te maken.'

'Eerst kreeg ik vanmorgen een telefoontje van een arrogante advocaat die de Randolph Stichting vertegenwoordigt en tegen me tekeerging over een of andere vermiste Rembrandt. Dan krijg ik een pisnijdige Hathaway aan de telefoon, die klaagt over de druk die ineens door hogerhand wordt uitgeoefend vanwege datzelfde schilderij. En weet je wat nu zo grappig is, in beide gesprekken kwam jouw naam ter sprake.'

'Daar had ik wel wat mee te maken.'

'Die Hathaway was zo nijdig, ze was bijna niet te kalmeren. Ik zou maar oppassen voor haar, Victor, die is zo hard als staal. Hoe dan ook, ik weet haar te kalmeren en heb die vergadering bijna rond, als jij het hele verhaal naar de pers lekt om nog meer druk uit te oefenen.'

'Kijk, met dat deel had ik dus niets te maken.'

'Jij hebt niet met de pers gepraat?'

'Niet eens met iemand van een roddelblad.'

'Maar jij bent dol op praatjes met journalisten.'

'Zoals Hoffa dol is op beton, dat klopt, maar deze keer heb ik me ingehouden. En alle anderen met wie ik heb gesproken, begrepen dat het van het grootste belang was om de zaak stil te houden.'

'Kennelijk begreep niet iedereen dat.'
'Gaat die vergadering om een deal te sluiten nog steeds door?'
'Niet nu, niet na al die heisa. Hathaway belde nog een keer en zei dat als ze nu een deal zouden sluiten, het net leek of gestolen kunst werd gebruikt om de lange arm der wet mee om te kopen.'
'Wat eigenlijk ook zo is.'
'Uiteraard. Maar als zoiets achter gesloten deuren gebeurt, is het een heel ander verhaal dan wanneer het met vette koppen in de krant staat. Je had het stil moeten houden.'
'Dat heb ik geprobeerd.'
'Wie heeft er dan gepraat?'
'Dat weet ik niet. Die Randolph Stichting is net een wespennest, iedereen heeft zo zijn eigen agenda. Ik heb daar een oude dame ontmoet die buiten de bespreking werd gehouden, maar ik weet zeker dat ze elk hoekje en gaatje in het gebouw kent, dus die weet echt wel waar ze haar oor te luisteren moet leggen. En dan hebben we uiteraard ook nog Hathaway, die misschien zelf het verhaal heeft laten uitlekken zodat ze een geldig excuus had om die deal te torpederen.'
'Beschuldig jij een federale officier van justitie ervan dat ze de pers gebruikt voor haar eigen doeleinden?'
'Het zou niet de eerste keer zijn dat zoiets gebeurt.'
'Dat klopt. Waarom heb je me niet meteen over dat schilderij verteld?'
'Ik dacht dat een beetje druk van buitenaf de FBI misschien tot actie zou aansporen.'
'Daar had je gelijk in, want de zoektocht naar Charlie de Griek is in een hogere versnelling gekomen. De FBI-kantoren in New York, New Jersey, Delaware en Maryland doen nu ook mee aan de jacht.'
'Dat is mooi klote.'
'Ja, en jij zit mooi met je kloten voor het blok, toch?'
'Hé, Larry, heb jij weleens iets gehoord over een huurmoordenaar uit Allentown?'
Het was even stil aan de andere kant van de lijn. 'Waarom vraag je dat?'
'O, ik hoorde er iets over op straat.'
'Ja, vast. Weet je nog dat ik je vertelde over die moorden die we nog steeds onderzoeken en die volgens ons met de Warrick-bende te maken hebben?'
'Ja.'
'Het gerucht gaat dat die gepleegd zijn door een oude rot in het vak uit Allentown.'
'O, o.'
'Precies.'
'Dat is niet zo best, hè?'
'Nee, zeker niet. Slaap lekker, Victor, je zult het nodig hebben.'

Het kostte me aardig wat tijd voor ik had uitgevogeld wat ik kon doen om ervoor te zorgen dat mijn cliënt het tripje naar zijn ouderlijk huis zou overleven, zodat hij op innige wijze afscheid kon nemen van zijn moeder, ik mijn roofbuit aan juwelen en sieraden te gelde kon maken en dat we het alle twee zouden overleven zonder dat een van ons in de gevangenis belandde of zwaar lichamelijk letsel opliep. Het moest iets zijn waardoor de FBI zich geroepen voelde om de deal te sluiten en het moest resultaat opleveren vóór hun geïntensiveerde klopjacht Charlie opleverde, of die vriend uit Allentown op het toneel verscheen. Het kostte me aardig wat tijd om iets te bedenken, omdat het bij een moeilijk probleem vaak zo is dat als je hersens niets weten te bedenken, het erop uitdraait dat je offers moet brengen en moed moet tonen. Je moet niet toegeven aan je natuurlijke achterbaksheid maar juist boven jezelf uitstijgen om te laten zien wat je waard bent. Maar niet deze keer. Deze keer zat mijn natuurlijke achterbaksheid op het juiste spoor.

Ik had niet gevraagd om de golf persaandacht die als een overgelopen riool over Charlies treurige leven heen spoelde, maar nu dat zo was, zou ik hem ten volle gebruiken. Het werd tijd om Jenna Hathaway duidelijk te maken hoe laag ik kon zinken.

De ochtend daarop bleef de telefoon op kantoor maar rinkelen en bleef ik iedereen te woord staan. De televisieploegen verdrongen zich in rijen van drie voor een exclusief interview.

'Channel Six, kom binnen, jullie zijn aan de beurt. Channel Twenty-nine, jullie zijn daarna en dan Channel Three. Maar wanneer *The New York Times* belt, moet ik er even tussenuit, dat snappen jullie wel. En er staat ook nog een fotosessie met de *Inquirer* om twee uur op het programma. Geeft dat jullie genoeg tijd?'

Tijdens elk gesprek over het schilderij en de verblijfplaats ervan – want dat was het enige waarin de pers geïnteresseerd was – vertelde ik over mijn cliënt, Charlie, die maar één ding wilde, naar huis gaan om afscheid van zijn stervende moeder te nemen, en dat de harteloze despoten bij de FBI dat tegenwerkten. 'Mijn cliënt wil het schilderij teruggeven, niet voor zichzelf en ook niet voor de Randolph Stichting, maar voor alle mensen in ons fantastische land en voor alle toekomstige generaties. Hij wil het teruggeven zodat alle kinderen hun leven kunnen verrijken door dit unieke meesterwerk met eigen ogen te aanschouwen. Een beetje flexibiliteit van de kant van de FBI is alles wat daarvoor nodig is. Als de FBI de kinderen voorop zou stellen in plaats van haar eigen belang, was er geen probleem. Onze kinderen horen in deze zaak op het eerste plan te staan.'

Uiteraard was er één mededeling die ik in alle interviews verwerkte, dat cruciale punt maakte ik die dag en de dagen erna kristalhelder.

10

'De naam is Carl,' zei ik tegen de journaliste die tegenover me zat met haar notitieboek en pen in de aanslag. 'Carl met een C.'
'Dat hebt u al gezegd. Twee keer zelfs. Ik wil graag wat meer over uw cliënt horen.'
'Hij is een aardige, oude baas,' zei ik. 'En zo ongevaarlijk als maar zijn kan. Ik bedoel maar, de man is in de zestig en nog geen een meter vijftig lang.' Ik perste er een geforceerd lachje uit. 'Je kunt hem niet bepaald een gevaar voor de gemeenschap noemen.'
'Waar is hij nu?'
'Nog steeds ondergedoken. Een treurige zaak, zeker als je bedenkt dat zijn moeder stevende is en het haar innigste wens is om nog één keer haar zoon te zien. Ik vind dat de overheid zich zeer onredelijk opstelt in deze zaak.'
'Daar lijkt het wel op, ja.'
'Wilt u misschien iets drinken? Een glas water?'
'Nee, dank u.'
Het interview vond plaats in mijn kantoor. Ik had mijn jasje aan, mijn das zat recht en mijn voeten lagen niet op mijn bureau. Ik deed mijn best aandachtig en betrokken over te komen, luisterde naar haar vragen alsof ik ze niet al tientallen keren eerder had gehoord, en formuleerde mijn antwoorden dusdanig dat het leek alsof het me echt iets kon schelen. Er waren geen camera's aanwezig om mijn voorbeeldige manieren vast te leggen, wat erop wees dat de journaliste die tegenover me zat buitengewoon aantrekkelijk was, en dat was ook zo. Ze had prachtig koperkleurig haar, groene ogen en een lichte huid met sproeten. Ze was niet jong meer, maar zeker niet te oud. Haar naam was Rhonda Harris, ze droeg een nauwsluitend blauw truitje en had een groen sjaaltje om haar nek. Af en toe zat ze zo geconcentreerd in haar notitieboekje te schrijven dat het roze puntje van haar tong in haar mondhoek verscheen.
'Zou ik misschien zelf met Charlie kunnen praten?' vroeg ze.
'Nee. Het spijt me. Dat is niet mogelijk.'
'Dat zou me echt helpen om de juiste toon te zetten. Het centrale thema van mijn stuk wordt namelijk de vraag of het mogelijk is om naar huis terug te gaan. Ondanks wat Thomas Wolfe daarover schreef.'
'Aha, een literaire invalshoek. Heel goed. Is Wolfe een van je favorieten?'

'Ik ben dol op hem.'
'Te veel woorden naar mijn smaak.'
'Daarom ben ik juist zo dol op hem. Zijn bloemrijke taalgebruik, het sensuele genot van zijn lange, kronkelende zinnen. Mijn hemel, af en toe voel ik me gewoon overweldigd als ik zijn werk lees.'
'En dan zeggen ze dat ik te veel praat.'
'Als ik met Charlie zou kunnen praten, al was het maar aan de telefoon, zou dat me enorm helpen. Zijn emoties als banneling vormen de kern van het verhaal voor mij. Charlie Kalakos, die net als George Webber naar huis probeert te komen en geconfronteerd wordt met een vijandige stad.'
'Dat klinkt heel interessant, Rhonda. Mag ik je Rhonda noemen?'
'Natuurlijk.' Leuke glimlach. Er verschenen lachrimpeltjes bij haar ogen, die warmte uitstraalden, en haar mondhoeken welfden zich naar beneden als bij een jong katje. En wat had ze een prachtig parelwit gebit.
'En noem mij alsjeblieft, Victor. Zoals je weet, Rhonda, wordt Charlie door veel mensen gezocht, van wie sommigen gevaarlijker zijn dan anderen. Daarom mag niemand weten waar hij is. Ik weet zelf niet eens waar hij is of hoe ik hem kan bereiken.'
'Maar je hebt hem wel ontmoet, toch?'
'Ja.'
'Waar?'
'Nee, Rhonda, dat kan ik je echt niet vertellen.'
'Hoe vaak zie je hem?'
'Voor welke krant werkte je ook alweer?'
'*Newsday*.'
'En ben jij de misdaadverslaggeefster daar?'
'Ik verzorg de artikelen over kunst op freelancebasis.'
'Aha, de Rembrandt.'
'Precies, de beroemde Rembrandt.' Ze leunde naar voren, tikte met haar pen tegen haar lippen en sperde haar prachtige ogen wijd open. 'Heb je het schilderij gezien?'
'Alleen de foto's op televisie.'
'Zo'n uniek kunstwerk. Wat zou het fantastisch zijn om het na al die jaren te zien. Ik zou er alles voor overhebben om dat schilderij van dichtbij te kunnen zien.'
'We hopen dat je daar binnenkort de kans voor krijgt.' Stilte. 'Bij de Randolph Stichting.'
'Natuurlijk,' zei ze. Ze leunde naar achteren en tikte teleurgesteld op haar notitieboekje.
'Mag ik je nog één ding vragen, Victor?'
'Ga je gang.'
'Ik hou me alleen met kunst bezig, dus misschien mis ik iets, maar is het

eigenlijk wel eerlijk? Vind je echt dat Charlie zo'n gunstige deal verdient? Alleen omdat hij op wat voor manier dan ook dat gestolen kunstwerk in zijn bezit heeft weten te krijgen? Is dat niet net zo oneerlijk als iemand die onder een arrestatie uitkomt omdat hij geld heeft?'

Ik keek op mijn horloge. 'Het spijt me, Rhonda. Ik moet er een eind aan maken. Misschien dat we een andere keer wat dieper kunnen ingaan op de billijkheid en onbillijkheid van het rechtstelsel. Daar heb ik een paar aardige theorieën over.' Innemende glimlach. 'Misschien onder het genot van een drankje?'

'Dat zou ik heel leuk vinden, Victor. Graag.'

Ik slaakte geen jubelkreet en deed ook geen overwinningsdansje, maar gedroeg me waardig.

Toen ik Rhonda naar de trap begeleidde, rook ik een vleugje van een bijzonder luchtje.

'Heb je een nieuw parfum, Ellie?' vroeg ik aan mijn secretaresse toen we langs haar bureau liepen. 'Het ruikt in elk geval zalig, wat het ook is.'

Ze antwoordde niet, glimlachte niet eens bij het compliment. In plaats daarvan schoten haar ogen naar links. Ik volgde haar blik.

De man was klein, tenger, droeg een paars pak met kanten overhemdboorden en glimmende, onvoorstelbaar kleine zwarte schoenen. 'U bent meneer Carl, nietwaar?' Hij sprak met de lijzige tongval van het Zuiden, waar de *kudzu* bijna van afdroop.

'Dat klopt.'

'Zou ik misschien een paar minuten van uw tijd in beslag mogen nemen?'

Ik wierp een steelse blik op Ellie, die moeite had haar gezicht in de plooi te houden.

'Ik heb het op het moment nogal druk,' zei ik. 'Bent u van de pers?'

'O, hemeltje, nee. Zie ik er volgens u als zo'n onderkruipsel uit? En als u me ooit bruine corduroy ziet dragen, mag u me afschieten. Ik ben zo weer weg, maar ik kan u verzekeren dat ons gesprekje de moeite loont voor u. Zeer de moeite loont.'

'Denkt u?'

'Dat weet ik zeker.'

Ik nam hem een paar tellen onderzoekend op, maar had geen flauw idee wat ik van hem moest denken. Ik draaide me naar Rhonda Harris toe, die tot mijn verbazing niet glimlachte. Kennelijk hebben sommige mensen geen gevoel voor humor als het om hun vak gaat.

'Bedankt voor je komst, Rhonda,' zei ik. 'Tot binnenkort, hoop ik.'

'Reken daar maar op, Victor,' zei ze.

Rhonda liep langs het zelfverzekerde mannetje en hield haar blik strak op hem gericht, maar hij staarde net zo hard terug. De spanning tussen de twee was bijna voelbaar, het deed me denken aan twee honden die allebei hun

zinnen op een dode eekhoorn hadden gezet. Heel even dacht ik zelfs dat ik een diep gegrom hoorde. Toen was het moment voorbij en liep Rhonda richting trap. Zowel de man als ik staarde haar na. Haar rok zat net zo strak als haar truitje.
'Kent u haar?' vroeg ik aan het kleine mannetje toen ze de trap afdaalde en uit het zicht verdween.
'Ik heb haar nog nooit van mijn leven gezien.'
'U leek haar te kennen.'
'Ik ken het type.'
'En wat voor type mag dat dan wel zijn?'
'Het type dat op bloed uit is.'
Ik staarde de man opnieuw een paar tellen aan, keek op mijn horloge en zei: 'Het spijt me, ik heb niet veel tijd...'
'Ik heb maar een paar minuten nodig,' zei hij. Bij het laatste woord schoot zijn stem omhoog als een mus die geschrokken opvliegt. 'Dat is alles.'
'Waar gaat het eigenlijk over?'
'O, laten we het er maar op houden dat ik het graag met u over kunst wil hebben, als mecenassen onder elkaar.'
'Ik ben niet echt een mecenas.'
'Kom, kom, meneer Carl. U doet uzelf tekort.'
Ik dacht er even over na. 'Oké dan, meneer...'
'Hill,' zei hij. 'Lavender Hill.'
'Natuurlijk. Zullen we in mijn kantoor verder praten?'
'Uitstekend idee,' zei hij. 'Voortreffelijk.'
Ik gebaarde naar mijn kantoor, liet hem voorgaan en keek hem na terwijl hij parmantig naar mijn kantoor liep. Zijn manier van lopen deed me aan Rhonda denken, er zat niet veel verschil tussen. Ik boog me naar Ellie toe.
'Enig idee wie dat is?' fluisterde ik.
'Geen enkel idee,' zei ze.
'Heeft hij je een visitekaartje gegeven?'
Ze pakte het visitekaartje van haar bureau, hield het even onder haar neus en gaf het toen aan mij. Het rook alsof hij het in parfum had ondergedompeld. Ik las snel wat erop stond. Zijn naam stond er in zwierige letters op gedrukt, daaronder een telefoonnummer met een kengetal dat ik niet herkende en de woorden Intermediair voor het Sublieme.
'Wat is een "Intermediair voor het Sublieme"?'
'Ik zou het niet weten, meneer Carl. Hebt u me verder nog nodig?'
'Nee, ga maar naar huis. Ik zie je morgen wel weer.'
'Bedankt. Wilt u iets voor me doen?'
'Wat?'
'Wilt u hem vragen welk parfum hij gebruikt?' vroeg ze. 'Want het ruikt lekkerder dan het mijne.'

11

'Wat een alleraardigst kantoor hebt u, meneer Carl,' kirde Lavender Hill. Hij nam plaats in de stoel voor mijn bureau.

Geen veelbelovend begin van ons gesprek: één zin, één leugen. Mijn kantoor was een armoedig hok, daar was iedereen het wel over eens. Slijtplekken op het behang; bruine archiefkasten vol butsen en deuken; en mijn bureau lag vol stapels nutteloze documenten die ik weken geleden al had moeten weggooien. Praktisch, misschien; superzakelijk, misschien; passend bij mij als een goedkoop, slecht zittend pak, misschien; maar alleraardigst, nog in geen honderd jaar!

'Dank u,' zei ik. 'Ik doe mijn best.'

Er flikkerde humor in zijn ogen toen ik op mijn beurt ook staalhard loog. Mijn hemel, zijn ogen leken bijna te schitteren. Ik moet toegeven dat hij een fraaie aanblik vormde: benen elegant over elkaar geslagen, een zijden paisleysjaaltje om zijn nek gedrapeerd en zijn zwarte haar had een scheiding aan de rechterkant en was rond geknipt, zoals de mode voorschreef in 1978. En hij had het gezicht van een jockey: anorectisch, scherp en corrupt. Lavender Hill.

'Heel lief van u dat u een paar minuutjes tijd voor me vrijmaakt zonder afspraak,' zei hij. 'Normaliter storm ik niet als een barbaar bij iemand naar binnen, maar ik had het gevoel dat ons gesprekje niet kon wachten tot de gebruikelijke beleefdheden waren afgewerkt. Ik weet zeker dat het onderwerp u na aan het hart ligt.'

'En wat is het onderwerp?'

'Kunst.'

'Dus we gaan het over de esthetica hebben?'

'En over geld.' Een klein handje frummelde aan de paarse revers.

'Aha, nu begrijp ik het, meneer Hill.'

'O, noem me toch Lav, dat doet iedereen. Kent u de Spencers uit Society Hill? Fantastische mensen. Zij noemen me al jaren Lav.'

'Nee, ik ken de Spencers niet. Waarschijnlijk bewegen we ons niet in dezelfde kringen.'

'Dat zou kunnen, ja. Het zijn echte paardenmensen.'

'Wat kunnen ze tegenwoordig toch veel met genen.'

'Eén blik op haar, Victor, en je twijfelt niet langer. Ik mag je toch wel Victor noemen?'

'Elke naam is goed, Lav, zolang we het over geld hebben.'
'Juist, ja. U hebt een overrompelende directheid, die ik zeer... stimulerend vind. Laten we dan maar ter zake komen. U hebt een cliënt genaamd Charles Kalakos.'
'Dat klopt.'
'En hij kan zijn hand leggen op een zeker schilderij, als ik het goed heb begrepen.'
'Dat wordt gezegd, ja. Dus?'
'Ik vertegenwoordig een verzamelaar, Victor, een man met een uitgelezen smaak op het gebied van kunst, die over een uitmuntende privécollectie *objets d'art* beschikt.'
'Objets d'art?'
'Je hebt gelijk. Heel goed van je, Victor. Waarom zouden we ons zo pretentieus uitdrukken als we het in feite over dingen hebben? Hij verzamelt dingen, uiterst waardevolle dingen, maar het zijn inderdaad slechts dingen. Dingen die je koopt als je alles al hebt. Zijn behoefte om dingen toe te voegen aan zijn verzameling kan heel lucratief zijn voor diegenen die zich in een positie bevinden om aan die behoefte tegemoet te komen. En wij verkeren allebei in die positie.'
'Hij wil het schilderij.'
'Heel goed, knappe jongen. Natuurlijk wil hij dat. Een zelfportret van Rembrandt zou de kroon op zijn collectie vormen. Hij is dan ook vastbesloten om het aan zijn collectie toe te voegen.'
'Het spijt me, Lav, maar een gestolen schilderij verkopen is illegaal. Ik zou onmogelijk aan zo'n transactie kunnen meewerken.'
'Hemeltje, Victor, dat zou ik ook niet van je durven vragen. De ethische dimensies van je beroep verbieden dat, dat begrijp ik. Het zou heel verkeerd zijn als je het schilderij zou verkopen. Aan de andere kant is het ook zo' – er verscheen een sluw glimlachje op zijn gezicht – 'dat je op dit moment in alle openheid de beste prijs voor dat schilderij probeert te bedingen, nietwaar? Om je cliënt een zo gunstig mogelijke deal te bezorgen.'
'Dat ligt heel anders.'
'Werkelijk? Misschien is jouw cliënt er meer bij gebaat als hij zich niet in allerlei bochten hoeft te wringen om het OM ter wille te zijn. En misschien kan hij beter niet terugkeren naar Philadelphia, want dan legt hij zijn leven in handen van zijn voormalige onderwereldvriendjes.'
'Hoe ben je daarachter gekomen?'
'O, Victor, wat ben je toch een charmeur. Misschien schuilt de beste deal voor je cliënt wel heel ergens anders in. Een nieuw huis, een nieuwe identiteit, en een flinke som geld op de bank waardoor hij de rest van zijn leven als god in Frankrijk kan leven. Dat zou geregeld kunnen worden.'
'In ruil voor het schilderij.'

'Ik moet zeggen, Victor, dat alle negatieve dingen die over je worden verteld, zwaar overdreven zijn. Je bent heel scherp voor een advocaat. Dat stel ik op prijs. En ik verzeker je dat wij als intermediairs rijkelijk beloond zullen worden voor onze inzet. Misschien kun je je kantoor wel een nieuwe lik verf geven. Ralph Lauren heeft fantastische kleuren in zijn assortiment, die hier wonderen zouden verrichten. Ik denk aan aquamarijn.'
'Hou je niet van beige?'
'Dat is een kleur voor goedkope grafkisten. Dus, zo staat het ervoor, Victor. Het aanbod is er. Je interesse is duidelijk. Het enige wat we nog moeten doen, is de details uitwerken.'
'Zoals over hoeveel geld we eigenlijk praten?'
'Onder andere.'
'Over hoeveel geld praten we eigenlijk?'
'Zijn we aan het onderhandelen?'
'Nee. Zoals ik al zei, kan ik onmogelijk aan de verkoop van een gestolen schilderij meewerken.'
'Ik verwachtte al dat je dat zou zeggen. Waarom zouden we het dan over geld hebben als er niets te onderhandelen valt? Dit is slechts een informatief gesprekje. Volgens mij kunnen we het best als volgt te werk gaan: jij vertelt je cliënt over dit gesprekje en houdt hem op de hoogte van alle ontwikkelingen in deze zaak, zoals een goed advocaat betaamt. Hij zal geïnteresseerd zijn omdat hij niet vies is van geld. Wie wel? Je geeft hem mijn telefoonnummer. Hij zal bellen. Ik zal een bedrag van zes cijfers noemen. Als we tot overeenstemming komen, zullen we de transactie afhandelen zonder jou erin te mengen. Toch zul je een genereuze commissie ontvangen. Zeg, vijftien procent. Simpel, nietwaar?'
'Ik kan geen commissie accepteren.'
'Natuurlijk niet. Dat zou zeer onethisch zijn. Je zou wel een voorschot van een nieuwe cliënt kunnen accepteren voor een zaak die misschien nooit voor de rechtbank komt, maar wel een aantal jaren jouw aandacht zal vragen. Dat gebeurt bij alle vooraanstaande advocatenkantoren. Heb je mijn kaartje?'
'Ja, dat heb ik.'
'Uitstekend. Dan is ons werk gedaan.'
'Niet helemaal, Lav. Voor ik ook maar iets doe, moet ik weten wie je vertegenwoordigt.'
'Ik vertegenwoordig een zeer gefortuneerd man die hier ver vandaan woont. Meer hoef je niet te weten. Een kunstcollectie zoals de zijne, waar herkomst geen rol speelt, kan alleen floreren wanneer uiterste geheimhouding wordt betracht.'
'Ik beloof je dat alles wat je vertelt onder ons zal blijven.'
'Hij zal niet onder de indruk zijn van je belofte. Alle onderhandelingen lopen via mij.'

'Ik heb een naam nodig.'
'Die heb je helemaal niet nodig.' Nu zag ik boosheid in plaats van humor in zijn ogen glinsteren. 'Jij hebt een taak uit te voeren en daar krijg je voor betaald. Dat is alles wat je hoeft te weten. En ik heb er alle vertrouwen in dat je die taak naar behoren zult uitvoeren.'
'Waarom ben je daar zo zeker van?'
'Omdat Charles Kalakos niet alleen een cliënt van je is. Er is ook sprake van een band tussen jouw familie en de zijne. En bepaalde verplichtingen uit het verleden moeten gehonoreerd worden. Je bent hem die kans schuldig.'
'Ik begrijp niet waar je het over hebt.'
'Vraag maar aan je vader.'
'Mijn vader?'
'Ik vond het heel gezellig,' zei Lavender Hill, die ging staan. 'Dit moeten we nog een keertje overdoen. Misschien onder het genot van een drankje? Ik ben dol op een straffe cocktail.'
'Weet je, dat verbaast me niets.'
'Ik laat mezelf wel uit, Victor. Bedankt voor je gastvrijheid.'
Toen hij de deur uit liep, zei ik: 'Een bedrag van zes cijfers is niet genoeg.'
Hij bleef staan, draaide zich bevallig om en keek me geamuseerd aan. 'Zijn we aan het onderhandelen?'
'Nee,' zei ik. 'Dat niet. Maar ik weet hoeveel het schilderij waard is. Ik kan mijn cliënt niet adviseren om een bedrag van minder dan zeven cijfers te accepteren.'
'Dus we hebben beiden ons huiswerk gedaan. Uitstekend, uitstekend. Ik zal het met mijn cliënt bespreken.'
'En advocaten krijgen gewoonlijk een derde.'
'Ja, en veilingmeesters krijgen gewoonlijk een tiende. De gulden middenweg lijkt me in dit geval heel redelijk. Maar het is een veelbelovend begin. Ik heb een aanbod gedaan, jij hebt een tegenbod gedaan en we harrewarren over procenten. Ik weet dat je hier niet bij betrokken kunt raken, Victor, toch voelt het nu al aan alsof we onderhandelen. Ciao, knappe knul. Ik verwacht binnenkort een telefoontje van je. Laat me niet te lang wachten.'
Toen hij weg was, bleef ik achter met de geur van zijn parfum en een bonkend hart dat altijd van zich laat horen als het om grote bedragen gaat. Hij had niet eens met zijn ogen geknipperd toen ik zei dat een bedrag van zes cijfers niet genoeg was.
Ik zat achter mijn bureau, wreef in mijn handen en dacht na. Het schilderij verkopen was illegaal en een advocaat moest zich verre houden van illegale transacties. Dat was nu eenmaal zo. Toch had Lav gelijk toen hij zei dat zijn aanbod misschien de beste deal was voor Charlie en mogelijk ook voor zijn moeder. In gedachten zag ik de hereniging tussen moeder en zoon al voor me. Ergens aan de kust in Venezuela onder een warm Caribisch zonnetje.

Een hartverwarmend tafereeltje. Als ik alleen een telefoonnummer doorgaf, zou ik als advocaat mijn boekje ook niet te buiten gaan. Maar dan was ik er nog niet. Ik zat nog met het als/dan-vraagstuk. Als ik geen voorschot kon accepteren, dan wilde ik in elk geval iets anders uit deze puinhoop kunnen slepen. Dat leek me niet te veel gevraagd, toch? Als/dan.
De gunst die ik mijn vader bewees, werd met de minuut interessanter, maar bezorgde me ook steeds meer koppijn. Wie vertegenwoordigde deze Lavender Hill en hoe wist hij verdomme zoveel over Charlie Kalakos en zijn situatie? En wat had mijn vader in vredesnaam met de hele zaak te maken? Ik had antwoorden nodig, dus belde ik Phil Skink, mijn privédetective en maakte ik een afspraak voor de volgende ochtend. Daarna vond ik het welletjes voor die dag. Beth was weg, Ellie was weg, en het verlaten kantoor bood een troosteloze aanblik in de schemering die ongemerkt was neergedaald. Ik was hondsmoe, toch had ik geen haast om naar mijn geruïneerde appartement terug te keren. Ik besloot een biertje te gaan drinken, dat leek me een veel beter idee. En misschien wel twee. Niet dat ik het op een zuipen ging zetten, gewoon ter ontspanning. Daarom ging ik op weg naar Chaucer's, mijn stamkroeg, en zo begon de wilde nacht waarvan ik me helaas niets meer kon herinneren.

12

'Je ziet er beroerd uit,' zei Phil Skink.
Ik lag op de bank in zijn stoffige receptieruimte en hij stond over me heen gebogen.
'Ik voel me nog veel beroerder,' zei ik.
'Onmogelijk. Als je je beroerder voelt dan je eruitziet, zou je dood zijn. Ik heb schapenvlees gevreten waar meer leven in zat. Wat heb je in jezusnaam gisteravond uitgespookt?'
'Geen idee.'
'Er was zeker een mokkel bij betrokken?'
'Ik geloof het wel.'
'Geef me de volgende keer een belletje voor je de boel uit de klauwen laat lopen.'
'En dan kom jij me redden?'
'Ben jij besodemieterd,' zei Skink. 'Dan kom ik je gezelschap houden. Je gunt een ander toch ook wel een beetje lol.'
Ga naar je slager en vraag hem alle kraakbeen- en botrestanten van de vloer te schrapen. Smijt het hele handeltje in een braadpan, hang er een chic bruin pak met een mooi streepje omheen, een felgekleurde das, en zet er een bruine hoed op. Voeg een flinke scheut cholesterol toe, parelwitte tanden, de hersens van een wiskundige, een onverklaarbare angst voor honden, en een zwak voor aangeschoten vrouwen. Voeg vervolgens een paar snufjes gewelddadigheid en een vleugje charme toe. Besprenkel het geheel met zeezout, laat het een paar uurtjes doorkoken zodat het lekker taai wordt, en zie daar: Phil Skink, privédetective.
Na mijn gesprek met Lavender Hill had ik hem gebeld voor een afspraak op zijn kantoor en daar was ik nu. Ik was met rode ogen, een verdoofde kaak, hinkend van de pijn in mijn been en ver na de afgesproken tijd komen opdagen.
'Koppijn?' vroeg hij.
'Onweert het in je kantoor?'
'Nee.'
'Dan heb ik koppijn.'
'Heb je al iets geslikt?'
'Twee aspirientjes. Alsof je een volwassen mammoet met een luchtbuks probeert af te schieten.'

'Wacht eventjes,' zei hij. 'Ik weet wel iets.'
Ik sloot mijn ogen een paar tellen en toen ik ze weer opendeed, stond hij voor me met in zijn ene hand een glas waar een bruine smurrie in pruttelde en in zijn andere hand een augurk.
'Kom even rechtop zitten,' zei hij, 'doktersvoorschrift.'
Ik deed wat hij zei en werd duizelig toen het bloed uit mijn gezwollen hoofd wegtrok.
'Drink dit en eet dat,' zei Skink. 'Een slokje, een hapje, een slokje, een hapje. Je snapt de bedoeling.'
'Ik peins er niet over, Phil.'
'Doe nou maar wat ik zeg, dan zul je je als herboren voelen.'
'Heus, het gaat wel.'
'Hoor eens, je ziet er zo beroerd uit dat ik het niet langer kan aanzien. Of je doet wat ik zeg, of ik giet het naar binnen en dan ram ik de augurk erachteraan.'
'Lekkere dokter ben jij, zeg,' zei ik, terwijl ik het drankje en de augurk aannam. Met gesloten ogen nam ik een slokje. Eigenlijk niet eens zo smerig, kruidig, een beetje zuur, en met een hapje augurk erbij was het bijna te doen. 'Wat is het? Een cocktail tegen een kater?'
'Met alcohol een kater verdrijven is onzin. En jij hebt zo te zien al genoeg alcohol binnengekregen. Opdrinken.'
'Alles?'
'Dacht je soms dat ik een slokje wilde?'
'En als ik alles weer uitkots?'
'Mij best. Maar niet op mijn schoenen.'
Ik dronk alles op, sloot mijn ogen, boerde, proefde de smurrie nog een keer en kokhalsde twee keer. Maar vreemd genoeg voelde ik me inderdaad beter, bijna als herboren, toen ik mijn ogen weer opendeed.
'Wat zat erin?' vroeg ik.
'Het is een geheim recept dat ik gekregen heb van een gastvrouw, Carlotta, die ik in Salinas regelmatig zag.'
'Carlotta?'
'Wat een vrouw. Die wist pas van wanten, geloof me.'
'Ik geloof je meteen.'
'Hé, ze deed alleen het management, hoor. Waar wilde je me trouwens over spreken? Over dat gedoe waardoor je nu in alle kranten staat? Over Charlie de Griek en zijn schilderij?'
'Klopt,' zei ik.
Ik gaf hem het kaartje dat Lavender Hill bij mijn secretaresse had achtergelaten. Hij keek er even naar, hield het onder zijn neus, snoof eraan en trok zijn wenkbrauwen op.
'Hij kwam met een aanbod om het schilderij te kopen. Maar hij wist zo veel

van de hele toestand af dat het me niet lekker zit. Zoek uit wie hij is en voor wie hij werkt.'
'Lavender Hill.'
'Zijn vrienden noemen hem Lav.'
Skink rook nog een keer aan het kaartje. 'Een lieve jongen?'
'Kennelijk, als een paars pak tegenwoordig nog iets betekent, hoewel ik het idee kreeg dat je hem niet moet onderschatten.'
'Dat kengetal is van Savannah.' Skink haalde een aantekenboekje uit een zak, een pen uit een andere zak, klikte op de pen en begon te schrijven. 'Wat weet je nog meer over hem?'
'Dat is alles.'
'Oké, dan.' Hij tikte met de punt van zijn pen op zijn aantekenboekje. 'Gewone tarief. Misschien dat ik een klein uitstapje naar Georgia moet maken om wat meer informatie op te duikelen.'
'Geen probleem. O, en Phil? Hij mag weten dat we op zoek zijn. Je hoeft niet al te discreet te zijn. Jaag hem maar een beetje op stang om te kijken hoe hij reageert.'
'Ik zal tekeergaan als een olifant in een porseleinkast. Oké?'
'En dan nog iets,' zei ik. 'Ik wil ook informatie hebben over een vent die Bradley Hewitt heet, een soort regelneef. Hij is een vriendje van de burgemeester en maakt daar gebruik van in zijn zakendeals. Alles wat je over hem kunt vinden.'
Skink begon weer te schrijven. 'Weet je iets over hem? Adres? Telefoonnummer?'
'Nee, maar hij moet niet moeilijk te vinden zijn. En probeer ook zoveel mogelijk te weten te komen over ene Theresa Wellman: achtergrond, levensgeschiedenis, de hele rataplan. Zij en die Hewitt zijn ooit een stel geweest. Ze hebben samen een kind.'
'Wie van de twee is jouw cliënt?'
'De vrouw.'
'Heeft ze geld?'
'Nee.'
'Hoe ben je daar dan aan blijven hangen?'
'Beth.' Ik haalde mijn schouders op.
'Aha, ik snap het.' Hij tikte met zijn pen op zijn aantekenboekje. 'Nog meer?'
Ik dacht even na. Was dat alles, of had ik nog een klusje voor mijn privédetective? De bruine smurrie en de augurk hadden mijn hoofdpijn afgezwakt, maar de branderige pijn op mijn borstkas had er geen baat bij gehad. Die ochtend had ik zelf een klein onderzoekje uitgevoerd voor ik naar Skink was gestrompeld. Er stonden genoeg namen in het telefoonboek, maar niet de juiste. Ik had elke Adair kunnen opbellen om te vragen of ze een Chantal in

de familie hadden, maar dat leek me geen slimme zet. Stel dat ze vroegen waarom ik dat wilde weten? Waarom wilde ik dat eigenlijk weten? Omdat ik misschien verliefd op haar was, als ik me had kunnen herinneren wie ze was? En stel dat ze ja zeiden, ze kenden een Chantal Adair, en stel dat ik haar ontmoette en het bleek dat ze nog zes tanden had en eruitzag als Moe van de Three Stooges, wat dan? Ik dacht er nog een paar tellen over na en nam toen een besluit. Skink was mijn privédetective, een ingehuurde kracht, maar hij was ook een vriend van me en zo loyaal als een labrador.

'Nog één dingetje,' zei ik. 'Iets persoonlijks.'

'Iets persoonlijks?'

'Stuur de rekening maar naar mijn huisadres, niet naar kantoor.'

'Best,' zei Skink. 'Begrepen. Gewone tarief?'

'Krijg ik geen korting als vriend?'

'Mijn moeder krijgt niet eens korting. Vertel.'

'Gisteravond is er iets gebeurd.'

'Wat?'

'Dat weet ik niet meer.'

Skinks hoofd kwam met een ruk omhoog.

'Maar er is iets gebeurd en ik wil dat je iemand voor me opspoort. Wel discreet, oké?'

'Zeker een vrouw, hè?'

'Uiteraard. Maar ik wil niet dat ze weet dat ik haar zoek. Zodra je haar gevonden hebt, laat je me weten waar ze is, en geef je me de informatie over haar. Misschien dat je een foto van haar kunt maken. Dan kijk ik wel wat ik doe.'

'Weet je, het is een slecht idee om een privédetective bij je persoonlijke zaken te betrekken. Dat loopt nooit goed af. Het komt er altijd op neer dat de informatie die je krijgt je helemaal niet aanstaat.'

'Doe het nou maar, Phil.'

'Oké, jij je zin. Wat weet je over haar?'

'Ze is blond, redelijk gespierd en heeft een motorfiets, geloof ik.'

'Dat geloof je? Je weet het dus niet zeker?'

'Als ik het zeker wist, had ik jou niet nodig.'

'Waar heb je haar ontmoet?'

'Ik denk in Chaucer's, maar er zitten nogal wat gaten in mijn geheugen over gisteravond.'

'Hoeveel gaten?'

'Eigenlijk is het één groot zwart gat.'

'Heb je de laatste tijd soms een beetje veel gezopen?'

'Misschien.'

'Te veel?'

'Hoeveel is te veel?'

'Dat is op zich al een antwoord, toch? Als je je niets kunt herinneren, hoe weet je dan dat er iets is gebeurd? Hoe weet je dan dat je je niet gewoon zat te verlekkeren aan die meid in Chaucer's, maar dat ze je heeft afgepoeierd?'

'Dat weet ik gewoon, verdomme.'

'Rustig maar, je hoeft niet nijdig te worden. Ik zal kijken wat ik kan vinden. Heb je een naam?'

'Ja, ik heb een naam.'

'En?'

Ik stond op, rukte mijn das los en trok mijn jasje uit. Skinks ogen werden groot van afschuw, alsof ik op het punt stond een striptease met pompons en zwoele muziek op de achtergrond uit te voeren. Gatver, ik zou zelf ook griezelen bij dat idee. Maar mijn striptease eindigde bij mijn overhemd. Ik knoopte het los tot aan mijn middel, trok het open en liet mijn linkerborst zien.

Skinks blik vloog naar mijn borstkas, toen naar mijn ogen en vervolgens weer naar mijn borstkas. 'Dat is gisteravond gebeurd?'

'Gisterochtend had ik hem nog niet.'

'Nu begrijp ik het.' Hij stapte op me af om de tatoeage van dichtbij te bekijken. 'Niet slecht gedaan, leuk klassiek tintje.'

'Ik zit niet op een criticus te wachten, Phil, zorg nou maar dat je haar vindt.'

'Chantal Adair.' Hij schreef haar naam op en tikte met de pen op zijn aantekenboekje. 'Fluitje van een cent.'

Niet dus.

13

Het gedrag van een advocaat in de rechtbank zegt veel over die persoon. Als je Jenna Hathaway op straat tegenkwam, zou je denken dat ze een zachtaardige, vriendelijke vrouw was: engelachtig gezichtje, betoverende blauwe ogen, lange benen, goudbruin haar, nerveuze mond, en een figuur dat net niet slank was, maar slank genoeg. Ze leek een aantrekkelijke, vriendelijke vrouw met wie je graag een ijsje zou eten tijdens een lange wandeling in een lichte zomernevel. Dat was Jenna Hathaway op straat of in een restaurant, of zittend op de veranda en genietend van een groot glas koude limonade. Maar in de rechtbank gedroeg ze zich als een ijskoude moordenaar.

Ik zat achter in een rechtszaal en keek naar Jenna Hathaway die een boekhouder in een witwasschandaal een kruisverhoor afnam. De man was onberispelijk gekleed en het beetje haar dat hij nog bezat, was onberispelijk gekapt. Het was duidelijk dat hij een belangrijk man was met belangrijke cliënten, die zijn toevlucht had gezocht in de cijfers waarmee hij de wereld definieerde. Onder het genadeloze spervuur van Jenna Hathaways vragen veranderde hij echter voor onze ogen in een ander wezen. Alsof je je in het rariteitenkabinet op de kermis bevond. Een beschuldigende vraag van Hathaway; een zwak bezwaar van de advocaat van de boekhouder, die totaal niet opgewassen bleek te zijn tegen zijn tegenstandster; een minachtende reactie van Hathaway; het bevel van de geïntimideerde rechter aan de getuige om antwoord te geven; en toen zat iedereen in de rechtszaal vol afgrijzen toe te kijken hoe de boekhouder in het getuigenbankje degenereerde tot een bleek, sidderend visachtig wezen dat naar zuurstof hapte en spartelde als een gestrande karper.

'Jezus,' zei ik tegen Slocum, die naast me zat, 'dit is voor het eerst dat ik iemand zonder verdoving een stoma zie krijgen. Ze had maagdarmchirurg moeten worden.'

'En hij is niet eens de verdachte,' zei Slocum.

'Wat is haar verhaal?'

'Een geboren aanklaagster, heeft nooit gewerkt als strafpleiter, niet eens geflirt met de andere kant. Haar vader was agent.'

'Hier?'

'Ja. Hier in Philadelphia. Moordzaken. Hij is nu met pensioen. Zijn dochter heeft het stokje van hem overgenomen.'

'Ik zou haar niet graag tegen me in het harnas jagen.'
'Te laat,' zei Slocum.
Kennelijk hadden we nogal luid gepraat, want Hathaway stopte abrupt halverwege een vraag en draaide zich naar ons toe. Haar blauwe ogen bleven op mij rusten en ik voelde me ineenschrompelen onder haar blik, alsof ik in een ijskoude vijver werd ondergedompeld. Ze bleef me zo lang aanstaren, dat iedereen in de rechtszaal: de rechter, de bode, de verdachte, de jury – het hele zooitje – ook naar me begon te staren. En of dat nog niet erg genoeg was, begon Slocum ook nog eens te lachen.
K. Lawrence Slocum was fors, een tikje vormelijk, droeg een bril met jampotjesglazen, had een bulderende lach, en genoot altijd intens als ik vernederd werd. We waren geen echte vrienden maar ook geen echte vijanden; we waren gewoon twee professionals die aan verschillende kanten van dezelfde straat werkten. Zoals ik erop kon vertrouwen dat Larry de ethische normen van zijn beroep hooghield, zo kon hij erop vertrouwen dat ik niet eens veinsde dat voor mij hetzelfde gold. Dat zorgde ervoor dat we verbazingwekkend goed met elkaar konden opschieten. Hij had een gesprek tussen mij en de angstaanjagende Jenna Hathaway geregeld, de federale aanklaagster met de vreemde, onaflatende interesse in Charlie Kalakos. Hathaway, die midden in een rechtszaak zat, had ons gevraagd naar de rechtbank te komen, en dus hadden we dat gedaan.
Nadat de rechter een korte schorsing had ingelast, pakte Hathaway haar overmaatse aktetas op en liep ze in de richting van de deur. Ze zei niets, maar gebaarde met haar hoofd dat we haar moesten volgen. Haar hakken tikten op het linoleum toen ze ons voorging naar een van de advocatenkamertjes, een troosteloze ruimte zonder ramen waarin alleen een paar metalen stoelen en een bruine formicatafel stonden.
Toen ze zich naar ons omdraaide en haar blauwe ogen op me richtte, toverde ik mijn charmantste glimlach tevoorschijn en stak ik mijn hand uit. 'Victor Carl.'
Jenna Hathaway negeerde mijn uitgestoken hand en bijna zonder haar lippen te bewegen zei ze: 'Ik weet wie je bent.'
'Mooi zo,' zei ik. 'Ik ben blij dat je wilt meewerken aan een deal voor die arme Charlie. Ik weet zeker dat we beiden hetzelfde willen. Een regeling die tegemoetkomt aan de wensen van justitie en er tegelijkertijd voor zorgt dat een uniek kunstwerk zijn rechtmatige plek in...'
'Doe ons allemaal een lol, Victor,' onderbrak ze me, 'en hou je kop. En niet alleen hier, in deze kamer, waar je stem de verf van de muren laat bladderen, maar ook op televisie en in de kranten. Je kickt op het geluid van je eigen stem. En laat me je in je eigen belang één ding zeggen: je bent geen Caruso. Dus hou alsjeblieft je kop.'
Een tikkeltje uit het veld geslagen wierp ik een blik op Larry, die moeite had

zijn lachen in te houden, waarna ik weer naar Jenna Hathaway keek. 'Is dat nou aardig?' vroeg ik haar.
'Dat was ook niet mijn bedoeling.'
'Dan ben je in je opzet geslaagd. Maar wat mijn gepraat ook heeft veroorzaakt, het heeft er in elk geval voor gezorgd dat ik je aandacht heb getrokken.'
'Hoe kan ik je in hemelsnaam je kop laten houden?'
'Je komt dus meteen ter zake? Dat mag ik wel. Geen omwegen, maar recht op je doel af. Je komt zo vaak tegen dat advocaten oeverloze discussies aangaan over niets. Ze blijven maar praten en praten en dat kan zo...'
'Nu doe je het weer,' zei ze.
'Wat?'
'Je praat te veel. Doe je dat met opzet, om me nijdig te maken?'
'Eerlijk gezegd wel,' zei ik.
Ze draaide zich naar Larry toe. 'Is hij van nature een wauwelende idioot of is hij alleen een enorme hufter?'
'O, Victor heeft van beide wel wat. Maar vandaag gok ik op het laatste.'
Ze nam me van top tot teen op: de kale plekken op mijn schoenen, de valse vouwen in mijn broek, het gekreukelde overhemd, en de bizarre felrode das. Ze rolde met haar ogen, zuchtte luid en plofte in een stoel neer.
Ik ging tegenover haar zitten.
'Wat moet ik doen om jou uit mijn leven te laten verdwijnen?'
'Een deal sluiten.'
'Voorwaarden?'
'We geven het schilderij terug aan de rechtmatige eigenaresse, de Randolph Stichting, en jij trekt alle aanklachten in.'
'Alle aanklachten intrekken? Geen denken aan. En hoe zit het met een getuigenverklaring? Hij zou wel moeten praten.'
'Immuniteit gegarandeerd?'
'Doe even serieus.'
'Hoe lang zitten jullie nu al achter die Warrick-bende aan, Larry?' vroeg ik.
'Al jaren.'
'En hoe staan de zaken ervoor?'
'Niet best.'
'En wat is de levensverwachting van degenen die tegen de bende willen getuigen?'
'Belazerd.'
'Zowel het leven van mijn cliënt als dat van mezelf is bedreigd. Dat eerste viel te verwachten, maar de bedreiging aan mijn eigen adres neem ik heel serieus. Toch is Charlie bereid over zijn tijd bij de Warrick-bende te praten als zijn immuniteit gegarandeerd wordt en hij bescherming krijgt. Hij zou wel in het getuigenbeschermingsprogramma opgenomen willen worden.'

'Natuurlijk wil hij dat,' zei Hathaway. 'De rest van zijn leven in een appartement wonen dat door de overheid wordt betaald en lekker golf spelen.'
'Hij had het ook over een plasmatelevisie.'
'Moet ik deze lolbroek serieus nemen?' vroeg ze aan Slocum.
'Helaas wel,' zei hij.
'Dan hoeven we niet verder te praten,' zei Hathaway. 'De FBI heeft me laten weten dat ze je cliënt al bijna opgespoord hebben. Op dit moment trekken ze veelbelovende tips na.'
'Zelfs als dat waar is, betekent het nog niet dat ze het schilderij zullen vinden,' zei ik. 'Had ik al gezegd dat het schilderij teruggegeven zou worden? Daarom zit je toch al zo lang achter hem aan? Daarom heb je de FBI toch voor het huis van zijn moeder laten posten? Om het schilderij terug te krijgen?'
Ze keek me met een kille blik aan. 'Dat zelfportret van een of andere dode Hollandse schilder interesseert me geen moer.'
Ik staarde haar een paar tellen aan. Ik begreep er niets meer van. Als ze niet achter het schilderij aan zat, wat wilde ze dan? Ik wierp Larry een vragende blik toe. Hij schokschouderde alleen.
'Wat wil je dan?'
'Ik wil weten hoe hij dat schilderij in handen heeft gekregen.'
'Het is gestolen, dertig jaar geleden. Wat kan de rest je nou schelen? Je kunt toch niets meer tegen ze beginnen. De zaak is verjaard. Ze zijn ermee weggekomen. Soms winnen de slechteriken. Jammer, maar helaas. Laat toch gaan.'
'Nee, dat doe ik niet,' zei ze. 'Als hij zich aangeeft, zal hij niet alleen over zijn oude bende moeten praten, maar ook over de inbraak bij de Randolph Stichting. Ik wil alles weten. En hij zal met namen moeten komen.'
'Dat doet hij niet. Dat heeft hij al gezegd.'
'Dan ben ik hier klaar. Als je een deal wilt sluiten, ga dan maar naar Larry.'
'Hij kan alleen een deal sluiten over de aanklachten die de staat Philadelphia tegen hem heeft ingebracht. Er loopt ook nog een federale aanklacht tegen mijn cliënt.'
'Dat klopt, ja.'
'Wat wil je nu echt?'
'Dat weet je cliënt heel goed.'
'Charlie weet dat?'
'Nou en of. Hoe dan ook, dit zijn mijn voorwaarden. Als hij terugkomt en de waarheid vertelt over alles, en dan bedoel ik ook echt alles, kunnen we misschien een deal sluiten.'
'Ik zal met hem praten.'
'Mooi zo.' Ze ging staan en tilde haar grote aktetas op, die met een dof geluid langs de tafel schampte. 'Ik moet terug. Die boekhouder is nog niet

helemaal gefileerd. Her en der zit nog een beetje vlees dat ik kan wegschrapen. O, en Victor, luister goed. Als ik je gezicht nog één keer op televisie zie of nog één keer zo'n bijdehante opmerking van je in de krant lees, dan ben ik de volgende die het op je leven heeft voorzien.'
'Mag ik je iets persoonlijks vragen?'
Ze hield haar hoofd schuin en keek me met opeengeperste lippen aan.
'Hou je van lange wandelingen in een verkwikkend, zomers buitje?'
'Met mijn hond.'
Toen ze deur uit beende, sloeg haar aktetas met een doffe klap tegen de deurpost. Het klonk als de eindgong van een bokswedstrijd. Slocum en ik bleven achter en keken haar na.
'Heb je enig idee waar ze achteraan zit?' vroeg ik.
'Geen flauw idee.'
'Vind je niet dat je daar dan achter moet zien te komen? Misschien dat je wat hogerop moet om uit te vinden wat er echt aan de hand is.'
'Zal ik je eens iets vreemds vertellen, Carl? De minister van Justitie reageert niet op mijn telefoontjes.'
'Wat een flagrante schending van het decorum, zeg.'
'Ja, dat is zo. Ik zou wel willen klagen, maar de vicepresident reageert ook al niet op mijn telefoontjes.
'Ze zit achter iets aan.'
'Dat lijkt me duidelijk.'
'Is jou ook opgevallen dat haar lippen nauwelijks bewegen wanneer ze praat? Net een buikspreekster.'
'Ik heb het gezien.'
'Dat vind ik een tikkeltje angstaanjagend,' bekende ik.
'Ze is een angstaanjagende jongedame.'
'En weet je wat nu het gekke is, van een afstandje ziet ze er zo lief uit.'

14

Rhonda Harris stond met haar aantekenboekje in de aanslag voor de rechtbank op me te wachten. Het zat me een beetje dwars dat ze wist dat ik daar zou zijn, maar bij het zien van haar donkere broek, witte blouse, groene sjaaltje, lange benen en kastanjerode paardenstaart, zette ik het ongemakkelijke gevoel van me af. Ze zag er zo Katharine Hepburn-achtig uit dat ik half en half verwachtte dat ze me met een charmant Yankee-accent haar ridder op het witte paard zou noemen.

'Ik hoop dat ik niet stoor.'

'Helemaal niet,' zei ik. 'Ik vind het fijn om de schrijvende pers te zien schrijven. Helaas heb ik op dit moment en in de nabije toekomst geen commentaar op wat dan ook.'

'Echt? Dat is helemaal niets voor jou.'

'Iedereen moet met zijn tijd mee, nietwaar? Een zware teleurstelling, dat snap ik.'

'Niet helemaal. Het is niet zo dat door je vorige commentaar "stop de persen" werd geroepen.'

Ik keek op mijn horloge. 'Ik moet rennen. Ik heb nog een zaak met een geschilletje tussen een huurbaas en een huurder.'

'Mag ik een stukje met je meelopen?'

'Maar niets van wat ik zeg is voor publicatie bestemd, afgesproken?'

Ze stopte haar aantekenboekje weg en hield haar lege handen omhoog als een goochelaar die liet zien dat hij niets verborgen hield.

'Kom maar mee,' zei ik. 'Hoe gaat het met je verhaal?'

'Op zich wel aardig. Maar mijn redacteur wil meer details en hij wil het menselijke aspect ook meer uitgelicht zien.'

'En ik ben niet menselijk genoeg voor je redacteur?'

'Hij wil dat ik Charlie interview.'

'Wat jammer voor je. Ik vond die literaire invalshoek à la Thomas Wolfe juist zo interessant.'

'Hoe kunnen we een interview regelen?'

'Dat kunnen we niet.'

'Tegenwoordig kan alles op een of andere manier wel geregeld worden, toch?'

'Dit niet.'

'Geef me een kans, Victor. Ik zal alleen complimenteuze dingen schrijven.

En je mag de tekst van het interview zelfs van tevoren lezen, als je dat wilt. Ik weet zeker dat het publiek Charlies verhaal fantastisch zal vinden.'
'Dat is het ook, dat verzeker ik je. Maar met ingang van vandaag is de Victor Carl-Charlie Kalakos-mediamachine buiten werking gesteld. En ik had je Charlie hoe dan ook niet laten interviewen.'
'Hij heeft toch ook het recht om zijn zegje te doen?'
'Zeker, als de tijd daar is. En dat is niet nu.'
'Weet je, Victor, als ik een exclusief interview krijg met Charlie, kan ik ervoor zorgen dat deze zaak met vette koppen op de voorpagina van *Newsday* belandt. De hoofdartikelen van *Newsday* worden door kranten in het hele land overgenomen. De publiciteit zou gigantisch zijn. Ze zouden je in alle praatprogramma's te gast willen hebben. Je zou de volgende Johnnie Cochran kunnen worden.'
'Ik heb Johnnie altijd bewonderd. Bijna niemand ziet er goed uit met een kapsel dat net een zwarte gebreide muts lijkt, maar hij wel.'
'Nadat het stuk in de krant heeft gestaan zou je misschien hetzelfde honorarium kunnen vragen als hij.'
'Aha. Je doet niet alleen een beroep op mijn hebzucht naar media-aandacht maar ook op mijn hebzucht naar geld.'
'Heb ik succes?'
'Mag ik je iets vragen? Die man in mijn kantoor. Kende je hem?'
'Die kleine gnoom? Godzijdank niet.'
'Waarom "godzijdank"?'
'Voelde je dat niet? De gewelddadigheid die hij uitstraalde? Ik wel. Ik heb genoeg van dat soort types in mijn leven gezien. Wat wilde hij eigenlijk?'
'Hij deed ook een beroep op mijn hebzucht naar geld. Dat begint een verontrustend patroon te worden.'
'Misschien dat ik een beroep op iets anders kan doen.'
'Rhonda, bied je jezelf aan?'
'O, Victor. Doe niet zo stom. Ik wil alleen een verhaal.'
'Jammer.'
'Wat ik bedoel, is dat ik misschien een beroep zou kunnen doen op je gevoel voor naastenliefde. Ik probeer al zo lang door te breken. Ik ben pas laat met dit werk begonnen en als freelancer heb je het zwaar, maar mijn redacteur zei dat als ik dit verhaal kon leveren, hij zijn best zou doen om me een fulltimecontract te bezorgen. Het enige wat ik daarvoor moet doen, is Charlie interviewen. Het liefst zou ik hem persoonlijk ontmoeten, maar met een telefonisch interview neem ik ook genoegen. Het zou een geweldige doorbraak voor me betekenen.'
'Iedereen heeft zo zijn eigen werk, Rhonda.'
Ze pakte zachtjes mijn bovenarm vast. 'Alsjeblieft, Victor. Ik heb dat interview echt nodig.'

Ik bleef staan, draaide me naar haar toe, zag de hoopvolle blik in haar groene ogen en voelde een steek door me heen gaan. Ik schrok van dat gevoel, van die steek van verlangen. Ze was journalist – een levensvorm die op de ladder van de evolutie onder de fret stond, zelfs onder de advocaat – en ik wist heel goed dat ze me manipuleerde om haar doel te bereiken, alles voor het verhaal, en toch voelde ik die steek. En ja, ze was knap, en ja, ik vond haar terloopse manier van doen leuk, en ja, ze behandelde me met een schandelijk gebrek aan respect. Maar zelfs toen was het me al duidelijk dat mijn gevoelens weinig te maken hadden met haar persoonlijk en alles met een of andere zielige behoefte van mezelf.

Ik had hetzelfde verlangen gevoeld toen een blonde stoot op een racefiets met lang haar en mooie, roze wielrennersschoenen me de weg had gevraagd op de Benjamin Franklin Parkway. En daarvoor bij een vrouw in een korte, zwarte rok, die zich voorover had gebogen om een veter van haar zwarte schoenen te strikken. Als ik tijdens mijn lunchpauze over straat liep, werd ik soms op wel tien verschillende vrouwen verliefd en voelde ik diezelfde steek van verlangen door me heen schieten, terwijl ze stuk voor stuk verdergingen met hun leven zonder mij. Ik was ervan overtuigd dat diezelfde gevoelens, versterkt door te veel alcohol, me hadden aangespoord om de naam van een vreemde op mijn borst te laten tatoeëren als uiting van liefde.

Dus ik was een gevoelige man met een groot hart of mijn leven was een grote puinhoop. En helaas was ik niet zo'n gevoelig type met een groot hart. Maar stel dat al die andere, ingebeelde emotionele banden het gevolg waren van een of andere existentiële psychose van mijn ziel, wilde dat dan ook zeggen dat de emotie die ik op dit moment koesterde voor deze vrouw met het prachtige rode haar en de aandoenlijke sproeten, ook ingebeeld was? Voor hetzelfde geld was dit echte liefde!

'Rhonda,' zei ik en mijn stem haperde zelfs een beetje, 'misschien dat we een keer iets kunnen gaan drinken.'

Er verscheen een geraffineerd glimlachje op haar gezicht. 'Betekent dat...'

'We hebben het er wel over tijdens dat drankje. En misschien, als de omstandigheden het toestaan en ik er een goed gevoel over heb, dat ik jou en je artikel ter sprake breng bij mijn cliënt.'

'Dat zou fantastisch zijn, Victor,' zei ze. 'Dank je. Uit de grond van mijn hart. Wanneer?'

'Dat laat ik je nog weten.' Ik keek op mijn horloge. 'Nu moet ik een uitzetting zien te voorkomen.'

15

Elke dag staan er zo'n vijftig zaken op de rol in de rechtbank aan South 11th Street, de rechtbank waar huurgeschillen beslecht worden, toch komt slechts één op de drie zaken voor de rechter. In plaats daarvan wordt het merendeel van de zaken, zoals in alle rechtbanken, in de wandelgangen afgewerkt. Daar stonden Beth en ik te wachten tot het onze beurt was toen we benaderd werden door een man met blond haar in een modieus groen pak. Hij was van mijn leeftijd, maar het was duidelijk te zien dat zijn carrière op een hoger plan stond dan de mijne en daarom had ik al bij voorbaat de pest aan hem.

'Victor Carl?' vroeg hij.

'Dat ben ik.'

'Dat dacht ik al. Grappig, op televisie zie je er jonger uit.'

'En een paar kilo zwaarder, neem ik aan.'

'Nee. Niet echt. Alleen jonger en beter gekleed. Wacht even, ik heb iets voor je.'

Hij balanceerde zijn aktetas op de palm van zijn hand, klikte hem open en haalde er een envelop uit die hij aan me overhandigde.

'Een bevel tot uitzetting voor je cliënte. Na afloop van haar huurcontract moet ze het pand meteen verlaten,' zei hij met een glimlach. 'Persoonlijk afgeleverd. Zou je dit voor ons aan mevrouw Derringer willen geven?'

Ik knikte en gaf de envelop aan Beth. 'Opdracht volbracht.'

'Aha, dus u bent de tegendraadse mevrouw Derringer,' zei de man. 'Mijn naam is Eugene Franks, ik werk bij Talbott, Kittredge & Chase en vertegenwoordig de woningcorporatie.'

'Aangenaam kennis te maken,' zei ze, hoewel aan haar stem te horen was dat ze de kennismaking verre van aangenaam vond.

'Het spijt me dat het bevel tot uitzetting per post is gestuurd en niet persoonlijk is afgeleverd of op uw voordeur is gespijkerd zoals de wet voorschrijft. Een foutje waarop uw advocaat ons in zijn lijvige bezwaarschrift heeft gewezen. Eerlijk gezegd vinden de meesten van onze huurders een brief minder gênant en uiteraard is het beter voor de voordeuren, maar vanaf nu zullen we alles volgens het boekje doen. We verwachten nog steeds dat u na afloop van het huurcontract meteen het pand verlaat.'

'Dat denk ik niet, Eugene,' zei ik. 'Het oorspronkelijke huurcontract heeft de termijn van een jaar overschreden, dus heeft ze recht op minimaal negentig

dagen voor een bevel tot uitzetting uitgevoerd kan worden. De datum waarop het bevel wordt overhandigd, vormt de maatstaf. En dat is kennelijk vandaag.'
'Je past de letter van de wet wel heel strikt toe, Victor, vind je ook niet?'
'Daar zijn we ook voor, Eugene, als advocaten. Als we dat niet doen, zou het verdacht veel op nalatigheid lijken. Wanneer wilden jullie met de verbouwing van het pand beginnen?'
'Volgende maand.'
'O, o.' Ik huiverde theatraal. 'Dat zou weleens problematisch kunnen worden als er nog een huurder in het pand woont. Staat de bouwvergunning toe dat jullie muren slopen en vloeren openbreken als er nog een huurder in het gebouw aanwezig is? Trouwens, dat gebouw is al knap oud. Ik vraag me af of er geen asbest in de muren en plafonds is verwerkt. Dat zou jullie schema nog veel meer in de war schoppen, toch?'
Hij boog zich naar me toe, liet zijn stem dalen en zei: 'Kan ik even met je praten?'
'Natuurlijk.' Ik excuseerde me bij Beth en nam Eugene Franks terzijde.
'Subtiel bezwaarschrift,' zei hij.
'Ik doe mijn best.'
'We hebben er op kantoor hartelijk om gelachen. Denk je nu echt dat het veertiende en zestiende amendement op de grondwet van toepassing kunnen zijn op een huurgeschil?'
'Misschien moet je voor de rechter ook lachen. Ik weet zeker dat die een amendement dat gelegaliseerd racisme moet tegengaan, ook om te brullen vindt.'
'Je cliënte is helemaal niet zwart.'
'Wacht maar tot je mijn betoog hoort.'
'Ik sta gewoonweg te popelen.' Eugenes mond vertrok zich tot een dunne streep. 'Ben jij trouwens niet degene die William Prescott een paar jaar geleden finaal de grond in heeft geboord?'
'Zou kunnen.'
'Prescott was de eerste advocaat met wie ik ooit heb samengewerkt. Hij was mijn mentor. Hij heeft me mijn eerste grote zaak gegeven en jij hebt zijn carrière kapotgemaakt.'
'Prescott heeft zijn eigen carrière kapotgemaakt,' zei ik. 'Ik heb de aangewezen instanties alleen op de hoogte gebracht van dat feit.'
Eugene Franks nam me een paar tellen aandachtig op en keek toen weg. 'Ik heb die hufter nooit gemogen. Wat kunnen we doen om dit op te lossen, Victor?'
'Ze wil niet verhuizen.'
'Het is alleen maar een verhuizing. Ze vindt wel iets beters. Geen enkel probleem.'

'Voor haar wel.'
'We willen de boel alleen een beetje opknappen, de nieuwe appartementen verkopen en wat geld verdienen. Wij zijn niet de slechteriken hier.'
'Dat weet ik.'
'Hoeveel gaat het kosten om haar binnen een maand te laten verhuizen?'
'Het gaat niet om geld. Dat is nooit zo bij haar.'
'Dat klinkt verontrustend.'
'Breek me de bek niet open.'
'Weet je, Victor, het klinkt misschien een beetje zen, maar veranderingen horen bij het leven. Het gebouw wordt opgedeeld in appartementen. Wil jij alsjeblieft met haar praten? We zouden graag iets regelen zodat we niet voor de rechter over het veertiende amendement hoeven te bakkeleien.'
'Ik zal mijn best doen.'
Beth zat op een bankje en zag er vreemd passief uit met haar handen op haar knieën en haar hoofd een beetje schuin. Gewoonlijk bruiste ze van energie voor aanvang van een zaak. Ze zat dan op het puntje van haar stoel en bewoog constant terwijl ze in gedachten de punten die ze naar voren wilde brengen op een rijtje zette. Maar niet vandaag, niet nu zij een van de partijen was in de zaak Triad Investments L.P. versus Derringer.
Ik ging naast haar zitten. 'Ik heb wat tijd weten te rekken,' zei ik.
'Dank je.'
'Ik kan proberen om er nog een beetje meer tijd uit te slepen. Ik heb een paar aardige argumenten op papier gezet voor de rechter.'
'Ik heb het bezwaarschrift gelezen. Die argumenten zijn hopeloos.'
'Dat weet ik, maar het idee dat ze Franks op stang hebben gejaagd toen hij ze las, vind ik wel grappig. En wie weet? Voor hetzelfde geld duurt het langer dan je denkt voor de rechter uitspraak doet. Ik kan met de griffier gaan praten. Volgens mij ken ik zijn broer.'
'Oké. Dat werkt misschien.'
'Maar Beth, die Eugene Franks is helemaal niet zo'n slechte vent.'
'In dat pak lijkt hij net een kikker.'
'En de mensen die hij vertegenwoordigt, zijn ook niet slecht. Het zijn gewoon zakenmensen.'
'Ze schoppen me uit mijn huis.'
'Dat recht hebben ze, wettelijk gezien. En uiteindelijk zul je moeten verhuizen.'
'Kennelijk.'
'Je lost niets op door daartegen te vechten.'
'Het voelt anders wel goed.'
'Beth, wat is er nu eigenlijk aan de hand?'
'Ik weet het niet, Victor. Ik voel me... verlamd. Ik ben niet eens zo dol op mijn flat. Maar ik word gewoon depressief bij het idee dat ik een nieuwe flat

moet zoeken, alles moet inpakken, verhuizen en dan alles weer moet uitpakken, en dat alles hetzelfde blijft: hetzelfde bed, dezelfde tafel, hetzelfde leventje. Sinds dat gedoe met François, toen de herinneringen aan mijn vader weer bovenkwamen, is het net alsof ik geen controle meer heb over mijn leven. Het kabbelt stuurloos voort en leidt nergens toe. Ik haal er geen voldoening uit, maar heb ook niet de puf of de moed om er een bepaalde richting aan te geven. En weet je wat ik denk? Misschien als ik nog een paar rotjaren in dat rotappartement kan blijven, dat alles weer goed komt.'

'Je logica is indrukwekkend. Maar zo slecht gaat het ook weer niet. Neem alleen al onze praktijk. Het gaat steeds beter met de zaak.'

'We kunnen net ons hoofd boven water houden en ik heb het gevoel dat we dat al jaren doen. Net ons hoofd boven water houden.'

'We doen goed werk. Kijk naar Theresa Wellman. Wij zorgen ervoor dat ze haar kind terugkrijgt.'

'Jij zorgt ervoor dat ze haar kind terugkrijgt. Ik heb het idee dat ik alleen maar meedrijf op de stroom. Ik moet iets doen, ik weet alleen niet wat.'

'Wat wil je dat hier vandaag gebeurt? Wat dacht je ervan als we er wat geld uit slepen?'

'Best.'

'Echt?'

'Tuurlijk. Geld is niet verkeerd. Het lijkt me wel leuk om een jacht te hebben, jou niet? Blauwe blazer, witte broek.'

'Dat zou je wel staan.'

'Ik had in de Pierpont-familie geboren moeten worden.'

'Het wordt geen wereldsbedrag, maar je sleept er in elk geval iets uit. Je zult dan wel aan het einde van de maand moeten verhuizen.'

'Oké.'

'Meen je dat? Dat verbaast me. Het is niets voor jou om voor het grote geld te gaan.'

'Het spijt me, Victor. Dit hele gedoe is stom. Ik had jou er nooit bij moeten betrekken. Je zit al met Theresa's zaak die binnenkort voor de rechter komt en je werkt je ook nog een slag in de rondte om een deal voor Charlie Kalakos te sluiten. Ik had meteen op zoek moeten gaan naar een andere flat toen ik die brief kreeg. Ik denk dat ik een beetje de weg kwijt ben.'

'Dat geldt voor ons alle twee.'

'Ik heb anders het idee dat jij de laatste tijd een stuk lekkerder in je vel zit.'

'Dat komt omdat ik verliefd ben. Op een journaliste.'

'Echt?'

'Vandaag wel. Gisteren was het een blonde stoot op een fiets.'

'Dus jij bent ook op zoek naar iets.'

'Kennelijk. Weet je nog dat die mondhygiëniste mijn appartement kort en klein sloeg?'

'Natuurlijk.'
'Ik heb de rotzooi nog steeds niet opgeruimd.'
'Wat?'
'Het is nog steeds een gigantische puinhoop.'
'Victor, toch.' Ze glimlachte somber. 'Dat is echt triest.'
'Ja.'
'Zeker als je bedenkt dat je met één bezoekje aan IKEA uit de problemen bent.'
'Ik heb een pesthekel aan IKEA. Al dat lichte grenen met die vrolijke Zweedse uitstraling. Ik heet niet Sven en ik woon ook niet meer op kamers. Ik weet niet eens wat een loganbes is. Als ik in een flat vol IKEA-spullen moest wonen, was ik net zo lief dood.'
'Mijn hemel, Victor, je bent er nog beroerder aan toe dan ik.'
Ik legde mijn hand op mijn pijnlijke, nieuwe tatoeage. 'En dat is nog maar het begin. Onthou nu maar, Beth, dat als jij al het gevoel hebt dat je in de problemen zit, ik zowat verzuip in de problemen. Zal ik eens gaan kijken hoeveel ik voor je kan regelen?'
'Best.'
Ik stond op en draaide me naar Eugene Franks toe, die ons met een hoopvolle blik aanstaarde.
'Hoeveel zou je willen hebben?' vroeg ik zachtjes.
'Maakt me niet uit.'
'Dat kan geregeld worden.'
Ik schudde mijn hoofd toen ik naar Franks toe liep. Hij trok zijn wenkbrauwen vragend op.
'Helaas,' zei ik. 'Geen deal. Het maakt niet uit hoeveel geld je biedt, ze wil niet weg. Ze is van plan zo lang mogelijk in haar flat te blijven. Het gaat om het principe, zegt ze.'
'Ik heb de pest aan principes,' zei Franks. 'Die horen niet thuis in de advocatuur.'
'Helemaal mee eens,' zei ik. 'Maar zo'n soort vrouw is ze nu eenmaal.'
'Kun je haar op geen enkele manier overhalen?'
'Ik heb het geprobeerd. Ik heb van alles geprobeerd. We zullen de rechter moeten vertellen dat we gaan procederen. Het zal wel even duren, want ik geloof dat we ergens onder aan de lijst staan. Aan het einde van de middag zullen we wel aan de beurt zijn.'
Hij keek op zijn horloge. 'Ik kan niet de hele dag verspillen aan zo'n onbenullige zaak. Ik heb straks een vergadering met de senior vennoot en een nieuwe cliënt.'
'Dat is Stanford Quick, neem ik aan? De man die de Randolph Stichting vertegenwoordigt.'
'Die zaak doet hij pro Deo. Zijn andere cliënten zijn allemaal grote bedrijven.'

‘Wat is het voor man?’
‘Een echte hufter. Houdt er niet van om te moeten wachten op mensen die lager op de ladder staan dan hij. Dus op iemand als ik.’
‘Het spijt me, Eugene. Ze is vastbesloten. Als je om uitstel wilt vragen, zal ik geen bezwaar maken.’
‘Heb je enig idee hoeveel geld we per dag verliezen als de bouw wordt uitgesteld? Ik moet dit vandaag afhandelen.’
‘Ook goed. Dan hebben we geen keus en moeten we naar de rechter.’
We liepen gezamenlijk naar de deuren van de rechtszaal en trokken ze open. De herrie en de geur die ons tegemoetkwam, waren overweldigend. Ik wierp een blik naar binnen en kreeg het gevoel dat het gedicht van Emma Lazarus, dat in de voet van het Vrijheidsbeeld stond gegraveerd, tot leven was gekomen: THE TIRED, THE POOR, THE HUDDLED MASSES, THE WRETCHED REFUSE, HOMELESS AND TEMPEST-TOSSED.
Franks snoof even en stapte achteruit. ‘Stel nu, Victor, dat we een bedrag bieden waar ze steil van achteroverslaat?’
‘Ik weet het niet, Eugene,’ zei ik hoofdschuddend. ‘Ik betwijfel of het werkt, maar we kunnen het natuurlijk altijd proberen.’

16

De brandende kaars, de wierook, de duisternis, de pestilente stank, de stapel kussens aan het hoofdeinde van het bed, het rochelende hoestje, en de schaduw van de dood die als een afzichtelijke waterspuwer op de ingevallen, oude borstkas hurkte.

'Jij koffie willen, Victor?'

'Nee, dank u, mevrouw Kalakos.'

'Ik anders Thalassa roepen, zij pot maken. Haar koffie waterig, meer naar spuug dan koffie smaken omdat zij bonen steeds weer gebruiken, maar jij welkom.'

'Echt niet, dank u.'

'Jij dan dichterbij komen en gaan zitten. Wij praten moeten.'

Ik kwam dichterbij en ging zitten. Ze raakte met haar hand mijn wang aan. Ik probeerde niet achteruit te deinzen toen ik de olieachtige huid voelde en de walm weerzinwekkende adem rook.

'Jij op tv geweest zijn. Mijn Charlie, hij beroemd geworden door schilderij. Zo grappig, want mijn Charlie, hij nog geen hond kunnen tekenen.'

'Iemand anders heeft de pers ingelicht over het schilderij.'

'Niet jij, Victor? Ik denken jij leuk vinden. Wie dan?'

'Ik weet het niet. Zodra het bekend was, vond ik dat ik in Charlies belang maar beter kon meewerken aan die interviews. Misschien was dat achteraf gezien toch niet zo'n goed idee.'

'Waarom, Victor? Jij probleem hebben?'

'Charlie heeft een probleem,' zei ik. 'Hij moet contact met me opnemen.'

'Best. Maar mij eerst vertellen, wat is probleem?'

'Ik moet er echt met Charlie over praten,' zei ik. 'Hij is de cliënt.'

'Charlie mijn zoon, Victor. Ik weten wat goed voor hem is. Altijd al zo, nu niet anders. Niemand van ons veranderen, en Charlie, hij nog minder. Jij mij probleem vertellen, dan ik jou oplossing vertellen.'

'Ik geloof niet dat ik dat kan doen, mevrouw.'

Ze leek te kuchen en begon te hoesten. Een enorme, rochelende hoestbui. Ze snakte naar adem en haar hele lichaam schokte toen de hoestbui bezit van haar nam. En te midden van dat alles stak ze haar rechterhand op. Ze liet hem even in de lucht zweven en gaf me toen een keiharde draai om mijn oren.

'Au.'
De hoestbui verdween net zo plotseling als hij was opgekomen. 'Jij niet zeggen "kan niet". Jij plicht hebben.'
Ik wreef over de pijnlijke plek en vroeg zachtjes: 'Over welke plicht hebt u het?'
'Of jij weten of niet, hij slingert om nek als levende slang. Dus niet "kan niet" tegen mij zeggen, Victor. Jij goed Grieks gezicht hebben, maar jij niet genoeg Griek vanbinnen zijn voor "kan niet" zeggen.'
'Welke gunst hebt u mijn vader bewezen?'
'Jij mij vragen? Jij hem vragen! Of jij ook bang voor hem zijn?'
'Niet bang.'
Ze stootte een kort, bitter en begrijpend lachje uit. 'Ik niet weer jouw vader willen bellen. Hij van slag raken door telefoontje.'
'Dat geloof ik graag.'
'Dus nu onzin uit weg is, jij mij over mijn Charlie vertellen.'
'Er zijn een paar dingen. Een journaliste wil Charlie interviewen. Dat zou gunstig voor zijn zaak kunnen zijn.'
'Nee. Nog meer?'
'De journaliste lijkt oprecht en ik zie niet in wat het voor kwaad zou kunnen.'
'Gaat om journalist. Dan altijd kwaad kunnen. Jij nog weten wat ik jou over zoon verteld hebben? Hij idioot. Jij denken gunstig zijn als hij praten, jij misschien ook idioot. Nog meer?'
'Het wordt niet zo eenvoudig als we dachten om hem naar huis te brengen.'
'Waarom?'
'Ten eerste lijkt het erop dat Charlie zelfs na vijftien jaar nog gevaar loopt. Zijn oude bende heeft me een bezoekje gebracht. Ik kreeg een paar klappen en de mededeling dat Charlie nog veel ergere dingen te wachten staan als hij naar huis komt.'
'Oké, geen probleem. Ik jou vertellen wat wij doen gaan. Maar jij niet tegen Charlie zeggen.'
'Dat kan ik niet maken, mevrouw Kalakos.'
'Charlie is lafaard. Hij bang voor bad, bang voor meisjes, bang voor eigen schaduw. Daarom hij lang geleden vluchten. Als jij hem vertellen wat wij doen gaan, hij voorgoed verdwijnen. Daarom hem niet vertellen. Beter hij naar huis komen en wij hem dan beschermen.'
'Ze gaan hem vermoorden als hij naar huis komt, mevrouw Kalakos.'
'Zij bluffen, Victor. Veel praten, weinig doen. Allemaal. Als zij komen, zij naar mij komen. Ik reden dat mijn Charlie naar huis komen. En als zij komen, ik klaar voor hun.'
Ze ging rechtop zitten, reikte naar een tafel naast het bed, opende een lade en haalde er een obsceen groot pistool uit, dat vrolijk glinsterde in het kaarslicht.

‘Mijn hemel, mevrouw Kalakos. Dat lijkt wel een kanon.’
‘Zij komen, ik gaten als grapefruits in mannen schieten. Jij hongerig, Victor? Trek in grapefruit? Ik Thalassa roepen en zij grapefruit brengen.’
‘Nee, dank u wel. Hebt u een vergunning voor dat ding?’
‘Ik negenentachtig zijn. Ik geen stuk papier meer nodig hebben.’
‘U zou echt een vergunning voor dat gevaarte moeten aanvragen.’
‘Als jij zo doen, Victor, ik jou niet vertellen wat nog meer met *skatofatses* gebeuren.’
‘Echt, mevrouw Kalakos, ik wil het niet weten. Ik moet uw zoon wel over de dreigementen vertellen.’
Ze zwaaide nog een paar tellen met het wapen voor ze het weer in de lade legde. ‘Jij doen wat jij doen moeten. Maar jij hem ook vertellen, ik hem beschermen als politie hem niet beschermen. Ik daarvoor zorgen. Nog meer?’
‘Er is een federale aanklaagster die problemen maakt. Zij is degene van wie het afhangt of Charlie naar huis kan komen zonder in de gevangenis te belanden, maar ze weigert iets te doen tot Charlie haar geeft wat ze wil.’
‘En zij willen wat?’
‘Ze wil dat hij praat. Dat hij haar alles vertelt.’
‘Geen probleem. Ik zorgen hij praten.’
‘Ze wil niet alleen dat hij over de Warrick-bende praat, ze wil ook dat hij praat over iets wat daarvoor is gebeurd. Ze wil weten hoe hij het dertig jaar geleden voor elkaar heeft gekregen om dat schilderij te stelen.’
Haar vochtige ogen, die glinsterden in het flikkerende kaarslicht, keken me een paar tellen onderzoekend aan. ‘Ik begrijpen,’ zei ze uiteindelijk. ‘Dat misschien probleem. Jij vrienden hebben, Victor? Oude vrienden, uit jeugd, vrienden die als broers waren, meer dan broers?’
‘Nee, mevrouw.’
‘Jammer voor jou. Ik zulke vrienden hebben in vaderland, en Charlie, hij zulke vrienden hier hebben. Als peuters zij al samen in opblaasbadjes spelen. Mijn Charlie; Hugo, die net magere aap leken; Ralph Ciulla, net grote man op twaalfde; kleine Joey Pride; en natuurlijk Teddy, Teddy Pravitz, hij leider van groep. Zij vijf boezemvrienden, altijd bij elkaar. Eén keer – en ik jou vertellen zodat jij begrijpen – één keer jongens uit Oxford Circle hier komen. Jij weten waar Oxford Circle is?’
‘Bij Cottman in de buurt?’
‘Goed. Een keer Oxford-jongens in onze buurt komen, zij herrie willen schoppen. Mijn zoon Charles toen nog op middelbare school. Oxford-jongens vinden kleine Joey Pride. Joey, lieve jongen, maar zwart, en grote bek. Zij hem zo hard schoppen, hij bloeden als rund. Zij alleen voor lol doen, Victor. Beesten, die jongens. Politie niets doen. Zij zeggen, wat kunnen wij doen? Maar Teddy, hij iets bedenken.’
‘En wat was dat, mevrouw Kalakos?’

'Jij thee willen? Ik Thalassa roepen en zij thee brengen.'
'Nee, dank u. Echt niet.'
'Nee, wij thee nodig hebben.' Ze deed haar mond wijd open en schreeuwde op schrille toon: 'Thalassa. Nu komen.'
Beneden ons klonk een klap, alsof iemand iets op de grond liet vallen. Even later hoorde ik een ritselend geluid, een zucht en toen klonken er vermoeide voetstappen op de trap. De deur ging krakend open en er verscheen een verlept gezicht.
'Victor thee willen,' zei mevrouw Kalakos.
Thalassa's hoofd draaide mijn kant op en uit haar blik sprak pure haat.
'Hij ook suiker willen en koekjes.'
'Echt niet, heel lief aangeboden, maar bedankt,' zei ik.
Het gezicht verdween en de deur ging krakend dicht.
'Zij lief kind. Maar haar thee, dun als bloed. Zij zelfde zakje gebruiken voor alle koppen, alsof thee duur als goud. Wij nog theezakjes hebben uit tijd dat Clinton president zijn. Clinton, hij Grieks bloed hebben, hij zelf niet weten, maar ik dat zien kunnen.'
'Wat heeft Teddy na die afranseling van Joey gedaan?'
'Teddy, hij toen al mooie jongen. En slim. Hij bij mij komen en sleutels van auto vragen. Ik hem begrijpen, dus ik hem sleutels geven. Die jongen Grieks als nodig is. Zij 's avonds wegrijden, ook Joey met arm in doek, alle vijf. Met honkbalknuppels en woede in hart. Zij zaak geregeld hebben, Victor. Maakt niet uit dat zij verkeerde jongen pakken. Die beesten van Oxford Circle, zij nooit meer hier komen. De jongens, zij elkaar beschermen, jij begrijpen, Victor? Die band altijd blijven.'
'En dat waren de jongens die de inbraak hebben gepleegd?'
Ze klopte even op mijn wang. 'Jij slimme jongen. Jij zeker weten jij niet met mijn Thalassa willen uitgaan?'
'Heel zeker, mevrouw. Maar er is iets wat ik niet begrijp. Ik heb gehoord dat die inbraak in de Randolph Stichting beschouwd werd als een professionele klus die uitgevoerd werd door een groep eersteklas inbrekers. Niet door vijf branieschoppers uit dezelfde buurt. Hoe hebben ze dat in vredesnaam voor elkaar gekregen?'
'Niet vijf branieschoppers uit zelfde buurt, Victor. Vier branieschoppers en Teddy. Dat groot verschil.'
Op dat moment ging de deur krakend open en kwam Thalassa de kamer binnen. Met haar gebogen grijze hoofd, kromme rug en grauwe kleding vormde ze een troosteloze aanblik. Ze zette zwijgend het dienblad neer en vertrok. Mevrouw Kalakos had gelijk, de thee was slap en muf en smaakte net zo oud als Thalassa eruitzag, maar de koekjes waren tot mijn verbazing zalig. Ik zat net mijn vierde koekje naar binnen te werken, toen mijn mobieltje begon te rinkelen.

Ik stond op, trok me terug in een donker hoekje van de kamer en nam op. 'Carl.'
'Heb je vanavond tijd?'
Ik herkende de stem meteen: Phil Skink.
Mevrouw Kalakos zat rechtop, hield haar bleke gezicht vlak boven het porseleinen theekopje en ik zag de damp rond haar diepliggende ogen kringelen. 'Natuurlijk,' zei ik. 'Ik zit in een bespreking, maar dat duurt niet lang meer. Vertel.'
'Ik wil je aan iemand voorstellen.'
Mijn adem stokte. Ik voelde dat ik begon te blozen. 'Heb je haar gevonden? Heb je Chantal Adair gevonden?'
'Dat wil ik juist van jou horen.'

17

'Waar gaan we eigenlijk naartoe, Phil?' Ik zat achter het stuur en we reden in oostelijke richting over Spring Garden Street. Nog even en we waren de stad uit.

'Ik wil je iemand laten zien,' zei hij.

'Is zij het?'

'Dat weet ik niet zeker, dat zei ik al. Ik heb her en der navraag gedaan, discreet zoals je vroeg, en dit is eruit gekomen. Het is niet wat je zou verwachten, maar aan de andere kant' – hij lachte – 'misschien ook juist wel.'

'Heb je een foto gemaakt? Misschien wil ik wel niet dat zij het is, als je begrijpt wat ik bedoel. Had ik je al verteld dat ik iets heb met snorren? Grote, bossige snorren? Bij een vrouw moet ik daar niets van hebben. Bij mannen eigenlijk ook niet, maar bij vrouwen ga ik er helemaal van griezelen.'

'Rustig maar. Als het haar naam is die op je borstkas staat, zal ze je wel aanstaan, geloof me. Ik heb trouwens ook een paar andere foto's. Wil je die eerst zien?'

'Graag.'

'Daar is een plekje, stop daar maar.'

Ik stuurde naar de kant van de weg, zette de auto achter een geparkeerd busje neer, en liet de motor lopen. Skink deed de binnenverlichting aan en haalde een envelop uit zijn jaszak.

'Ik heb geen Chantal Adairs in de telefoonboeken van Philly, South Jersey of Delaware gevonden, maar wel een paar C. Adairs. Geen voornaam. Dat betekent meestal dat het om een vrouw gaat die niet wil dat iemand weet dat ze een vrouw is, in verband met eventuele stalkers. Dus die ben ik gaan controleren. Ik heb er eentje in Absecon gevonden en een in Horsham. Dit zijn de foto's, misschien dat eentje een belletje bij je laat rinkelen.'

Hij gaf me de eerste foto. Een korrelige kleurenfoto die van een flinke afstand was genomen, maar ik zag meteen dat de vrouw niet degene was die ik zocht. Ze was een stuk ouder, een heel stuk ouder, had grijs haar en liep met een rollator.

'Grapje, zeker?'

'Hoe moet ik weten op welk type jij valt? Zeker de laatste tijd.'

'Wie nog meer?'

De volgende foto was van een jonge vrouw die hoogzwanger was en een

peuter op haar weelderige heup droeg. Ondanks haar zwangerschap had ze een aantrekkelijk gezicht en ik kneep mijn ogen tot spleetjes om te kijken of iets in haar gezicht me bekend voorkwam.
'Ik weet het niet,' zei ik. 'Ik geloof niet dat ik haar ooit eerder heb gezien.'
'Dat kan kloppen, want ze heet Catherine.'
'Waarom heb je me die foto dan laten zien?'
'Om je duidelijk te maken dat er niet zo heel veel Chantal Adairs rondlopen. Zodat je je neus niet ophaalt voor de Chantal die je straks ziet.' Hij deed de binnenverlichting uit. 'Laten we gaan.'
Ik zette de auto in zijn versnelling en reed de weg weer op, nog steeds richting oosten.
'Je zei net dat het niet was wat ik zou verwachten. Wat bedoelde je daarmee?'
'Haar naam is niet exact dezelfde als die op je borstkas.'
'Waarom gaan we dan bij haar langs?'
'Omdat het er verrekt dicht bij in de buurt komt.'
'Verrekt dicht in de buurt van wat?'
'Dat zie je zo wel, dan weet je of ze het is of niet. Hier moet je naar rechts.'
Ik deed wat hij zei. 'En wat als ik haar niet herken?'
'Dan herkent ze jou misschien wel. Hier weer naar rechts en dan onder die brug door.'
'Wat is dat daar?' Ik knikte in de richting van een knipperende neonreclame.
'Daar moeten we zijn. Rij het parkeerterrein maar op.'
Het parkeerterrein omringde een laag gebouw dat onder het viaduct van de snelweg zat ingeklemd. Op het parkeerterrein stonden pick-ups en prijzige sedans; het gebouw was zwart geverfd; de paarse neonreclame knipperde; en de lichtjes vormden afwisselend de naam van de zaak en een vrouwenfiguur, het soort afbeelding dat je op de spatlappen van grote vrachtwagens tegenkomt. Ik zette de auto in het midden van het parkeerterrein stil en voelde teleurstelling door me heen stromen. Waarom eigenlijk? Wanneer mannen 's nachts op zoek gaan naar echte liefde, komen ze maar al te vaak in een striptent terecht.
'Club Lola?' Mijn hoop was de bodem ingeslagen en dat was te horen.
'Dat klopt, ja.'
'Is dit niet de tent waar die vent de stripper leerde kennen voor wie hij zijn vrouw vermoordde?'
'Precies.'
'En ik neem aan dat Chantal Adair hier als stripper werkt?'
'We zijn hier juist om daarachter te komen.'
'Wat heeft dat eigenlijk voor zin?' vroeg ik. 'Van alle dingen die ik me had voorgesteld bij de tatoeage op mijn borst, is dit wel het absolute dieptepunt.

Je bent wel een enorme stumper als je dronken wordt, in een striptent belandt, verliefd wordt op een stripper en haar je eeuwige liefde betuigt door haar naam op je borst te laten tatoeëren, of niet soms?'
'Dat zullen we zo weten, nietwaar?'
'Laat maar. Ik kan wel raden hoe het afloopt.'
'Wil je het niet zeker weten?'
'Ik weet genoeg. Ik heb me als een volslagen idioot gedragen, daar komt het op neer.'
'Als je het er nu bij laat zitten, zul je elke keer dat je in de spiegel kijkt, het ergste denken,' zei Skink. 'Niet over die griet, maar over jezelf. Zet de motor uit, dan gaan we kijken hoe het echt zit.'
'Jij wilt gewoon een avondje lol maken.'
'Dat ook, ja, en omdat jij de rekening betaalt, zal ik er dubbel van genieten.'
Ik voelde de dreunende bassen van de muziek voor ik de ingang bereikte. Meestal hou ik me aan de regel om nooit een tent binnen te stappen waar een uitsmijter voor staat die helemaal in het zwart is gekleed en zijn haar in een paardenstaart draagt. Dat heeft als bijkomend voordeel dat ik niet in tenten kom waar ik toch niet naar binnen mag. Dit was een uitzondering.
'Heb je me hier al eens eerder gezien?' vroeg ik aan de uitsmijter toen ik de entree voor ons beiden betaalde.
Zonder me aan te kijken, zei hij: 'Ik heb een slecht geheugen voor gezichten.'
'Ik heb het over een paar avonden geleden.'
Zijn hoofd kwam omhoog en hij snoof als een dobermannpincher. 'Als ik je er niet uit geschopt heb, weet ik ook niet of je hier geweest bent. Zo gaat dat hier. Dan hoef ik ook niet voor de rechter te verschijnen, als je snapt wat ik bedoel.'
'Dat snap ik, ja,' zei ik. 'Maar was ik hier?'
'Je hebt me toch gehoord? En moeder de vrouw krijgt hetzelfde te horen.'
'Nou,' zei ik, terwijl ik het wisselgeld aanpakte, 'dat is een hele opluchting.'
We stapten de nachtclub binnen.

18

Club Lola bestond uit een grote, rokerige, spaarzaam verlichte ruimte met donkere muren, veel tafeltjes en een lange bar. In het midden van de zaal stond een podium waarop zich een vrouw bevond die een string, twee tepellapjes en hoge hakken droeg, en ondersteboven hing. Ze had haar benen om een glanzende paal geslagen en haar handen lagen om haar borsten. De muziek stond hard, de tafeltjes waren klein, de stoelen hadden een pluchen bekleding en de danseres likte met haar lange, smalle tong aan een van haar borsten. Echt een plek om je gezin mee naartoe te nemen.
De tent was halfvol en de klanten zaten met vreemde bijna verzadigde blikken naar de optredens te kijken terwijl een roedel gastvrouwen – hun chirurgisch verfraaide lichamen voorzien van kleine bikini's, hoge hakken, armbanden en tatoeages – door de zaal trok en zich op gewillige prooien stortte. Hoe komt het toch dat bikini's en hoge hakken zo'n onweerstaanbare verleiding vormen voor mannen? Een blik op de bikinitopjes maakte duidelijk dat de airconditioning aanstond.
Skink schoof zijn hoed achterover op zijn hoofd, haalde een sigaar uit zijn jaszak, spreidde zijn armen en snoof de verschaalde lucht op. 'Een tent naar mijn hart,' zei hij.
'Dat geloof ik graag.'
'Ik bedoel, er hangt een lekker sfeertje. Het straalt klasse uit.'
'Het straalt zeker iets uit, dat ben ik met je eens.'
'Zeur toch niet zo. Ik zal een drankje voor je bestellen.'
'Dat komt zeker op de onkostenrekening die ik moet betalen?'
'Victor, waar zie je me eigenlijk voor aan?'
'Dus ik heb gelijk.'
'Ga zitten, kijk niet zo zuur en geniet. Ik zal kijken of ik een beetje actie kan regelen.'
Ik ging zitten, toverde een glimlach tevoorschijn, maar genoot niet. En dat kwam niet alleen omdat ik het merkteken van een mislukking op mijn borstkas meedroeg.
Ik weet het, ik weet het, iedere vrouw denkt dat iedere man, diep in zijn hart, gek is op een striptent. Bij mij is dat niet het geval. Ik moet er niets van hebben. Weet je waarom? Ik hou niet van de rollen die mannen toebedeeld krijgen in een tent als Club Lola.

Ben ik een arrogante macho die niet anders verwacht dan dat vrouwen hun naakte lichamen in allerlei bochten wringen om hem te plezieren? Ben ik een zielige stumper die moet betalen om zo dicht bij naakt vrouwenvlees te komen? Ben ik een verveelde echtgenoot die naar een stripper kijkt en kwaad is op zichzelf omdat hij met zo'n soort vrouw had moeten trouwen? Of nog erger, ben ik een romantische zielenpoot die denkt dat die danseres daar, die met de lieve ogen en grote borsten, me echt leuk vindt? Nee, ze vindt me echt leuk. Eerlijk waar.

Terwijl ik zwolg in mijn existentiële stripclubcrisis, leek Skink nergens last van te hebben. Hij wist precies wie hij was en wat hij deed toen hij achterover in zijn stoel leunde met een biertje in zijn ene hand, een sigaar in de andere, en verlekkerd toekeek terwijl een danseres haar welgevormde billen pal voor zijn neus heen en weer schudde.

'Ja, dat is geweldig,' zei Skink met een brede grijns op zijn gezicht, waardoor de flinke spleet tussen zijn twee voortanden zichtbaar werd. 'Precies zo, ja. Geweldig.'

'Kan ik nog iets voor je doen?' vroeg de danseres, die zich met de naam Scarlet had voorgesteld.

'Waarom draai je je niet even om, schatje, dan zal ik je iets toestoppen.'

Scarlet draaide zich om, boog zich voorover, haakte haar duimen in haar bikinitopje en schudde haar fraaie borsten. Het zag er feestelijk uit, zelfs haar tepellapjes schitterden vrolijk; net twee discoballen.

'Is Chantal er?' vroeg Skink, die een briefje van tien in haar string schoof.

'Ze is achter,' zei Scarlet. Terwijl ze praatte, bleef ze verleidelijk voor zijn neus dansen, even efficiënt als een bankbediende biljetten telt.

'Stuur haar even naar ons toe, wil je?'

'Wat, ben ik niet goed genoeg voor je?'

'Je bent te goed,' zei Skink. 'Nog even en ik hou het niet meer.' Hij stopte haar een tweede bankbiljet toe. 'Ga Chantal nou even voor ons halen, schatje.'

Scarlet verzamelde de biljetten en verdween in de richting van het gordijn naast de bar. Skink draaide zich naar me toe met een vette grijns op zijn gezicht. 'Daarom ben ik nou privédetective geworden.'

'Ik ben blij dat je je roeping hebt gevonden.'

'Zie je al iemand die je herkent?'

Ik wierp een blik op de vrouwen die in de zaal rondliepen, met klanten praatten of om beurten hun kunsten aan de glanzende paal vertoonden. Sommigen waren aantrekkelijk, sommigen waren echte stukken, en allemaal waren ze even spaarzaam gekleed.

'Niet eentje,' zei ik.

'En zij?' Skink gebaarde naar een lange vrouw met kastanjebruin haar die onze richting uit kwam.

'Ik geloof het niet.'
'Zeker weten?'
'Ik zou me haar echt wel herinneren.'
En dat was ook zo. Ze leek op een nieuwe, verbeterde versie van de klassieke pin-upgirl met nog langere benen en nog minder kleding. Ze droeg rode, hoge hakken; een groene string; had smalle heupen; parmantige borsten; een bleke huid; blauwe ogen; en een betoverende mond die niet helemaal symmetrisch was en je op allerlei gedachten bracht. Het deed gewoon pijn om naar haar te kijken. Het was alsof alle dromen die je ooit had gehad, maar die nooit waren uitgekomen, in haar verenigd waren en in levenden lijve op je afkwamen. Ik had eerder nog getwijfeld over de rol die ik in deze club vervulde, maar haar adembenemende schoonheid maakte daar een eind aan: deze vrouw bevond zich mijlenver buiten mijn bereik. Ik was een zielige stumper die geld op tafel legde om naar haar te mogen staren.
'Hallo, jongens.' Er lag een zilverachtige klank in haar stem.
Ze zette een rode hoge hak op het kleine ronde tafeltje tussen ons in. Op haar enkel prijkte een tatoeage van een rode roos. 'Mijn naam is Chantal.'
Ze boog zich vanuit haar middel naar voren in een of andere balletbeweging. De spieren in haar kuit spanden zich. Ik boog voorover en rook aan de bloem. Ik zag een doffe plek op haar glanzende, rode schoen en voelde de vreemde behoefte om hem met mijn tong weg te poetsen. Haar lange, steile kastanjebruine haar glansde en toen een lok voor mijn neus langs zwierde, rook ik een seringenveld en hoorde ik bijen gonzen. Of was dat mijn bloed?
Ik was helemaal om, mijn afkeer van striptenten was als sneeuw voor de zon verdwenen.
'Jullie hadden om me gevraagd?'
'Eh, ja.' Skink klonk ineens niet meer zo zelfverzekerd. 'Dat klopt.'
Ze bleef gracieuze bewegingen maken terwijl ze haar bovenlichaam naar Skink toe boog en vroeg: 'Hoe heet je?'
'Phil,' zei hij. 'De naam is, eh, Phil.'
'Net als die grappige bosmarmot in *Groundhog Day*,' zei ze. 'Je lijkt zelfs op hem, met dat spleetje tussen je tanden. En, wat kan ik voor je doen, Phil?'
De klank van haar stem was eerder verleidelijk dan hitsig.
'Waar hou je van?'
'O, van alles,' zei Skink. 'Echt.' Hij schudde zijn hoofd en knipperde met zijn ogen. 'Maar we zijn hier niet voor mij, maar voor mijn vriend.' Zijn duim wees naar mij.
'O,' zei ze, 'hebben jullie een vrijgezellenfeestje?'
'Zo zou je het kunnen zeggen,' zei Skink, 'aangezien we alle twee vrijgezel zijn.'
Haar voet bleef op de tafel staan toen ze zich van me af draaide waardoor een

getatoeëerde herdersstaf op haar onderrug zichtbaar werd. Ze boog achterover, steeds verder, tot haar ruggengraat de vorm van een strak gespannen boog had. Haar handen reikten voor me langs naar de armleuning van mijn stoel. Ik zag een tatoeage van een witte duif op haar rechterschouder. Haar gezicht was slechts een paar centimeter van het mijne verwijderd.
'Hallo,' zei ze op zachte, zwoele toon terwijl haar lichaam op het ritme van de muziek bewoog. 'Ik ben Chantal. Ik ben gek op de balletjes in een flipperkast die zo wild heen en weer schieten? En jij? Ze doen me denken aan jouw ogen, die schieten ook alle kanten op.'
'Werkelijk?'
'Ja, echt. Pas maar op anders sla je op tilt.' Ze lachte. Een vrolijke, meisjesachtige lach. 'En hoe heet jij, schatje?'
'Ken je me niet meer?' vroeg ik.
Er trok even een nietszeggende uitdrukking over haar gezicht toen ze me aandachtig opnam. Een paar tellen later lag er weer een professionele glimlach rond haar betoverende mond. 'Natuurlijk wel,' zei ze. 'Hoe gaat het met je? Fijn dat je er weer bent.'
'Je hebt geen flauw idee wie ik ben, of wel soms?'
'Natuurlijk wel. Je bent zo lief en knap, hoe zou ik je kunnen vergeten?'
'Hoe heet ik dan?'
'Hoe je heet?'
Ze zette zich af van de armleuning en langzaam kwam haar perfect gevormde lichaam omhoog. Ze haalde haar voet van tafel, deed een stap terug, staarde me een seconde aan alsof ik stapelgek was, wierp een blik op Skink, en keek vervolgens mij weer aan.
'Heette je niet Bob?'
Het was zo'n vernederende toestand dat ik weer tot mezelf kwam. Ik stond op, knoopte zo goed en kwaad als het ging mijn jasje dicht en zei: 'Laten we gaan, Phil.'
'Wacht nou eventjes,' zei Skink. 'Het wordt net interessant. Doe ons een lol, schatje, en zeg hoe je heet.'
'Dat heb ik al gezegd.' De zwoele klank in haar stem was verdwenen.
'Je hebt ons maar de helft verteld. Je heet Chantal. En verder?'
'Alleen Chantal. We hebben hier alleen voornamen. Zoals Cher. En Beyoncé.'
'Natuurlijk,' zei ik. 'En Chantal is zeker je echte naam.'
'Natuurlijk,' zei ze met een lachje. 'Net zoals Desirée echt Desirée heet en Scarlet echt Scarlet. En dan zal ik het maar niet over Lola zelf hebben.'
'Lola? Hoe heet die echt?' vroeg Skink.
Chantal boog zich naar Skink toe en fluisterde hem zachtjes iets toe, alsof ze een geheim verklapte. 'Sid.'
Skink grijnsde bewonderend.

'Waar gaat dit eigenlijk om? Waarom willen jullie dat weten? Zijn jullie van de politie?'
'Zien we eruit alsof we van de politie zijn?' vroeg ik.
'Hij wel.' Ze gebaarde naar Skink. 'Jij ziet eruit als een decaan van een middelbare school.'
'We zoeken iemand,' zei Skink, 'en we dachten dat jij die persoon misschien was.'
'En is dat zo?'
'Nee,' zei ik. 'Het spijt me dat we je tijd verknoeid hebben.'
'Wie zoeken jullie dan?'
'Iemand die Chantal heet,' zei Skink. 'Net als jij.'
'En hoe heet die Chantal verder?'
'Chantal Adair.'
Ze keek ons aan alsof we buitenaardse wezens waren die plotseling in haar wereldje waren opgedoken. 'Jullie houden me voor de gek.'
'Waarom denk je dat?' vroeg Skink. 'Ken je haar?'
'Ik moet gaan,' zei ze, terwijl ze achteruit stapte en haar armen over haar borst kruiste. 'Ik moet het podium op. Het is mijn beurt om te dansen.'
'Ben jij Chantal Adair?' vroeg ik.
'Je zit er helemaal naast,' zei ze.
'Maar je kent haar wel.'
Ik stapte op haar af en legde voorzichtig mijn hand op haar pols. Ze keek naar mijn hand en toen naar mijn gezicht.
'Wat willen jullie nu eigenlijk?'
'We willen alleen Chantal vinden,' zei Skink.
'Nou, dan kun je lang zoeken. Chantal Adair was mijn zus. Twee jaar voor ik geboren werd, is ze verdwenen.'
Ze lachte geforceerd, zette haar hand op mijn borst, duwde me weg, draaide zich om, en liep naar de bar. Ze leunde eroverheen, met haar armen nog steeds voor haar borst gekruist, en zag eruit alsof ze buikpijn had. Ze sprak tegen de barkeeper over ons, want hij keek ineens onze richting uit. Hij gaf haar een drankje dat ze in één teug achteroversloeg.
'Zij is het niet,' zei ik.
'Anders was ze die tatoeage wel waard. Dat moet je toegeven.'
'Ja, dat wel.'
'Haar echte naam is Monica, Monica Adair,' zei Skink. 'Het leek me de gok waard, omdat haar echte achternaam en de naam die ze als stripper gebruikt, beide voorkomen in je tatoeage.'
'Ja, ik snap het. Toch vind ik het wel een beetje bizar dat ze onder de naam van haar verdwenen zus danst.'
'Ze is een stripper, dat verklaart een hoop. Ik heb ooit een mokkel in Tucson gekend...'

Ik onderbrak hem. 'Dat zal best, maar daar hoef ik even niets over te horen. Ik ga naar huis.'
'Ik denk dat ik nog even blijf.'
'Dat verbaast me niets.'
'Voor onderzoek.'
'Je enthousiasme voor je werk is hartverwarmend.'
'Ik heb nog een tweede mogelijkheid wat die tatoeage betreft. Aangezien deze niets heeft opgeleverd, zal ik achter die andere aan gaan.'
'Nog een striptent?'
'Nee, iets heel anders. Ik ken een vent die...'
Skink hield halverwege zijn zin op, wat zelden gebeurde. Ik volgde zijn blik en zag wie dat huzarenstukje voor elkaar had gekregen. Monica Adair liep met een vreemde glimlach op haar gezicht onze richting uit.
Ze stapte recht op me af en legde haar hand op mijn arm.
'Je hebt je naam niet verteld,' zei ze.
'Victor.'
'Ga je weg, Victor? Nu al?'
'Ik moet naar huis. Morgen is het een grote dag voor me.'
'Ik moet als volgende het podium op, maar ik denk dat ik vanavond wel wat eerder weg mag. Sid is me nog iets schuldig. Heb je honger?'
'Het is een beetje aan de late kant om nog iets te gaan eten, vind je niet?'
'O, Victor, het is nooit te laat om iets te gaan eten. En als het je wat lijkt, kunnen we het tijdens het eten over mijn zus hebben.'

19

Je zit niet elke dag in een eettentje met een stripper die het over een heilige heeft.

'Weet je wie de heilige Solange is?' Monica's stem had weer die zilverachtige klank. In een tent als Club Lola, waar een vrouw zoveel mogelijk moet zien te beantwoorden aan de geheime fantasieën van mannen – ellenlange benen die zich om je heen klemmen en grote borsten om aan te sabbelen – paste haar stem wonderwel. Maar hier, in de Melrose Diner aan Passyunk Avenue in het hart van zuidelijk Philly, deed hij vreemd aan.

'Nee, nooit. Mijn achterban heeft niets met heiligen.'

'Niet katholiek dus?'

'Joods.'

'Jammer. In moeilijke tijden bieden heiligen juist zoveel troost.'

'Ik heb liever een biertje.'

Na haar pas de deux met de paal had ze de rest van de avond vrijgenomen – en zelfs een doorgewinterde politicus zou gaan blozen van de stunts en trucjes die ze met de paal had uitgehaald – daarom zaten we nu in een eettentje en hadden we het over haar zus. Weet je, Monica Adair zag er in gewone huis-tuin-en-keukenkleding nog knapper uit dan in haar toneelkostuum. Meestal is het andersom, bij haar niet. Ze droeg een spijkerbroek, een T-shirt, sportschoenen, had geen make-up meer op, en haar prachtige kastanjebruine haar zat in een paardenstaart. Ze leek net een ongelooflijk aantrekkelijke studente, maar zodra ze haar mond opendeed, besefte je dat ze stapelgek was.

'Mijn moeder was daar helemaal gek op,' zei Monica. 'Op heiligen, bedoel ik. Heiligen en borden met afbeeldingen van clowns. Mijn zus en ik zijn beiden vernoemd naar de heilige die haar naamdag had toen we geboren werden. Chantal werd vernoemd naar de heilige Jeanne de Chantal, de beschermheilige van ouders die van hun kinderen zijn gescheiden. Eigenlijk best triest, als je bedenkt hoe het gelopen is.'

'En jij?'

'Ik ben op 27 augustus geboren, de naamdag van de heilige Monica van Hippo. De beschermheilige van teleurstellende kinderen. Eet je dat schijfje augurk nog op?'

'Nee. Ga je gang.'

Ze reikte over tafel, plukte het glibberige, groene plakje van mijn bord, stak het in haar mond en beet het in tweeën.
'Het had natuurlijk erger gekund,' zei ze. 'Ze had ons ook naar de clowns kunnen vernoemen. Kun je me een plezier doen en je das rechttrekken?'
'Mijn das?'
'Ja, hij zit een beetje scheef. Nee, de andere kant op. Zo, ja. Dat soort dingen irriteert me mateloos. Net als schoenveters die loshangen of stofjes op de revers van een jasje. En ik was mijn handen heel vaak. Vind je dat raar?'
'Als ik werkte waar jij werkte, zou ik mijn handen ook heel vaak wassen.'
'Waarom?'
'Ik bedoelde alleen...'
'Ik vind juist dat ze het heel schoon houden.'
'Ik bedoelde...'
'Maar de heilige Solange was altijd mijn favoriet,' zei Monica. 'Ze was een herderin in Frankrijk die de gelofte van kuisheid had afgelegd toen ze een jaar of acht was. Op haar twaalfde kreeg de zoon van de graaf op wiens land ze haar schapen hoedde, belangstelling voor haar. Ze wees hem af, dus trok hij haar van haar paard af en hakte hij haar hoofd eraf.'
'Naar,' zei ik.
'Maar toen, en daarom is ze mijn favoriete, herrees ze kennelijk uit de dood. Ze pakte haar hoofd van de grond, nam het met zich mee naar het nabijgelegen stadje en begon te preken. Het was alsof niets haar kon tegenhouden om haar boodschap uit te dragen. Ze zou perfect zijn geweest in de *Today show*. Zie je het al voor je? Katie Couric die haar interviewt?'
'Een onderonsje tussen twee pratende hoofden.'
'Wat me vooral aanspreekt is dat de heilige Solange zelfs nadat ze vermoord was, bleef preken. Datzelfde gevoel heb ik namelijk ook over mijn zus.'
'Dat begrijp ik niet.'
'Ze verdween voor ik werd geboren, toch is het net of ze nog steeds tegen me praat, of ze elke dag van mijn leven tegen me praat.'
Ik boog iets naar voren en speurde haar knappe gezichtje af naar tekenen die op krankzinnigheid wezen. 'Wat zegt ze dan?'
'Eet je de rest van je sandwich nog op?'
'Ik denk het niet,' zei ik.
'Mag ik hem hebben?'
'Met alle plezier.' Voor ik zelfs maar was uitgesproken, reikte ze al naar de halve sandwich met cornedbeef die nog op mijn bord lag.
'Hmm, lekker,' zei ze, nadat ze een hapje had genomen. Een sliertje sla bungelde in een mondhoek voor ze het wegveegde met haar vinger. 'Na mijn werk verga ik altijd van de honger.'
'Je had het over je zus,' zei ik, om haar weer bij de les te krijgen.
'O, Chantal, die was zelf net een heilige. De lieveling van de buurt. Ze was

pas zes toen ze verdween, maar zelfs op die leeftijd was ze al een bijzonder kind. Ze ging graag naar de kerk en was dol op dieren. Ze nam een keer een vogel met een gebroken vleugel mee naar huis en een zwerfhond. Ik heb ook een hond. Luke. Een Shar-Pei. Zo eentje met een rimpelige huid.'
'Ken ik niet.'
'Uit China. Luke niet, hoor, die komt uit Scranton. Ik bedoel het ras. Best agressief. Je moet ze niet kwaad maken. En geen accordeon spelen. Meer wijze raad over het leven heb ik niet.'
'Ik zal het onthouden.'
'En ansjovis.'
'Wat is daarmee?'
'Dat weet ik niet, daar ben ik nog niet uit. Ze zijn een beetje te zout, vind je ook niet? Maar op een pizza smaken ze niet slecht. Chantal hield van pizza en van patat. Maar vooral van dansen. Dat kon ze fantastisch. Mijn ouders hebben nog steeds oude films waarin ze danst. Daar kijken ze constant naar. Ze heeft opgetreden in *Al Alberts Showcase*. Ken je dat programma nog waarin lokaal talent de kans kreeg? Dat was altijd op zondagmorgen op televisie.'
'Ja, dat herinner ik me nog wel.'
'Ze heeft daar een keer een solodans gedaan. De verbazingwekkende Chantal Adair. Ze deed een tapdans en had rode schoentjes aan. Ik heb die schoentjes nog steeds, net Dorothy's rode schoentjes.'
'Wat is er met haar gebeurd?'
'Dat weet niemand. Op een dag ging ze buiten spelen, net als altijd, maar kwam ze niet meer terug. De kranten hebben er maandenlang aandacht aan besteed. De politie zat erbovenop, maar er werd nooit iets gevonden. Geen brief om losgeld, geen lichaam, helemaal niets. Net alsof ze haar schoentjes tegen elkaar klikte en verdween.'
'Wat verschrikkelijk.'
'Ja.' Ze reikte naar mijn bord en griste een patatje weg. Ik schoof het bord naar haar toe en ze pakte nog een patatje. 'Mijn ouders stortten compleet in. Ze hadden mij wel, maar ik was niet zo goed als zij, dus dat was een extra teleurstelling. Ze zijn er nooit meer overheen gekomen.'
'Wat denken ze dat er gebeurd is?'
'Iedereen denkt dat ze vermoord is. Er woonde een oude dronkenlap in de buurt die zich vreemd gedroeg, maar ze hebben nooit harde bewijzen tegen hem gevonden. Er ging ook een gerucht dat er een kinderlokker in een wit busje door de buurt had gereden.'
'Het is altijd een wit busje, hè?'
'Ja, hoe komt dat toch? De volgende keer dat ik een bank beroof, moet ik eraan denken om het bruine busje te gebruiken. Dat is al de tweede keer dat je op je horloge kijkt. Moet je nog ergens naartoe, of zo?'
'Het is gewoon laat,' zei ik. 'En morgen moet ik in de rechtbank zijn.'

'Een belangrijke zaak?'
'Nee, gewoon een voogdijzaak.'
'Dat lijkt me belangrijk. Wie vertegenwoordig jij?'
'De moeder.'
'Goed zo. Ik sta aan de kant van de moeders. Weet je wie de beschermheilige van de moeders is?'
'Nee.'
'De heilige Gerard. Hij werd ervan beschuldigd dat hij een vrouw zwanger had gemaakt en hij weigerde iets te zeggen tot zijn naam was gezuiverd.'
'Dan had hij vast een goede advocaat.'
'Heb je ooit een wapen afgevuurd, Victor?'
'Nooit.'
'Ik heb er eentje. Ik heb het nog nooit gebruikt, maar als iemand op een dag in het verkeerde appartement inbreekt, dan... bam!'
'Ik denk dat ik maar uit jouw buurt blijf, Monica, gezien je hond en je wapen.'
'Ben je bang voor Luke? Luke doet nog geen vlieg kwaad. En die ene vent in het park, tja, die rookte en Luke moet nu eenmaal niets van sigaretten hebben. Maar ik denk niet dat ze vermoord is. Mijn zus, bedoel ik. Volgens mij is ze niet dood. Herinner je je dat meisje nog van wie werd aangenomen dat ze was omgekomen in een brand, maar later bleek dat ze ontvoerd was en ergens in New Jersey woonde?'
'Ja, dat weet ik nog wel.'
'Ik denk dat er zoiets is gebeurd. Ik denk dat Chantal ontvoerd is omdat ze zo bijzonder was en dat ze een fantastisch leven heeft gekregen.'
'Van wie?'
'Van iemand die heel veel van haar hield.'
'Ik kan me voorstellen dat je dat graag wilt denken.'
'Ik voel haar aanwezigheid altijd, alsof ze vlakbij is, alsof ze over mijn schouders meekijkt en op me past. Dat bedoelde ik toen ik zei dat de heilige Solange me zo aanspreekt. Omdat ik hetzelfde gevoel over mijn zus heb. Ze is verdwenen, maar praat nog steeds tegen me. Chantal is de leidraad in mijn leven. Door haar heeft mijn leven zin. Ik werd verwekt om een leegte op te vullen. Dat heeft niet echt gewerkt en dat is best treurig, maar toch is het meer dan de meeste mensen hebben. Daarom gebruik ik haar naam in de club. Als eerbetoon.'
'Ik weet zeker dat ze er blij om zou zijn.'
'Denk je?' Ze glimlachte stralend, alsof ik haar een complimentje over haar prachtige haar had gegeven. 'Dat hoop ik echt, hoewel ik verwacht dat ze me dat vroeg of laat zal laten weten.'
'Denk je echt dat je na al die jaren op een dag ineens een telefoontje van haar krijgt?'

'O, Victor, dat denk ik niet alleen, dat weet ik zeker. Wat dacht je van een stukje taart? Ik zou wel een punt lusten. Denk je dat ze hier taart hebben?'
'Dat lijkt me wel.'
Het was me niet ontgaan dat ze niet had gevraagd hoe ik aan de naam van haar zus was gekomen. Ze had haar hele leven gewacht tot iemand de naam zou noemen en ik nam aan dat ze vond dat ze nu ook wel kon wachten tot het vanzelf ter sprake kwam. Toch was ik niet van plan haar iets over mijn tatoeage te vertellen. Niet alleen omdat het te bizar en te vernederend was om met haar te delen, maar ook gezien de lichtelijk gestoorde manier waarop ze over haar zus praatte. Haar zus, Chantal, was een vreemd vuur dat binnen in haar brandde, en om daar een jerrycan benzine op te gieten, leek me geen goed idee.
Dus bestelden we twee stukken taart. Ik nam een stuk perentaart en zij koos bosbessentaart met een dot ijs erbovenop. Zelfs met blauwe vegen op haar tanden was ze adembenemend mooi. En ook een beetje triest. Gewoonlijk heb ik het meteen door als iemand een groot verdriet met zich meedraagt – daar schijn ik een intuïtieve antenne voor te hebben – maar bij haar niet. Pas toen ze begon te praten werd duidelijk hoezeer haar leven beïnvloed was door de verdwenen zus die het fundament van haar leven vormde.
Toch wist ik één ding zeker. Het was allemaal heel treurig, het verhaal van de vermiste zus en de diepbedroefde ouders, maar het had niets met mij te maken.
De Chantal Adair van wie zij al haar hele leven iets hoopte te horen, was niet de Chantal Adair van wie ik de naam in een vlaag van verstandsverbijstering op mijn borstkas had laten tatoeëren.
Soms heb ik een gigantisch bord voor mijn kop.

20

Ik heb een grote rode map die ik voor speciale gelegenheden bewaar. Soms zit hij vol paperassen, soms is hij leeg, maar de inhoud is sowieso niet zo belangrijk als de map zelf. Ik klem hem altijd dicht tegen mijn borst aan alsof hij de lanceercodes van nucleaire raketten bevat of het telefoonnummer van een redelijk Chinees restaurant, of iets anders wat belangrijk genoeg is om in de rode map opgeborgen te worden.
'Wat zit er in die map?' vroeg Beth, toen we in de gang voor de rechtszaal op Theresa Wellman stonden te wachten.
'Alleen wat informatie die Phil Skink heeft opgeduikeld.'
'Heeft hij al iets belastends over Bradley Hewitt gevonden?'
'Daar werkt hij nog aan.'
'Wat zit er dan in die map?'
'Kijk,' zei ik, 'daar komt onze cliënte.'
Theresa Wellman, die naar de kapper was geweest en een ingetogen jurk droeg, kwam met een bezorgd gezicht onze kant uit.
'Gaan we er vandaag mee door?' vroeg ze.
'Natuurlijk,' zei Beth. 'Je hebt nu de firma Derringer & Carl aan je zijde. Dus laat je hoofd niet hangen, het komt wel goed. Jij bent de eerste getuige. Ben je er klaar voor?'
'Nou en of. Ik hou meer van mijn dochter dan van wat dan ook. Ik wil niets liever dan haar omhelzen en mee naar huis nemen.'
'Ik stel straks de vragen, Theresa,' zei ik. 'Misschien dat er dingen ter sprake komen die je niet verwacht.'
'Zoals wat?'
'Dingen uit je verleden en hoe de zaken er nu voor staan.'
'Wat voor dingen?'
'Laten we dat in de rechtszaal bespreken. Het moet niet lijken alsof je alles hebt ingestudeerd. Maar wat er ook gebeurt, Theresa, je moet me vertrouwen. Ik zal alles doen om je te helpen.'
Ze staarde naar de grote rode map die ik tegen mijn borst aan hield geklemd en beet op haar onderlip. 'Waarom zou ik jou vertrouwen?'
'Wie anders?'
'Vertrouw hem nu maar, Theresa,' zei Beth. 'Als jij de rechter ervan weet te overtuigen dat je echt veranderd bent, maken we een goede kans om er een

gedeelde voogdij uit te slepen.'
'Is de rechter te vertrouwen?'
'Rechter Sistine is zo eerlijk als maar zijn kan en ze is voor niets en niemand bang,' zei ik. 'Af en toe zit ze verkeerd, maar nooit om de verkeerde redenen.'
'Vertel gewoon de waarheid,' zei Beth. 'Als de rechter denkt dat je iets verbergt, doet dat je zaak geen goed.'
'Oké. Ik zal het proberen.'
'Proberen is niet genoeg,' zei ik. 'Je mag je woede laten zien en je verdriet, wat mij betreft het hele scala aan emoties, maar je moet wel de waarheid vertellen.'
'Denk je dat de waarheid me helpt om mijn dochter terug te krijgen?'
'Ja, alleen de waarheid kan dat voor elkaar krijgen.'
Er klonk rumoer in de gang toen een groepje mensen onze kant uit kwam. De optocht werd aangevoerd door een lange, grijze man in een duur pak. Hij had een aantrekkelijke, jongere vrouw aan zijn arm. De rest van zijn gevolg bestond uit drie mannen in donkere pakken die aktetassen bij zich hadden en een perfect gekapte man die een pak van slangenleer droeg. Ik had al eerder met hem te maken gehad. Zijn naam was Arthur Gullicksen en de stof van zijn pak paste uitstekend bij hem.
'Victor?' Hij liep naar ons toe. 'Wat een verrassing om jou hier te zien. Ik dacht dat Beth deze zaak deed.'
'Ze is mijn partner,' zei ik, 'wat betekent dat we samenwerken. Ze vroeg of ik een handje wilde helpen, vandaar.'
'Heel goed,' zei Gullicksen, die zijn blik van mijn ogen naar de grote rode map liet dwalen. 'Heb je Bradley Hewitt al ontmoet?'
'Nee, nog niet.'
Nadat Gullicksen de introducties had verzorgd, zei de lange grijze man: 'Ik heb over u gehoord, meneer Carl.' Hij had een diepe, warme stem die deftig aandeed, bijna net zo deftig als zijn pak.
'Toch niets slechts, hoop ik.'
'Zovelen van ons hopen tevergeefs,' zei hij. Hij glimlachte er niet bij en toch keek hij me niet onvriendelijk aan. Het was alsof we met zijn allen in een vervelende situatie waren beland waar we niet om gevraagd hadden, op één persoon na. Toen hij zijn blik op Theresa richtte, veranderde de uitdrukking op zijn gezicht. Theresa leek ineen te schrompelen onder zijn blik en vluchtte de rechtszaal in.
'Ze wil gewoon meer tijd met Belle doorbrengen,' zei Beth.
'En dat zou volgens u goed zijn voor mijn dochter?' vroeg Bradley Hewitt.
'Een dochter heeft haar moeder nodig,' zei Beth.
'Niet zo'n moeder,' was Hewitts commentaar.
'Heb je even tijd voor me, Victor?' vroeg Gullicksen.

Ik keek naar Beth, die knikte, dus trokken Gullicksen en ik ons terug in een hoekje van de gang waar niemand ons kon horen.
'Je beseft toch, hoop ik, dat je een grote fout maakt,' zei hij. 'Als Beth het verzoek had ingediend, zou ik het nog begrijpen. Zij staat erom bekend dat ze zich niet druk maakt om de harde realiteit, maar het verbaast me dat jij je met deze zaak bemoeit.'
'We vertegenwoordigen een vrouw die haar dochter weer bij zich wil hebben. Welke harde realiteit zie ik over het hoofd?'
'Meneer Hewitt is een intrigerende man met connecties in de hoogste kringen van de regering.'
'En hij maakt gebruik van die invloed om een moeder te dwingen haar kind op te geven.'
'Hij heeft die invloed aangewend om zijn dochter te beschermen tegen een vrouw die niet goed voor haar zorgde. Het enige wat jouw cliënte wil, is het geld dat gedeelde voogdij haar oplevert. En besef wel dat mijn cliënt alle middelen zal aangrijpen om zijn dochter te beschermen.'
'Is dat een bedreiging? Ik had dat namelijk al verwacht, Arthur, vanaf het moment dat ik bij deze zaak betrokken raakte.'
'Het is helemaal geen bedreiging, Victor,' zei Gullicksen. 'Dat was alleen ter informatie. Meneer Hewitt is bereid jouw cliënte onder toezicht haar dochter te laten bezoeken.'
'Dat aanbod heeft ze al afgeslagen. We willen gedeelde voogdij.'
'Jammer. Ik vind het verschrikkelijk als een moeder haar kind niet eens ziet. Wat zit er trouwens in die map die je zo angstvallig tegen je borst aan houdt geklemd?'
'O, ditjes en datjes,' zei ik.
'Ik heb zelf ook een rode map. Het blijft een leuke truc. Ik heb trouwens gehoord dat jij betrokken bent bij een uiterst gevoelige zaak waarin een voortvluchtige crimineel en een kostbaar schilderij een belangrijke rol spelen. Ik hoop dat deze zaak geen storende factor zal blijken te zijn voor die andere zaak waar je je zo voor inzet.'
'Kijk, dat klinkt als een bedreiging.'
'Zoals ik al zei, heeft meneer Hewitt veel invloed en veel vrienden. Onder wie meneer Spurlock van de Randolph Stichting.'
'Laten we ons voorlopig concentreren op de zaak van een moeder die haar dochter probeert terug te krijgen.'
'Best, Victor. Ik heb nog één vraagje voor je. Hoeveel weet jij eigenlijk over Theresa Wellman?'
'Ze heeft een paar fouten gemaakt,' zei ik, 'maar ze zegt dat ze veranderd is.'
'Zegt ze dat?' Gullicksen glimlachte naar me alsof ik net iets grappigs had verteld. 'Sinds wanneer geloof jij in sprookjes, Victor?'

21

Rechter Sistine was een gezette, humorloze vrouw met enorme onderarmen. Ze maakte met een uitdrukkingsloos gezicht notities toen ik Theresa Wellman ondervroeg. Af en toe wierp ik haar een steelse blik toe om te zien hoe Theresa's verhaal overkwam, maar rechter Sistine was te slim om daar iets van te laten blijken. Toch wist ik zeker dat Theresa's getuigenis indruk maakte.

Theresa was grotendeels aan het woord, zo gaat dat bij een getuigenverhoor, maar het waren mijn vragen die de toon zetten; die het begin van het verhaal bepaalden; de voortgang erin hielden; ervoor zorgden dat de veelzeggende details in het rechtbankverslag werden opgenomen; en de vaart eruit haalden bij pijnlijke en emotionele delen, waardoor Theresa de gelegenheid kreeg om in huilen uit te barsten. Tranen vormen het beste smeermiddel voor de raderen van justitie, nietwaar?

Het was het klassieke verhaal van een onschuldig meisje dat een beschermde jeugd heeft gehad, valt voor een oudere rijke man en terechtkomt in het snelle, flitsende glamourwereldje. Gullicksen maakte meteen bezwaar en voerde aan dat de achtergrond niet van belang was voor de voogdijzaak, maar ik maakte de rechter duidelijk dat de achtergrond juist van cruciaal belang was in deze zaak en de rechter was het met me eens. Dus liet ik haar het hele verhaal vertellen over de feestjes, de reizen, de mooie kleding, het luxueuze appartement, en de belangrijke mensen die plotseling aandacht aan haar schonken. Het was allemaal zo verleidelijk en exotisch dat een jong meisje uit West Philly er geen weerstand aan kon bieden. Een fantastische droom die uitkwam, maar wel een met een duistere kern, want die kern werd gevormd door de ongelijke relatie tussen een jonge vrouw en een machtige, oudere man. Bradley Hewitt.

'Laten we eens wat dieper ingaan op de feestjes waarover je vertelde, Theresa,' zei ik. 'Werd er gedronken?'

'O, ja. Uiteraard was er altijd wijn bij een dinertje, want Bradley houdt van wijn. Vaak was er ook champagne. En een likeurtje na afloop en dan weer champagne of soms een goed glas whisky.'

'Dronk je veel alcohol voor je meneer Hewitt leerde kennen?'

'Mijn ouders hielden niet van alcohol.'

'Maar met meneer Hewitt dronk je wel alcohol.'

'Hij heeft mijn smaak ontwikkeld.'
'Werden er ook drugs gebruikt op die feestjes?'
'Marihuana,' zei ze. 'En vaak ook cocaïne. En pillen.'
'Had je ervaring met drugs voor je meneer Hewitt leerde kennen?'
'Nee, niet echt.'
'Je bent opgegroeid in West Philly, nietwaar?'
'Ik heb op een parochieschool gezeten, meneer Carl. De nonnen waren erg streng.'
'Gebruikte Bradley ook drugs op die feestjes?'
'Niet veel, maar hij moedigde anderen wel aan. En vooral mij. Hij zei dat hij graag met me naar bed ging als ik high was.'
'En jij voldeed aan zijn verzoek.'
'Ja.'
Ik bracht gaandeweg de eerste tekenen van gewelddadigheid ter sprake: het overspel, de vernederingen en de verbale mishandeling. Ik vroeg haar niets over de lichamelijke mishandelingen omdat er geen getuigen van waren, Bradley Hewitt het gewoon zou ontkennen en ik er zelf niet voor honderd procent in geloofde. In plaats daarvan concentreerde ik me op de zwangerschap en op het feit dat Bradley Hewitt eiste dat Theresa zich zou laten aborteren, haar weigering, en het bittere einde van de droom toen de relatie werd beëindigd. We hadden het over de geboorte van haar dochter, het feit dat de nieuwbakken vader haar nauwelijks steunde, zijn gebrek aan interesse in het kind, haar vordering bij de rechtbank om een bijdrage in het onderhoud van het kind, zijn tegenvordering, de angst en het besluit om de voogdij over het kind op te geven in ruil voor een financiële regeling.
'Waarom heb je dat gedaan, Theresa? Waarom heb je de voogdij opgegeven?'
'Ik dacht dat ik geen keus had.'
'Je hebt altijd een keus, nietwaar?'
'Hij was te machtig. Mijn advocaat zei dat hij toch zou winnen. Ik heb een fout gemaakt. Wat kan ik er nog meer over zeggen, meneer Carl? Ik denk er elke dag aan. Ik geloof dat ik gewoon bang was.'
'Waarvoor?'
'Voor wat Bradley me zou aandoen als ik hem bleef tegenwerken.'
'Weet je zeker dat je niet bang was voor wat er tijdens de hoorzitting allemaal boven tafel zou komen?'
'Ik geef toe dat ik in die tijd een paar problemen had.'
'Het ging wel iets verder dan dat, toch?' vroeg ik, terwijl ik de grote rode map oppakte, hem opende en erin keek.
'Het liep allemaal niet zo lekker,' zei ze.
'Wat liep niet lekker?'
'Ik dronk.'

'Hoeveel?'
'Te veel.'
'Hoe vaak?'
'Vaak.'
'Elke dag, of niet soms? Je dronk dag en nacht, zelfs als je voor je dochter moest zorgen.'
'Ik heb altijd voor mijn dochter gezorgd.'
'Gebruikte je ook drugs?'
'Niet echt.'
'Theresa?' Ik zwaaide met de grote rode map.
'Een beetje.'
'Hoeveel?'
'Waar bent u mee bezig, meneer Carl?'
'Ik probeer een cruciale beslissing in je leven te begrijpen. Niet iedere moeder kiest ervoor om de voogdij over haar dochter op te geven. Toen je dat besluit nam, was je toen verslaafd aan drugs?'
'Ik geloof niet dat ik verslaafd was.'
'Wat gebruikte je?'
'Niet veel.'
'Marihuana?'
'Ja.'
'Cocaïne?'
'Een beetje.'
'Crack?'
'Meneer Carl, hou alstublieft op. Wat bent u aan het doen? Ik wil alleen mijn dochter terug.'
'Was je aan de crack toen je die vordering voor kinderalimentatie indiende?'
'Ik had het geprobeerd.'
'Hoe vaak?'
'Dat weet ik niet meer.'
'Jawel, dat weet je best, Theresa. Je was eraan verslaafd, of niet soms?'
'Dat weet ik niet.'
'Ik denk dat je dat nog heel goed weet. Hoeveel kostte een beetje crack? Vijf dollar? En hoe vaak gebruikte je crack? Hoe vaak per dag, Theresa?'
'Ik had het moeilijk.'
'Aan één stuk door, nietwaar? Zo vaak je maar kon, toch?'
'Het is een ziekte.'
'Hoe kwam je aan genoeg geld voor alles? Voor de drank en de drugs en de huur van je appartement?'
'Ik kon niet in het appartement blijven.'
'Maar de eerste tijd wel. Een tijd lang kon je de huur nog wel betalen. Hoe kwam je aan genoeg geld voor alles?'

'Ik had een baan.'
'Tot je ontslagen werd. Omdat je te vaak te laat was gekomen.'
'Ik was een alleenstaande moeder.'
'Hoe kwam je aan genoeg geld voor alles, Theresa?'
'Ik had er iets op gevonden.'
Ik wierp een blik in mijn map. 'Ken je een man met de naam Herbert Spenser?'
'Nee.'
'Ken je een man met de naam Rudolph Wayne? Ken je een man met de naam Sal Pullata? Ken je een man...'
'Stop. Alstublieft. Wat bent u aan het doen?' Op dat moment verschenen de tranen. 'U bent mijn advocaat,' zei ze. 'Waar bent u mee bezig? Hebben ze u ook omgekocht?'
'Je prostitueerde jezelf voor geld, nietwaar?'
'Meneer Carl, hou op. Alstublieft.'
'En niet alleen aan de mannen die ik noemde, maar ook aan vele anderen. Heel veel anderen.'
'Stop.'
'Je prostitueerde jezelf terwijl je de zorg voor je dochter had. Af en toe lag ze in de kamer ernaast te slapen, nietwaar? Wanneer je met je klanten dronk en drugs gebruikte en jezelf prostitueerde, was je dochter vlakbij.'
'Stop ermee. Alstublieft.'
'Hoe kon je, Theresa?'
'Ik had mezelf niet meer in de hand. Ik was blut. Hij had me zonder een cent achtergelaten.'
'Je wist dat je je dochter in gevaar bracht, toch?'
'Ik deed wat ik kon. Ik was ziek.'
'Toen je de voogdij over je dochter opgaf, deed je dat niet omdat je werd tegengewerkt of omdat je advocaat was omgekocht. Zelfs niet voor het geld.'
'Nee.'
'Je deed het omdat je bang was.'
'Ik had hulp nodig.'
'Je deed het omdat je in die tijd je dochter niet de zorg en aandacht kon geven, die ze verdiende.'
'Meneer Carl, ik hou van Belle. Meer dan van wat of wie dan ook.'
'En je gaf de voogdij aan Bradley Hewitt omdat het gewoon het beste voor je dochter was.'
'Ik was de weg kwijt.'
'Dat begrijp ik.'
'Maar dat was toen.'
'En nu wil je haar terug.'

'Ja.'
'Waarom?'
'Omdat ik van haar hou.'
'Maar waarom nu?'
'Omdat ze me nodig heeft.'
'Maar waarom nu?'
'Omdat ik weet dat ik nu wel goed voor haar kan zorgen.'
Ik wierp een blik op de rechter. Ze keek naar Theresa Wellman, die in het getuigenbankje zat te huilen en de uitdrukking op haar gezicht leek verdacht veel op medelijden.
'En wat volgt er nu, meneer Carl?' vroeg de rechter.
'Ik wil het nu hebben over de behandeling die mevrouw Wellman heeft ondergaan, over haar nieuwe baan en over het feit dat ze haar leven radicaal heeft veranderd zodat ze weer op de juiste manier voor haar dochter kan zorgen.'
'Wilt u een korte pauze voor we verdergaan, mevrouw Wellman?' vroeg de rechter.
Theresa Wellman knikte.
'De zitting wordt vijftien minuten geschorst,' zei de rechter.
Toen ik naast Beth ging zitten, zat Theresa nog steeds in het getuigenbankje te huilen.
'Je hebt haar wel hard aangepakt,' zei Beth zachtjes.
'Hoeveel van wat je net hoorde, wist je al?'
'Ik kan niet zeggen dat het me verbaasde.'
'Haar dochter opgeven was het beste wat ze ooit heeft gedaan. Het geeft haar bijna iets nobels. Het zal een harde dobber worden om te bewijzen dat ze het verdient om haar dochter terug te krijgen, maar dat gaan we na de schorsing proberen.'
'Denk je dat we nog een kans maken?'
'Als ik haar vuile was niet had buitengehangen, zou Gullicksen dat wel gedaan hebben en hij zou haar tien keer zo hard hebben aangepakt. En wat kan hij nu doen? Op beschuldigende toon zeggen dat ze een stout meisje is geweest?'
Op dat moment liep Gullicksen langs ons op weg naar de gang. Hij knikte naar me en gebaarde naar mijn rode map. 'Dus hij was toch niet leeg,' zei hij.
'Ach, dit is nog niets,' zei ik met de breedste glimlach die ik maar tevoorschijn kon toveren, 'je zou die over jouw cliënt eens moeten zien.'
Beth keek me met een hoopvolle uitdrukking aan. 'Heb je iets belastends over Bradley Hewitt gevonden?'
'Nog niet,' zei ik. 'Maar ik doe mijn best.'

22

Ik had het voor me uit geschoven, maar nu kon ik er niet langer omheen. Het werd tijd om mijn ergste demon onder ogen te komen als ik antwoorden wilde op de vragen die me al vanaf het begin van de Kalakos-zaak dwarszaten. Het werd tijd om mijn vader een bezoekje te brengen. Ik belde niet van tevoren, dat was niet nodig. Het was zondagmiddag en dat betekende dat mijn vader thuis was, alleen, en in zijn luie stoel naar de wedstrijd zat te kijken met een blikje bier in zijn ene hand en de afstandsbediening in de andere. Het maakte eigenlijk niet uit welke maand het was. In de herfst en de winter keek hij naar de Eagles. In het voorjaar en in de zomer keek hij naar de Phillies. En in de slappe maanden februari en maart, wanneer het honkbal en football beide een winterstop inlasten, keek hij naar wat er ook maar op televisie was: strandvolleybal, alpineskiën, *Battle of the Network Stars*. Als hij maar in zijn luie stoel kon zitten, een biertje kon drinken en zich kon ergeren aan wat hij op de buis zag. Daar was de zondag voor.

Toen ik aankwam bij het kleine huis in Spaanse stijl, dat in de kleine voorstad Hollywood in Pennsylvania stond, kreeg ik het gevoel dat er iets aan de hand was. Ten eerste stond er een oude, afgeragde gele taxi voor de deur. En de voordeur stond op een kiertje. Het was niets voor mijn vader om de voordeur op een kiertje te laten staan. Zijn huis hield hij, net als zijn emoties, potdicht afgesloten om de wereld op afstand te houden. En wat nog vreemder was, ik hoorde stemmen in zijn sjofele, kleine woonkamer. Dat moest de televisie zijn, toch klonk het niet als twee sportverslaggevers die debatteerden over de stumpers die de Phillies hun aanvalsblok noemden. Het klonk eerder als een vriendschappelijk gesprek. Tussen echte mensen. En dat in mijn vaders huis!

'Pa?' riep ik, terwijl ik de hordeur opende. Ik klopte op de openstaande deur. 'Pa, ben jij dat?'

'Wie is daar?' hoorde ik mijn vader brommen, wat ik nog enigszins had kunnen begrijpen als ik niet zijn enige nazaat was geweest.

'Pa, ik ben het.'

'Wat kom je doen?'

'Ik kom gewoon even langs om gedag te zeggen.'

'Waarom heb je niet eerst gebeld?' riep hij terug. 'Ik ben bezig.'

'Pa?'
'Wat?'
'Mag ik binnenkomen?'
'Nee.'
'O, doe toch niet zo onvriendelijk, Jesse.' De andere stem klonk een stuk opgewekter. 'Zelfs een krokodil behandelt zijn eigen jong niet zo. Laat die knul toch binnenkomen. Wat een leuke verrassing. Misschien dat hij de boel wat opvrolijkt.'
'Ik kom binnen.' Plotseling was ik vastberaden.
'Die jongen weet wat hij wil,' zei de andere stem. 'Dat mag ik wel.'
Ik duwde de deur open, stapte de woonkamer binnen en daar was mijn vader, in zijn luie stoel, met een biertje in zijn hand, net als elke zondag. Maar deze keer stond de televisie niet aan, was hij niet alleen, en lag er een vreemde, zorgelijke uitdrukking op zijn gezicht. Twee mannen zaten naast elkaar op de bank met een blikje bier in hun hand. Beiden waren nog ouder dan mijn vader. Een van de twee was een beer van een vent met handen als kolenschoppen, een brede kaak, en een grijze bos haar die door een slechte kapper onder handen was genomen. De andere was mager, donker, en had een blauwe kapiteinspet op zijn hoofd die een tikje scheef stond. Op de een of andere manier merkte ik aan de sfeer die in de kamer heerste dat er gevaar in de lucht hing.
'Laat me eens raden,' zei de magere man met de kapiteinspet. 'Jij bent zoonlief, nietwaar? Jij bent die Victor die constant op televisie te zien is.'
'Dat klopt,' zei ik. 'En wie zijn jullie?'
'Oude vrienden van je vader.' De grote man had een zware, bassende stem.
'Ik wist niet dat mijn vader oude vrienden had,' zei ik.
'Nou, je ziet het aan ons tweetjes,' zei de magere man, waarna hij een slok bier nam.
'Fijn voor hem' – ik wierp een snelle blik op het bezorgde gezicht van mijn vader – 'dat er een paar oude vrienden langskomen om een biertje te drinken en over vroeger te praten. En die taxi die buiten staat?'
'Van mij,' zei de magere man.
'Hij is nogal geel.'
'Het is een Yellow Cab, dombo.'
'Jullie vinden het toch niet erg als ik een biertje pak en er gezellig bij kom zitten?'
'Als je toch naar de koelkast loopt' – de magere man hield zijn blikje omhoog – 'neem er dan gelijk nog eentje mee voor mij. Van herinneringen ophalen krijg je een droge keel.'
Ik wierp nog een laatste blik op mijn vader voor ik naar de keuken verdween en twee biertjes uit de koelkast haalde. Eigenlijk was ik niet in de stemming voor een biertje, maar ik wilde niet uit de toon vallen als ik erbij ging zitten.

Zo te zien was mijn vader niet blij met het bezoekje van zijn oude vrienden en dat ik tijdens dat bezoekje onverwachts was komen opdagen, beviel hem nog veel minder. De reden daarvoor kon ik wel raden. Ik had deze twee mannen nog nooit van mijn leven gezien, niet in levenden lijve en ook niet op een foto, toch herkende ik hen.
'Hoe kennen jullie elkaar eigenlijk?' vroeg ik toen ik terugkwam met de biertjes.
'Van vroeger. Uit de oude buurt,' zei de kleerkast.
'Jouw pa is wel jonger dan wij,' zei de magere man, 'maar we weten nog goed dat hij het leger in ging. Uniform strak in de plooi, schoenen glanzend gepoetst. Je kon wel zien dat hij uit het rijke deel van de buurt kwam.'
'Zo is het wel genoeg met die verhalen uit de oude doos,' zei mijn vader.
'Juist niet,' zei ik. 'Ik ben gek op verhalen over vroeger.'
'Hij droeg zijn haar glad achterovergekamd. Hij had prachtig zwart haar met een slag erin. Daar zag je zijn Joodse afkomst aan. En hij had altijd brillantine en een kam bij zich. Want zijn haar moest altijd goed zitten.'
'De meiden waren gek op hem,' zei de grote man.
'Uiteraard,' zei de magere man. 'Knoop dat goed in je oren, jongen. Een mooie kop met haar doet wonderen bij de vrouwen.'
We begonnen allemaal te lachen, behalve mijn vader, wiens haar niet langer zwart en glanzend was.
'En jullie kwamen zomaar langs?' vroeg ik.
De twee op de bank wisselden een snelle blik. 'Ja, we kwamen zomaar langs,' zei de grote man.
'Echt? Dus het kwam zomaar in jullie op om even bij mijn vader langs te gaan?'
'Nou, eigenlijk had Joey ook wat zaken te bespreken.'
'We hadden het met je vader over een ideetje voor een winstgevend handeltje,' zei de magere man. 'Ralph en ik zaten erover te praten, over dat idee, en we vonden dat we onze oude vriend Jesse ook de kans moesten geven om mee te doen.'
'Wat ontzettend vriendelijk van jullie,' zei ik. 'Vind je ook niet, pa?'
'Ik heb ze al verteld dat ik er niets mee te maken wil hebben,' zei hij.
'Jesse ziet gewoon de mogelijkheden niet,' zei Joey. 'Zo is hij altijd al geweest. Hij heeft het zo druk met naar de stoep kijken om niet over zijn eigen voeten te struikelen, dat hij nooit de kansen ziet die iets verderop in de straat voor het oprapen liggen.'
'Ik zie ze wel, ik moet er gewoon niets van hebben. En Victor ook niet.'
'Mijn pa is een beetje kortzichtig wat geld betreft.' Dat had ik mijn hele leven geloofd, maar nu begreep ik dat het anders lag. 'Maar misschien heb ik wel interesse.'

'Wat vind jij ervan, Ralph,' zei de magere man. 'Zullen we de knul laten meedelen?'
'Volgens mij hebben we niet veel keus,' zei Ralph.
'Nee, nu niet meer,' zei Joey, 'aangezien hij kwam binnenvallen toen we het er net over hadden.'
'Heb ik even mazzel?' Ik grijnsde zo breed dat mijn kaken pijn deden.
Joey nam een grote slok bier en knikte. 'De zaak zit zo, Victor. We hebben een aanbod gekregen, een heel gul aanbod, dat het leven van ons allemaal kan veranderen. En laat ik je één ding zeggen, voor Ralph en mijzelf zou dat niet verkeerd zijn.'
'Voor mij ook niet,' zei ik.
'Je moet gebruikmaken van zo'n kans, vind je ook niet?'
'Hij wil er niets mee te maken hebben,' zei mijn vader.
'Laat de jongen zelf beslissen,' zei magere Joey, die zijn pet rechttrok en naar voren leunde. 'We hebben het aanbod gekregen om een voorwerp te verkopen dat van ons is. Simpel, nietwaar? En de voorwaarden hadden niet gunstiger kunnen zijn.'
'O, voorwaarden kunnen altijd gunstiger. Geloof me, dat is mijn specialiteit. Zeg maar met wie je in onderhandeling bent, dan geef ik hem wel een belletje.'
'Jij hoeft niet voor ons te onderhandelen, dombo,' zei Joey. 'Ik ben al dertig jaar taxichauffeur, dus ik weet echt wel hoe ik over een prijs moet onderhandelen.'
'Als de voorwaarden zo gunstig zijn, handel de zaak dan zelf af. Dan heb je mij of mijn pa niet nodig. Kijk, dat is nou kapitalisme.'
'Precies. Dat heb je goed gezegd.'
'Maar we hebben een probleem,' zei Ralph.
'Er is altijd een probleem, nietwaar, Ralph? Laat me eens raden.' Ik sloot mijn ogen en trok een peinzend gezicht alsof ik een idee uit de lucht probeerde te plukken. 'Volgens mij weten jullie niet waar dat voorwerp is, klopt dat?'
'Jesse, waarom heb je ons niet verteld dat die jongen van je een tweede Einstein is?' vroeg Joey. 'Waarom heb je niet over hem opgeschept? Als ik zo'n zoon had, kreeg iedereen dat te horen.'
'Hij is niet zo slim als hij denkt,' bromde mijn vader.
'Weet je, Joey, aangezien mijn vader toch niet geïnteresseerd is, kunnen we de rest maar beter zonder hem bespreken, vind je ook niet?'
'Een kans als deze krijg je maar één keer in je leven en jij wilt je bloedeigen vader erbuiten houden? Je bent me er eentje, zeg!' Er klonk bewondering door in zijn stem.
'Mijn vader en ik hebben geleerd om zaken en familie altijd gescheiden te houden. Laten we de zaak ergens anders verder bespreken, oké?'

‘Wat dacht je van een kroeg?’ Joey smakte met zijn lippen. ‘Ik heb dorst gekregen van al dat gepraat over geld.’
‘Volgens mij krijg jij van een hoop dingen dorst, Joey.’
‘Een vent die niet lacht of drinkt, moet je nooit vertrouwen,’ zei Joey. ‘Dat heeft mijn vader me geleerd. En dat je iemand die Earl heet nooit moet vertrouwen.’ Hij goot het laatste restje van zijn biertje naar binnen. ‘En laat dat nou de naam van mijn vader zijn.’
‘Kom, dan gaan we,’ zei ik. ‘En straks in de kroeg is de drank voor mijn rekening.’
‘Kijk, dat is nog eens aardig. Heel aardig zelfs. Laten we dan maar gaan. Je vader heeft vast wel iets beters te doen dan zijn tijd verspillen aan een praatje met oude vrienden.’
‘Vast wel, ja. Geef me een paar minuutjes, oké? Mijn pa en ik moeten nog iets bespreken, familiezaken, het duurt niet lang.’
Ze zouden buiten in de taxi op me wachten, en zodra ze de deur uit waren, liep ik naar mijn vader, die nog steeds in zijn luie stoel zat. Hij greep me bij mijn mouw. ‘Weet je wel wie dat zijn?’ vroeg hij.
‘Ja, twee oude maatjes van Charlie de Griek van dertig jaar geleden.’
‘Waarom laat je je dan in met die gasten?’
‘Zodat ze opluopelden uit je huis, om maar iets te noemen. Ze hoopten via jou mij te bereiken en je leek niet echt blij met hun bezoekje.’
‘Het is zondag. De Phillies spelen.’
‘En dat zou je niet willen missen, hè?’
‘Wat kwam je hier eigenlijk doen?’
‘Ik kwam even kijken hoe het met je was. En om je een paar dingen te vragen: zoals wat je dat oude secreet van een Kalakos schuldig bent?’
Hij wendde zijn hoofd af. ‘Dat gaat je niets aan.’
‘Nu wel, want ze gebruikt het om me in de modderpoel van haar zoons leven te trekken. En voor ik kopje-onder ga, wil ik graag weten waarom. Maar niet nu. Nu moet ik een biertje gaan drinken met Grote Ralph en Kleine Joey.’
‘Wees voorzichtig.’
‘O, een paar van die lieve oude mannetjes kan ik echt wel aan.’
‘Zo oud zijn ze niet, en lief al helemaal niet.’
Ik wierp een blik naar buiten, naar de Yellow Cab die op me stond te wachten.
‘Toen het jonge knullen waren, trokken ze als een troep dolle honden door de buurt,’ zei mijn vader. ‘Eén keer hebben ze iemand bijna doodgeslagen met een honkbalknuppel.’
‘Jij hebt me hierbij betrokken.’
‘Dat was fout van me.’
‘Ik kom nu toch niet meer van ze af. Trouwens, ik zit met een vraag die zij misschien kunnen beantwoorden.’

'Zoals?'
'Zoals wie zoveel van deze verdomde rotzooi af wist om die twee oude boeven een aanbod te doen.'

23

'We zagen op tv dat jij de advocaat van Charlie Kalakos bent.' Joey Prides bovenlip ging schuil onder het schuim van het biertje dat hij net naar binnen had gegoten.

We zaten iets verderop in de straat, in een hoekje van de Hollywood Tavern. Er stond een halfvolle kan bier op tafel; een stel grote, grove bierglazen; en een mandje met kleine pretzels. Ik pakte een handvol pretzels, schudde er even mee alsof het dobbelstenen waren en mikte er een in mijn mond. 'Ja, dat klopt.'

'En er was ook iets over een schilderij van een of andere dode vent, dat uit een museum was gestolen,' zei Joey.

'Ja, dat klopt ook.'

'We zaten ons af te vragen, je kent dat wel, wat die Charlie eigenlijk van plan was met dat schilderij.'

'Hij wil het teruggeven,' zei ik.

'Teruggeven,' zei Joey. 'Wat aardig. Is dat niet aardig, Ralph?'

Ralphs gezicht vertoonde geen spoortje goedkeuring over Charlies onbaatzuchtig plannen, toch knikte hij. 'Ja, aardig.'

'Aardige mensen kom je tegenwoordig veel te weinig tegen,' zei Joey Pride. 'Iedereen wil altijd maar stoer of meedogenloos zijn. Allemaal willen ze de grote baas uithangen. Maar aardig? En die Charlie is een heel aardige vent.'

'Kennen jullie Charlie dan?' Alsof ik het antwoord nog niet wist.

'Wie, Charlie Kalakos?' vroeg Joey. 'Nou en of wij Charlie kennen. We zijn samen met hem opgegroeid. Kleine Charlie, aardige Charlie, stomme Charlie Kalakos die zijn beste vrienden een poot probeert uit te draaien.'

'Een poot uitdraaien?'

'Ja, want dat schilderij is namelijk niet van Charlie.'

'Daar heb je gelijk in. Volgens de wet is het nog steeds van het museum.'

'Maar daar hebben we het hier niet over, of wel, Victor? Hoe iets volgens de wet is mogen advocaten en agenten uitmaken die om elkaar heen draaien en elkaar besnuffelen als honden bij een brandkraan. We hebben het hier over wat juist is. En wat juist is, is dat degenen die lang geleden samen met Charlie die kraak hebben gezet, hun rechtmatige deel krijgen.'

'Zou kunnen,' zei ik. 'Maar aangezien Charlie niets wil zeggen over die inbraak en wie erbij betrokken waren, wordt dat moeilijk.'

'Zei ik het niet, Ralph? Charlie wil alles zelf houden.'
'Daar lijkt het wel op,' zei Ralph.
'Zo simpel ligt het niet,' zei ik. 'Er is een federale aanklaagster die per se wil weten wie er behalve Charlie nog meer betrokken waren bij die inbraak van dertig jaar geleden. Ze wil dat Charlie haar alles vertelt en dat weigert hij.'
'Zit ze nog steeds achter degenen aan die toen die kraak hebben gezet?' vroeg Ralph. 'Dat slaat nergens op.'
'Je hebt helemaal gelijk, dat slaat ook nergens op, zeker omdat de zaak al verjaard is. Toch zoekt ze die personen nog steeds. Ik dacht dat ze alleen achter het schilderij aan zat, maar dat is niet zo. Er moet een andere reden zijn waarom ze nog steeds zo gebeten is op die inbraak.'
De twee mannen keken elkaar aan alsof ze precies wisten waarom Jenna Hathaway nog steeds achter hen aan zat. Interessant.
'Snappen jullie nu dat Charlie zijn oude maten geen poot probeert uit te draaien, maar ze juist probeert te beschermen door niets te zeggen?'
'Hij beschermt ze tegen hun geld,' zei Ralph schamper.
Ik leunde naar voren en keek eerst de een en vervolgens de ander aan. 'Laten we er niet langer omheen draaien. Jullie zijn die "ze", toch?'
Joey keek even de bar rond, leunde naar voren en fluisterde: 'Ja, die "ze" zijn wij.'
'Ik dacht het wel,' zei ik. 'Wat een enorme kick moet dat zijn geweest, zeg, om zo'n stunt uit te halen.'
'Het was geweldig,' zei Joey. Aan de zelfgenoegzame grijns die op zijn gezicht en dat van Ralph verscheen, zag ik dat ze bijna niet konden wachten om me erover te vertellen.
'Toch snap ik het niet. Er werd gezegd dat professionals die inbraak hadden gepleegd.'
'We wilden juist dat ze dat zouden denken,' zei Joey.
'Maar wij waren het,' zei Ralph.
'Hoe hebben vijf gewone knullen het in vredesnaam voor elkaar gekregen om de grootste inbraak uit de geschiedenis van deze stad zo professioneel uit te voeren?'
Joey dronk zijn glas leeg, pakte de kan en schonk zichzelf nog een glas in. Hij keek naar Ralph. Ralph knikte.
'Geen woord hierover tegen wie dan ook.'
'Ik ben advocaat, Joey. Als je een advocaat niet kunt vertrouwen, wie dan wel?'
'Zoals alles in deze stad,' zei Joey, 'begon het in een kroeg.'

Joey Pride vertelde me dat ze met zijn vieren in een kroeg zaten, niet in deze, maar in net zo eentje. Ralph, die nog zwarte handen had van het metaal in de werkplaats; Hugo Farr, die de cementspetters nog op zijn spijkerbroek en werkschoenen had en met een opgejaagde, dorstige blik om zich heen keek; Charlie Kalakos, die zoals altijd klaagde over zijn moeder; en Joey Pride, die al aan zijn tweede biertje zat toen de anderen binnenkwamen en langzamerhand in de zalige vergetelheid zonk waarin hij elke avond na zijn werk vluchtte. Ze waren geen jongens meer, maar bevonden zich in het stadium van hun leven waarin dingen hoorden te gebeuren. Maar hun levens stonden stil.

Er is een grens die je oversteekt, vertelde Joey me, hij is moeilijk te zien, een beetje vaag, maar hij is er wel degelijk. Aan de ene kant van die grens staan alle dromen in je leven die nog steeds werkelijkheid kunnen worden. Aan de andere kant zijn het fantasieën geworden en doe je alleen of je er nog steeds in gelooft, want als je niets meer hebt om in te geloven, kun je net zo goed dood zijn. Dromen van dwazen, noemde Joey ze, zielige leugentjes. Die grens was er nu eenmaal en zij waren die grens al jaren daarvoor overgestoken zonder terug te kijken.

Ralph werkte destijds als metaalbewerker bij Karlov, een Russische hufter, maar wilde het liefst een eigen bedrijf beginnen. Niets bijzonders, geen Standard Press Steel of zo, gewoon iets van zichzelf. Maar Ralph was een romantische idioot. Hij verspilde al zijn geld aan vrouwen en de droom van een eigen bedrijf was net zo inhoudsloos als zijn bankrekening.

Hetzelfde gold voor Hugo, die altijd zei dat hij zijn studie weer wilde oppakken. Zijn droom was zakenmagnaat worden. Hij was op de universiteit begonnen maar had een semester vrijgenomen toen zijn vader ziek werd. Hij wilde wat geld verdienen om zijn moeder te helpen voor hij verder zou studeren, maar om de een of andere reden kwam het er niet meer van. Uiteindelijk kwam hij in de bouw terecht. Nu was hij betonstorter en zat hij tot diep in de nacht in de kroeg te zuipen om zijn droom te vergeten.

Het enige wat Charlie wilde, was onder het juk van zijn moeder vandaan komen, een meisje vinden, een huis kopen en zijn eigen leven leiden. Dat was de droom van die dwaas, eigenlijk te treurig voor woorden, maar voor Charlie was het zo hoog gegrepen dat zelfs de gedachte eraan hem een steek van pijn bezorgde. Daarom zocht hij elke avond de anderen op; om zijn droom te verdrinken terwijl de jaren verstreken.

Eerlijk gezegd was Joey de normaalste van het stel en uitgerekend hij was degene die officieel krankzinnig was verklaard. Ze hadden hem twee keer opgesloten. Een keer omdat hij een auto had gestolen en een paar jaar later nog een keer toen ze hem zwervend op straat hadden aangetroffen met een geweer en een enorm houten kruis, terwijl hij luidkeels verkondigde dat Jimi Hendrix gekruisigd was voor de zonden van de mensheid. Hij had altijd van auto's gehouden en wilde *hotrods* bouwen waarmee hij over de boulevards zou scheuren, maar toen hij uiteindelijk werd ontslagen uit de psychiatrische inrichting, kon hij alleen een baantje als taxichauffeur vinden. Een tijdelijk baantje waardoor hij weer op eigen benen zou komen te staan, maar tijdelijk bleek een rekbaar begrip, want hij zat nu al langer in de taxi dan hij in de gevangenis had gezeten en het voelde even nutteloos aan. Dus daar zaten ze met zijn vieren, in de kroeg, klagend over het leven en langzamerhand berustend in hun lot alsof het een oude, rafelige, maar lekker zittende spijkerbroek was terwijl de laatste vonken van hun dwaze dromen elke dag iets verder uitdoofden. En toen hoorden ze het. Teddy Pravitz was terug!

Teddy was de gladde jongen die zijn oude rafelige spijkerbroek had weggegooid, die Philly voor de Westkust had verruild en iets maakte van zijn leven. Hij had langzamerhand de trekken van een legende gekregen voor de vier. Hij was niet zozeer een persoon van vlees en bloed, maar meer de belichaming van het succes dat hun door de vingers was geglipt. Ze waren nooit naar de kust gegaan om hem te zoeken, hadden nooit zeker geweten wat hij deed, maar ze waren er alle vier van overtuigd dat hij meer succes had dan zij. En nu was hij terug. Ze namen aan dat hij alleen even langskwam voor een praatje en een biertje met zijn oude vrienden. Maar ze hadden het mis. Hij schreed de bar binnen als een buitenlandse potentaat. Ze zeiden hallo, sloegen elkaar op de rug en dronken er een biertje op. Teddy Pravitz was weer in de stad. Hij gaf een rondje en nog een, glimlachte breed zoals altijd, strooide met geld en zag er zelfvoldaan uit. Hij was nonchalant gekleed, net als de mensen in Californië. Het was alsof de zon Philly uit hem had gebrand. Alsof hij elk moment door Broad Street kon surfen met die flitsende glimlach en dat kleurrijke hippievest. Het was alsof hij door een portaal uit een andere wereld was gestapt, een plek met licht en kleuren; zo'n aura hing om hem heen. Ze werden erdoor verblind.

Ze schoven aan een tafeltje achter in de bar, met zijn vijven, weer samen. En de vier die in hun geboortestad waren blijven steken, bestookten hem met vragen, maar hij liet niet veel los.

Waar ben je allemaal geweest, Teddy? Hier en daar. Ben je getrouwd? Nee. Werk je? Zelden. Kun je daar gemakkelijk meiden scoren? Meer dan ik aankan. Ben je voorgoed terug? Voor eventjes. Heb je daar een bepaalde reden voor? Dat kun je wel zeggen. Nog een rondje, Teddy? Best, maar ik betaal. Nou, kom op, vertel. Waarom ben je terug?

'Jongens,' zei hij uiteindelijk en zijn ogen schitterden, 'jongens, er is maar één reden dat ik ben teruggekomen. En dat is om jullie nog een laatste kans te geven iets van het leven te maken, jullie laatste kans op succes.'

'Wat grappig,' zei ik. 'Zo succesvol zien jullie er niet uit.'

'Dat is het nu juist,' zei Joey. 'Dertig jaar later zitten we hier nog steeds en zijn we nog steeds platzak.'

'Het schilderij was maar een deel van de buit van de Randolph Stichting. Er was nog veel meer gestolen, sieraden en goud en zelfs contant geld. Jullie hadden een grote slag geslagen.'

Ze zeiden niets, Kleine Joey en Grote Ralph. In plaats daarvan staarden ze treurig naar hun bierglazen. Joey goot zijn laatste restje bier achterover, greep de kan, schonk hem leeg in zijn glas, en dronk zijn glas in één teug leeg.

'Wat is er dan mee gebeurd?' vroeg ik.

'We hebben er wel iets van gekregen,' zei Joe. 'Ons deel van het contante geld.'

'En de rest?'

'Verdwenen,' zei Ralph.

'Hoe?'

'Maakt dat wat uit?'

'Waar we het over willen hebben,' zei Joey, 'is hoe we ons deel kunnen krijgen. Er komt een vent naar ons toe. Hij weet dat we Charlie van vroeger kennen. Hij weet dat we misschien invloed op hem hebben omdat we oude vrienden zijn en vroeger de dikste maatjes waren.'

'Van wie kwam het aanbod?' vroeg ik.

'Maakt dat wat uit?' vroeg Ralph.

'Jazeker.'

'Dat wilde hij niet zeggen. Maar het aanbod was zo gunstig dat we wel interesse hadden. En eerlijk gezegd zouden we weleens knap nijdig kunnen worden als de zaken niet zo gaan als die vent ons voorspiegelt.'

'Knap nijdig?'

'Ja. Dus zo liggen de zaken. Zeg Charlie dat we een vis aan de haak hebben en dat we ons deel van de vangst willen. Eerlijk is eerlijk, zeg dat maar. En zeg ook maar dat de honkbalknuppels klaarliggen.'

'Is dat een bedreiging, Joey?' vroeg ik.

'Welnee, je begrijpt me helemaal verkeerd,' zei Joey. 'Ik ben net als Charlie: aardig. Ben ik niet aardig, Ralph?'

'Hij is aardig.'

'Het is alleen dat we al een tijdje niet gespeeld hebben en wel zin hebben in een spelletje. Net als vroeger. Vertel Charlie over de honkbalknuppels, dan snapt hij het wel.'

'Oké, ik heb de boodschap begrepen,' zei ik. 'Als je weer iets van die vent hoort, bel me dan.' Ik gaf beiden een visitekaartje. 'Hebben jullie iemand anders iets over dat aanbod verteld?'

'Alleen een paar geïnteresseerde partijen.'

'Zoals?'

'Je vader.'

'Oké. Maar vanaf nu houden jullie hem hierbuiten. Wie nog meer?'

'Charlies moeder.'

Ik sloot mijn ogen en schudde mijn hoofd. 'Jullie zijn stommer dan jullie eruitzien.'
'We wilden ons zo goed mogelijk indekken, Victor.'
'In een graf dan zeker. Hoe dan ook, voor ik iets doe moet ik weten of die vent die jullie aan de haak hebben zuiver op de graat is of alleen bubbels blaast.'
'Geloof me, hij is zuiver op de graat,' zei Joey.
'Hoe weet je dat?'
'Hij heeft ons een voorproefje gegeven. We kregen alleen al twee gloednieuwe honderdjes de man omdat we met hem wilden praten.'
'Zou ik die eens mogen zien?'
'De mijne heb ik helaas niet meer. Onkosten, je kent het wel. Ik moest nog een drankrekening betalen.'
'Dat geloof ik graag. En jij, Ralph? Heb jij nog zo'n honderdje over?'
Ralph stak zijn hand in zijn broekzak, haalde er een gouden geldclip uit die voorzien was van een medaillon, en streek de biljetten glad.
'Verdomme, Ralph,' zei Joey, 'jij hebt dus wel geld. En ik vroeg je net nog om een tientje.'
'Ik zei niet dat ik niets had,' zei Ralph, die twee honderdjes uit de clip trok. De biljetten die hij me overhandigde, waren gloednieuw en knisperden zelfs, alsof ze vers van de pers kwamen. Ik hield de biljetten onder mijn neus, wapperde ermee en snoof de geur van verse drukinkt op. En nog iets. Ik snoof nog een keer en rook een vage bloemgeur. Wel verdomme. Lavender Hill.

24

'Met Victor Carl.'
'Hallo, Victor. Het doet me deugd je zoetgevooisde stem weer te horen. Je had een boodschap op mijn mobieltje ingesproken?'
'Lavender?'
'Ja, ik ben het.'
'Lav, *dude*, probeer je me voortijdig het graf in te helpen?'
'Victor, laten we even duidelijkheid scheppen. Ten eerste ben ik geen dude, nooit geweest ook. Dus zet je skateboard weg en gedraag je naar je leeftijd. En ten tweede probeer ik je niet voortijdig je graf in te helpen, maar wees gerust, daar kan voor gezorgd worden.'
'Dat is niet grappig.'
'Mooi zo, want het is niet mijn hoogste doel op aarde om jou aan het lachen te krijgen. Mensen die grappig gevonden worden, neemt niemand serieus, en ik waarschuw je, Victor, ik mag dan als een vrolijke klessebes overkomen, maar je moet mij, mijn aanbod en mijn bezorgdheid wel degelijk serieus nemen. Er is navraag naar me gedaan in de stad waar ik momenteel verblijf. Dat vind ik nogal ongemanierd.'
'Had je niet verwacht dat ik dat zou doen?'
'Ik had gehoopt dat je wat discreter te werk zou gaan. Het leek wel alsof het mannetje dat je daarvoor had ingehuurd, wilde dat bekend werd dat iemand navraag naar me deed. Ik vond dat nogal gênant en ben daar niet van gediend. Zeg tegen je mannetje dat hij daarmee kapt, anders wordt er bij hem iets afgekapt.'
'Weet je, Lav, over de telefoon ben je helemaal niet zo vriendelijk.'
'Ik ben niet blij met je en het vergt te veel inspanning om vriendelijk te doen als je niet blij bent. Dat is slecht voor mijn huid.'
'Nou, Lav, dude, ik ben ook niet blij. Ik heb vandaag Joey en Ralph gesproken. Je weet toch wel wie dat zijn? Die twee oude gasten die jij hebt benaderd en een paar honderdjes hebt gegeven die verdacht veel naar jouw luchtje ruiken.'
'Wat onbeleefd van die twee om jou die biljetten te laten zien en wat slim van jou om dat op te merken. Ik neem aan dat ik daar iets aan zal moeten doen.'
'Ik kreeg de indruk dat je mijn cliënt probeert te omzeilen en dat je het schilderij van die twee oude mannen wilt kopen.'

'Wat had je dan verwacht, Victor? Ik zat te kwijnen bij de telefoon, maar je belde niet, liet geen bericht achter, helemaal niets. Ik voelde me versmaad.'
'Ik heb mijn cliënt nog niet kunnen bereiken na ons gesprekje. Hij is op de vlucht. Het is moeilijk om met hem in contact te komen.'
'Dan moet je beter je best doen.'
'Jij hebt alles nog gecompliceerder gemaakt.'
'Of ik het een advocaat wat moeilijker maak, is niet iets waarmee ik me bezighou. Wat je cliënt betreft, ik verschaf hem gewoon wat opties. Hij kan besluiten om het geld zelf te houden of het met zijn vrienden te delen. En als zijn oude vrienden wat druk uitoefenen zodat hij de juiste beslissing neemt, des te beter.'
'Jij hebt er juist voor gezorgd dat het voor hem nog moeilijker wordt om het schilderij aan het museum terug te geven.'
'Goed gezien.'
'Waardoor het aantrekkelijker wordt om de Rembrandt bij jou af te leveren.'
'Heel goed, Victor, jij kijkt dwars door me heen.'
'Je bent een keiharde onderhandelaar, net zo'n niets en niemand ontziende haai.'
'Eerder een hyena, Victor, met een vleugje hilariteit. Maar als ik een deal wil sluiten, ontzie ik inderdaad niets of niemand.'
'Dat heb ik door, Lav. Hoe heb je die twee trouwens gevonden?'
'Onderschat je me, Victor? Ik hoop het wel. Dat maakt alles een stuk eenvoudiger. Onthou dat ik veel deugden bezit, ik voel een zekere genegenheid voor kleine vissen en heb begrip voor wat zich in zo'n kleine vijver afspeelt, maar geduld behoort helaas niet tot mijn goede eigenschappen. Ik ben geen geduldig man en degene die ik vertegenwoordig is dat ook niet. Dus schiet een beetje op, Victor, anders zal ik zelf stappen moeten ondernemen.'
'Dan stap je in het vliegtuig naar Cleveland?'
'Nee, dan stap ik over naar plan B.'
'Wat is plan B?'
'Uiterst onaangenaam.'

'Met Victor Carl.'
'Hallo, Victor. Met mij.'
'Jij?'
'Ja, ik. Ik zat aan je te denken.'
'Aan mij?'
'Ja, aan jou, suffie, vandaar dat ik bel.'
'Wat aardig van je.'
'Hoe gaat het met je?'
'Wel goed, geloof ik.'

'Heb je de wedstrijd gezien? De Phillies hebben vandaag verloren. Daar word ik altijd een beetje depressief van.'
'Zoveel Prozac maken ze niet.'
'Vroeger ging ik met een van de spelers uit. Een *middle reliever*.'
'Als ik zie hoe ze het de laatste paar jaar hebben gedaan, zal dat niet altijd even leuk zijn geweest.'
'Dat kun je wel zeggen. Elke keer dat hij in de fout ging, kreeg ik dat van iedereen op mijn werk te horen. "Dat vriendje van je is bagger." Alsof het mijn fout was dat hij de mist inging. Maar toen hebben ze hem aan Seattle verkocht en was het voorbij.'
'Sneu voor je.'
'Ach, zo goed was hij ook weer niet, maar hij kreeg wel bijna vijf miljoen voor een tweejarig contract.'
'Mag ik je iets vragen?'
'Tuurlijk.'
'Wie ben je?'
'Mon.'
'Pardon?'
'Monica. Monica Adair. Weet je nog wel?'
'O, ja, natuurlijk. Monica. Juist, ja. Monica. Van de Lula nog iets. Die met de verdwenen zus. Oké, ik ben weer bij. Hoe is het met je?'
'Tja, de Phillies hebben verloren.'
'En waarom belde je ook alweer?'
'Meestal als ik een afspraakje heb met een man en het is leuk, komt hij de dag erna in de club langs. Al was het alleen om me nog een keer te bekijken. Ik verwachtte jou daar ook te zien, maar je bent helemaal niet geweest.'
'We hadden geen afspraakje, Monica.'
'We zijn uit eten geweest.'
'Jij hebt voornamelijk gegeten.'
'In een restaurant.'
'Een veredelde snackbar.'
'En jij hebt betaald.'
'Ik was gewoon beleefd.'
'Dus het was geen afspraakje?'
'Nee.'
'Jeetje. Dan heb ik het zeker niet goed begrepen, hè?'
'Dat spijt me. We hadden het alleen over je zus. Jij leek over haar te willen praten, dus luisterde ik.'
'Jij begon over haar.'
'Nee, ik noemde alleen haar naam. Het was eigenlijk al meteen duidelijk dat we het over twee verschillende mensen hadden. De Chantal Adair die ik zoek is niet je zus.'

'Weet je dat zeker?'
'Heel zeker.'
'Waarom zoek je haar eigenlijk? Dat heb je me nog niet verteld.'
'Dat is niet belangrijk.'
'Dat wil je voor jezelf houden, dat begrijp ik.'
'Het is gewoon niet belangrijk. Maar Monica, hoe leuk het ook is om met je te praten, ik moet ophangen.'
'Roept je vriendin je?'
'Ik heb geen vriendin.'
'Dus je bent getrouwd?'
'Nee.'
'O.' Het was even stil. 'Ik begrijp het. Dus zo zit het.'
'Wat bedoel je?'
'Jij maakt geen afspraakjes met strippers.'
'Tot nog toe niet, eerlijk gezegd.'
'Het geeft niets, dat komen we heel vaak tegen. Het zou je verbazen hoeveel mannen naar de club komen om hun kale koppen tussen onze borsten te steken, maar met ons uitgaan? Ho maar.'
'Zo'n man ben ik niet.'
'Dus jij zou er geen problemen mee hebben om een stripper aan je moeder voor te stellen?'
'Ik niet, nee. Als je haar genoeg wodka geeft, zou ze zelf ook een showtje aan de paal weggeven. Maar dat bedoelde ik niet. Ik bedoelde dat ik niet naar dat soort clubs ga.'
'Je bent wel in Club Lola geweest.'
'Om jou te spreken en naar die naam te vragen, meer niet.'
'Waarom vroeg je ook alweer naar die naam?'
'Luister, Monica, ik moet nu echt ophangen.'
'Dus je wilt niet een keertje iets met me gaan drinken?'
'Niet echt, nee.'
'Mannen zeggen altijd dat ze een vrouw willen die initiatief toont, maar als we dat dan doen, vinden ze ons opdringerig en zien ze ons als wanhopig. Vind jij me opdringerig? Kom ik wanhopig over?'
'Nee, niet wanhopig.'
'Wat is het dan? Zijn mijn borsten te klein?'
'Natuurlijk niet.'
'Hou je niet van brunettes?'
'Ik hou best van brunettes. Hoor eens, Monica, dit wordt me een beetje te vreemd. En ik moet nu echt ophangen.'
'Zeg het dan gewoon.'
'Je borsten zijn oké. Zelfs beter dan oké.'
'Nee. Vertel me waarom je op zoek bent naar Chantal.'

'Als ik dat zeg, hang je dan op en bel je me niet nog een keer?'
'Dat beloof ik.'
'Best. Het is eigenlijk nogal bizar en gênant. Op een avond, nog niet zo lang geleden, moet ik stomdronken zijn geweest want ik herinner me niets van wat er is gebeurd. Toen ik wakker werd, had ik een tatoeage op mijn borstkas. En daar stond een naam in.'
'Welke naam, Victor?'
'Chantal Adair. Ik weet niet hoe die daar gekomen is of waarom en daarom probeerde ik haar te vinden.'
'Dat is echt bizar.'
'Vanwege de combinatie van jouw toneelnaam en achternaam, dachten we dat jij misschien Chantal Adair was. Maar aangezien jij mij nog nooit eerder had gezien en ik jou ook niet, staat wel vast dat mijn tatoeage helemaal niets te maken heeft met jou of met je verdwenen zus.'
'Nee, dat denk ik ook. Tenzij…'
'Bedankt voor je telefoontje, Monica, maar nu ga ik ophangen.'
'Hé, Victor, mag ik je nog één laatste dingetje vragen?'
'Nee.'
'Wil je mijn ouders ontmoeten?'
'Nee, absoluut niet.'
'Ze zouden je echt graag mogen. Weet je wat, ik regel het wel en dan bel ik je nog.'
'Monica, doe dat nu niet.'
'Doei.'
'Monica? Ben je er nog? Monica? Monica? O, verdomme.'

'Met Victor Carl.'
'Hallo, Victor. Met mij.'
'Beth, hallo. Jezus, wat een avond. De telefoon blijft maar rinkelen en elk telefoontje is nog erger dan het vorige.'
'En dan krijg je mij aan de lijn. Alsof ik het kon ruiken. Vertel, wat is er aan de hand?'
'O, de gewone dingen. De Kalakos-zaak wordt een beetje gevaarlijk. Maar voor de verandering is het wel aardig om aan een zaak te werken waarin niet om de haverklap een lijk opduikt, als je snapt wat ik bedoel.'
'Natuurlijk snap ik dat. Die moordzaken waar jij bij betrokken raakte, waren eng. Dat soort zaken had ik niet in gedachten toen ik rechten ging studeren.'
'Ik neem aan dat je het deed om mensen als Theresa Wellman te kunnen helpen.'
'Precies.'
'Is ze al een beetje hersteld van mijn verhoor?'

'Ze is zo goed als nieuw. En dat deel na de schorsing, toen je haar liet vertellen over haar afkickproces, haar nieuwe baan en het nieuwe huis dat haar ouders voor haar hadden gekocht, was gewoonweg geniaal.'
'Dat komt, Beth, omdat we zo goed samenwerken.'
'Dat is zo, en dat is nooit het probleem geweest. Heb je het morgen zo tegen de middag erg druk?'
'Nee, niet echt.'
'Kunnen we dan een afspraak maken?'
'Op kantoor?'
'Nee, ergens anders.'
'Wat is er aan de hand?'
'Ik heb zitten nadenken.'
'O, nee, Beth.'
'Over mijn leven.'
'Jezus, Beth, doe dat nou niet. Waarom zet je niet gewoon een andere zender op, misschien is daar wat leuks te zien.'
'Ik ben de balans van mijn leven aan het opmaken, Victor.'
'Beth, je jaagt me de stuipen op het lijf. Dat soort dingen leidt alleen maar tot ellende.'
'Zeg dat we om een uur of halftwaalf van kantoor weggaan, is dat oké wat jou betreft?'
'Je hebt niet eens gezegd waar we naartoe gaan!'
'Klopt. Ik zie je morgen wel.'

'Met Victor Carl.'
'Carl, jij gladjakker. Heb je het druk?'
'Druk genoeg.'
'Te druk om in je auto te stappen en naar me toe te komen?'
'Dat ligt eraan.'
'Waaraan?'
'Aan wie je in jezusnaam bent.'
'Herken je mijn stem niet?'
'O, is het een spelletje? Laat me eens raden. Je klinkt als een bronstige neushoorn. Eh, Barry White?'
'Niet slecht. Ik ben het, McDeiss.'
'Die McDeiss?'
'Ja.'
'Verdomme.'

25

Er zijn hordes mensen van wie je niets wilt horen op een zondagavond. Zoals je oncoloog, of de vrouw met wie je zes maanden geleden naar bed bent geweest, maar nooit meer hebt gebeld, en je zit zeker niet te wachten op een telefoontje van de verkeerspolitie, het korps mariniers of van je moeder... of beter gezegd, van mijn moeder.

Maar een rechercheur Moordzaken staat waarschijnlijk boven aan je lijstje.

Rechercheur McDeiss van de afdeling Moordzaken van het Philadelphia korps gaf me aanwijzingen naar een straat aan de zuidelijke rand van de Great Northeast, in de buurt van de Tacony-Palmyrabrug, slechts een paar straten bij het huis van de familie Kalakos vandaan. De locatie zelf verschafte me een aanwijzing over de reden van het ritje, wat meer was dan McDeiss had gedaan. McDeiss was een grote man met een nog grotere dosis achterdocht als het om mij ging, wat logisch was, omdat het zijn taak was om mijn cliënten achter de tralies te krijgen en het mijn taak was om hem waar ik kon tegen te werken. Hij had me alleen de straatnaam verteld, verder niets, maar zodra ik de straat in reed, was het niet moeilijk om het juiste huis te vinden gezien de toegesnelde menigte; de agenten; het gele afzetlint; de blauwe zwaailichten; en de televisiebusjes met cameraploegen en verslaggevers. Het verbaasde me dat er geen T-shirts werden verkocht.

Twee straten verderop vond ik een plekje voor mijn auto. Ik had snel een pak aangetrokken – een man in een effen donkerblauw pak valt namelijk niet op – en baande me langzaam een weg naar het centrum van alle activiteiten: een doorsnee rijtjeshuis met een kleine veranda en een zielig stukje grasveld ervoor. Voor het huis zag ik het busje van de lijkschouwer staan, de achterdeuren stonden wijd open en er lag iets donkers en vormeloos op een brancard binnenin. Toen ik er bijna was, werden de deuren godzijdank net dichtgeslagen. Ik slaakte een zucht van opluchting toen het busje wegreed. Ik had al zo veel plaatsen delict bezocht dat ik wist dat mijn maag er de voorkeur aan gaf om pas op het toneel te verschijnen nadat het lijk was afgevoerd.

Toen ik bij het afzetlint aankwam, lukte het me met een subtiel gebaar de aandacht van een geüniformeerde agent te trekken. Zodra hij voor me stond, boog ik me naar hem toe en zei ik zo zachtjes mogelijk zonder onverstaanbaar te worden: 'McDeiss vroeg of ik wilde komen.'

'Bent u de advocaat die we moesten doorlaten?' vroeg hij net een tikje te luid.
'Kunnen we dit stilhouden? De pers hoeft niet te weten dat ik hier ben.'
'Begrepen.' Hij liet zijn stem dalen en gaf me een knipoog.
'Ik ben die advocaat, ja. Victor Carl.'
'Loop maar door.'
'Bedankt.'
Ik dook zo onopvallend mogelijk onder het lint door. Ik had mijn voet net op de tweede trede van het verandatrapje gezet toen iemand achter me iets schreeuwde.'
'Hé, Joe,' brulde de agent die ik net had gesproken, 'zeg tegen McDeiss dat die griezel van een Victor Carl, je weet wel die hufterige advocaat die we moesten doorlaten, eindelijk is komen opdagen.'
Instinctief draaide ik me om in de richting van de pers. Camera's flitsten. Mijn naam werd geroepen en er kwam een stortvloed aan vragen mijn kant uit; vragen over Charlie en de Rembrandt en of de moord in verband stond met het schilderij dat ineens was opgedoken. De mogelijkheid om onopgemerkt naar binnen te sluipen, was finaal verkeken.
Ik draaide me naar de agent toe. 'Bedankt.'
'Geen dank. Je moet maar zo denken, de politie is je beste vriend,' zei hij met een grijns.
Ik draaide me weer naar de persmeute toe en zag een bos rood haar dat een bleek gezicht met sproeten omringde voor ik me omdraaide, het geschreeuw negeerde en het huis binnen stapte.
Het was inderdaad een typische plaats delict: bosjes agenten liepen rond met aantekenboekjes, technisch rechercheurs zochten naar vingerafdrukken op muren en deurknoppen en maakten foto's, en cynische grapjes vlogen in het rond.
Ik stapte de woonkamer binnen en werd tegengehouden door een agent die me vertelde dat ik moest wachten tot hij McDeiss had gehaald.
Zo te zien was het huis jaren geleden behangen en ingericht en sindsdien was er niets meer aan gedaan. Als je er elke dag tussen zat, viel het je misschien niet zo op, maar als je er voor het eerst binnenstapte, zag je dat de tand des tijds er flink had huisgehouden. De muren waren nu donker, maar eens waren ze licht geweest; het meubilair zag er goor uit, het vloerkleed was versleten, over alles lag een bruinige waas en het stonk er alsof er jarenlang een kettingroker had gewoond. Ik rook ook iets anders, iets walgelijks en tegelijkertijd bekends, de geur van dood en ontbinding, alsof de pest hier had rondgewaard. Het duurde een paar tellen voor ik het verband legde. Het rook er naar de adem van mevrouw Kalakos. En daar was een goede reden voor. Overal op het vloerkleed stonden genummerde bordjes bij plekken waar met krijt een cirkel omheen was getrokken. En aan de rand van het

vloerkleed, pal voor een glazen tafeltje op wielen met drankflessen, waren de krijtcontouren van een menselijke figuur zichtbaar en een lelijke, donkere vlek.
De deur naar de keuken stond open en ik zag twee mannen: McDeiss, groot en fors, met zijn bruine pak en zwarte hoed, en K. Lawrence Slocum. Toen de agent op de twee afstapte en iets tegen hen zei, draaiden hun hoofden zich gelijktijdig in mijn richting. McDeiss schudde zijn hoofd naar me, zoals een vader zou doen wanneer zijn zoon weer eens iets had uitgehaald, alsof hij teleurgesteld was maar niet verbaasd dat ik midden in deze puinhoop opdook. Slocum staarde me een paar tellen aan en draaide met een uitdrukking van walging zijn hoofd af. Een paar minuten later kwamen ze naar me toe.
'Wie is het?' vroeg ik.
'Een vent die Ciulla heet,' antwoordde McDeiss.
'En die moet ik kennen?'
'Dat lijkt me wel,' zei hij, 'want jouw visitekaartje zit in zijn portefeuille.'
'O.' Ineens herinnerde ik me waar ik die naam eerder had gehoord. De oude mevrouw Kalakos had hem genoemd. 'Heet het slachtoffer misschien Ralph Ciulla?'
'Zie je nu wel, Carl,' zei McDeiss. 'Ik wist wel dat je een lichtje zou opgaan.'
'Hoe is het gebeurd?'
'Een kogel in zijn knie en twee in zijn hoofd.'
'Wanneer?'
'Een paar uur geleden.'
'Wie heeft het gedaan?'
'Als we dat wisten, hadden we jou niet nodig, toch?'
'Grote Ralph.'
'Het was een grote vent, dat klopt.'
'Laat me even een minuutje bijkomen, oké?'
'Ik had niet gedacht dat je nog bleker kon worden,' zei McDeiss, 'maar ik zit alweer verkeerd.'
'Een minuutje maar.' Ik wankelde naar een grote, oude leunstoel, plofte neer en liet mijn hoofd in mijn handen steunen. Na een paar tellen was mijn ademhaling weer normaal, maar het duurde veel langer om de angst te bedaren die als een dolle stier in mijn ingewanden tekeerging. Grote Ralph, vermoord. Een paar uur geleden had ik nog een biertje met hem gedronken in de Hollywood Tavern. Ik wist niet wat er allemaal speelde in de Kalakos-zaak, maar het ging helemaal de verkeerde kant op. Ik tuurde door mijn vingers naar het donkere vloerkleed. Tussen mijn voeten stond een bordje met het nummer zeven erop. Ernaast was een krijtcirkeltje zichtbaar rond een donkerbruine vlek. Dat hielp niet echt.
Ik wierp een blik op McDeiss en Slocum. De twee negeerden me terwijl ze

discussieerden over wat er gebeurd was. Ze zouden vragen voor me hebben en antwoorden verwachten. Sommige dingen mocht ik uit hoofde van mijn beroep niet vertellen en als ik sommige andere dingen vertelde, zou de geheime schat die zo gemakkelijk verdiend leek, in gevaar komen. Terwijl ik mijn opties overwoog, zag ik in gedachten de schat aan juwelen en goud in mijn bureaula in rook opgaan. Onwillekeurig schoot me ook een ander beeld te binnen: de vormeloze hoop vlees en botten achter in het busje van de lijkschouwer. Er was een man dood. Hij was in koelen bloede vermoord en er moest iets gedaan worden.

Ik vroeg me af wie Ralph Ciulla vermoord kon hebben. Er waren in de loop der jaren waarschijnlijk heel wat mensen geweest die Grote Ralph graag een kopje kleiner wilden maken. Want Grote Ralph was helemaal geen lief oud mannetje, had mijn vader gezegd. Toch was de timing zorgwekkend. Het kon toch geen toeval zijn dat vlak nadat Ralph en Joey zich in Charlies zaak hadden gemengd, een van de twee vermoord werd? Maar wie was van Ralphs betrokkenheid op de hoogte geweest? Lavender Hill, die hem een overdreven genereus aanbod had gedaan voor het schilderij? Joey Pride, zijn partner in die onderneming? Mevrouw Kalakos met haar grote pistool, bij wie de twee eerst waren geweest voor ze mijn vader hadden benaderd? Of misschien Charlie Kalakos zelf, die van zijn moeder wist wat zijn oude vrienden van plan waren. Ze waren allemaal op de hoogte geweest en dus allemaal mogelijke kandidaten, toch leek geen van hen me een logische kandidaat.

Ik bleef in de stoel zitten en vroeg: 'En, hebben jullie al uitgevogeld wat er is gebeurd?'

'En, kunnen we al met je praten?' was McDeiss' wedervraag.

'Ik ben bereid te luisteren,' zei ik. 'En daarna wil ik wel praten.'

McDeiss schudde geërgerd zijn hoofd, maar Slocum gaf hem een knikje. 'Ralph Ciulla is twee keer getrouwd en twee keer gescheiden,' vertelde McDeiss. 'Zijn moeder is vijf jaar geleden overleden en sindsdien woonde hij hier in zijn eentje. Hij liet zijn moordenaar waarschijnlijk zelf binnen en sloot de deur achter hem. Er zijn geen sporen van een worsteling gevonden. De moordenaar stond daar en het slachtoffer hier. Het slachtoffer draaide zich om naar het tafeltje met de drank, misschien om iets in te schenken. Het eerste schot kwam van achteren en verbrijzelde zijn knie, dat heeft flink gebloed. Geen van de buren heeft het schot gehoord, dus waarschijnlijk was het pistool van een geluiddemper voorzien. We hebben geen hulzen gevonden. Ballistisch onderzoek zal uitwijzen wat het kaliber was, maar zo te zien was het een middenmaatje, een 9mm of zo. Toen hij op de grond lag heeft hij nog twee schoten in de rechterkant van zijn hoofd gekregen.'

'Een linkshandige schutter?'

'Dat denk ik ook.'

‘Hoeveel tijd zat er tussen het knieschot en die schoten in zijn hoofd?’ vroeg ik.
‘Zou ik niet kunnen zeggen. Misschien dat de lijkschouwer daar meer over kan vertellen. Zijn knie was verbonden met een theedoek uit de keuken, wat een beetje vreemd was.’
‘Liep er een bloedspoor naar de keuken?’ vroeg ik.
‘Nee.’
‘Dan heeft de schutter de wond verbonden,’ zei ik.
‘Daar gaan wij ook van uit,’ zei McDeiss. ‘Misschien zocht hij iets en hoopte hij dat het slachtoffer hem zou vertellen waar het was. Daarom waren we zo geïntrigeerd toen we jouw visitekaartje aantroffen. We hoopten dat jij ons kon vertellen waar het slachtoffer bij betrokken was.’
‘Wie heeft de moord gemeld?’
‘Er is vanuit een telefooncel hier in de buurt naar het alarmnummer gebeld. Iemand die paniekerig klonk, niet zei wie hij was, maar wel de naam van het slachtoffer wist.’
‘De schutter?’
‘Degene die dit heeft gedaan, lijkt me geen paniekerig type. We hebben voor de zekerheid de hoorn en het kleingeld in die telefooncel onderzocht op vingerafdrukken.’
‘Heeft iemand iets gezien?’
‘Er is al een buurtonderzoek gaande, maar tot dusver heeft dat nog niets opgeleverd.’
‘Is er iets meegenomen?’
‘Zo te zien niet. Een kostbare ring zat nog om zijn vinger; hij had zijn horloge nog om, en zijn portefeuille met jouw visitekaartje, een creditcard, maar geen contant geld, zat nog in zijn zak.’
‘En zijn geldclip?’
‘Zijn geldclip?’
Ik keek op en staarde door het raam naar buiten en dacht dat ik een gele flits voorbij zag schieten. ‘Die had hij vandaag bij zich,’ zei ik. ‘Een gouden geldclip met een medaillon erop. Er zaten flink wat biljetten in.’
McDeiss keek naar Slocum, die zijn schouders ophaalde.
‘Jij hebt Ralph Ciulla vandaag gezien?’ vroeg McDeiss.
‘Ja.’
‘Waar hadden jullie het over?’
Ik stond op uit de stoel, sloot even mijn ogen en probeerde mijn protesterende ingewanden in toom te houden.
‘Vertel eens, Victor,’ zei Slocum.
‘Ralph Ciulla was een oude vriend van Charlie Kalakos.’
Slocum wist dat blijkbaar al want hij knipperde niet eens met zijn ogen.
‘Ralph probeerde zich te mengen in de onderhandelingen over de verdwe-

nen Rembrandt. Hij en een andere oude vriend van Charlie, Joey Pride, wilden het schilderij aan een of andere rijke vent verkopen. Ze wilden mij spreken in de hoop dat Charlie overgehaald kon worden om aan hun plannetje mee te werken.'
'Hoe kwamen ze met je in contact?' vroeg Slocum.
'Per telefoon.'
'Waar hadden jullie afgesproken?'
'In de Hollywood Tavern.'
'Woont je vader daar niet vlakbij?'
'Is dat zo?'
'Hoe laat was die afspraak?'
'Rond tweeën.'
'Was er nog iemand bij?'
'Alleen Ralph, Joey Pride en ik.'
'Weet je waar die Joey Pride woont?'
'Geen flauw idee.'
'Hoe ziet hij eruit?'
'Zelfde leeftijd als Ralph. Mager, nerveus, praat veel, Afro-Amerikaans. Rijdt in een Yellow Cab. Dat is het zo'n beetje.'
'Als hij weer contact opneemt, laat je het ons dan weten?'
'Uiteraard.'
'Zeiden ze wie die rijke vent was, die het schilderij wil kopen?'
'Nee, maar Ralph liet me een paar honderdjes zien die hij als teken van goede wil had gekregen. Daarom wist ik ook dat hij een geldclip had.'
'En nu is het geld en de geldclip verdwenen. Wat heb je tegen ze gezegd?'
'Ik heb gezegd dat het schilderij wettelijk gezien nog steeds het eigendom van het museum is.'
'En?'
'En dat ik me niet met illegale zaken inlaat.'
Slocum keek me met een nietszeggende blik aan, alsof hij nog niet besloten had of ik de waarheid alleen deels verdraaide of dat ik ronduit leugens zat te verkondigen.
'Daar trapt geen hond in,' zei McDeiss, die overduidelijk niet met dat dilemma zat. 'We kennen je al wat langer dan vandaag.'
'Hoe namen die twee jouw weigering op?' vroeg Slocum.
'Niet zo best.'
'Maar je gaf ze wel jouw visitekaartje,' merkte McDeiss op.
'Ik ben zakenman,' zei ik. 'Ik strooi met visitekaartjes, zelfs baby's in kinderwagens krijgen van mij nog een kaartje.'
'Waarom vonden Ralph Ciulla en Joey Pride dat ze ook recht hadden op het schilderij?' vroeg McDeiss.
'Ze vertelden me dat ze hadden meegedaan aan de inbraak.'

Slocum en McDeiss keken elkaar aan alsof ze die theorie ook al in overweging hadden genomen.
'Wat heeft jouw cliënt daarover te zeggen?' vroeg Slocum.
'Gesprekken met mijn cliënt vallen onder mijn beroepsgeheim.'
'Dus zover jij weet, wisten maar drie mensen dat Ciulla die honderdjes had gekregen: jij, de vent die ze aan hem gaf en Joey Pride.'
'Denken jullie echt dat Ralph vermoord is om die paar honderdjes?'
'Als je zo lang in het vak zit als ik, Carl, verbaas je je nergens meer over. Een idioot met een pistool knalt iemand al voor een paar tientjes af.'
'We zouden graag een praatje met je cliënt maken,' zei Slocum.
'Als je met mijn cliënt wilt praten, moet je die bloedhond van een Hathaway terugroepen. Deze toestand begint gevaarlijk te worden en zij doet de zaak geen goed.'
'Ik zal met haar praten.'
'Mooi zo.'
'Wat ga je Charlie vertellen?' vroeg Slocum.
'Als ik hem eindelijk weet te bereiken,' zei ik, 'vertel ik hem de waarheid. Dat de hele toestand uit de hand is gelopen, dat er een moord is gepleegd, en dat het misschien het verstandigste is om dat verrekte schilderij maar te begraven en ver uit de buurt van Philly te blijven.'

26

Ze stond bij de voordeur op ons te wachten: lang, slank, knap maar hard gezicht, blond haar, zwarte uitgroei, bungelende oorbellen en armbanden, felrood gestifte lippen en de nerveuze, meedogenloze ogen van een *middle linebacker*. Ze had een bruinleren aktetas bij zich, droeg zwarte pumps en haar zilverkleurige Escalade stond langs de stoeprand geparkeerd. Toen ze ons zag aankomen, keek ze even op haar horloge en tikte ze ongeduldig met haar voet op de stoep. Ik vond haar angstaanjagend en dat was ook logisch. Ze was makelaar.

'Ik denk dat je helemaal weg zult zijn van dit huis, Beth,' zei ze op energieke, maar lichtelijk gespannen toon toen we de bordestreden naar het smalle rijtjeshuis op liepen.

'Het is nogal plotseling, dat besef ik, maar ik wilde je meteen het pand laten zien omdat er vanmiddag nog meer gegadigden komen kijken. De belangstelling voor dit pand is enorm. Het zal niet lang op de markt zijn.'

'Bedankt, Sheila,' zei Beth.

'Is dit je vriend?'

'Gewoon mijn partner, Victor,' zei Beth.

'Gewoon,' zei ik.

'Leuk je te ontmoeten, Victor. Zijn jullie levenspartners of zo? Er zijn zo veel nieuwe benamingen tegenwoordig, het is bijna niet bij te houden.'

'We zijn partners in een advocatenpraktijk,' zei ik.

'O.' Ze legde even haar hand op mijn arm. Ze rook scherp en gevaarlijk, alsof ze zich besprenkeld had met een nieuw parfum van Revlon dat Barracuda heette. 'Wat aardig van je om met Beth mee te komen. Oké dan, klaar om naar binnen te gaan?'

'Ik geloof het wel,' zei Beth.

'Gebruik je verbeeldingskracht, Beth.' Sheila haalde een sleutelbos tevoorschijn. 'De eigenaren hebben het huis geen grote beurt gegeven om de verkoop te stimuleren, dus het ziet er een tikje verwaarloosd uit, maar dat werkt in ons voordeel omdat het de prijs laag houdt. Je moet het je voorstellen met een nieuwe lik verf, netjes geschuurde en gelakte vloeren, en nieuwe armaturen, met name in de woonkamer.'

'Armaturen?' herhaalde ik.

'O, het spul dat ze nu hebben is gewoonweg afgrijselijk. Maar als je daar iets

fleurigs in art-decostijl voor gebruikt, misschien met rookglas, zal het er fantastisch uitzien.' Ze vond de juiste sleutel, en met behulp van een extra duwtje van haar schouder kreeg ze de deur open. 'Laten we een kijkje nemen.'
We werden overspoeld door een muffe schimmellucht die uit het huis stroomde, alsof het jaren onbewoond was geweest en ik stond klaar om weg te duiken voor het geval er een vleermuis mee naar buiten kwam.
Sheila de makelaar stapte vastberaden naar binnen, deed de lichten aan en opende een raam. Beth en ik volgden aarzelend en stonden meteen in de woonkamer. Dwars over de smerige houten vloer liep een soort richel; de muren waren kaal; de armaturen bestonden uit kale peertjes aan een paar dunne draadjes; de vensterbanken waren verrot; en in het plafond zat een grote scheur.
'Is het niet fantastisch?' Sheila klonk enthousiast. 'Opwindend, hè? Zie je het voor je met gelakte vloeren, behang van fluweelpapier, een leren bank, en iets fleurigs aan de muur? Dit pand biedt zo veel mogelijkheden. En dan heb je de keuken nog niet eens gezien – die is groter dan sommige appartementen die ik verkoop.'
Via een toog kwamen we in de kleine, groezelige, raamloze eetkamer terecht en een tweede toog bracht ons in de keuken, die inderdaad groot was, maar daar was alles mee gezegd. Er stonden alleen een paar keukenkastjes, een aanrecht, een fornuis dat elk moment kon instorten, en een antieke koelkast met afgeronde hoeken die in een museum thuishoorde. Het morsige, bruine linoleum op de vloer was aan het ontbinden.
'Prachtig, nietwaar?' Sheila liet haar blik bewonderend door de armzalige keuken gaan. 'En 's ochtends heb je hier de zon, mooier kan toch niet? Je hebt genoeg ruimte voor een kookeiland en een ontbijthoekje. De keuken is de beste ruimte van dit pand.'
'Dat meen je toch niet, hoop ik?' vroeg ik.
'Natuurlijk wel, Victor,' zei Sheila. 'Ik heb cliënten die in huizen van een half miljoen wonen, die een moord zouden doen voor zo'n keuken. De mogelijkheden hier zijn oneindig. En wat je ook in de keuken zet, het levert je tweemaal zoveel op bij verkoop, zeker zo'n grote keuken als deze.'
'Het biedt inderdaad mogelijkheden,' zei Beth.
'Hoor je dat, Victor, Beth ziet ze wel. Beth gebruikt haar verbeelding en ziet wat je van deze keuken kunt maken. Ultramodern. Een Viking-fornuis, een koelkast met glazen deuren, granieten werkbladen en kastjes van walnotenhout.'
'Ik hou van walnotenhout,' zei Beth.
'Je zou alles in walnotenhout kunnen uitvoeren, met ingebouwde spotjes in het plafond. Ik zie deze keuken al in een tijdschrift als *Philadelphia* staan.'
'Echt?'
'Absoluut. Maar we hebben nog twee verdiepingen te bekijken. Op de eerste

verdieping zijn drie slaapkamers en op de tweede verdieping is een vierde slaapkamer en een zolderruimte. En dan is er ook nog een groot souterrain.' Ze gebaarde naar een deur in de keuken.
'Is dat te gebruiken?' vroeg Beth.
'Dat zou kunnen,' zei Sheila. 'Laten we eerst naar boven gaan. Je zou bijvoorbeeld van de slaapkamer op de tweede verdieping een thuiskantoor kunnen maken. Het is er heel licht en je hebt uitzicht op het gemeentehuis. O, Beth, volgens mij is dit pand je op het lijf geschreven. En ik weet dat er nog wat ruimte is in de vraagprijs.'
'Ga je mee naar boven, Victor?' vroeg Beth.
'Ik kom zo.'
Ik bleef bij Sheila staan terwijl Beth op weg ging naar de trap in de woonkamer. Toen ze de trap op liep, deden de krakende treden me denken aan een reumatische oude baas die zijn rug probeerde te strekken.
'Het is wel een beetje vervallen.'
'Ik geef toe dat het wat opgeknapt moet worden.' Sheila klonk niet langer overdreven enthousiast.
'Het is een krot.'
'Haar budget is beperkt.'
'Komen er vanmiddag echt nog meer mensen kijken?'
'Er komen altijd nog meer mensen kijken. En wat is jouw status, Victor?'
'Vrijgezel,' zei ik.
Ze lachte en schudde haar hoofd, waardoor haar blonde haar heen en weer zwiepte. 'Ik bedoel op huizengebied,' zei ze.
'O, zo. Ik huur.'
'Dan kun je je geld net zo goed meteen het raam uit smijten. Heb je er ooit over gedacht om een huis te kopen?'
'Nee, eigenlijk niet.'
'Het is wel de beste tijd om een huis te kopen, Victor, nu de rente nog laag is.'
'Dat zal best.'
'Ik heb een paar panden die perfect voor je zouden zijn.' Ze haalde een visitekaartje uit haar aktetas en gaf het aan me. 'Als je interesse hebt, bel me dan.'
'Ik geloof niet dat ik op dit moment iets wil kopen.'
'Geef me toch maar een belletje. Ik weet zeker dat we wel iets kunnen regelen. Waarom ga je niet even boven kijken bij Beth?'
Ik vond Beth op de tweede verdieping. Ze stond in een kleine, benauwde kamer met een schuin aflopend plafond, leunde op de vensterbank en staarde uit een openstaand raam. Er was ruimte voor een stoel of een bureau, maar niet voor beide.
'Leuk thuiskantoortje,' zei ik.

'Moet je het uitzicht eens zien,' zei ze.
'Welk uitzicht?'
'Als je naar voren leunt, naar links kijkt en je nek strekt, kun je net het puntje van Billy Penns hoed zien.'
'O, dat uitzicht.'
'Wat vind je ervan?'
'Ik heb niet genoeg verbeeldingskracht voor dit huis.'
'Ik vind het wel wat.'
'Je hebt altijd al een zwakke plek gehad voor hopeloze gevallen. Daarom werk je ook met mij samen.'
'Dit zou een knus kantoortje kunnen worden,' zei ze.
'Knus, als in belazerd klein, wel te verstaan.'
'En heb je die kamers op de eerste verdieping gezien? Een leuke ouderslaapkamer, een logeerkamer en dat kleine kamertje zou je als kinderkamer kunnen gebruiken.'
'Een kinderkamer?'
'In zachtblauw uitgevoerd, met een ledikantje en een schommelstoel.'
'Voor een kinderkamer heb je toch een kind nodig?'
'En de keuken is fantastisch, vind je ook niet? Je hoorde toch wat Sheila zei? Hij zou zo in een tijdschrift als *Philadelphia* kunnen staan.'
'Ja, dat heb ik gehoord.'
'Ik ben dol op walnotenhout.'
'Er is nog geen splinter walnotenhout in dit hele huis te vinden.'
'Met het geld dat jij van Eugene Franks hebt weten los te peuteren en een beetje hulp van mijn vader, zou ik het kunnen betalen.'
'Beth, denk je echt dat dit de oplossing is voor die existentiële crisis van je? Een huis kopen, een hypotheek van dertig jaar op je nek nemen en het vooruitzicht dat je nog jaren bezig bent met opknappen?'
Ze draaide zich van het raam af en keek me recht aan. Er lag een koele blik in haar ogen en ze keek me serieus aan. 'Wat wil je nu eigenlijk zeggen?' vroeg ze op kalme, beheerste toon.
Ik dacht er even over na, maar niet lang, want uit haar toon begreep ik dat ze niet echt een antwoord wilde.
'Ik heb ooit een taxateur vertegenwoordigd die beschuldigd werd van rijden onder invloed,' zei ik.
'En was hij een incompetente dronkenlap?'
'Alleen als hij achter het stuur zat.'
'Fantastisch. Bedankt, Victor.' Ze keek omhoog naar het schuine plafond. 'Ik denk dat ik hier heel gelukkig kan worden.'
'Mag ik je een interieuradvies geven?'
'Natuurlijk.'
'Zet een laptop in je thuiskantoor.'

27

Ik was nog niet zo lang terug van onze afspraak met Sheila de makelaar toen ik door hogerhand werd ontboden.

Talbott, Kittredge & Chase was een van de firma's die me had afgewezen toen ik net was afgestudeerd. Er waren bosjes firma's die me na mijn afstuderen niet wilden hebben, wat uiteraard getuigde van inzicht en goede smaak, maar Talbott was de meest exclusieve van dat genootschap en na al die jaren stak hun afwijzing nog steeds. Elke keer dat ik een van hun advocaten zag, voelde ik de gal weer naar boven komen. Natuurlijk besefte ik onderhand heel goed dat mijn droom om bij zo'n vooraanstaand advocatenkantoor te werken, in feite een gedoemd luchtkasteel was geweest, omdat ik domweg niet geschikt ben om voor iemand anders te werken. Als er nog een baan was waar ik stiekem van droomde, dan was het wel om een van de succesvolle advocaten van Talbott, Kittredge & Chase te zijn, zoals Stanford Quick.

'Kan ik iets te drinken voor u inschenken, meneer Carl?' vroeg de aantrekkelijke juridisch medewerkster die me naar de vergaderzaal had gebracht van Talbott, Kittredge & Chase op de drieënvijftigste verdieping van One Liberty Place. Haar naam was Jennifer, de vergadertafel was van marmer en de stoelen waren bekleed met echt leer. De ramen in de vergaderzaal liepen van de vloer tot aan het plafond en het uitzicht op de stad en de rivier de Delaware was adembenemend.

Ik ging in een van de leren stoelen zitten en zonk weg alsof ik op een wolk zat. 'Een glas water, graag,' zei ik.

'Mineraalwater of ijswater?' vroeg Jennifer. 'We hebben San Pellegrino, Perrier, Evian, Fiji en ook nog een zalig bronwatertje uit Noorwegen dat Voss heet.'

'Dat laatste klinkt verfrissend,' zei ik.

'Het komt eraan.'

'Werk je voor meerdere advocaten, Jennifer?'

'O, nee, meneer Carl. Ik werk uitsluitend voor meneer Quick.'

'Dan is hij een gelukkig man.'

Ik nipte van de Voss, bewonderde het uitzicht en herinnerde me een oude mop – Hoe versier je een wip op Capitol Hill? Je loopt je kantoor uit en roept: Jennifer, wil je even komen? – toen Jabari Spurlock en de lange, ele-

gante Stanford Quick de kamer binnen kwamen. Ze leken niet bepaald blij me te zien. Het leek wel of ze de pest in hadden.
'Bedankt voor je komst, Victor,' zei Stanford Quick, toen beiden tegenover me aan tafel gingen zitten met sombere gezichten.
'Ik had niet veel keus,' zei ik. 'Zelfs de belastingdienst kleedt hun bevelen wat gematigder in.'
'Je zult je wel kunnen voorstellen,' zei Spurlock, die zijn handen ineengevouwen op tafel plantte en zijn hoofd agressief naar voren stak, 'dat we ons zorgen maken over de ontwikkelingen van de laatste paar dagen en het effect op de reputatie van de Randolph Stichting. Daarom wilde ik per se deze vergadering beleggen en ik stond erop dat die niet bij de stichting maar op dit kantoor zou plaatsvinden. Het was schokkend genoeg toen onze zogenaamd geheime onderhandelingen breed uitgemeten werden in de kranten en op televisie, maar het is ronduit rampzalig dat de stichting op wat voor manier dan ook in verband wordt gebracht met een moord.'
'Ik heb dat verband niet gelegd,' zei ik.
'Jij bent gezien toen je de plaats van het misdrijf betrad,' zei Spurlock. 'De pers heeft vragen gesteld. Het verband is gelegd.'
'Laat één ding duidelijk zijn,' zei ik. 'Ik ben niet degene die over de onderhandelingen heeft gelekt naar de pers. Ik heb niemand iets verteld, niet eens mijn zakenpartner, en ineens wordt er op televisie over die onderhandelingen gepraat, dus het lek moet uit jullie eigen gelederen komen.'
Spurlock wierp een vragende blik op Quick, die alleen zijn schouders ophaalde. 'Het lek komt niet bij ons vandaan,' zei Spurlock.
'Nou, iemand heeft gelekt en het gevolg is dat mijn cliënt en ik gevaar lopen. Probeer eerst eens te achterhalen wie uit de school heeft geklapt en laat het me weten.'
'Niemand heeft je gedwongen om dagenlang bij elke actualiteitenrubriek te komen opdraven,' zei Quick.
'Aangezien het toch al bekend was, heb ik er gebruik van gemaakt om wat vaart achter de zaak te zetten. En wat die moord betreft, ik kreeg het verzoek van de rechercheur die het onderzoek leidt om daarnaartoe te komen. De pers heeft het verband zelf gelegd.'
'Is er dan een verband?' vroeg Stanford Quick. 'Is er op wat voor manier dan ook een verband tussen ons schilderij en het slachtoffer dat door de krant geïdentificeerd werd als ene' – hij opende een dossier en bladerde erdoorheen – 'Ralph Ciulla?'
'Dat weet ik nog niet zeker. Er is in elk geval wel een verband tussen mijn cliënt en het slachtoffer. Het waren oude vrienden. Dat is het enige wat ik zeker weet. Maar het lijkt erop dat het slachtoffer waarschijnlijk samen met mijn cliënt betrokken is geweest bij de diefstal van het schilderij.'
'Dat komt me hoogst onwaarschijnlijk voor,' zei Quick nogal snel. 'Er is

geen enkele aanwijzing dat de dode man of jouw cliënt beschikte over de middelen die nodig waren om zo'n professionele inbraak uit te voeren. Voor zover bekend werd die inbraak door een stel eersteklas vakmensen van buiten de stad uitgevoerd.'

'Waarom blijf je maar zeggen dat ze hier niet vandaan kwamen?'

'In geen enkele stad is zo'n uitgebreid geruchtencircuit als in Philadelphia en vanuit de lokale onderwereld hebben we nooit iets gehoord over die inbraak. Geen enkele dief heeft ooit lopen pochen dat hij die diefstal had gepleegd en geen enkele heler heeft ooit toegegeven dat hij een deel van de buit had verkocht.'

'Geen van ons beiden was ten tijde van de inbraak betrokken bij de stichting,' zei Spurlock, 'daarom weten we niet veel meer dan wat er in de kranten heeft gestaan. Misschien dat mevrouw LeComte over meer details beschikt.'

'Hebben jullie er bezwaar tegen als ik een praatje met haar maak?'

'Geen enkel bezwaar. Ik zal haar zeggen dat ze een belletje van je kan verwachten. Maar stel dat je gelijk hebt en die Ralph Ciulla was een van de inbrekers, waarom zou hij dan nu vermoord zijn?'

'Als ik moet gokken,' zei ik, 'zou ik zeggen dat die moord een waarschuwing voor Charles is om weg te blijven uit Philadelphia.'

'Denk je dat hij die waarschuwing ter harte neemt?' vroeg Quick.

'Dat zal blijken als ik het hem vraag, nietwaar? Ik denk dat het voor een groot deel van jullie afhangt.'

'Wat bedoel je?' vroeg Spurlock? 'Wat hebben wij daarmee te maken?'

Ik schonk mezelf nog een glas sprankelend water in en nam op mijn gemak een slokje om de spanning op te voeren.

Het doel van de vergadering dat zij voor ogen hadden, mij een uitbrander geven vanwege de mediastorm, stond op het punt te veranderen. Ik zou er gebruik van maken voor mijn eigen doeleinden en laste een korte pauze in om dat kristalhelder te maken.

'Ik moet jullie helaas meedelen dat jullie niet langer de enigen zijn die interesse tonen in het schilderij. Vanwege al die ongewilde publiciteit is het zelfportret van Rembrandt plotseling in trek.'

'In trek?'

'Er is een aanbod gedaan, een heel gul aanbod.'

'Maar wettelijk gezien is het ons eigendom,' protesteerde Spurlock. 'Het kan niet legaal verkocht worden.'

'Daar hebt u helemaal gelijk in en dat zal ik mijn cliënt ook vertellen. Maar gezien zijn criminele verleden denk ik niet dat hij daarmee zit.'

'Wat moeten we volgens jou dan doen?' vroeg Spurlock.

'Twee dingen. Ten eerste moeten jullie meer druk op de overheid uitoefenen om een deal te sluiten zodat Charlie veilig naar huis kan komen. De federale aanklaagster over wie ik het had, Jenna Hathaway, wil dat om een of andere onbekende reden dwarsbomen, terwijl het me een redelijke oplossing lijkt voor alle betrokkenen. Iemand moet ervoor zorgen dat zij van de zaak wordt gehaald en de verantwoording overnemen, iemand die welwillender tegenover onderhandelingen staat. Ten tweede is er nog de geldkwestie. Het appeltje voor de dorst waarover we het gehad hebben. Dit lijkt me het aangewezen moment om een concreet bedrag te noemen, dan kan ik dat doorgeven aan mijn cliënt.'

'We gaan niet tegen een crimineel opbieden voor een schilderij dat wettelijk gezien aan de stichting toebehoort,' zei Quick op zijn gebruikelijke, nonchalante toon.

'Zie het dan niet als een bod. Zie het als een gebaar van goede wil aan een man die zielsgraag naar zijn ouderlijk huis wil terugkeren en toevallig de beschikking heeft over een kostbaar stuk van jullie eigendom.'

'Geen denken aan,' zei Quick.

Spurlock draaide zich naar hem toe en zei op scherpe toon: 'We sluiten geen enkele mogelijkheid uit tot het bestuur daartoe besluit, Stanford. Het bestuur neemt die beslissing en het is jouw taak om ervoor te zorgen dat die beslissing binnen de grenzen van de wet kan worden toegepast.' Hij richtte zijn ogen op mij, sloeg zijn handen ineen en vroeg: 'Hoeveel wil hij hebben?'

'Hij heeft geen specifiek bedrag genoemd,' zei ik, 'maar ik denk dat het verstandig is om met een bedrag te komen waar hij steil van achterover zal slaan.'

'Begrepen. Ik zal het met het bestuur bespreken en zodra we een beslissing hebben genomen, laat ik het je weten.'

'Wacht niet te lang. En nu, meneer Spurlock, wil ik u iets vragen over iets heel anders. Ik heb vernomen dat u ene Bradley Hewitt kent, klopt dat?'

'Ja, ik ken Bradley.'

'Ik ben betrokken bij een voogdijzaak waarin hij de tegenpartij is. Zijn advocaat gebruikte uw naam als dreigement.'

'Hoe bedoelt u?'

'Hij waarschuwde me dat als ik de zaak doorzette, u misschien de deal met Charles zou torpederen.'

'Dat is belachelijk,' zei Spurlock. 'Bradley is een kennis van me op het persoonlijke vlak, meer niet. De insinuatie dat ik mijn functie bij de Randolph Stichting zou gebruiken om hem behulpzaam te zijn in een of andere voogdijzaak, is ronduit beledigend. En gezien het federale onderzoek dat momenteel loopt, kunt u ervan verzekerd zijn dat ik niets meer te maken wil hebben met die leugenaar van een Hewitt.'

'Een federaal onderzoek?'

'Meneer Spurlock heeft misschien iets te veel gezegd,' was Quicks commentaar.

'Een federaal onderzoek?'
'Onze discussie over meneer Hewitt is voorbij.' Quick klonk nors. 'En, Victor, luister goed naar me,' hij boog zich naar voren en zijn indringende blik boorde zich bijna door mijn voorhoofd heen, 'jij beweert dat de moord op meneer Ciulla mogelijk een waarschuwing voor je cliënt was. Heb je al overwogen dat die waarschuwing misschien niet voor Charlie was bedoeld, maar voor jou?'
Hij keek me venijnig aan en zijn stem klonk zo scherp, dat ik onwillekeurig naar achteren schoof alsof iemand me met een mes had gestoken. Waar kwam dat ineens vandaan, vroeg ik me af. Toen ik naar Jabari Spurlock keek, had ik het idee dat hij zich hetzelfde afvroeg.

28

'Ik snap niet waarom je daarover doorzeurt,' zei Skink. 'Alsof je de enige bent die ooit een tatoeage heeft laten zetten.'
'Ik ben misschien wel de enige die het zich niet herinnert.'
'Kom nou toch. Als er geen alcohol in het spel was, zou de helft van dit soort tenten haar deuren wel kunnen sluiten.'
Met dit soort tenten bedoelde hij tatoeagezaken, want daar bevonden we ons op dat moment, in een tatoeagezaak, of beter gezegd, in Beppo's Tattoo Emporium. Aan de muren van de kleine, donkere wachtruimte hingen Beppo's eigen ontwerpen: draken en griffioenen, zwaarden en dolken, religieuze afbeeldingen, filmsterren, insecten en wapens, dansende vlammen, kikkers en schorpioenen, skeletten en clowns, Japanse geisha's, samoeraikrijgers en naakte vrouwen in alle mogelijke verleidelijke poses. In de wachtkamer stonden een paar plastic stoelen en een sjofel koffietafeltje waarop losse blaadjes met afbeeldingen lagen. Het rook er naar ammoniak en desinfecteermiddel en naar sigaretten die tot aan het filter waren opgerookt. Van achter het gordijn dat voor een deuropening hing, klonk het onafgebroken gezoem van de inktnaald en van tijd tot tijd een kreet van pijn.
'Heb je al informatie over Lavender Hill gevonden?'
'Ik heb her en der geïnformeerd.'
'En niet bepaald discreet, heb ik gehoord. Hij is niet blij.'
'Dat wilde je toch juist? Kennelijk heeft hij in veel potten een vinger in de pap en hij heeft net zoveel namen.'
'Dat verbaast me niets.'
'Degenen die hem kennen, zien hem als een ongevaarlijk fatje met een onberispelijke smaak. Degenen die hem wat beter kennen, zijn veel te bang om iets te zeggen.'
'Dat is zorgwekkend.' Ik dacht aan de krijtcontouren van Ralphs lijk op het vloerkleed in zijn huis. 'Staat hij bekend als iemand die niet vies is van bruut geweld?'
'Bruut, meedogenloos, wreed. Je mag zelf kiezen.'
Er klonk een schreeuw uit het achterkamertje. Het gezoem stopte een paar tellen. Ik hoorde het geluid van een harde klap en toen begon het gezoem weer.
'Ik had ooit een vriend,' zei Skink, 'die een tatoeage van een potlood op zijn

scheenbeen had laten zetten. Dat potlood hing aan een touw. Hij zei dat hij de meiden dan altijd kon zeggen dat zijn potlood tot onder zijn knieën hing.'
'Een echte donjuan, zo te horen. Heb je nog iets gevonden over een federaal onderzoek waarin de naam Bradley Hewitt voorkomt?'
'Daar ben ik nog mee bezig. Misschien dat we over een paar dagen even ergens langs moeten. En geloof me, je zult ervan genieten.'
Iemand schreeuwde weer en vloekte op schrille toon. Een andere stem zei nors: 'Stel je niet zo aan, het is bijna klaar.' Meteen daarop begon het gezoem weer.
'Denk je dat die Beppo ons kan helpen?'
'O, Beppo is de beste op zijn vakgebied, daar is iedereen het over eens. De andere tatoeëerders in de stad noemen hem de meester. Aangezien we niemand met die naam hebben kunnen vinden, kunnen we beter achter de tatoeage aan gaan. Als iemand weet wie die tatoeage op je borst heeft gezet, is hij het. Als we die persoon vinden, vinden we misschien ook een paar antwoorden.'
'Welke antwoorden dan? Ik ben ladderzat zo'n tent binnen gestapt en heb de naam van een vrouw op mijn borst laten tatoeëren die ik nauwelijks kende en me al helemaal niet meer kan herinneren.'
'Misschien heb je gelijk, maar onze naaldkunstenaar weet misschien nog met wie je was en hoe hij betaald werd. Want het feit dat je geen geld miste en je creditcard niet was gebruikt, is interessant, toch?'
'Misschien heeft zij betaald,' opperde ik.
'Zou kunnen, hoewel dat nogal ongebruikelijk is. Als zij betaald heeft en geen contant geld heeft gebruikt, kunnen we haar misschien op die manier opsporen.'
'Het is de gok waard,' gaf ik toe.
Het gezoem stopte ineens en in de stilte klonk zacht gejammer.
'Hoe ken je die Beppo eigenlijk?' vroeg ik.
'Ik heb hem ooit een dienst bewezen. Wil je dat ik Beppo vraag om een potlood op je scheenbeen te tatoeëren nu we hier toch zijn?'
'Nee, bedankt.'
'Misschien dat het je sociale leven een handje helpt.'
'Er is niets mis met mijn sociale leven.'
'O, is dat zo? Heb je al een tweede afspraakje gemaakt met die meid?'
'Welke meid?'
'Die van de club, met die vermiste zus.'
'Monica? Doe me een lol. Er is niet eens een eerste afspraakje geweest.'
'Je bent met haar uit eten geweest.'
'Ik heb de rekening in een veredelde snackbar betaald. Dat was geen afspraakje.'

'O? Is een stripper soms te min voor je?'
'Nee, dat is het niet.'
'Ik ben ooit met een stripper uit geweest. In Fresno. Leuke meid, heette Shawna. Wel een beetje vroom.'
'Vroom?'
'Voor een stripper.'
Op dat moment werd het gordijn voor de deuropening opengetrokken en zag ik een jonge knul in een T-shirt tevoorschijn komen. Zijn linkerarm hing slap langs zijn zij en een groot wit verband bedekte zijn hele bovenarm. Zijn gezicht was rood en opgezwollen, maar er lag wel een brede glimlach op, alsof hij net een bezoekje aan zijn eerste hoerentent achter de rug had.
Toen de knul langs ons liep, kwam er een gedrongen oudere man door de deuropening, die een paar latex handschoenen uittrok. Hij had donker haar, grote oren, een vooruitstekende kaak en korte O-benen, waardoor hij aan een zeeman op het droge deed denken. Zijn dikke armen zaten vol tatoeages die op zijn polsen begonnen en onder de mouwen van zijn T-shirt verdwenen. Er bungelde een sigaret in zijn mond. Hij grijnsde toen hij Skink zag.
'Heb je de hele tijd zitten wachten?' vroeg hij. Hij had de rauwe stem van een verstokte roker en terwijl hij praatte, bleef de sigaret vreemd genoeg op zijn plek zitten, alsof hij aan zijn onderlip zat vastgelijmd. 'Als ik dat had geweten, had ik er wat meer vaart achter gezet.'
'Ik wilde de artiest niet tijdens zijn werk storen,' zei Skink. 'Hoe gaan de zaken, Beppo?'
'Ik draai lekker.'
'Hoe gaat het met Tommy?'
'Nadat jij hem uit de penarie had gehaald, is hij bij het leger gegaan. Nu is hij marinier.'
'En?'
'Hij is voor de tweede keer naar Irak uitgezonden. Misschien had je hem beter kunnen laten zitten waar hij was. En, ben jij die vent?'
'Ik ben die vent, ja.'
'Dit is Victor,' zei Skink.
'En waar zit je kunstwerk, Victor?' vroeg Beppo.
'Op mijn borst.'
'Kom maar mee,' zei hij, terwijl hij het gordijn openhield. 'Kleed je uit tot aan je broek en spring in de stoel, dan zal ik een kijkje nemen.'
Het kamertje achter het gordijn was klein en helder, aan het plafond hing een felle lamp en in het midden stond een stoel die verdacht veel op een tandartsstoel leek. Ik deed mijn das af en trok mijn jasje en overhemd uit en terwijl ik dat deed, had ik het onaangename gevoel dat ik meer liet zien dan alleen mijn bovenlichaam, het was alsof ik een deel van mijn innerlijk blootlegde.

'Niet zo verlegen, Victor,' zei Beppo. 'Ik heb alles al gezien: goed werk, slecht werk, walgelijke dingen en sublieme kunstwerkjes.'
'Denk je dat je kunt zien wie de inktkunstenaar was?'
'Als hij uit de buurt komt, is daar grote kans op,' zei Beppo. 'Ik heb het werk van bijna elke tent in de stad onder ogen gehad. Een groot deel van de dag ben ik bezig om de fouten van anderen te herstellen. Als het een eigen ontwerp is, kan ik zien wie hem gezet heeft. Kom op, spring in de stoel.'
Met ontbloot bovenlijf liet ik me in de stoel zakken. Ik leunde achterover en onwillekeurig opende ik mijn mond.
'Doe je klep dicht, ik ga geen kiezen trekken.' Hij zette een bril op en bracht zijn hoofd vlak bij mijn borstkas. 'Eens even kijken.' De as van zijn sigaret trilde, maar bleef hangen. Hij wreef met zijn vingers over mijn borstkas en tot mijn verbazing ging hij voorzichtig, bijna teder te werk. Terwijl hij mijn tatoeage bekeek, maakte hij het geluid van een kapotte carburateur.
'Dit is geen prutser geweest,' zei hij. 'Dit is goed werk, met een eersteklas naald gezet. Klassiek ontwerp. Heldere kleuren die gelijkmatig zijn aangebracht. Hou het schoon, gebruik het smeerseltje en blijf uit de zon. De zon vervaagt alles. Als je er goed voor zorgt, Victor, blijft hij nog jarenlang messcherp.'
'Dat is een hele geruststelling.'
'Die Chantal moet wel heel veel voor je betekenen.'
'Ze is bijzonder, dat zeker.'
'En, enig idee?'
'Niet meteen, toch heb ik het gevoel dat ik dat ontwerp al eens eerder heb gezien, maar volgens mij is het niet van iemand uit de stad. Het is lang geleden dat ik die tattoo heb gezien.' Hij boog zich nog dichter naar me toe, tuurde door zijn bril en voelde aan de huid. 'Wacht eens eventjes. Krijg nou wat! Ik ben zo terug.'
Hij verdween door een kralengordijn achter in de kamer. We hoorden hem de trap op lopen en vervolgens klonken er stemmen boven ons.
'Hij woont hierboven,' zei Skink.
'Handig.'
'Hij is met zijn vriendin aan het praten. Ze is achtenzestig. En hij gaat vreemd met eentje van vierenvijftig. En dan heeft hij er nog eentje achter de hand.'
Toen Beppo weer beneden kwam, hing er een verse sigaret in zijn mond en grijnsde hij triomfantelijk. Hij had een grote, opengeslagen zwarte map bij zich.
'Ik ken de gast die dat ontwerp op je borst heeft bedacht,' zei hij.
'En wie is het?' vroeg Skink die in zijn handen wreef.
'Een vent die Les Skuse heet.'
'Skuse?'

'Ja, met een k. Skuse. Ik wist wel dat ik die tattoo al eerder had gezien. Ik heb alle ontwerpen die ik ooit onder ogen heb gehad in een map verzameld. En ik heb een paar bladzijden met originele Les Skuse-ontwerpen. Hier, kijk maar.'
Ik ging rechtop in de stoel zitten toen hij het boek in mijn schoot liet vallen. De bladzijden zaten in plastic insteekmapjes. Op de linkerbladzijde stonden een stuk of tien ontwerpen van kronkelende slangen, druipende zwaarden, spinnen, vogels en doodshoofden. Op de rechterbladzijde stonden harten, allerlei soorten harten: harten met dolken erdoorheen, harten die door blozende engeltjes omhoog werden gehouden, harten met bloemen, harten met pijlen en harten met kussende figuren boven een banier waarin stond ECHTE LIEFDE. En in een hoek zag ik een bekend ontwerp, mijn ontwerp, een hart met twee kleine bloemetjes die er aan beide zijden achter vandaan kwamen en horizontaal over het hart zat een banier gedrapeerd waarin stond NAAM.
'Dat is hem,' zei ik.
'Ja, dat is hem,' zei Beppo. 'Zie je dat zelfs de kleuren van de bloemen hetzelfde zijn? Geel en rood in de ene, blauw en geel in de andere.'
'Dus Les Skuse is onze man,' zei Skink. 'En waar kunnen we hem vinden, Beppo?'
'In Bristol.'
'Bristol, Pennsylvania?'
'Nee. Dat andere Bristol.'
'In Engeland?' vroeg ik.
'Precies. Les Skuse noemde zichzelf de beste tatoeagekunstenaar van Engeland. Ik heb hem ooit ontmoet. Een ruwe bonk.' Beppo rolde zijn mouw op en wees naar een adelaar met gespreide vleugels die zich tussen een complete dierentuin op zijn arm bevond. 'Hij heeft die gezet. Hij is echt een legende. Maar zelfs als je naar Bristol zou gaan, zou je hem niet vinden. Hij ligt al jaren onder de grond.'
'Hoe kan dat nou!' riep ik.
'Hij was al knap oud. Toen hij mijn adelaar zette, was hij al oud en omdat hij aan zee woonde, zat hij vaak in de zon.'
'Nee, wat ik bedoel, is hoe...'
'Ik begrijp wat je bedoelt, Victor,' zei Beppo, die schor lachte. 'Je moet er wat vaker uit. Heb je een vriendin?'
'Nee.'
'Als je zonder shirt rondloopt, vind je er wel een. Meiden zijn gek op tatoeages.'
'Maar hoe is zijn ontwerp dan op mijn borst gekomen?'
'Simpel, iemand heeft het ontwerp gejat. Dat is geen misdaad. Heb ik zelf ook weleens gedaan.'

‘Enig idee waarom diegene juist dat ontwerp heeft genomen?’ vroeg Skink.
‘O, jawel,’ zei Beppo. ‘Iedere tatoeëerder heeft namelijk zijn eigen stijl. Die zie je altijd terug, zelfs in een klein stuk als een hart. Dat zit in details zoals de vorm en het schaduweffect. Net zo herkenbaar als een vingerafdruk.’
‘Tenzij je het ontwerp van iemand anders kopieert,’ zei Skink.
‘Precies, Phil. De naaldkunstenaar die jouw tattoo heeft gezet, Victor, nam dat ontwerp omdat je zoiets uitkiest als je niet wilt dat iemand erachter komt wie hem gezet heeft.’
‘Hij wilde niet dat ik hem zou vinden,’ zei ik.
‘Dat klopt. Dus ik neem aan dat hij ook wist dat je hem zou gaan zoeken.’
‘Waarom wil hij niet gevonden worden?’ vroeg ik.
‘Weet ik veel,’ zei Beppo. ‘Vraag het aan Chantal.’

29

Gewoonlijk ga ik niet met een taxi naar mijn werk, aangezien mijn kantoor slechts een paar straten van mijn appartement verwijderd is en ik zo gierig als de pest ben. Dus de ochtend na mijn verontrustende bezoek aan Beppo's Tattoo Emporium besteedde ik weinig aandacht aan de taxi die door de straat reed. Toen de taxi stopte en achteruit naar me toe reed, nam ik aan dat de taxichauffeur me de weg wilde vragen. Ik stapte de straat op, boog me naar het raampje toe en voelde een steek van angst door me heen schieten toen ik Joey Pride zag zitten met zijn rechterhand op het stuur en zijn blauwe kapiteinspet diep over zijn hoofd getrokken.

'Stap in,' zei hij.

'Aardig van je, Joey, maar dat is niet nodig. Mijn kantoor is maar een paar straten verderop...'

'Hou je klep en stap in.'

Ik deed een stap terug. 'Nee, liever niet,' zei ik.

'Je hebt goede redenen om bang te zijn, Victor,' zei hij en hij draaide zijn gezicht naar me toe, 'maar geloof me, ik ben nog veel banger dan jij.'

Zijn ogen, die me onder de klep van zijn pet aanstaarden, waren vochtig en rood. Er blonk pure angst in zijn ogen. Hij had gelijk, hij was nog veel banger dan ik. Tenminste, dat dacht ik, tot hij me het wapen in zijn trillende linkerhand liet zien. Een glimmende kleine revolver die recht op mijn voorhoofd was gericht.

'Stap achterin. Ik wil je iets laten zien, iets wat je de stuipen op het lijf zal jagen.'

'Is dat het wapen waarmee je Ralph hebt vermoord?'

'Doe niet zo achterlijk. Ik heb Ralph niet vermoord. Ik was zijn beste vriend. Daarom wil ik met je praten. En stap nu verdomme in. Ik moet je iets laten zien. Iets wat die Charlie van je maar wat graag zou willen zien.'

Ik dacht even na en overwoog om het op een lopen te zetten. Ik zag het al voor me – mijn aktetas viel op de grond, ik trok een sprintje over de stoep en mijn jas fladderde als een cape achter me aan – het hele tafereeltje stond me helder voor ogen. Maar er ontbrak iets. En ineens wist ik wat het was. In mijn verbeelding schoot Joey Pride niet op me omdat Joey Pride me in het echte leven ook niet wilde vermoorden. Zijn wapen – geen pistool, maar een revolver met een klein kaliber – was niet gebruikt voor de moord

op Ralph Ciulla. Het was een uiting van angst, de zijne en niet de mijne.
'Oké, dan,' zei ik. 'Stop je wapen weg, dan stap ik in.'
Het wapen verdween. Ik keek even om me heen voor ik achter in de taxi stapte. De taxi trok langzaam op en sloeg een paar minuten later links af.
'Ik moet de andere kant op,' zei ik.
'Dat weet ik.'
'Waar gaan we dan naartoe?'
'Een eindje rijden,' zei hij en hij zette een kleine zilveren heupfles aan zijn mond.
'Hoort er geen afscheiding van plexiglas tussen de passagier en de chauffeur te zitten?' vroeg ik. 'Met een afscheiding zou ik me een stuk geruster voelen.'
'Hou je kop.'
'Ook goed.'
De taxi zag er aan de buitenkant al haveloos uit, maar het interieur was helemaal een armoedig zooitje. Het vinyl op de achterbank was gerepareerd met zilverkleurige tape en de bekleding van de portieren was vettig en goor van alle smerige, zweterige handen die naar de deurgreep hadden gegraaid. Het stonk er naar benzine en vet, naar rook en bleekmiddel en naar verveling. Het had de uitstraling van een gekwelde ziel die veel te lang op veel te weinig had gewacht.
'Op de avond dat Ralph werd vermoord, vroeg de politie of jij naar zijn huis wilde komen,' zei Joey.
'Dat is zo.'
'Wat moesten ze van je?'
'Ze hadden mijn visitekaartje in zijn portefeuille gevonden. Ze wilden weten wat ik wist.'
'Wat heb je gezegd?'
'Alleen dat wij drieën elkaar die middag hadden gesproken.'
'Heb je mijn naam genoemd?'
'Ja.'
'Je wordt bedankt, vuile rat. Wat zeiden ze over me?'
'Ze willen met je praten. Ze willen je een paar vragen stellen. Een rechercheur met de naam McDeiss. Een eerlijke vent.'
'Een praatje met die eerlijke vent kan me de kop kosten, geloof me.'
'Wie zit er achter je aan, Joey?'
'Ik zei nog tegen Ralph dat hij voorzichtig moest zijn, dat we er weer middenin terechtkwamen, maar hij dacht dat ze hem niets zouden doen.' Hij nam nog een teug uit zijn heupfles. 'Je had hem op het footballveld moeten zien toen hij nog voor Northeast High speelde. Hij was geweldig.'
'Ik vind het heel erg van je vriend.'
'Ja. We vinden het allemaal heel erg, maar daar heeft Ralph niets meer aan. Heeft de politie al een idee wie het gedaan heeft?'

‘Nee. Maar het ziet ernaar uit dat Ralph zijn moordenaar kende.’
‘Natuurlijk kende hij hem. De spoken zijn terug, knul. Wraakzuchtige spoken uit de Nachtmerriesteeg.’
‘En jij denkt dat een kogel uit dat revolvertje van je een spook kan tegenhouden?’
‘Geen idee, ik heb er nog nooit een neergeknald.’
Hij nam nog een slok en veegde zijn mond af met zijn mouw. De taxi slingerde even voor hij hem weer recht kreeg. Toch leek de alcohol geen invloed te hebben op zijn angst of zijn rijstijl.
‘Heb je Ralphs geld al uitgegeven?’ vroeg ik.
‘Hoe wist je dat ik het had?’
‘Alleen zijn geldclip was gestolen. Niet zijn ring of zijn horloge. Jij was de enige die wist dat hij veel geld in die clip had.’
‘Ik heb het geld gepakt omdat ik wist dat ik moest vluchten. Ik had het nodig. Ralph zou het begrepen hebben. Maar ik heb hem niet vermoord.’
‘Natuurlijk niet. Jullie waren oude vrienden. Jullie maakten elkaars zinnen af. Je zou hem nooit kwaad hebben gedaan.’
‘Hij was als een broer van me, een betere broer dan mijn eigen broers.’
‘Je was in zijn huis nadat hij vermoord was. Je zag hem dood op de grond liggen, raakte in paniek, greep zijn geldclip en ging ervandoor. Een paar minuten later schoot je een telefooncel in en meldde je de moord aan de politie. Wat ik niet begrijp, Joey, is waarom je op de vlucht sloeg. Waarom heb je niet vanuit zijn huis gebeld, op de politie gewacht en verteld wat je wist? Dan hoefde je niet te vluchten.’
‘Je snapt er geen reet van. Ik vluchtte niet voor de politie. Dat wilde ik je vertellen. Er zit iets achter me aan.’
‘De spoken?’
‘Lach gerust, maar ik weet zeker dat ze achter me aan zitten. En ik ben niet de enige die maar beter kan vluchten. Toen ik zijn geld pakte, heb ik dit ook meegenomen.’
Hij stak een hand naar achteren en overhandigde me een stukje papier. Het was dubbelgevouwen, gekreukt en er zaten bloedspetters op. Ik gebruikte alleen mijn vingertoppen om het open te vouwen en las wat er met een dikke, zwarte viltstift op gekrabbeld stond.
‘Waar heb je dat vandaan?’ vroeg ik toen mijn ademhaling eindelijk weer op gang kwam.
‘Het lag boven op Ralph toen ik hem vond.’
‘Achtergelaten door degene die hem vermoord heeft,’ zei ik.
‘Eindelijk heb je het door,’ zei Joey.
Ik keek nog een keer naar het papiertje en las voor de tweede keer de zwarte hanenpoten tussen de kreukels en de bloedspatten: WIE VOLGT?
‘Vind je het goed dat ik dit naar de politie breng zodat ze het op vinger-

afdrukken kunnen onderzoeken?'
'Je gaat je gang maar. Ik heb mijn plicht aan Charlie voldaan door jou te waarschuwen. De rest zoek je zelf maar uit. En geloof me, het houdt niet op bij de moord op Ralph. We zijn vervloekt, wij allemaal.'
'Wie allemaal?'
'Dat snap je toch wel, wij vijven. Die boodschap is voor ons. Voor Ralph en mij, en voor Charlie en de anderen.'
'Hugo en Teddy?'
Hij nam een slok en antwoordde niet.
'Wat hebben jullie in godsnaam gedaan dat jullie zo bang zijn? Wat is er dertig jaar geleden in jezusnaam gebeurd? Denken jullie dat het schilderij vervloekt is?'
'Niet het schilderij, alleen wij. Teddy gaf ons een laatste kans om iets van ons leven te maken. Tenminste, dat dachten we. Dat zei hij.'
'In de kroeg, toen hij terugkwam?'
'Ja.'
'Wat is er die avond in de kroeg gebeurd, Joey?'
'Hij wreef het ons flink in, dat is er gebeurd,' zei Joey. 'Hij zei dat hij zich schaamde voor ons. Dat we het leven als een stelletje zoutzakken aan ons voorbij lieten trekken. Hij zei dat we een stelletje mislukkelingen waren die niets zouden bereiken behalve de tap, zodat we ons laveloos konden zuipen om niet te hoeven denken aan onze verknalde levens.'
'Dat was nogal hardvochtig,' zei ik.
'Het was wel waar. We waren mislukkelingen, stuk voor stuk. We zeiden dat het niet zomaar was gekomen, maar daar wilde hij niets over horen. Een gemakkelijk excuus is de pest voor een mannenziel. Dat zei hij. Toen noemde hij onze excuses stuk voor stuk op en stak er de draak mee, te beginnen met dat van Charlie.'
'Wat zei hij over Charlie?'
'Hij zei dat Charlie zich door zijn moeder liet koeioneren omdat dat gemakkelijker was dan weggaan en zelf de teugels van zijn leven in handen te nemen. Hij zei tegen Ralph dat hij al zijn geld aan vrouwen besteedde, zodat hij er niet achter hoefde te komen of hij wel een eigen zaak kon runnen. En dat Hugo niet van school was gegaan om zijn moeder te helpen, maar dat het veel gemakkelijker was om met zware zakken cement rond te sjouwen, dan om erachter te komen of hij wel de hersens had om het tegen rijke kinderen op te nemen die studeren als vanzelfsprekend beschouwden.'
'En wat zei hij over jou?'
'Hij zei dat ik gek was geworden en me had laten opsluiten in Haverton State als excuus om niet eens een poging te hoeven doen om iets van mijn leven te maken. Hij noemde me een gestoorde lafbek.'

'Wat deden jullie toen?' vroeg ik.
'We waren woest op hem. Ik probeerde hem een hengst te geven, niet omdat die klootzak me beledigde, maar omdat hij gelijk had. We hadden alle vier een excuus gevonden om niets te doen en verzopen onze ellende met bier. Toen we eindelijk gekalmeerd waren, zei hij dat hij iets belangrijks had geleerd in Californië. Hij zei dat je niets uit de weg moest gaan om je dromen te verwezenlijken en dat betekende soms dat je je leven in eigen hand moest nemen en iets nieuws moest worden.'
'Iets nieuws?'
'Dat zei hij en toen begon hij onzin uit te kramen over touwen en apen en supermensen. Hij zei dat we op de rand van een diepe afgrond balanceerden en dat we terug konden gaan naar de mislukkelingen die we waren of we konden de stap wagen en iets nieuws worden. Hij zei dat je die afgrond alleen met een touw kon oversteken. En niet zomaar een touw. Hij zei dat hij het touw was. We moesten over de mislukkelingen heen stappen die we ooit waren om aan de andere kant te komen. Ik begreep er geen woord van, maar het voelde aan als de waarheid, snap je wat ik bedoel? Het was net een stuk uit de Bijbel dat ik nog nooit gehoord had.'
'Wat was er dan aan die andere kant?'
'Een wereld waarin onze dromen zouden uitkomen.'
'Klinkt wel heel bizar.'
'Dat wel, maar zoals hij het beschreef, geloofden we allemaal dat het mogelijk was. Hugo had economie gestudeerd en was directeur van een groot bedrijf. Hij had een zakenjet en liet congresleden en senatoren in het kantoor van zijn secretaresse wachten terwijl een andere hielenlikker hem naar de mond praatte. Ralph had zijn eigen zaak, kreeg opdrachten uit het hele land en hoefde zelf niet eens meer achter de draaibank. En hij had een stoot van een secretaresse die elke dag tijdens de lunchpauze een beurt van hem kreeg op zijn bureau. En Charlie was zo vrij als een vogeltje en deed waar hij zin in had, en zijn moeder was daar nog trots op ook, omdat hij eindelijk een man was geworden.'
'En jij, Joey? Wat deed jij aan die andere kant?'
'Ik reed in de mooiste hotrod rond die je je maar kunt bedenken, ging alle wedstrijden af en won elke keer. Ik had mijn eigen garage en een staf van veertig monteurs, die mijn schatje in topconditie hielden. En weet je, zoals hij het vertelde, leek het net echt. Ik zag het voor me, mijn toekomst, die in de verte lonkte. Een schitterend gezicht. Ik zag die andere kant zo duidelijk voor me. En nog steeds.'
'Je moest alleen een manier vinden om aan de overkant te komen.'
'Precies. En Teddy wist hoe. Hij zei dat we iets nodig hadden wat ons zuiverde en tegelijkertijd liet vlammen, iets wat haalbaar was maar tegelijkertijd zo moeilijk dat het onze levens voor altijd zou veranderen. En hij zei dat

hij misschien wel iets wist.' Joey nam een grote slok uit zijn heupfles. 'En dat was ook zo.'
'De inbraak in de Randolph Stichting.'
'Hij had het al helemaal uitgedacht. Toen hij klaar was met preken, waren we bekeerd. Alle vier. Toen was het niet moeilijk ons over te halen om mee te doen.'
'De kracht van Nietzsche.'
'Van wie?'
'Een Duitse filosoof. Al dat gepraat over een ravijn en een touw komt van hem af. Friedrich Nietzsche, de beschermheilige van ontevreden tieners die hun ketenen willen afgooien en supermensen willen worden.'
'Hoe is dat voor die Nietzsche afgelopen?'
'Niet zo best. Hij verkondigde dat God dood was, ging met zijn zus naar bed en werd stapelgek.'
'Was het een stuk, die zus van hem?'
'Ze zag eruit als een verdorde pruim. Waarom koos Teddy eigenlijk de Randolph Stichting als de weg naar perfectie?'
'Geen idee. Moet je hier zijn?'
Ik keek op. We reden over 21st Street, mijn straat, en Joey stopte voor de deur van mijn kantoor. Er stond iemand voor de deur te wachten. Iemand die me bekend voorkwam. Het duurde een paar tellen voor ik haar herkende.
'Verdomme.'
'Zo is het precies.'
Ik schudde mijn hoofd en probeerde mijn gedachten bij de crisis te houden waar ik midden in zat en me nog geen zorgen te maken over de crisis die op me stond te wachten. 'Joey, ik moet gaan. Bedankt voor de lift.'
Ik opende het portier, stapte uit en draaide me naar Joeys open raampje toe.
'Je hebt niet gezegd waarom jullie vervloekt zijn.'
'En dat krijg je ook niet te horen.'
'Zie je Hugo en Teddy nog weleens?'
'Hugo is lang geleden uit Philly vertrokken. Sindsdien heb ik hem nooit meer gezien. En Teddy, die hufter met zijn gladde praatjes, verdween vlak na de inbraak.'
'Verdween?'
Joey floot zachtjes, net een windvlaag over een grote, open vlakte.
'Ga toch naar de politie, Joey, en vertel ze wat ze willen weten.'
'Mooi niet. Als ik dat doe, eindig ik net als Ralph.'
'Als ik ze dat stukje papier geef dat jij op Ralphs lichaam vond, zal ik ze vertellen dat jij langskwam, het geld hebt meegenomen en het alarmnummer hebt gebeld. Dan zoeken ze je nog wel, maar ben je geen verdachte meer.'
'Je moet doen wat je niet laten kunt.'

'En wat ga jij doen?'
'Een beetje rondrijden, klanten oppikken en voor mezelf zorgen, zoals ik altijd gedaan heb. Ik blijf in de taxi slapen tot de hele toestand is overgewaaid.'
'Dump dat wapen.'
'Komt voor elkaar.' Hij nam nog een slok.
'En dat helpt niet. Luister, hoe kan ik je bereiken?'
'Bel je vader maar.'
'Mijn vader?'
'Ik zal af en toe contact met hem opnemen. We konden je vader altijd vertrouwen.'
'Wees voorzichtig.'
'Jij ook, Victor.'
'Joey, nog één dingetje. Wat was Teddy's droom? Heeft hij dat ooit verteld?'
'Hij wilde naar de andere kant van de wereld. Hij zei dat daar een vrouw was, en dat hij achter haar aan wilde gaan. Nog even over dat briefje. Zeg maar tegen de politie dat ze er niets interessants op zullen vinden.'
'Waarom niet?'
'Omdat spoken geen vingerafdrukken achterlaten.'

30

Spoken. Ik werd omringd door spoken of in elk geval door mensen die erdoor achtervolgd werden, want toen de gekwelde man in de taxi wegreed, richtte ik mijn blik op de gekwelde vrouw die voor mijn kantoor stond te wachten. Ze droeg de klassieke Philly-outfit: rode pumps, een blauwe spijkerbroek en een strak zwart shirt. Het eerste wat ik dacht was dat ze wel heel aantrekkelijk was, zo aantrekkelijk dat ik mijn blik bijna niet van haar kon losscheuren. Het tweede wat ik dacht was hoe ik verdomme van haar af kon komen.

'Je had het beloofd,' zei ik.

'Ik had beloofd dat ik niet zou bellen,' zei Monica Adair.

'Dit is erger. Monica, het was geen afspraakje. Echt niet.'

'Oké, dat geloof ik nu wel. Het was geen afspraakje.'

'Het spijt me dat je dat idee kreeg.'

'Het is al goed.'

'Mooi zo. Fijn dat er geen misverstanden meer over zijn. Maar wat doe je hier dan?'

'Kunnen we even praten, onder vier ogen?'

Ik keek om me heen. Er liepen nauwelijks voetgangers. 'Kan het hier niet?'

'Liever niet. Ik heb een juridische vraag.'

'Monica, dit wordt te gek. Je moet ermee stoppen. Ik krijg het gevoel dat ik gestalkt word.'

'Misschien vergis ik me. Je was toch advocaat?'

'Ja, ik ben advocaat.'

'Waarom wil je dan niet met me over een belangrijke juridische zaak praten?'

Ik sloot mijn ogen. 'Welke belangrijke juridische zaak?'

'Praat je altijd op straat over belangrijke juridische zaken?'

'Wel met mensen die geen cliënt van me zijn.'

'Hoe word ik een cliënt van je?'

'Door een voorschot te betalen.'

'Hoeveel?'

'Dat ligt aan de zaak.'

Ze opende haar handtas en terwijl ze erin zocht, zei ze: 'Ik heb alleen briefjes van één, vijf en tien. Mag dat ook?'

'Over welke juridische zaak gaat het, Monica?'
'Kunnen we dat boven in je kantoor bespreken? Alsjeblieft?'
Ik gaf me eindelijk gewonnen omdat ik geen behoefte had aan nog meer straattoneel. Ik ging haar voor door de smerige, glazen deur. Ze volgde me de brede trap op naar de eerste verdieping, langs het boekhoudkantoor en de grafisch ontwerper, en uiteindelijk stapten we mijn kantoor binnen.
Ellie glimlachte hartelijk naar Monica. 'Dus u hebt hem gevonden, mevrouw Adair.'
'Ja, Ellie, bedankt,' zei Monica.
'Veel succes.'
Ik wierp mijn secretaresse een onderzoekende blik toe toen ik Monica voorging naar mijn kantoor.
Zodra ze had plaatsgenomen, liep ik nog even naar Ellie toe.
'Ellie, doe me een plezier en bel rechercheur McDeiss. Zeg dat ik een bewijsstuk heb dat ik hem zo snel mogelijk wil overhandigen.'
'Komt voor elkaar, meneer Carl.'
'En vraag of hij een vergadering wil beleggen met meneer Slocum en die federale aanklaagster, Jenny Hathaway. Voor vanmiddag, oké?' Ik was even stil en vroeg toen: 'Ellie, waarom wenste je mevrouw Adair veel succes?'
'Ze zei dat ze haar zus zocht. Ik hoop dat ze haar vindt.'
'Juist, ja,' zei ik.
'Gaat u haar helpen, meneer Carl?'
'Ik denk niet dat ze nog door mij te helpen is, Ellie. Zodra je McDeiss te pakken hebt, wil ik hem spreken.'
Toen ik mijn kantoor weer binnen stapte, stond Monica achter mijn bureau. Ze leunde met gekruiste armen achterover en staarde nadenkend naar de ingelijste foto van Ulysses S. Grant die scheef aan de muur hing.
'Hij lijkt op mijn oom Rupert,' zei ze.
'Iedereen heeft wel een oom op wie hij lijkt,' zei ik. 'Zullen we beginnen? Ik heb een drukke dag en het begin ervan voorspelt niet veel goeds.'
Ze huiverde even bij die woorden, nauwelijks waarneembaar, maar ze huiverde wel. Ik keek naar haar terwijl ze bij de foto wegliep en in de bezoekersstoel voor mijn bureau ging zitten. Ze beet op haar lippen alsof ze probeerde te bedenken waarom ik me als een eersteklas hufter gedroeg. Ik wenste haar veel succes. Zelf begreep ik dat ook niet helemaal, maar zo gedroeg ik me wel.
'Nu dan, mevrouw Adair,' zei ik.
'O, wat zijn we ineens formeel,' zei ze met een flauwe glimlach.
'Ja, dat zijn we,' zei ik. 'Wat kan ik voor u doen?'
'Ik wil je inhuren.'
'Om wat te doen?'
'Om mijn zus te vinden.'

Ik zuchtte luid. 'De zus die verdween voor u geboren werd?'
'Ja. Ik wil dat je Chantal opspoort.'
'Ik ben geen privédetective, mevrouw Adair. Ik kan u wel naar een verwijzen, als u dat wilt.'
'Ik wil jou.'
'Het spijt me, maar dat gaat niet. Dat is niet mijn werk.'
'Wat is je werk dan wel, Victor?'
'Ik verdedig voornamelijk mensen die beschuldigd worden van misdrijven.'
'En dat is belangrijker dan een verdwenen meisje opsporen?'
'Nee, en het is ook niet belangrijker dan het werk van een leraar of een dokter of zelfs het werk van een stripper. Maar dat is mijn werk nu eenmaal.'
'Waarom doe je zo gemeen tegen me?'
'Het is niet mijn bedoeling om gemeen te zijn. Ik wil gewoon eerlijk zijn.'
'Maar je doet gemeen.'
'Wat wil je van me, Monica?'
'Ik wil hem zien.'
'Wat zien?'
'Die tatoeage.'
'Vergeet het maar. Geen denken aan.'
'Alsjeblieft?'
'Nee. Ik begin me trouwens knap ongemakkelijk te voelen. Het spijt me dat ik je niet kan helpen met je zus, maar volgens mij zijn we klaar met dit gesprek.'
'Als ik ergens naartoe ga, loop ik altijd het telefoonboek na,' zei ze. 'Elke dag tik ik haar naam in op internet om te kijken of er iets over een Chantal Adair op staat. Ik weet dat het idioot is, ze zal echt niet meer dezelfde naam hebben als toen ze ontvoerd werd, maar toch probeer ik het. Er lopen een paar Chantal Adairs rond. Die hou ik allemaal bij. Ze hebben niet de juiste leeftijd, toch voel ik me verbonden met ze, alsof ze familie van me zijn.'
'Monica, dit wordt steeds vreemder.'
'Is dat zo vreemd?'
'Ja.'
'Misschien is dat ook wel zo. Weet je hoe ik me voel? Als een wetenschapper die alleen in zijn laboratorium zit, naar ruis luistert en wacht tot hij een boodschap van een buitenaards wezen hoort. Zo'n leven leid ik ook. Ik heb alleen mijn hond en mijn wapen en ik wacht op een boodschap van mijn zus. Maar er is niets. Helemaal niets.' Ze was even stil. 'Tot vorige week.'
Nu had ze mijn interesse. Ik leunde naar voren. 'Echt? Wat is er vorige week dan gebeurd?'
'Jij,' zei ze.
Pas toen drong het met hartverscheurende helderheid tot me door dat ik

hier met een hoger gehalte waanzin te maken had dan ik eerst had gedacht. En ik begreep ook hoe dat kwam.

Iedereen lijdt van tijd tot tijd, we kennen allemaal de spirituele onbehaaglijkheid die flikkert als een klein vlammetje voor hij geblust wordt met een lekkere chardonnay of een footballwedstrijd op televisie. Waarom zijn we op aarde? Wat is het doel van het leven? Bestaat het leven uit meer dan de eentonige stroom onafgebroken sensaties? We proberen onze vragen het zwijgen op te leggen met geld of liefde, met seks of politiek of God. We proberen het gat dicht te pleisteren tot aan het bittere einde toe, wanneer het licht vervaagt, de dunne pleisterlaag versplintert en we in ons eentje blijven worstelen met die twijfels terwijl onze laatste, pijnlijke ademteug zich aandient. Gelukkig maar, anders was het menselijk bestaan lang zo leuk niet, toch?

Maar tegenover me zat een vrouw die geen existentieel gat bezat om dicht te pleisteren. Vanaf haar allereerste moment op deze aarde had haar leven slechts één doel gehad. Ze was verwekt, grootgebracht en er constant van doordrongen dat zij de leegte moest vullen die door haar vermiste zus was ontstaan. En op haar eigen vreemde manier was ze daarin geslaagd. Chantal was een levenslustige, kleine danseres geweest met een paar rode schoentjes en dus was Monica ook danseres geworden, gebruikte ze de naam van haar zus en droeg ze rode pumps tijdens haar optredens. Chantal hield van dieren, dus bezat Monica een moordlustige waakhond die dol was op gerookt vlees. Chantal was vermoord of ontvoerd en dus beschermde Monica Chantals vervangster met een hond, een wapen en diverse sloten die ze ongetwijfeld op haar deur en op haar hart had aangebracht.

Er was al jaren niets meer van Chantal vernomen en dus besteedde Monica haar leven aan het luisteren naar ruis, in de hoop een stem in de ether op te vangen. Als je denkt dat je het zwaar hebt omdat je geboren bent zonder doel in je leven, probeer je dan eens voor te stellen hoe intriest het moet zijn als je geboren bent mét een doel in je leven.

'Monica, je snapt toch wel dat ik geen boodschap van je zus ben.'

'Dat weet ik niet.'

'Ik wel. Dit is niet meer dan een tragisch misverstand. Die tattoo was een vergissing en dat ik jou erover heb verteld, was een nog veel grotere vergissing. Het spijt me.'

'Mag ik hem zien?'

'Nee.'

'Alsjeblieft?'

Ze staarde me met grote blauwe ogen aan, onschuldig en vol vertrouwen, net de ogen van een pelgrim of een baby. Misschien waren die ogen wel de reden dat ik haar zo belazerd behandelde. Ze leken te veel van me te vragen, ze smeekten me in een schrijnende behoefte te voorzien, die mijn verstand te boven ging, en waarin ik ook niet kón voorzien. Haar ouders hadden hun werk goed gedaan. Arme Monica. En ik had me als een klootzak gedragen. Ik schaamde me diep.

'Is dat alles wat je wilt?' vroeg ik. 'Is het dan klaar?'

'Ja, dat is wat ik wil.'

Ik kwam achter mijn bureau vandaan, liep eromheen, sloot de deur en drukte de deurknop in. Ik ging op het randje van mijn bureau zitten en trok mijn jasje uit. Ik stak mijn vinger in de knoop van mijn das, trok eraan en voelde dat hij loskwam. Ik gaf er nog een rukje aan. Toen de das los om mijn boord hing, maakte ik de knoopjes van mijn overhemd langzaam open. Monica zat aandachtig toe te kijken. Het moet een vreemde gewaarwording voor haar zijn geweest om de rol van toeschouwer te vervullen. Nu zat zij in een kleine, afgesloten ruimte en keek zij ademloos toe terwijl iemand anders stripte. Ik had de neiging haar te waarschuwen dat ze niet handtastelijk mocht worden, maar de serieuze uitdrukking op haar gezicht hield me tegen. Ze was geen dronken student die de meiden op zijn balkon aanspoorde om hun tieten te laten zien, maar een pelgrim die hoopte een glimp van het wonder op te vangen.

Ik schoof het overhemd opzij. Ze boog zich naar voren, haar ogen werden groot en ze hield haar hoofd schuin.

'Ik had gedacht dat hij groter zou zijn,' zei ze.

'Dat hoor ik wel vaker.'

Haar hoofd kwam nog dichter bij mijn borstkas. Ze stak haar hand uit en liet haar vingers zachtjes over de naam glijden.

Ik trok me een beetje terug en dacht erover haar tegen te houden. Het voelde vreemd en tegelijkertijd troostend aan, haar zachte vingers die mijn pijnlijke huid streelden, dus deed ik niets. Toen ze zich nog verder vooroverboog om het getatoeëerde hart beter te kunnen bekijken en haar gezicht nog hooguit een centimeter van mijn huid was verwijderd, merkte ik dat ik vol verwachting wachtte op de zachte kus van devotie.

Ineens werd er op de deur geklopt.

Ze trok zich terug. Ze kreeg bijna mijn elleboog in haar gezicht toen ik gehaast de panden van mijn overhemd dichttrok.

Ik sprong van het bureau af en zei op luide, enigszins schrille toon: 'Ja?'

'Meneer Carl,' hoorde ik Ellie aan de andere kant van de deur zeggen, 'rechercheur McDeiss belde en zei dat hij een agent zou sturen om het bewijsstuk op te halen en een verklaring op te nemen. Hij zei ook dat meneer Slocum vandaag in de rechtbank is en dat mevrouw Hathaway hem had verteld – en dit zijn haar letterlijke woorden – "Ik wil zijn lelijke rotkop nooit meer zien".'

'Au,' zei ik. 'Oké, bedankt, Ellie.'

'Kan ik verder nog iets doen?'

'Nee, dat was het.'

We keken elkaar aan, Monica en ik, en draaiden toen gegeneerd onze hoofden af. We hadden het te ver laten gaan en beseften dat beiden. Ik begon mijn overhemd dicht te knopen. Ze leunde achterover in de stoel en kruiste haar armen.
'Dat was het dan,' zei ik, toen ik weer achter mijn bureau ging zitten en mijn das knoopte. 'Zoals je ziet is het alleen maar een dwaze tatoeage die niets met je zus heeft te maken.'
'Daar lijkt het wel op.'
'Het was leuk je weer eens te zien, Monica, en ik wens je alle succes voor de toekomst.'
'Je wilt de zaak dus niet aannemen.'
'Klopt,' zei ik. 'Een vermist persoon opsporen, zeker iemand die al jaren verdwenen is, is niets voor mij.'
'En je komt ook niet meer naar de club?'
'Nee, dat is ook niets voor mij.'
'Dus geen afspraakjes meer.'
'Het was geen afspraakje.'
'Nou, dat was het dan, denk ik.' Ze stond op. 'Tussen haakjes, die Hathaway die je vandaag wilde spreken, is dat die rechercheur?'
'Nee, ze is een federale aanklaagster. Waarom?'
'Omdat ik het zo vreemd vond om die naam te horen. De politieagent die het onderzoek naar Chantals verdwijning deed, was een rechercheur Hathaway.'
Mijn vingers stokten en de knoop in mijn das schoot los.
'Mijn ouders zijn nog steeds vol lof over hem. Rechercheur Hathaway heeft jaren naar Chantal gezocht. Mijn ouders en hij werden heel hecht. Het was alsof hij deel van de familie uitmaakte.'
'Je meent het.'
'We hebben hem al een tijd niet meer gezien.'
'Hoe oud ben je, Monica?'
'Zesentwintig.'
'En je zus verdween hoeveel jaar voor je geboren werd?'
'Twee. Waarom?'
'Ik zat alleen te denken, dat is alles.'
'Bedankt dat je me je tatoeage hebt laten zien, Victor. Ik weet niet wat hij betekent, maar ik zal je niet meer lastigvallen. Dat beloof ik.'
Ik keek haar na toen ze zich omdraaide, wegliep en de deurknop omdraaide waardoor het slot openschoot. Ze deed de deur open. Ik keek haar na, peinsde over de hele toestand en probeerde er wijs uit te worden.
'Monica,' zei ik, voor ze de deur uit liep. Ze draaide zich om en naast de schrijnende behoefte zag ik nu ook hoop flikkeren in haar ogen. 'Misschien zou ik je ouders eens moeten ontmoeten. Wat vind jij?'
Jezus, wat had ze toch een prachtige glimlach.

31

'Het was een eitje om die Bradley Hewitt te vinden,' zei Skink. 'Een vent die zichzelf zo belangrijk vindt, moet ook laten zien dat hij belangrijk is. Dat betekent lunchen in de Palm, dineren in Morton's, her en der een praatje maken met rijke invloedrijke maatjes, en overal wordt hij vergezeld van zijn drie mannetjes: strak in het pak en met aktetas.'

'Hij heeft een aardige entourage,' zei ik.

'Dat kun je wel zeggen.'

'Ik wil ook een entourage.'

'Jij kunt niet met een entourage omgaan. En waarom krijg je in die dure tenten toch altijd biefstuk?'

'Dat stamt nog uit de tijd van de dinosaurus, de gevaarlijkste dieren zijn altijd carnivoren.'

'Wil je weten waarom er op het kerkhof zoveel onmisbare zakenmannen liggen? Omdat ze altijd biefstuk aten.'

We liepen over Front Street, een rustige straat met keistenen. Enkele auto's reden heen en weer op zoek naar een parkeerplaatsje. Het drukke nachtleven was voornamelijk te vinden in het westen, in Old City en Society Hill, daar waren de felle neonlichten en de barretjes. Front Street was bezadigd, donker en dicht bij de rivier, waar mistflarden boven dreven. Een straat voor een intiem rendez-vous of een rustig gesprek, een straat waar je tijdens een wandelingetje onopvallend met iemand kon praten.

'Die kant laat Bradley Hewitt aan de buitenwereld zien. Niets interessants,' zei Skink. 'Maar ik gaf het niet op, zo zit ik nu eenmaal niet in elkaar. Dus ik bleef hem in de gaten houden. En op een rustige dinsdagavond, net als vanavond, volg ik hem in de richting van de rivier, ver weg van alle drukte.'

'Was hij met zijn entourage?'

'Daarom heet het een entourage, natuurlijk waren zijn mannetjes erbij. Ze lopen over Front Street in de richting van de rivier en een paar straten verderop duikt hij een eettentje in vlak bij Market. Met zijn gevolg. Een paar minuten later kom ik dichterbij en kijk ik naar binnen. Een chic tentje met rode muren en marmeren vloeren. Aan een van de tafeltjes zit zijn entourage te eten en zo te zien hebben ze het geweldig naar hun zin. Maar geen Bradley.'

'Was hij naar de wc?'

'Geen extra bord op tafel. Hij was ergens anders en zijn mannetjes mochten niet mee.'
'Interessant.'
Skink stak de straat over en ik volgde hem. We liepen over de stoep langs een sliert geparkeerde auto's.
'Dus zoek ik een gemakkelijk plekje. Ik hou mijn ogen open en kijk goed om me heen. En al snel is het een komen en gaan van limousines die hun vrachtjes op de stoep uitbraken als een stel dronkenlappen die hun maaginhoud dumpen. De een na de ander.'
'Die vergelijking had van mij niet gehoeven.'
'Eerst een projectontwikkelaar die volop in het nieuws staat, vervolgens een wethouder die in het openbaar altijd tegen projectontwikkelaars tekeergaat, en toen, je gelooft het nooit, de hoogedelgestrenge heer zelf.'
'De burgemeester.'
'Precies. Ik loop nog een keer langs en werp voorzichtig een blik naar binnen omdat er nu een agent bij de deur staat. Geen van de drie te zien.'
'Dan zullen ze daar wel een besloten eetzaaltje hebben.'
'Natuurlijk hebben ze die. Ik blijf tot diep in de nacht staan wachten tot iedereen vertrokken is. Eerst de burgemeester en de wethouder, toen de projectontwikkelaar en tot slot Bradley en zijn entourage. Ik wacht tot de laatste van de rijke stinkerds is vertrokken en de tent sluit. Ik blijf wachten tot de obers en serveersters een voor een naar buiten komen. Het is niet moeilijk om de juiste persoon te vinden. Iemand die gehaast loopt en nerveus uit zijn ogen kijkt alsof hij bijna niet kan wachten om zijn fooien uit te geven. In dit geval is die persoon een vrouw en ze ziet er helemaal niet slecht uit.'
'Komt dat goed van pas.'
'Ik volg haar en hoef niet lang te wachten. Ze slaat links af op Market en glipt de Continental binnen, die dure tent waar eerst dat restaurantje zat, en gaat aan de bar zitten. Niet veel later zit ik op de barkruk naast haar.'
'Wat dronk ze?'
'Een Blue Martini. Zo'n cocktail met gin, Blue Curaçao en grapefruitsap. Wat een troep. Het lijkt net antivries en het smaakt nergens naar. Maar het maakt haar tong wel los. Ze heet Jilian. Aardige meid. Zit even in een dipje. Over een paar jaar gaat ze weer terug naar de universiteit, waar ze thuishoort.'
'En wat had die aardige meid te vertellen?'
'Ze vertelde dat er een besloten eetzaal in de kelder van het restaurant is, een mooie ruimte met fresco's op het plafond, waarop blote tieten zijn te zien. Elke dinsdagavond komt de burgemeester daar om gezellig wat te kletsen met zijn vrienden.'
'Om deals te sluiten.'
'Zo werkt het nu eenmaal in de wereld. Hij doet er niet eens geheimzinnig

over. Voor wat hoort wat, nietwaar? En de burgemeester heeft altijd wel geld nodig voor een of andere campagne om hogerop te komen.'
'Heeft Jilian je dat verteld?'
'Nee, natuurlijk niet. Als zij in die eetzaal was en wijn inschonk, hadden ze het alleen over golf en vakanties.'
'Maar ze kende die mannen wel?'
'Ja. Kennelijk komt Bradley daar elke dinsdagavond met de ene na de andere gladde investeerder die wel een stukje van de taart wil.'
'Dus Bradley Hewitt is de tussenpersoon, hij brengt de burgemeester en de geldschieters bij elkaar tijdens een gezellig etentje.'
'Ze zei dat onze Bradley dol was op *nodino di vitello all'aglio*.'
'Wat is dat in vredesnaam, Phil?'
'Kalfskotelet met knoflook.'
'Waarschijnlijk zit hij dat nu ook naar binnen te werken. Fantastisch. Het enige wat we nu moeten doen, is verzinnen hoe we daar binnen kunnen komen, ze afluisteren, en het gesprek opnemen zodat we dat tegen hem kunnen gebruiken voor de rechter. Ik neem aan dat je al een plannetje hebt bedacht?'
'Nee, nog niet.'
'Geen plan?'
'Geen plan.'
'Jij hebt altijd een plan.'
'Vanavond niet.'
'Wat heeft dit dan voor zin?'
'Ik dacht dat je wel geïnteresseerd zou zijn.'
'Maar ik kan er niets van gebruiken voor de zaak-Theresa Wellman.'
'Misschien wel.'
'Wat bedoel je, Phil?'
'Jilian liet zich nog iets ontglippen. Dat was na de vierde martini, toen ze moeite had om rechtop te blijven zitten.'
'Vertel.'
Phil Skink ging achter een grote zwarte SUV staan, ik deed hetzelfde. Hij wees naar de overkant van de straat, naar de blauwe markies met daaronder de entree van het chique Italiaanse restaurantje dat over een van de beste wijnkaarten van de stad beschikte. Er stond een limousine voor de deur en een agent in burger leunde verveeld tegen de deurpost aan.
'Ik zei tegen Jilian dat ik had gehoord dat er een federaal onderzoek aan de gang was en toen knikte ze. Alsof ze wist wat ik bedoelde. Een tel later legde ze haar vinger tegen haar mooie lippen, alsof het een geheim was.'
'Alsof wat een geheim was?'
'Jij bent toch zo slim, vogel het zelf maar uit.'
Ik keek naar Phil, keek naar het restaurant, en keek naar de agent, die een

pluisje van zijn jasje veegde. Ik probeerde alle stukjes in elkaar te passen. Mijn gedachten schoten terug naar de knappe Jilian, haar ogen lodderig van de drank, die zich aangeschoten naar voren boog en haar vinger tegen haar lippen legde. Ssstt, betekende dat gebaar, niemand vertellen. Wat niet? Dat iemand luisterde. Naar wie? Naar Jilian en Skink in de Continental? Dat sloeg nergens op. In de Continental is het juist de bedoeling dat je de rest negeert.
Van links kwam een auto. Toen hij langsreed, dook ik weg. Skink lachte. Zodra de auto voorbij was, liet ik mijn ogen van links naar rechts door de straat gaan. Links zag ik een rij auto's staan, die met hun neuzen naar voren wezen, richting rivier. Ik had er nauwelijks aandacht aan besteed toen we erlangs liepen, maar nu nam ik ze aandachtig op. Toen zag ik het. Hoe had ik dat over het hoofd kunnen zien?
Een gedeukt wit busje met een roeststreep op een van de schuifdeuren. Een busje dat ik al eerder had gezien.
'Jezus! Iemand luistert die gasten al af.'
'Ken je iemand bij het ministerie van Justitie die je misschien een handje zou willen helpen?'
'Ik ken een federale aanklaagster, maar die heeft de pest aan me.'
'Laat je charmes op haar los.'
'Ik zou bij een cobra meer succes hebben,' zei ik, 'en waarschijnlijk meer lol ook.'

32

'Ik denk niet dat het ervan komt,' zei ik tegen Rhonda Harris tijdens een drankje in een pretentieuze versiertent aan South Street.

'Wat jammer.' Ze glimlachte een tikje uitdagend. 'Het zou sensationeel zijn geweest.'

'Dat geloof ik graag.'

We zaten tegenover elkaar aan een tafeltje op de bovenverdieping van de Monaco Living Room, tussen hordes jonge, mooie mensen die op zoek waren naar een snelle wip. Het was een donkere intieme ruimte met kleine tafeltjes, een spiegeldansvloer, en een balkon voor de intiemere momenten. Niet het soort kroeg waar ik gewoonlijk kom, zij had hem uitgezocht, en ik moet zeggen dat het flikkerende kaarslicht haar groene ogen nog beter liet uitkomen.

'Wat is het probleem?' vroeg ze. 'Is er iets wat ik kan doen zodat het alsnog geregeld kan worden?'

'Niet echt. Volgens ons is dit niet het juiste tijdstip voor Charlie om een praatje met de pers te maken.'

'Wie denkt dat? Charlie?'

'Ik heb de laatste tijd geen rechtstreeks contact gehad met mijn cliënt.'

'Dus iemand anders beslist voor hem.'

'Zo zou je het kunnen zeggen. Wil je er nog eentje?'

Ze dronk Cosmopolitans, wat heel trendy was. Ik dronk zoals gewoonlijk een Sea Breeze, wat helemaal niet trendy was. Ik gebaarde naar de aantrekkelijke, in het zwart geklede serveerster en bestelde nog een rondje. Het is dat ik al een beetje verliefd was op Rhonda Harris, anders zou ik als een blok vallen voor de serveerster, echt waar.

'Heeft Charlie er zelf niets over te zeggen? Sommige mensen vinden het geweldig om hun naam in de krant te zien staan.'

'Werkelijk? Dat heb ik nou nooit geweten.'

'Ik zou ervoor kunnen zorgen dat jouw foto naast de zijne wordt afgedrukt in het artikel.'

'Eentje van mijn goede kant?'

'Heb je dan een slechte?'

'Nu weet ik zeker dat je alles zou zeggen om dat interview te krijgen.'

'Betrapt. Krijgt Charlie nog de kans om zelf die beslissing te nemen?'

'Misschien, als de tijd rijp is.' Ik pakte mijn glas op en goot net het laatste slokje naar binnen toen de serveerster het volgende rondje al op tafel zette. Ze waren snel met de drank in de Monaco Living Room. Ik grijnsde als een idioot naar de serveerster. Ze negeerde me.
'Vind je het fijn om advocaat te zijn, Victor?' Rhonda draaide het glas met het roze drankje rond tussen haar handen.
'Advocaten staan slechts één treetje hoger op de ladder van arbeidsvreugde dan maag-darmspecialisten, die helemaal onderaan staan.'
'Dus je had het nog slechter kunnen treffen.'
'Maar zij dragen latex handschoenen. Cool, toch? Daarom gebruikt iedereen die tegenwoordig. Puisterige pubers achter de toonbank van een fastfoodtent, agenten. Herinner je je die goede oude tijd nog toen een tandarts zijn blote handen gewoon in je mond stak, nadat hij ze even snel had afgespoeld?'
'Moeten we het per se over tandartsen hebben?'
'Laten we het dan over een andere geminachte beroepsgroep hebben, zoals journalisten.'
'Worden we geminacht?'
'Nou en of. Zelfs nog meer dan advocaten.'
'Dat betwijfel ik.'
'Je moest eens weten. Vind je het fijn om artikelen te schrijven?'
'Ik ben niet zo dol op het schrijven zelf. Dat is het klusje aan het einde van de jacht dat nu eenmaal moet gebeuren. Maar ik ben iemand die graag haar doel bereikt en dat komt goed van pas in mijn werk. Als ik achter een verhaal of een interview aan zit, vind ik meestal wel een manier om mijn zin te krijgen. Soms overrompel ik mijn doelwit en soms gebruik ik mijn charme.'
'Zoals nu.'
'Ik doe mijn best, maar kennelijk heb ik je nog niet overgehaald.'
'Dan moet je beter je best doen.'
'Dat zou je wel willen, hè?' Ineens lag haar hand nonchalant op mijn onderarm en keken haar betoverende ogen me recht aan. 'Even tussen haakjes, Victor, weet wel dat ik hoe dan ook mijn zin krijg. Ik zal Charlie vinden met of zonder jouw hulp, dat is mijn werk.'
'Kalm aan, Rhonda. Het is maar een verhaal.'
'Het is meer dan dat, Victor. Mensen zijn geen bijvoeglijke naamwoorden. Je vindt jezelf misschien aardig, vriendelijk of grappig, maar hoe je over jezelf denkt doet er niet toe. Mensen zijn werkwoorden.'
'En welk werkwoord ben jij?'
'Ik verwijder. Afleiding, obstakels, hindernissen die mijn succes in de weg staan. Ik ben iemand die haar doel bereikt, ongeacht wie of wat er ook in de weg staat.'
'Jezus, je klinkt genadeloos.'

'Windt dat je op, Victor?'
'Vreemd genoeg wel. Je lijkt zo zeker van alles. Twijfel je nooit?'
'Wat heeft twijfelen voor zin? Je neemt een beslissing, slaat een bepaalde richting in en gaat ervoor. Je kunt aarzelen en jammeren of je blijft stug doorgaan en zorgt dat je het voor elkaar krijgt. Ik weet niet precies hoe ik hier terechtgekomen ben, maar ik ben niet iemand die terugkrabbelt. Kies een richting en ga ervoor zonder angst of twijfels, zo zit ik nu eenmaal in elkaar. Ik zou niet anders kunnen.'
'Als jij iemand bent die zich door niets laat tegenhouden, hoe komt het dan dat je nog steeds freelancer bent?'
'Ik ben een laatbloeier die halverwege een carrièreswitch heeft gemaakt.'
'Wat deed je dan eerst?'
'Ik zat bij de inspectiedienst dierenbescherming, ook wel de dierenpolitie genoemd.'
'Dat is een geintje, zeker?'
'Nee, echt niet. Honden, katten, fretten, slangen en eekhoorns. Heel veel eekhoorns. Je zou verbaasd staan hoe gevaarlijk die kunnen zijn.'
'Eekhoorns?'
'Na alcohol en advocaten vormen ze het grootste gevaar voor de volksgezondheid in Amerika.'
'Echt?'
'Welnee, maar blijf uit de buurt van een boze eekhoorn.'
'Je zag er vast fantastisch uit in je uniform.'
'Dat heb ik nog steeds.'
'Hmm, interessant.'
'En welk werkwoord ben jij, Victor?'
'Ik? Ik stel vragen. Ik vertrouw op onzekerheid. Ik heb gemerkt dat als ik ergens van overtuigd ben, ik altijd helemaal fout zit.'
'Waar ben je nu van overtuigd?'
'Dat je je stoerder voordoet dan je echt bent.'
Ze nam een slokje van haar drankje. 'Misschien heb je gelijk.'
'Dus je bent niet zo stoer?'
'Nee, dat bedoel ik niet.' Ze boog zich zo dicht naar me toe dat ik de alcohol in haar adem kon ruiken. 'Dat je gelijk hebt dat je helemaal fout zit.'

33

Later die avond lag ze naakt onder me, op haar buik. Ik zat boven op haar, ook naakt, en masseerde de gespannen spieren in haar rug en nek. Ze spinde als een leeuwin die een schaduwrijk plekje op het heetst van de dag heeft veroverd en ik gedroeg me als een hyena die een gazelle had buitgemaakt. Toch was het niet alleen dierlijke lust die me voortdreef, hoewel ik eerlijk toegeef dat ik beestachtig hitsig was. Nee, ik was vervuld van een andere, intense emotie toen ik haar masseerde en streelde.

Ik boog me naar haar toe en kuste de welving van haar schouderblad. Haar hand kwam omhoog en ze streelde mijn nek. Mijn tong streelde haar oorlel en liefkoosde de huid eronder.

Ik heb horen zeggen dat het vermogen om lief te hebben een teken is van geestelijke gezondheid. Dat betekende, neem ik aan, dat ik op dat moment de gezondste man van de stad was, geestelijk gezien dan, aangezien ik verliefd werd op elke vrouw die ik onder ogen kreeg. Ik hunkerde naar hen en voelde me verloren zonder hen. Ik was ervan overtuigd dat ze stuk voor stuk – de vrouw onder me niet uitgezonderd – mijn leven konden redden.

Ik kuste haar nog een keer. Haar armbanden rinkelden zachtjes toen ze mijn nek harder begon te strelen. Ik wist niet eens wie ze eigenlijk was, vanbinnen, maar de rauwe emotie die ze bij me losmaakte door haar gespin en haar strelende handen sneed als een vlijmscherp mes door mijn hart.

Maar zelfs in mijn verdwaasde toestand wist ik dat ik niet voor iedere vrouw echte liefde kon voelen. Nee, wat er die nacht door mijn bloed raasde, afgezien van pure lust, was een krachtige cocktail met ingrediënten als angst en wanhoop, eenzaamheid en behoefte, en het pathetische verlangen naar de kleine kans op redding. Waar ik diep in mijn ziel naar zocht, was iemand die me uit het bodemloze gat kon trekken, dat zo enorm was dat het mijn verstand te boven ging.

Ik sabbelde aan haar oor. Haar nagels boorden zich in mijn nek en veroorzaakten een zalige pijn.

Hoewel ik besefte dat ik eigenlijk naar het onmogelijke verlangde, hoopte ik toch dat misschien, heel misschien, deze vrouw, deze, die nu bij me was, dus niet vrouwen in het algemeen, maar deze specifieke vrouw, mijn redding zou betekenen. De anderen mochten dan valse totems van een hopeloos verlangen zijn, maar misschien vormde deze vrouw, die nu bij me was, de

uitzondering en was zij degene die mijn hunkerende hart met ware liefde zou vullen.
Plotseling kromde ze haar rug. Ze richtte zich half op, stak haar benen naar achteren en sloeg ze om de mijne, als een judoka die een schaarbeweging uitvoert. Ik schoot onderuit.
'Wacht!' zei ik. 'Wat doe je nu? Jezus. Jeeeeezus!'
Ze lachte toen we in het ritme kwamen en ik begon ook te lachen. Misschien had ik het dan toch gevonden en was dit ware liefde.
Jij bent degene. Ja, jij. Ja, ja, jij bent degene. Jij, jij, jij.
'Ja, daar,' zei ze. 'Dat is zo zalig. O, ja.'
Ik wilde haar op dat moment kussen, niet op haar schouderblad of op haar rug of nek, maar op haar lippen, een hartstochtelijke liefdevolle kus terwijl we elkaar in de ogen keken.
Ik schoof verder naar beneden, ging op mijn knieën zitten, en draaide haar langzaam en teder om tot ik recht in de ogen keek van Sheila de makelaar.

Geloof me, het is net zo afschuwelijk voor mij om dit op te schrijven als het voor jou is om het te lezen. Maar er is een simpele verklaring voor. Heus.
Ik zat dus iets te drinken met Rhonda Harris in de Monaco Living Room, voelde zogezegd de liefde al stromen en hoopte dat het met haar misschien iets zou worden, toen ze ineens op haar horloge keek en opstond. 'Ik moet ervandoor,' zei ze.
'Meen je dat?' Ik probeerde mijn teleurstelling in toom te houden.
'Het spijt me, Victor.'
'Ik dacht aan een etentje. Misschien iets Italiaans?'
'Ik kan niet, dat wil zeggen, niet vanavond. Wil je alsjeblieft een goed woordje voor me doen bij Charlie?'
'Goed dan.'
'Ik bel je nog.'
'Ik wacht op je telefoontje.' Ik klonk als een verliefde tiener.
Ik voelde me verloren en eenzaam en zat treurig naar mijn drankje te staren, toen de aantrekkelijke serveerster het volgende rondje bracht dat ik heel optimistisch een paar minuten eerder had besteld.
'Komt ze nog terug?' Ze wees naar de plek waar Rhonda had gezeten.
'Vanavond niet,' zei ik.
'Pech voor je.' Ze haalde Rhonda's lege glas weg. Ze was slank, atletisch, had lang zwart haar en grote ogen. 'Dan neem ik aan dat je die Cosmo niet meer nodig hebt,' zei ze. Ze had een frisse, stralende huid die op sojamelk en yoga wees. Yoga kon ik leren, of ik ook sojamelk wilde drinken, wist ik nog niet.
'Aangezien ik hem toch al besteld heb,' zei ik, 'heb jij misschien zin om iets met me te drinken?'
'Mag niet. Dat is tegen de regels.'

'Wanneer ben je vrij?'
'December,' zei ze.
Ik pakte mijn Sea Breeze op en zei: 'Op een gelukkige kerst dan maar.'
Tegen die tijd voelde ik me zo lekker thuis op mijn stoel dat ik niet veel zin had om naar mijn geruïneerde appartement terug te gaan om op mijn geruïneerde bank te ploffen en naar het flikkerende beeld van mijn draagbare televisie zonder kabelaansluiting te kijken. Dus haalde ik mijn mobieltje tevoorschijn. Ik zou Beth bellen, met wie ik de afgelopen weken veel te weinig tijd had doorgebracht, of Skink, die als geen ander een vrolijke drinkavond van een sinister tintje kon voorzien, of wie dan ook in mijn adresboekje die voor een beetje gezelschap kon zorgen. Tegelijkertijd met mijn telefoon had ik per ongeluk ook een visitekaartje opgevist, dat in dezelfde zak had gezeten. Het visitekaartje van Sheila de makelaar. En ik herinnerde me de glans in haar ogen toen ze zei dat ik haar een belletje moest geven.
Dus gaf ik haar een belletje.
En eerlijk is eerlijk, Sheila de makelaar kwam meteen ter zake en wist hoe ze een deal moest sluiten.

'Ik ben zo blij dat je belde,' zei ze, toen we na afloop naast elkaar lagen en zij een sigaret rookte. Ze gebruikte haar handpalm als asbak. 'Dit was zo'n onverwachte traktatie. Wil je een sigaret?'
'Nee, bedankt. Ik ben al misselijk genoeg door alle alcohol en de seks.'
'Ik rook om dun te blijven.'
'Ik kots gewoon,' zei ik.
'Dat doe ik ook. Trouwens, wie is die Chantal eigenlijk?'
'Pardon?'
'De naam op je tatoeage. Is Chantal je vriendin?'
Mijn ogen gleden naar het hartje op mijn borstkas. 'Niet echt.'
'Een ex-vriendin?'
'Zoiets.'
'Dan is ze zeker nog niet zo lang je ex, want je tatoeage ziet er nog als nieuw uit. Wat doe je eigenlijk als het uitgaat met de vriendin van wie je de naam op je borst hebt laten tatoeëren?'
'Dan ga je op zoek naar iemand met dezelfde naam.'
'Dat beperkt de keuze nogal.'
'Misschien ga ik daarom niet zo vaak uit.'
'Tegenwoordig kunnen ze een tatoeage met laser verwijderen. Dan ben je die tattoo kwijt en meteen ook al je dode huidcellen.'
'Handig.'
'Het is belangrijk om je huid goed te verzorgen. Je partner, Beth, heeft trouwens een bod op dat huis gedaan.'
'Denk je dat de verkopers het accepteren?'

'Ik denk het wel. Het is lager dan ze hoopten, maar het huis staat al een aardig tijdje leeg. Beth zou er een fantastisch koopje aan hebben.'
'Hoe komt dat trouwens? Waarom staat het huis al zo lang leeg?'
'Spoken.'
'Nee, serieus.'
'Ik ben serieus. Iemand heeft er ooit zelfmoord gepleegd. Dat was zeker vijftig jaar geleden. Maar de laatste bewoners klaagden over vreemde geluiden en krakende vloeren voor ze er in paniek uit trokken. Sindsdien hebben ze de grootst mogelijke moeite om een koper te vinden.'
'Weet Beth dat?'
'Niet van mij.'
'Heb je het haar niet verteld?'
'Beth ziet er verloren uit, Victor, vind je ook niet?'
'Het gaat best goed met haar.'
'Nee, volgens mij niet. Ze heeft iets nodig in haar leven en ik heb gemerkt dat onroerend goed veel leemtes vult. Ik wilde niet dat zo'n onzinverhaal een prachtige kans voor haar zou verknoeien. Ze vindt nooit meer zo'n prachtig pand met haar budget.'
'Draai je altijd je verkoopverhaaltje af?'
'O, kom nou toch, Victor. We hebben het over spoken. En je hebt toch gezien hoe groot die keuken was.'
'En 's ochtends staat de zon erop.'
'Op sommige ochtenden wel, ja. In de eerste paar weken van april, misschien. Na die tijd schuift hij door naar het huis ernaast.' Ze ging rechtop zitten en het laken gleed van haar borsten af. 'Dit was gezellig, maar ik heb morgen een drukke dag, de ene afspraak na de andere. En mijn verloofde komt morgen terug uit Miami.'
'Je verloofde?'
Ze draaide zich naar me toe, boog zich voorover en streelde mijn borst met haar rechterhand. De rook van haar sigaret kringelde in mijn oog en ik probeerde het branderige gevoel weg te knipperen.
'Je bent lief,' zei ze. 'Ben je echt advocaat?'
'Niet zo'n erg succesvolle.'
'Bel me nog eens op.' Ze zwaaide haar lange slanke benen uit bed, stond op en rekte zich van top tot teen uit. 'Ik moet ervandoor.'
'Ervandoor? Is dit dan niet jouw huis?'
'Doe me een lol. We zijn hier in South Street. Waarom zou iemand bij zijn volle verstand hier willen wonen? Dit appartement zit in mijn portefeuille. Je mag zo lang blijven als je wilt, maar maak alsjeblieft wel het bed op voor je vertrekt. Morgen heb ik hier een rondleiding.'
'Ik vind het wel wat hebben.'
Ze bleef staan, draaide zich om en staarde me met hernieuwde interesse aan.

Was er dan toch een vonk overgesprongen tussen ons? Tegen beter weten in stak mijn hoop weer de kop op.
'Als je dat serieus meent, Victor, kan ik je een fantastische deal bezorgen.'
Ik denk dat ik op dat moment pas goed begreep hoe diep ik in de problemen zat. Ik lag in een bed dat niet van mij was, knipperde als een gestoorde om de rook uit mijn tranende ogen te verdrijven, staarde naar een naakte vrouw die verloofd was met iemand anders, en voelde me teleurgesteld omdat ze de hele tijd bezig was geweest om een appartement te slijten. Ik was met een makelaar naar bed geweest, kon ik nog dieper zinken?
Ik had iets, wat dan ook, nodig om me uit deze ellende te halen, maar ik had geen flauw idee wat dat kon zijn, hoewel de oplossing vanaf het begin voor het oprapen had gelegen.

34

'Zou je me een plezier willen doen?' vroeg Monica Adair toen we in noordelijke richting over de I-95 zoefden.
'Tuurlijk,' zei ik.
'Het klinkt misschien een beetje raar, maar mijn ouders zijn altijd heel bezorgd om me en jij kunt ze misschien een beetje geruststellen.'
'Zeg het maar.'
'Fijn. Zou je ze willen vertellen dat ik je vriendin ben?'
'Wat?'
'Ze zijn bang dat ik te veel alleen ben. Als ze horen dat ik een vriend heb die advocaat is, zullen ze niet langer zo bezorgd zijn.'
'Dat lijkt me geen goed idee, Monica.'
'Ze zullen niet blij zijn met het feit dat je advocaat bent, maar daar komen ze wel overheen.'
'Dat bedoelde ik niet.'
'Je kunt zeggen dat je me op het werk hebt ontmoet.'
'In de club?'
'Nee, suffie. Ze denken dat ik secretaresse op een advocatenkantoor ben. En aangezien jij advocaat bent en ik zogenaamd op een advocatenkantoor werk, is het heel logisch dat we zogenaamd een relatie hebben.'
'Zal ik je dan ook maar Hillary noemen?'
'Waarom zou je me Hillary willen noemen?'
'Om consequent te blijven.'
'Ik heb ooit een meisje gekend dat Hillary heette,' zei Monica. 'Ze was geen secretaresse, maar had wel een goed figuur. Ze was alleen niet zo slim. Ze dacht dat Canada in het buitenland lag.'
'Canada ligt ook in het buitenland.'
'Goed dat je me plaagt, dat zou een echte vriend ook doen.'
'Monica, het zit me niet lekker dat ik tegen je ouders moet liegen.'
'Weet je wel zeker dat je advocaat bent?'
'Daar ben ik aardig zeker van, hoewel meerdere mensen zich dat de laatste tijd lijken af te vragen. Maar als je je zo schaamt voor je leven, lieg er dan niet over, doe er wat aan.'
'Ik schaam me niet voor wat ik doe, ik heb gewoon een paar geheimpjes. Heb jij geen geheimen, Victor? Vertel jij altijd alles aan je ouders?'

Ik dacht aan mijn nachtelijke avontuurtje met Sheila. 'Nee, dat niet.'
'Zie je nu wel. Ze hebben al genoeg te verduren gehad, ze hoeven niet opgescheept te worden met de waarheid over mijn leven. Laten we afspreken dat we elkaar op kantoor hebben ontmoet. We gaan pas een paar weken samen uit, maar het ziet er allemaal heel veelbelovend uit.'
'En wat doen we als we uitgaan?'
'We gaan naar de film, maken wandelingen. Ik kook af en toe voor je. Kalfsmedaillon met gegrilde tomaatjes en Parmezaanse kaas.'
'Meen je dat?'
'Nee.'
'Maar ik ben dol op kalfsmedaillon met Parmezaanse kaas.'
'Dan zal ik dat zogenaamd voor je koken.'
'Heb ik ook een zogenaamde hond?'
'Die had je. Hij is overleden.'
'Wat zielig.'
'Geloof me, Victor, het gaat vast hartstikke goed.'
Ik betwijfelde dat in hoge mate.
Ik ging op bezoek bij Monica's ouders om zoveel mogelijk over de verdwijning van Chantal Adair en het mogelijke verband met de Rembrandt van Charlie Kalakos te weten te komen. Dat er überhaupt sprake kon zijn van een verband, was eigenlijk te bizar voor woorden, maar zowel het meisje als het schilderij was bijna dertig jaar geleden verdwenen. En zowel het verdwenen meisje als het verdwenen schilderij had veel belangstelling van de familie Hathaway opgeleverd, van vader en dochter. Er was geen touw aan vast te knopen, maar ik was niet zo naïef dat ik aannam dat alles op toeval berustte. Ik geloofde niet langer dat mijn tattoo het bewijs was van een alles verterende, eeuwigdurende liefde die mijn pad had gekruist in de nacht die een groot mysterie voor me was. Er was nog iets gaande, iets duisters, wat me nog niet duidelijk was. Maar ik zou erachter komen, dat wist ik zeker, en wanneer ik erachter kwam wie me verdomme zo gek had gekregen om die naam op mijn borst te tatoeëren, zou diegene ervan lusten.
'En je weet zeker dat ze het niet erg vinden om over je zus te praten?' vroeg ik aan Monica toen ik de auto voor een klein huis parkeerde dat er keurig verzorgd uitzag.
'Maak je geen zorgen.'
'Het zal best moeilijk voor ze zijn om erover te praten.'
'Helemaal niet. Chantal is juist hun favoriete gespreksonderwerp.'
Er gaan zeeën van verdriet onder ons schuil, ravijnen vol pijn die gemaskeerd worden door perfect onderhouden grasveldjes en keurig uitziende exterieurs. Je rijdt langs een huis waar zo op het oog niets mee aan de hand is en dan voel je ineens een ruk, alsof een intense, kolkende pijn uit de diepte oprijst, zijn tentakels naar je uitslaat en je aan de haak probeert te slaan en

het enige wat je wilt is doorrijden tot je ondiepere, rustigere wateren bereikt. Dat zijn tempels van verdriet en ellende, waar stemmen altijd verstillen en kaarsjes branden in droeve herinnering. Je slaat je blik neer, spreekt op eerbiedige toon, laat je schouders hangen en onderdrukt alle vreugde. De familie Adair woonde in zo'n huis aan een smalle straat in de buurt van de Tacony-Palmyrabrug, op een steenworp afstand van de plek waar Ralph Ciulla was vermoord.

'Mam, pap,' zei Monica, die plotseling haar arm door de mijne stak toen de deur werd geopend, zodat ik geen kans kreeg om opzij te stappen, 'dit is mijn nieuwe vriend, Victor.'

'Hallo.' Ik probeerde zonder succes mijn arm te bevrijden.

Meneer Adair was slank, grijs, had een kromme rug, leek geknakt door het leven, en zag eruit als een verschrompelde zeventiger hoewel hij pas in de vijftig was. Hij glimlachte geforceerd, gaf een slap handje en hield zijn glazige ogen afgewend, alsof hij vlak voor ik op de stoep stond bijna gesmoord was.

'Dus jij bent de jongeman over wie Monica ons verteld heeft,' zei hij.

Ik wierp haar een boze blik toe. 'Dat moet ik wel zijn, ja.'

'Kom toch binnen,' zei mevrouw Adair, een schim van een vrouw met zwarte ogen en nerveuze handen. 'Ik heb wat Chex Mix klaargezet. Ik hoop dat je die lekker vindt.'

'Daar ben ik dol op.'

'Kom, dan stel ik je voor aan Richard.'

'Mijn broer,' zei Monica.

'Natuurlijk, je broer, Richard. Dan leer ik de hele familie kennen.'

'Niet de hele familie,' zei meneer Adair.

'Richard is dol op bezoek.' zei mevrouw Adair. 'Hij kan bijna niet wachten om je te ontmoeten.'

Hij stond niet meteen op toen hij me zag. Richard Adair zag eruit alsof een tornado hem nog niet in beweging kreeg. Zijn vadsige heupen rustten op de bank alsof ze ermee vergroeid waren. Hij droeg een joggingbroek, een shirt van de Philadelphia Eagles, en had zijn voeten – voorzien van sokken waarvan de uiteinden over zijn tenen bungelden – op de koffietafel gelegd. Hij was een jaar of tien ouder dan ik, dik, kalend, en had een rond gezicht en een grijzige snor. Een aantal brullende reclameborden racete rond een ovaal stuk asfalt op televisie en Richard bleef naar het scherm kijken alsof daar niet de racevolgorde maar het raadsel van het universum zou worden ontsluierd en hij bijna niet kon wachten om het af te kraken.

'Richard,' zei mevrouw Adair, alsof ze het tegen een verwend kind had, 'Monica heeft haar vriend meegenomen.'

'Ik zit tv te kijken,' zei Richard. 'Zie je dat niet?'

'Richard is dol op zijn televisie,' zei mevrouw Adair. 'Als hij niet achter de computer zit, is hij tv aan het kijken.'

'We hebben een extra grote bij Best Buy gekocht,' vertelde meneer Adair. 'Hoe heet zo'n ding ook alweer, Richard, zo'n platte?'
'LCD-televisie.'
'Hij was in de aanbieding.'
'Kan het wat zachter?' vroeg Richard. 'Ik zit te kijken.'
De woonkamer gaf me een claustrofobisch gevoel, het was er warm en bedompt, alsof alle ramen dichtgepleisterd waren. Iedereen vond een plekje om te zitten en Monica bleef zich vastklampen aan mijn arm, alsof zij degene was die zich op vreemd grondgebied bevond. Aan een van de muren hingen portretten van heiligen en aan een andere muur hingen wandborden, waarop clowns met droevige ogen stonden afgebeeld. Her en der stonden schaaltjes met Chex Mix. Ik had niet gelogen, ik was altijd al dol geweest op Chex Mix. Mevrouw Adair had niet het kant-en-klare spul gebruikt maar de afbakvariant, wat betekende dat ze zelf boter en Worcestershiresaus toevoegde voor ze alles in de oven zette. Dat verspreidde een lekkere geur en voorzag de Chex Mix tegelijkertijd van een krokant korstje.
'Zalige Chex Mix, mevrouw Adair,' zei ik.
'Dank je. Victor is advocaat, Richard, wist je dat?'
Geen antwoord van Richard. Dat wist hij kennelijk al.
'NASCAR is bezig,' zei mevrouw Adair bij wijze van uitleg. 'De raceauto's.'
'Ja, dat weet ik,' zei ik. 'Wie is er nu niet dol op NASCAR?'
Mevrouw Adair wreef in haar ineengeslagen handen. 'En hoe lang zijn jullie tweetjes al samen?'
'Nog niet zo heel lang,' antwoordde ik.
'Toen Monica ons belde en vertelde dat ze een afspraakje had met een jongeman die ze op haar werk had ontmoet, waren we zo blij voor haar. Je zou toch denken dat iemand die zo mooi is als onze Monica de jongemannen voor het uitkiezen heeft, maar ze is erg kieskeurig.'
'O, mam, hou toch op.'
'Ze werkt de hele dag en zit dan de hele avond thuis, het arme kind. Ze zou er wat vaker op uit moeten trekken. Vind je ook niet, Victor?'
'Ach, wat zal ik zeggen,' zei ik.
'Wat voor soort zaken behandel jij, Victor?'
'Allerlei soorten, maar voornamelijk strafzaken.'
'We houden niet van criminelen in deze familie.'
'Ik moet toegeven dat ze niet zo populair zijn als NASCAR, maar ook zij hebben rechten.'
'En hoe zit het met de rechten van het slachtoffer?'
'Pap, niet doen,' zei Monica. 'Pap kijkt te vaak naar Fox News. Hij denkt dat hij O'Reilly is.'
'Die man zegt zinnige dingen. Hij is een pilaar van onze maatschappij.'
'Dat was Lots vrouw ook,' zei ik.

'Ik moet niets hebben van advocaten,' zei Richard, zonder zich van de tv af te wenden. 'Het zijn allemaal hebzuchtige zakkenvullers. Het hele zooitje.'
'Daar heb je waarschijnlijk gelijk in,' zei ik. 'Maar het is nu eenmaal een kapitalistische maatschappij. Dus waar zouden we zijn zonder die hebzuchtige zakkenvullers?'
'Hoe is dat nou, om geld te verdienen aan het verdriet van anderen?' vroeg Richard zonder me aan te kijken. 'Ik bedoel maar, een vent breekt zijn been en daar verdien jij geld aan. Een vent breekt zijn nek en je verdient er geld aan. Het maakt niet uit hoe ernstig een slachtoffer verminkt is, jij verdient er altijd geld aan. Krijg je het daar niet van aan je hart?'
'De cardiologen kunnen tegenwoordig wonderen verrichten,' zei ik. 'Wat doe jij voor werk, Richard?'
'Richard zit tussen twee banen in,' zei mevrouw Adair. 'Wil je nog wat Chex Mix, Victor?'
'Nee, bedankt. Maar het was zalig.'
'Duik je al met mijn zus de koffer in?' klonk ineens Richards stem.
'Pardon?'
'Richard, hou je kop,' zei Monica.
'Ik vraag het alleen maar,' zei Richard. 'Dat mag toch zeker wel?'
'Wil iedereen iets te drinken?' vroeg mevrouw Adair. 'Thee?'
'Thee lijkt me heerlijk,' zei ik. 'Dank u.'
'Monica, kom jij me even een handje helpen in de keuken? Ik heb nog meer Chex Mix in de oven staan. Dat is het lekkerst als het meteen wordt opgediend, vind je ook niet, Victor?'
'Absoluut. Wat voor soort margarine gebruikt u?'
'Hemeltje, ik gebruik nooit margarine. In mijn Chex Mix gaat alleen echte boter.'
'Vandaar dat het zo lekker is.'
De twee vrouwen vertrokken naar de keuken en de drie mannen bleven achter met het geluid van brullende motoren op televisie. De verslaggevers raakten opgewonden over iets, Richard boerde, en meneer Adair hees zich uit zijn stoel en verdween naar de wc. Ik pakte een vuist vol Chex Mix.
'Wie wint er?' vroeg ik om vriendelijk te zijn.
'Een vent met een helm op,' zei Richard. 'Het interesseert je geen ene moer, of wel soms?'
'Nee, niet echt.'
'Mij ook niet. Mag ik je wat vragen?'
'Je gaat je gang maar.'
'We weten alle twee dat Monica geen groot licht is. Dus je gaat niet met haar uit om haar mening over literatuur te horen. Dus neem ik aan dat je haar naait. Want als je haar niet regelmatig een flinke beurt geeft, en dan bedoel ik regelmatig als in: zo vaak je maar in haar broek kunt komen,

waarom zou je dan in vredesnaam met haar uitgaan?'
'Subtiel hoor, Richard.'
'Ik zeg toch niets verkeerds?'
'Je hebt het wel over je zus.'
'Ja, mijn zus. Heb je weleens goed naar haar gekeken? Alleen al die benen. Ze lopen zowat door tot aan haar nek. En die tieten, man, die zijn gewoon perfect.'
'Hoe weet jij dat?'
'Omdat ze soms in de achtertuin ligt te zonnen en haar bikinitopje losmaakt. Ik ga dan boven zitten en kijk uit het raam.'
'Richard, je klinkt als een griezel.'
'Luister, op internet zie je meiden die niet kunnen tippen aan Monica en die verdienen goud geld door hun benen te spreiden voor de camera en hun tieten te laten zien. Een stuk als Monica zou het dubbele, waarschijnlijk zelfs het driedubbele kunnen verdienen. Maar nee, die verspilt een gouden handel door in zo'n stomme advocatenpraktijk te werken.'
'Ze doet goed werk op kantoor,' zei ik.
'Misschien dat jij een goed woordje voor me kunt doen.'
'Waarover?'
'Ik wil een website beginnen. Monicaland, die naam lijkt me wel wat. Ik heb die domeinnaam alvast laten vastleggen. Ik zou al het werk doen. Het ontwerp en onderhoud van de website en ik beantwoord alle e-mailtjes. En in de chatroom kan ik doen alsof ik Monica zelf ben. Het enige wat zij hoeft te doen, is mij een paar foto's van haar te laten maken. We zouden een fortuin verdienen.'
'Ik denk er niet over.'
'Ik zou al het werk doen en ze zou een leuk bedrag opstrijken. Ik wil jou ook wel laten meedelen, als je haar kunt overhalen.'
'Je moet echt wat aan je kleding doen, Richard, als je de pooier wilt uithangen.'
'Hé, ik denk alleen aan mijn zus, zodat ze straks een appeltje voor de dorst heeft. Zo werkt het nu eenmaal in deze familie: we zorgen voor elkaar. En als jij mijn zus wilt blijven naaien, kun je me maar beter niet tegenwerken.'
'Want?'
'Want zodra je binnenstapte, wist ik wie je was. Ik heb je op tv gezien. Jij bent de advocaat van die Charlie Kalakos met dat schilderij.'
'Nou en?'
'Ik zal een deal met je maken. Als jij Monica voor onze website weet te strikken, zal ik mijn ouders niet vertellen wie je bent.'
'Je doet maar. Het een heeft toch niets met het ander te maken? Ik volg je niet, Richard.'
'Er is een verband, geloof me.'

'Werkelijk?' Ik stond op, liep naar de televisie en ging er recht voor staan. Richard rekte zijn nek om langs me te kunnen kijken, merkte dat het niet lukte, keek me toen voor het eerst aan en wendde zijn blik af. Zijn oogwit was gelig en zijn huid zag er bleek en papperig uit, net deeg waar te veel water in zit.
'Nou, krijg ik nog te horen hoe het zit?' vroeg ik.
'Ik probeer te kijken,' zei hij.
'Ook goed, ik zou niet tussen jou en je NASCAR willen komen.' Ik deed een stap naar voren en liet me pal naast hem op de bank ploffen. Ik zat zo dicht bij hem dat onze heupen elkaar raakten.
Hij probeerde van me weg te schuiven, dus schoof ik mee opzij. Hij keek naar de race, ik keek naar hem en zag dat mijn starende blik hem van slag bracht. Ik tikte een paar keer met mijn knokkels op zijn hoofd en zei: 'Hallo? Iemand thuis?' Hij reageerde door bij me vandaan te schuiven als een slak die terugdeinst voor zoutkorrels.
'Wat is het verband, Richard?'
'Laat maar.'
'Nee, ik wil het horen.'
'Het is niet belangrijk.'
'Nou en of.'
'Wat doe je hier eigenlijk? Rot op. Laat me met rust, anders vertel ik Monica dat je me geslagen hebt.'
'Dat doe je niet,' zei ik. Ik boog me zo dicht naar hem toe dat mijn lippen bijna zijn oor raakten. 'Ik zal je wat vertellen, knul. Er zijn twee soorten mensen op deze wereld: mensen die anderen gebruiken en mensen die gebruikt worden. Jij wilt iemand zijn die anderen gebruikt, jij wilt je zus de hoer laten spelen, maar jij zult altijd iemand blijven die gebruikt wordt. En weet je waarom? Als je mensen wilt gebruiken moet je weten hoe je ze moet lezen, en jij bent praktisch analfabeet. Want zie je, Richard, jij denkt dat ik hier ben omdat ik op Monica geil en dat ik haar naam op mijn wellustige hart heb laten tatoeëren, maar je zit verkeerd. Er staat wel een Adair op mijn borstkas, maar ze heeft een andere voornaam. Nou, wat zeg je daarvan?'
Hij draaide zich naar me toe en staarde me aan. Ik zag angst in zijn papperige gezicht en in zijn gelige ogen. De bank kraakte toen hij zijn hamstrings aanspande. Op dat moment werd het toilet doorgetrokken. Richards hoofd schoot in de richting van het geluid. Meneer Adair kwam de wc naast de voordeur uit en Monica en mevrouw Adair stapten de kamer binnen met twee dienbladen.
'Ik heb thee en twee schalen verse Chex Mix,' zei mevrouw Adair. 'Zo te zien kunnen jullie al goed met elkaar opschieten. Fijn. Waar hebben jullie het over?'
'Over Chantal,' zei ik.

35

Het waren de films die de doorslag gaven voor me. De amateurfilmpjes die op 8mm-film waren opgenomen en met een projector werden afgespeeld, die meneer Adair uit een kast had opgedoken. Een van de muren diende als filmdoek. Nadat ik haar naam had genoemd, leken de Adairs meer dan bereid om over Chantal te praten. Ze haalden herinneringen op aan haar sprankelende persoonlijkheid, vertelden anekdotes en spraken vol trots over de grote dag: de dag dat Chantal op televisie had gedanst in *Al Alberts Showcase*. Zo te horen was het een en al rozengeur en maneschijn geweest, wat bij mij meteen twijfels opriep. Want verhalen over de gelukkige jeugd van iemand anders staan qua onbetrouwbaarheid helemaal boven aan de ladder, nietwaar? Op zeker moment sloeg mevrouw Adair haar nerveuze handen ineen en zei ze: 'Laten we de films bekijken.' Nog geen vijf minuten later snorde de projector al en kreeg ik flikkerende herinneringen voorgeschoteld.
Het verleden kwam tot leven op de muur van de woonkamer en het duurde eventjes voor het tot me doordrong dat de jonge vrouw met het korte zwarte haar, de sexy glimlach en het fantastische figuur, die zo enthousiast in haar handen klapte bij de capriolen van haar kinderen, niemand anders was dan mevrouw Adair. Nu zag ik waar Monica haar schoonheid vandaan had. En het arrogante, jonge haantje met de gespierde borstkas was meneer Adair, toen het leven nog vol beloften leek. En dat knulletje met de roze wangetjes en het stroblonde haar, dat breeduit grijnsde en bladeren in de lucht gooide, moest Richard zijn. Dat kon toch niet? Wel, dus. Het was Richard.
Ik wendde mijn blik af van de beelden en keek de kamer rond. De ouders zaten gefascineerd naar de tijd te kijken toen het leven nog prachtig was. Richard had zijn armen voor zijn borst gekruist en zat met een norse blik te kijken, maar ook hij leek gebiologeerd. En Monica, die naast me zat, leunde naar voren en leek een vreemde nostalgie te voelen voor een tijdperk dat ruw afgebroken werd voor zij zelfs maar geboren was. Iets had het verleden op de film naar het verwelkte heden gehaald, iets wat wreder was dan de tand des tijds.
'Ze kwam niet meer thuis,' zei mevrouw Adair droevig. 'Ze ging die dag buiten spelen en kwam nooit meer thuis.'

'We zijn langs de deuren gegaan,' vertelde meneer Adair. 'We hebben de politie gebeld, overal aanplakbiljetten opgehangen en elke centimeter van de parken doorzocht. De hele buurt hielp mee.'
'Haar foto is een week lang in het nieuws geweest.'
'Het leverde niets op. En niet weten wat er is gebeurd, is het allerergste. Het is alsof we er nog steeds middenin zitten. De pijn gaat nooit weg. Het begon in mijn hart en heeft zich langzamerhand in al mijn botten genesteld. Mijn dokter zegt dat het artritis is, omdat hij niet beter weet.'
'Had ze veel vriendinnen?' vroeg ik.
'Ze was heel populair,' zei mevrouw Adair. 'Maar geen van haar vriendinnetjes had haar die dag gezien.'
'Wie was de laatste die haar heeft gezien?'
'Richard zag haar weggaan,' zei mevrouw Adair. 'Maar het is niet zijn schuld, het is onze schuld. Van ons mocht ze altijd buiten spelen. We vertrouwden haar en we vertrouwden de andere mensen.'
'Enig idee waar ze naartoe ging, Richard?' vroeg ik.
'Ik heb de politie alles verteld wat ik wist,' zei hij.
'Rechercheur Hathaway,' zei mevrouw Adair. 'Wat een fantastische man en wat een lieve man was dat toch. Hij is er jaren mee bezig geweest. Hij gaf niet op.'
'Wat heb je hem verteld, Richard?'
'Dat ik niet wist waar ze naartoe was. Kunnen we nu weer naar de race kijken?'
'Soms ben ik nog steeds woedend,' zei meneer Adair, 'woedend op mezelf, op de hele wereld, op mijn hulpeloosheid, en dan wil ik het liefst mijn vuist door de muur rammen.'
Chantal Adair. Mijn adem stokte toen ik haar voor het eerst op het scherm zag en mijn hart bonkte luid. De naam stond niet alleen in mijn ziel geëtst maar ook op mijn borst, en nu zag ik haar met eigen ogen, in licht en donker en schaduwtinten. Daar was ze, zich onbewust van de tragedie die achter haar opdoemde en zich over een grillig, bovennatuurlijk pad in haar richting haastte. Het was alsof ik op de muur een legende zag die tot leven was gekomen, alsof je oude beelden van Babe Ruth, Jack Dempsey, of een jonge Willie Mays zag.
'O, mijn arme, lieve Chantal,' zei mevrouw Adair.
Of kleine Chantal lief was, was niet te zien op de verschoten beelden van de film. Ze had donker haar, sprankelende ogen en aan haar voeten pronkten de rode lakschoentjes waar ze zo dol op was. Ze glimlachte naar de camera en leek ermee te spelen. Uit haar glimlach en haar houding en zelfs uit de argeloze danspasjes straalde een zeker zelfbewustzijn, alsof ze op zesjarige leeftijd al wist hoe ze zich voor de camera moest gedragen.
In de film was ook vaak een klein, blond meisje te zien van ongeveer dezelf-

de leeftijd, die sneeuwballen gooide en ravotte. Ze rende uitgelaten in het rond terwijl Chantal een parmantig dansje deed.
'Mijn nichtje, Ronnie,' zei Monica. 'De dochter van oom Rupert.'
'Oom Rupert. De man die op Grant lijkt.'
'Wie is Grant?'
'Die bebaarde vent op de foto in mijn kantoor.'
'Die, ja. Hij is een broer van mijn moeder.'
'Waren Ronnie en Chantal vriendinnetjes?'
'Het waren net zusjes,' zei ze.
'Echte hartsvriendinnen,' zei mevrouw Adair. 'Ze leken totaal niet op elkaar, maar ze waren altijd samen. Ronnie had het heel moeilijk toen Chantal verdween.'
'Had rechercheur Hathaway enig idee wat er met Chantal gebeurd zou kunnen zijn?' vroeg ik.
'Hij had wel een paar ideeën,' antwoordde meneer Adair. 'Niet dat ze veel voorstelden, maar hij had inderdaad een paar ideeën. En de meeste hadden te maken met wat ze in Chantals kamer hadden gevonden.'
'Wat was dat dan?'
'Een aansteker. Dat was zo vreemd. Niemand wist hoe ze eraan gekomen was, maar ze vonden een aansteker, verstopt in een la.'
'Hebt u die nog?'
'Nee. Hij werd meegenomen als bewijsstuk, maar ik weet nog goed hoe hij eruitzag. Een gouden aansteker, beetje versleten, waar de initialen W.R. in stonden gegraveerd.'
'Hebt u misschien een foto van Chantal die ik mee mag nemen?'
'We hebben er honderden laten afdrukken toen er naar haar werd gezocht. Een pasfoto. We hebben er nog wel een paar.' Meneer Adair kreunde zacht toen hij moeizaam uit zijn stoel opstond. 'Wacht maar even, dan haal ik er eentje.'
En die zat in mijn jaszak, die foto, toen Monica en ik van haar ouderlijk huis wegreden. De aansteker met Wilfred Randolphs initialen wees op een mogelijk verband tussen de verdwijning van Chantal Adair en de inbraak in de Randolph Stichting. Als er inderdaad sprake was van een verband, dan wist mijn cliënt die tot over zijn oren bij de ene zaak was betrokken, misschien ook wel iets af van die andere zaak. De volgende keer dat ik hem zag, zou ik hem aan een derdegraadsverhoor onderwerpen. Toch zat me ook nog iets anders dwars.
'Het was aardig van je dat je meeging naar mijn ouders,' zei Monica. 'Volgens mij heeft het ze geholpen. Als ze over haar praten of naar de films kijken, is het net of ze er nog is.'
'Je hebt aardige ouders.'
'Ze vonden jou ook aardig, dat kon ik merken.'

'Je vader leek anders niet zo blij met me.'
'Dat was alleen in het begin. Later werd hij een stuk vriendelijker. Je bent het beste nepvriendje dat ik ooit heb gehad.'
'Zijn er meer geweest?'
'Meestal homo's.'
'Dat geeft minder complicaties.'
'Ja, dat zou je wel denken. Maar mijn ouders laten die films niet aan iedereen zien.'
'Meen je dat? Ik kreeg het idee dat ze zelfs Jehovagetuigen naar binnen zouden trekken om die films te bekijken en hun verhaal aan te horen.'
'Helemaal niet. En mijn moeder zei dat jij tenminste wist hoe Chex Mix horen te smaken.'
'Je zult ze op een gegeven moment toch moeten vertellen dat we niet met elkaar uitgaan.'
'Waarom?'
'Monica, dit kun je niet als een afspraakje beschouwen.'
'Ik heb je mee naar huis genomen, je hebt mijn ouders ontmoet.'
'Je maakt een grapje, toch?'
'Ja, ik maak een grapje. O, mijn moeder zal nog wel een tijdje naar je vragen, maar als ik vertel dat we uit elkaar zijn, houdt ze wel op. Misschien zeg ik de volgende keer wel dat ik uitga met een dokter. Ze zijn dol op dokters.'
'Waarom ga je niet echt met iemand uit?'
'Nepafspraakjes zijn een stuk gemakkelijker. Dat zou je ook eens moeten proberen, Victor.'
'Ach, waarom ook niet? Ik heb bij zoveel dingen al gedaan alsof, dat kan er ook nog wel bij. Vertel eens wat meer over je broer, Richard.'
'Er valt niet veel over hem te vertellen. Hij is een beetje een trieste figuur, een beetje eenzaam, maar hij is wel slim. Hij is mijn grote broer. Ik was vroeger gek op hem.'
'Wat voor werk doet hij?'
'Hij werkt niet. Hij zit achter de computer of kijkt televisie.'
'Geen vrienden?'
'Je maakt moeilijk vrienden als je in geen vijfentwintig jaar een stap buiten de deur hebt gezet.'
'Wat?'
'Hij gaat nooit naar buiten. Hij kan niet over de drempel stappen. Dat durft hij niet. Dat was al zo voor ik geboren werd. Hij heeft agora... nog iets.'
'Agorafobie? Pleinvrees?'
'Ja, dat. Toen ik het voor het eerst hoorde, dacht ik dat hij bang was voor angorawol. Maar ik weet nu dat het betekent dat hij niet naar buiten durft.'
Bij die woorden dacht ik terug aan de beelden op de muur, niet aan de beelden van Chantal die voor de camera poseerde of speelde met haar nichtje

Ronnie, niet aan de beelden die de rest van de familie zo fascineerden en ook niet aan de beelden van de jonge ouders die opgewekt in de camera keken omdat het leven hun nog toelachte. Nee, ik dacht aan het knulletje met de blozende wangetjes, dat breeduit grijnsde, bladeren in de lucht gooide en volop van het leven genoot. De treurnis die in het huis hing, had zich als een parasiet in zijn hart genesteld en hem in een grotesk wezen veranderd. Ik was hard geweest tegen hem en misschien had hij daar wel om gevraagd, maar toch klopte het niet en ik schaamde me. Hij had beter verdiend, van mij en van het leven. Het kwaad dat Chantal was overkomen, was hem ook overkomen; het was hun allemaal overkomen. En omdat mijn cliënt erbij betrokken was, kon ik het niet zomaar naast me neerleggen.
'Ik zal uitzoeken wat er met je zus is gebeurd, Monica.'
'Neem je de zaak aan?'
'Nee, niet als een zaak. Dus geen voorschot, geen honorarium, geen onkostendeclaraties. En zoiets zeg ik niet snel, geloof me. Dat krijg ik nauwelijks mijn strot uit. Maar omdat er mogelijk sprake is van tegenstrijdige belangen in verband met een andere zaak waarbij ik betrokken ben, kan ik de zaak niet officieel aannemen. Maar ik zal het uitzoeken, dat beloof ik je.'
'Doe je dat voor mij?'
'Niet echt.'
'Waarom dan, Victor?'
'Geen idee. Misschien omdat ik om onverklaarbare reden haar naam op mijn borstkas heb laten tatoeëren en ik die de rest van mijn leven in de spiegel zal zien. Misschien omdat het van geen kanten klopt wat haar is overkomen en dat me nijdig maakt. Misschien vanwege je broer.'
'Vanwege mijn broer? Ik dacht dat je hem niet moest.'
'Dat heeft er niets mee te maken.'
'Ik begrijp het niet.'
'Misschien begrijp ik het zelf ook wel niet, maar toch. Mijn appartement is net een slagveld, mijn partner denkt erover om op te stappen, ik drink te veel, flirt met verslaggevers, en ga naar bed met makelaars. Eerlijk gezegd, voel ik de dringende behoefte om me met hart en ziel in te zetten voor een goede zaak, en erachter komen wat er met Chantal is gebeurd, is het enige wat ik heb.'
'Dat is zo... Victor, dat is zo... zo...' Ze boog zich naar me toe en gaf me een kus op mijn wang.'
'Maar geen afspraakjes,' zei ik.
'Ja, ja, ik weet het. Ik ben zo blij. Het was een boodschap, hè? Die tatoeage?'
'Zou kunnen.'
'Van haar.'
'Van iemand. Vertel eens, zit er bij jou iemand in de familie die met een tatoeagenaald overweg kan?'

'Nee.'
'Ik probeer nog steeds uit te vogelen wie hem gezet heeft.'
'Dat heeft zij gedaan. Dat wil je nu niet toegeven, maar dat komt nog wel. Oké, wanneer beginnen we?'
'We?'
'Ja, natuurlijk.'
'Nee.'
'Mag ik je niet helpen?'
'Monica, ik werk het best in mijn eentje.'
'Maar ik wil helpen. Toe, laat me helpen. Alsjeblieft, Victor. Het is heel belangrijk voor me.'
'Monica, geen haar op mijn hoofd die eraan denkt om jou...' Ik maakte mijn zin niet af. Ik was altijd een eenling geweest. Misschien had Beth het niet meer naar haar zin op kantoor omdat ik meestal haar hulp afsloeg; ik werkte nu eenmaal het liefst alleen. Nu vroeg Monica of ze me mocht helpen om erachter te komen wat er met haar zus was gebeurd en als iemands leven totaal veranderd en beschadigd was door Chantals verdwijning, dan was het haar leven wel. Ik zag niet in hoe ze me kon helpen, maar misschien was ik wel egoïstisch. Als iemand het verdiende om betrokken te worden bij de speurtocht naar Chantal, dan was zij het wel. Of misschien hield ik mezelf gewoon voor de gek omdat ik nog steeds de zachte aanraking van haar vingers op mijn borst voelde.
'Goed dan,' zei ik. 'Je mag meehelpen.'
'Meen je dat echt?'
'Ja, echt. We beginnen over een dag of twee. Misschien dat we samen een bezoekje gaan brengen aan een oude vriend van je ouders.'
'Waarom beginnen we niet meteen? O, Victor, dit is geweldig. Ik zal een paar dagen vrij vragen van mijn werk, een zwartleren broek kopen en mijn wapen schoonmaken.'
'Geen wapens.'
'Maar, Victor, ik ben dol op mijn wapen.'
'Geen hond, geen wapens, en geen stilettohakken die zo scherp zijn dat ze dwars door iemands huid heen snijden. Zo werk ik niet, althans, niet beroepsmatig.'
'Best, best, je hoeft je niet zo op te winden. Hoe zit het met die zwartleren broek, mag dat wel?'
'Waarom wil je een zwartleren broek?'
'Emma Peel, uit *De Wrekers*?'
'Ik heb geen problemen met een zwartleren broek.'
'Waarom beginnen we niet meteen?'
'Omdat ik eerst iemand in New Jersey wil spreken en dat moet ik in mijn eentje doen.'

36

Deze keer had ik ervoor gezorgd dat ik niet zou opvallen. Ik droeg sportschoenen, een spijkerbroek, een rood honkbalpetje, en een opzichtig, geel hawaïhemd over een wit T-shirt. Ik had zelfs overwogen om een korte broek aan te trekken, helaas waren mijn benen zo wit dat ze bijna licht gaven, wat niet overeenkwam met mijn beoogde image van lokale zonaanbidder, dus werd het de spijkerbroek. Toen ik de ontmoetingsplek op de promenade aan 7th Street bereikte, ging de zon net onder en leek de hemel boven de oceaan wel een Kodachrome-filmpje. Ik nam mijn omgeving aandachtig op. Geen Charlie en geen ongure types die me misschien gevolgd hadden, alleen de gebruikelijke uitbundige menigte die de zilte lucht opsnoof, flirtte, jammerde, slenterde, of ijs drupte op hun schoenen. Een ijsje leek me wel een aardig detail voor mijn vermomming.
Ik stond in de rij voor het ijskarretje toen ik een stapel T-shirts in het winkeltje ernaast luid hoorde sissen. Boven een stapel T-shirts ontdekte ik het topje van een rond, kaal hoofd en toen mijn blik naar beneden dwaalde, zag ik een geruite korte boek, sokken en sandalen.
'Een klein vanille-ijsje,' zei ik tegen de aantrekkelijke Russische verkoopster, 'en een grote met een topping van M&M's.'
Ik slenterde naar het winkeltje toe met in elke hand een ijsje en stak het grootste naar voren. Vanachter de stapel T-shirts en truien kwam een hand tevoorschijn.
'Bedankt,' zei Charlie. 'Ik ben dol op vanille-ijs.'
'Wie niet? Wil je hier praten?'
'Ik zie je over vijf minuten bij de vloedlijn.'
'Laat deze keer je ijsje niet op de trap vallen.'
Ik bleef op het strand wachten en snoof de zilte lucht op. Een paar meter voor me lag een brede, stenen golfbreker. Het was een heldere koele avond, de zee had een oranje glans en de branding brulde woest. Ik stond aan de rand van het hoge zand, waar het strand langzaam afloopt naar het water, en keek naar de golven die oprezen en schuimbekten voor ze zichzelf op het strand kapot beukten. Een geweldige show. Ze zouden kaartjes moeten verkopen. Komt dat zien! Komt dat zien! Het lot van het universum in een tijdsbestek van nog geen zes seconden. Elke avond geopend. Probeer onze biefstuk en vergeet niet een tip voor de serveerster achter te laten.

Links strekte het strand zich ongehinderd uit, rechts werd het ingeperkt door de Music Pier. In het dieprode licht zag ik enkele silhouetten die zich op de golfbreker waagden en langs de waterkant slenterden. Ik hield ze stuk voor stuk in de gaten om te controleren of er niet een paar tussen zaten die te veel belangstelling toonden voor wat ik aan het doen was. Zoals gewoonlijk werd ik compleet genegeerd, wat ik, zoals gewoonlijk, best vond. Vooral wanneer ik een ontmoeting met een cliënt had die gezocht werd door een stel gangsters, een huurmoordenaar uit Allentown, en ook nog eens door de FBI. Ik liep in de richting van de vloedlijn en zag een overmaatse kleuter met een groot, kaal hoofd en korte X-beentjes mijn kant uit komen.
'Ben je alleen?' vroeg Charlie Kalakos.
'Ja, helaas ga ik nog steeds alleen door het leven.'
'Ben je gevolgd?'
'Nee.'
'Hoe weet je dat?'
'Omdat ik langzaam heb gereden met één oog op mijn achteruitkijkspiegel gericht. Op de snelweg ben ik twee keer op een parkeerplaats gestopt, maar niemand kwam achter me aan. Ik heb mijn auto aan 7th Street geparkeerd, ben via achterafstraatjes deze kant op komen lopen en heb niemand gezien. Maar ik ben advocaat, Charlie, geen spion. Ik ben gespecialiseerd in vervolgingen, niet in achtervolgingen. Ik doe mijn best.'
'Dan hoop ik maar dat jouw best mij niet de kop gaat kosten. Hoe is het met mijn moeder?'
'Goed. Ze lijkt zelfs iets op te knappen.'
'En, kan ik naar huis?'
'Voor we het over de onderhandelingen hebben, moet ik je nog iets vertellen. Weet je nog dat je me over je oude vrienden vertelde, onder wie ene Ralph?'
'Ja. Hoezo?'
'Hij is een paar dagen geleden doodgeschoten.'
'Ralphie Meat? Jezus. Hoe is dat gebeurd? Is hij betrapt met de vrouw van een ander?'
'Het lijkt op een professionele moord. De moordenaar kwam zijn huis binnen, schoot hem in zijn been, stelpte het bloeden met een theedoek en stelde hem een paar vragen voor hij hem door zijn hoofd schoot.'
'Vragen over wat?'
'Die vragen gingen waarschijnlijk over jou, Charlie. Vlak nadat het nieuws over de onderhandelingen uitlekte en in alle kranten kwam te staan, kreeg ik een bezoekje van een paar van je oude maatjes uit de Warrick-bende. Een van de twee zei dat hij vijftien jaar geleden ook al achter je aan had gezeten. Hij heette Fred.'
'Dus die vetzak loopt nog steeds rond?'

'In levenden lijve,' zei ik. 'En hij had een of andere neanderthaler bij zich die hem hielp. Ik moest je een waarschuwing geven. Ze hebben een huurmoordenaar op je afgestuurd, iemand uit Allentown.'
Charlies hoofd schoot met een ruk mijn richting uit en hij keek me met grote ogen aan.
'Ken je die vent uit Allentown?'
'Ik heb hem één keer gezien,' zei Charlie langzaam. 'Een oude oorlogsveteraan, een beer van een vent met een stekeltjeskapsel, ijskoude ogen en grote, knokige handen. Het leger leidde hem te goed op en hij begon van het moorden te genieten.'
'Over welke oorlog hebben we het? Die in Vietnam?'
'Korea, heb ik gehoord.'
'Jezus, dan moet hij boven de zeventig zijn.'
'Je hebt zijn ogen niet gezien, Victor.'
'Hij liet een briefje met een waarschuwing achter. Er stond op: Wie volgt? Zegt dat je wat?'
Bij die woorden leek Charlie ineen te krimpen. Mijn ogen zochten het strand af. Niets bijzonders te zien, alleen een paar kinderen die vrolijk rondrenden op de golfbreker en de gebruikelijke ongeïnteresseerde wandelaars.
'Charlie, wil je nog steeds terug naar huis?'
'Ik weet het niet. Heb je het ook tegen mijn moeder gezegd?'
'Van die dreiging? Ja. Dat over Ralph hoefde niet, want dat stond op de voorpagina van alle kranten.'
'Wat zei ze?'
'Ze wilde niet dat ik het je vertelde. Ze zei dat zij je zou beschermen.'
'Heeft ze je haar pistool laten zien?'
'Ja.'
'Gestoord oud wijf. Ze richtte dat ding altijd op mijn hoofd als ik niet deed wat ze zei. Man, dan deed ik het zowat in mijn broek.'
'Charlie, eigenlijk zou ik je dit niet moeten vertellen, maar zoals de zaken er nu voor staan, heb ik geen keus. Ik heb bezoek gehad van een vent die grof geld wil betalen voor dat schilderij. Ik kan dat niet voor je regelen, dat zou je zelf moeten doen, maar hij zegt dat je er genoeg aan overhoudt om ergens anders een nieuw leven te beginnen.'
'Hoeveel biedt hij?'
'Genoeg. Een bedrag van zes cijfers. En nog iets, hij heeft ook een paar anderen benaderd over het schilderij, onder wie je oude maatjes Joey Pride en Ralph. Ze leken beiden te denken dat een deel van dat geld hun toekwam.'
'Een bedrag van zes cijfers? Denk je dat je er wat meer uit kunt slepen?'
'Dat weet ik wel zeker, maar ik moet je waarschuwen dat de verkoop van gestolen goederen strafbaar is.'

'Heb je dit aan mijn moeder verteld?'
'Nee. Ik was bang dat ze haar pistool zou trekken.' Ik reikte in mijn jaszak en haalde er een envelop uit. 'Hier zit zijn visitekaartje in. Voor het geval je hem wilt bellen.'
'Vind jij dat ik het schilderij aan hem moet verkopen en de benen moet nemen?'
'Volgens mij is Philadelphia op het moment niet de veiligste plek voor je.'
'En hoe zit het dan met het getuigenbeschermingsprogramma? Ik dacht dat ik daarin zou worden opgenomen.'
'Dat ligt een beetje gecompliceerd. Er wordt moeilijk gedaan over die deal. De federale aanklaagster over wie ik je verteld heb, ligt nog steeds dwars.'
'Wat wil ze dan?'
'Ik hoopte dat jij me dat kon vertellen.'
'Hoe moet ik dat weten?'
'Ze wil dat je haar tot in detail vertelt hoe je het schilderij in handen hebt gekregen. Geen immuniteit en geen bescherming tot je daarin toestemt. Volgens mij steekt er nog iets anders achter haar koppigheid en ik heb wel een idee wat dat kan zijn.'
'Wat dan?'
'Heb je ooit van ene rechercheur Hathaway gehoord?'
'Wat heeft die hufter ermee te maken?'
'Die federale aanklaagster is zijn dochter.'
'Verdomme. Nee, hè!'
'Ken je die Hathaway?'
'Hij is degene die na de inbraak langskwam. Hij stelde vragen over een meisje dat verdween rond de tijd dat we het schilderij stalen.'
'Een meisje dat Chantal Adair heette?'
'Jezus, wie herinnert zich nou een naam?'
'Ik, bijvoorbeeld.' Kennelijk hoorde hij iets in mijn stem, want hij deinsde terug. Ik haalde diep adem om mezelf te kalmeren en speurde nog een keer het strand af. De kinderen speelden nog steeds. Een stel te zware joggers met honkbalpetjes op draaiden zich om bij de Music Pier en begonnen terug te joggen. Een gezinnetje stond bij elkaar aan de waterkant en de jongste gooide handenvol zand in zee.
'Ik wil dat je naar een foto kijkt,' zei ik en ik haalde de foto van Chantal Adair uit mijn zak. 'Herken je haar?'
Hij keek er vluchtig naar en schudde zijn hoofd. 'Het is te donker. Ik kan het niet goed zien.'
'Vertel me eens wat meer over Hathaway.'
'Wat kan ik nog meer vertellen? Er verdween een meisje en Hathaway dacht dat haar verdwijning iets te maken had met de inbraak. En op de een of andere manier bracht hij ons in verband met de inbraak.'

'Enig idee waarom?'
'Wie zal het zeggen? Hij kon geen enkel bewijsstuk vinden dat ons in verband bracht met een van die twee zaken. Hoe hard hij ook zijn best deed. We hebben er nooit iets van uitgegeven. We zijn nooit in de fout gegaan.'
'Geen bontjassen of Cadillacs? Helemaal niets?'
'Helemaal niets. En dat was gemakkelijker dan je denkt, aangezien we nooit ons deel van de buit hebben gekregen.'
'Dat snap ik niet.'
'We werden belazerd,' zei Charlie.
Ik keek naar Charlies silhouet, liet mijn blik langs de waterkant dwalen en probeerde te begrijpen wat ik net had gehoord. Joey had iets gezegd over het geld dat verdwenen was en nu vertelde Charlie dat ze belazerd waren. Het gezin liep terug naar de promenade en de joggers kwamen dichterbij. Twee mannen, eentje had een peerfiguur, de ander was klein en breder dan een vrachtwagen. Ze zagen er vreemd uit voor joggers. Het maanlicht weerkaatste op hun kettingen en mijn hoofd schoot met een ruk achteruit toen ik de twee herkende. Fred en Louie. *Up with hoods.*
'Verdomme,' zei ik zachtjes. 'We hebben gezelschap.'
'Wie?' Charlie bewoog zijn hoofd nerveus van links naar rechts. 'Waar dan?'
'Draai je om en loop rustig terug naar de promenade alsof er geen vuiltje aan de lucht is.'
'Wat?'
'Doe het, Charlie. Nu.'
Charlies hoofd kwam met een ruk tot stilstand in de richting van de twee joggers. Hij gedroeg zich stoer voor zijn doen, slaakte maar één angstkreetje en nam vervolgens in paniek de benen in de richting van het kleine paadje dat naar de promenade leidde. Hij rende zo hard hij kon, wat niet erg snel was, en zijn armen en benen fladderden alle kanten uit, net een tekenstripfiguur die in het luchtledige rent en geen meter vooruit komt.
Ik had hem binnen een paar tellen ingehaald, greep hem bij zijn arm, en sleurde hem in de richting van de trap. Fred en Louie kwamen luid schreeuwend onze richting uit, de zeemeeuwen boven ons hoofd krijsten en Charlie jammerde.
'Trek niet zo aan me. Straks ruk je mijn arm er nog af.'
'Hoe ben je hier gekomen?'
'Auto.'
'Waar staat die?'
'Je doet mijn arm pijn.'
'Waar staat je auto?'
'Aan het eind van 7th Street.'
Toen we de trap bereikten, duwde ik hem onzacht de treden op. Ik wierp snel een blik over mijn schouders. Fred en Louie zaten nog geen tien meter

achter ons. Ik spurtte met twee treden tegelijk de trap op en trok Charlie de laatste trede op. We doken de menigte op de promenade in, stonden even stil en keken om ons heen.

'Die kant.' Ik greep Charlie vast en sleurde hem naar rechts, weg van 7th Street. 'We gaan die kant op.'

'Maar mijn auto staat daar.' Hij wees de andere kant op.

'Dat weet ik, maar hier lopen meer mensen rond.'

Ik trok hem mee naar de toegangspoort van een klein pretpark met een draaimolen, een achtbaan en een reuzenrad dat boven alles uitstak. Onderweg kwam ik een moddervet kind tegen dat een enorme beker popcorn bij zich had.

'Nu besef je het misschien nog niet,' zei ik tegen het kind, terwijl ik de beker popcorn uit zijn mollige vingers griste en de beker zo hoog mogelijk de lucht ingooide in de richting van de trap, 'maar geloof me, dit is veel beter voor jou en je aderen.'

Het kind zette het op een krijsen en de popcorn vloog door de lucht.

De zeemeeuwen stortten zich als een uitgehongerd leger op de dwarrelende popcorn en pikten nijdig naar alles en iedereen, zelfs naar elkaar, om bij de korrels te komen. Fred en Louie haastten zich de trap op, maar bleven abrupt staan toen ze de uitzinnige menigte zeemeeuwen zagen.

Charlie en ik schoten Gillian's Wonderland Pier binnen.

37

Het geluid van het stoomorgel dat vrolijk pufte, de geur van versgebrande popcorn en een dichte mensenmassa die zich langzaam door de nauwe doorgang tussen twee attracties perste. We probeerden door de massa heen te komen, maar werden opgeslokt en meegevoerd in het stroperige ritme van de menigte. Kinderen veegden hun neuzen af en grootouders sjokten vermoeid achter het grut aan. Links van ons stond een draaimolen. Rechts was een NASCAR-racebaan in miniformaat.

'Ze komen ons hier vast achterna,' zei Charlie.

'In deze mensenmassa vinden ze ons niet zomaar.'

'Waar gaan we heen?' vroeg Charlie.

'Die kant op.' Ik wees naar een redelijk rustig pad dat naar de achterkant van het pretpark leidde.

We bewogen op het ritme van de massa en baanden ons een weg langs gezinnen, grootouders met kleinkinderen, en tieners die er tegelijkertijd opgewonden en verveeld uitzagen.

'Zie je ze al?' vroeg Charlie.

'Nog niet.'

'Misschien zijn ze de andere kant op gegaan.'

'Vast,' antwoordde ik, 'en misschien zijn sigaretten juist goed voor je longen.' Ik was even stil en dacht na. 'Hoe zouden ze ons gevonden hebben?'

'Ze hebben mij niet gevolgd,' zei hij en daar had hij gelijk in. En aangezien we maar met zijn tweeën waren, bleef er dus maar één sukkel over om de schuld aan te geven.

'Ik heb ze niet gezien,' zei ik.

'Hoe lang zouden ze je al gevolgd hebben?'

'Geen idee.' Plotseling dacht ik aan Ralph Ciulla en voelde ik een huivering langs mijn ruggengraat trekken.

Die klootzakken hadden me vanaf het begin gevolgd en gewoon afgewacht tot ik hen naar hun doelwitten zou leiden. En omdat ik nu eenmaal een randdebiel van de eerste orde was, had ik dat braaf gedaan. Toen Ralph en Joey mij vonden, hadden Fred en Louie hen gevonden. Fred had waarschijnlijk een foto gemaakt en die naar Allentown gestuurd zodat de huurmoordenaar precies wist aan wie hij zijn vragen moest stellen en bij wie hij zijn bloederige boodschap moest achterlaten. Godver de godver. Dus eerst

had ik de twee naar Ralph geleid en nu had ik die klootzakken naar Charlie geleid.
'We moeten hier vandaan,' zei ik.
'Heb je het eindelijk door?'
Een paar tellen staarde ik Charlie aan: klein, dik, zwetend van de inspanning en angst, en nog steeds bang voor zijn moeder. Hij was net zo angstaanjagend als een koalabeertje. Charlie was de meest onwaarschijnlijke crimineel die ik ooit had gezien, vandaar dat ik me iets begon af te vragen.
'Joey Pride vertelde me over die keer in de bar toen Teddy Pravitz voor het eerst het idee opperde om bij de Randolph Stichting in te breken.'
'Ja, dat weet ik nog wel. Teddy beloofde dat we daar echte mannen van zouden worden en dat het ons leven compleet zou veranderen.'
'En was dat zo?'
'Ja, hoor,' zei hij. 'Kijk maar naar mij.'
'Weet je wat ik me afvraag? Teddy had kennelijk het plan voor de Randolph-kraak al klaar voor hij ook maar één voet in die bar zette. Waarom had hij jullie dan nodig?'
'Mankracht.'
'Hij had een paar echte criminelen kunnen inhuren.'
'Hij wilde geen criminelen, hij wilde mensen die hij kon vertrouwen. En trouwens, het was ook niet zo dat we niets te bieden hadden.'
'Wat hadden jullie dan te bieden?'
'Joey Pride was een genie met motoren en elektriciteit. Hij kon elk alarmsysteem uitschakelen en lampen en telefoons hadden ook geen geheimen voor hem. En Ralphie Meat was niet alleen groot en sterk, hij was ook metaalbewerker. Hij kon alles met metaal: buigen, lassen, smelten.'
'Zoals de gouden kettingen en de beelden?'
'Bijvoorbeeld.'
'En Hugo?'
'Hugo beschikte over een andere vaardigheid. Op school zat hij altijd achter in de klas en deed hij de leraren na. Hij was geweldig. We lagen altijd in een deuk om hem. Hij kon mijn moeder beter nadoen dan zijzelf. "Charles, ik jou nodig hebben. Jij hier komen, nu meteen." Hij kon iedereen nadoen.'
'En jij, Charlie?'
'Je weet dat ik bij mijn vader in de zaak werkte.'
'En wat deed hij?'
'Hij was slotenmaker. Er bestond geen slot dat hij niet binnen een paar tellen open had. En hij heeft me alles geleerd wat hij wist.'
'Sloten?'
'En brandkasten. Later, bij de Warrick-bende, werd ik de brandkastspecialist.'
'Dat is je vast van pas gekomen in Newport. Ik zal je die foto van het meisje nog een keer laten zien. Hier is meer licht.'

'Ik wil die foto niet zien.'
'Natuurlijk wel.' Ik haalde de foto van Chantal Adair uit mijn zak en liet hem die zien. 'Herken je haar?'
Hij keek ernaar en leek terug te deinzen. De beweging was nauwelijks merkbaar, alsof hij gewoon inademde, maar ik had het gezien.
'Nooit eerder gezien,' zei hij.
'Je liegt.'
'Vertrouw je me niet?'
'Ik ben je advocaat, Charlie, dat betekent niet dat ik je ook vertrouw. O, verdomme.'
'Wat?'
'Daar zijn ze. Of in elk geval een van de twee.'
Voor de automatenhal zag ik iemand staan met een wit honkbalpetje, een vintage shirt van de 76'ers, en glinsterende gouden kettingen: Fred. De oudste van de twee, met het peervormige figuur, die me voor mijn kantoor had overvallen. Hij had een mobieltje aan zijn oor. Hij tuurde de menigte in en keek onze richting uit zonder ons te zien.
'Wat doen we nu?'
'We nemen de achteruitgang,' zei ik. 'Maar we lopen langzaam. Zie je dat kleine ventje?'
'Welk kleine ventje?'
'Hij draagt dezelfde kleding als die andere, alleen zijn shirt is anders. Hij is kleiner dan jij, maar zo breed als een Buick. Hij zal ook wel een telefoon aan zijn oor hebben.'
'Bedoel je hem?' vroeg Charlie.
'O, verdomme.'
Louie stond bij de uitgang. Hij had ook een mobieltje aan zijn oor, stond op zijn tenen en probeerde over de hoofden van de mensen heen te kijken. Zo te zien had hij ons nog niet ontdekt.
'Deze kant op.' Ik trok Charlie mee in de richting van een houten loophelling die schuin omhoog liep en naar rechts verdween. Halverwege de helling keek ik over mijn schouder naar de ingang. Fred staarde ons recht aan en praatte in zijn mobieltje.
We bevonden ons tussen jonge kinderen, ouders met kinderwagens, grootouders die moeizaam vooruitkwamen, en schreeuwende moeders. We laveerden tussen de mensen door en toen we de eerste verdieping bereikten, probeerden we zoveel mogelijk afstand tussen ons en de loophelling te scheppen. We renden langs de kinderjungle, het glaspaleis, de mini-achtbaan en de suikerspinkraam. Helemaal achteraan was een trap die weer naar de benedenverdieping leidde, waar Louie stond te wachten.
Gefrustreerd keek ik om me heen. De attracties hierboven waren allemaal voor kleuters, we konden ons nergens verbergen. Ik zag het hoofd van Fred

op de houten loophelling verschijnen. Louie zou van de andere kant komen. We konden geen kant op. Tenzij…
'We hebben drie kaartjes nodig,' zei ik.
'Ik heb geen kaartjes.'
Ik stapte haastig op een vader af die een hele rits kaartjes had. Hij keek naar zijn kinderen die in de draaimolen zaten. Ik haalde een tientje uit mijn portefeuille en zwaaide ermee onder zijn neus. 'Tien dollar voor drie kaartjes,' zei ik.
Hij keek me aan, liet zijn blik afdwalen naar het tientje, en keek me toen weer aan.
'Ze kosten maar vijfenzeventig cent per stuk.'
'Dat maakt me niet uit.'
'Onder aan de loophelling staat een kassa waar je ze kunt kopen.'
'Dat maakt me ook niet uit. Tien dollar voor drie kaartjes.'
'Ik heb wel terug van een tientje.'
'Ik hoef geen wisselgeld, alleen die kaartjes. Alstublieft.'
Hij wierp me een vreemde blik toe en scheurde drie kaartjes af. 'Hier. Ik hoef er geen geld voor.'
Ik sputterde niet tegen, pakte de kaartjes aan, greep Charlie vast en sleurde hem mee terug naar het glaspaleis; een bizar doolhof van smoezelige glazen panelen. Ik overhandigde de kaartjes aan de tiener bij de ingang en duwde Charlie naar binnen.
'Loop helemaal door naar achteren en wacht daar,' zei ik.
'Maar…'
'Ga en steek je handen voor je uit.'
Charlie keek om zich heen, zag iets wat hem angst aanjoeg en stormde naar binnen. Hij knalde tegen een paneel aan, draaide zich om, knalde tegen een ander paneel aan, en toen, met zijn handen voor zich uitgestoken, baande hij zich voorzichtig een weg naar de achterkant van de doolhof.
Ik rende in de richting van de loophelling tot Fred me zag. Ik bleef even staan, draaide me om, spurtte in volle vaart langs het glaspaleis naar de trap aan de achterkant, rende naar beneden en belandde recht in de armen van Louie, die mijn riem vastgreep en me naar zich toe trok.
'Hallo, daar,' zei hij.

Ik zal geen klap-voor-klap verslag geven van wat er gebeurde nadat de twee me het pretpark uit hadden gesleurd. Fred stelde de vragen. Ik gaf hem beleefde, nietszeggende antwoorden. Louie gebruikte mijn maag als boksbal. Ik viel op mijn knieën en hapte naar lucht als een vis op het droge. Het was allemaal nogal onaangenaam en het had een stuk slechter kunnen aflopen als er niet net een agent de hoek om was gekomen toen ik voor de tweede keer moeizaam overeind krabbelde. Het was nog een jong broekie, met zijn pet diep over zijn hoofd getrokken.

'Kijk nou,' zei ik, terwijl ik rechtop ging staan. 'Een politieagent. Waarom vragen jullie hem niet of hij wil helpen om Charlie te vinden?'
'Daar trap ik echt niet in,' zei Fred.
Louie greep de boord van mijn shirt vast en trok me naar beneden tot ik oog in oog met hem stond. 'Daar trappen we echt niet in,' zei hij.
'Moet ik die aardige oom agent roepen?'
Fred wierp een blik over zijn schouders, schrok, keek nog een keer en tikte Louie op zijn schouder. Louie draaide zich om en zijn ogen werden groot van schrik. Hij bleef naar de agent kijken, liet mijn boord los en begon mijn prachtige hawaïhemd recht te trekken.
Toen de agent dichterbij kwam en naar ons knikte, zei Fred zogenaamd vriendelijk: 'Het was leuk je weer eens te zien, Victor. Waar zit je vriend, Charlie, tegenwoordig? We willen ook graag een praatje met hem maken.'
Ik dacht erover de agent aan te schieten toen hij langs ons liep, maar als ik dat deed, zou ik hem het hele verhaal moeten vertellen. Dat betekende dat ik de agent ook over Charlie moest vertellen, wat Charlie misschien net zoveel problemen zou opleveren als een praatje met Fred en Louie. Ik knikte de agent vriendelijk toe en zei: 'Het was leuk jullie weer eens te zien, maar nu moet ik ervandoor.'
Terwijl ik de woorden uitsprak, gleed mijn blik naar het enorme reuzenrad in het midden van het pretpark.
Fred zag me kijken en volgde mijn blik. 'We zijn nog niet klaar met je.' Hij keek nog een keer naar de rug van de agent, begon richting reuzenrad te lopen en gebaarde Louie hem te volgen. Na een paar passen bleef Fred stilstaan. Hij draaide zich om, liep weer naar me toe, boog zich voorover en fluisterde in mijn oor: 'Mochten we Charlie niet vinden, geef hem dan een boodschap. Zeg dat hij het geld pakt en de benen neemt, anders is het einde oefening voor jullie allebei. Begrepen?'
'Het geld pakt? Wat bedoel je daarmee?'
'Je hebt me gehoord,' zei hij. 'Denk eraan dat onze vriend uit Allentown ook een foto van jou heeft.' Na die woorden liep hij met Louie in zijn kielzog in de richting van het reuzenrad.
Ik bleef wachten tot ze uit het zicht waren verdwenen, haastte me toen terug naar het pretpark en rende de trap op naar de bovenverdieping in de verwachting een angstige kabouterachtige figuur achter in het glaspaleis aan te treffen, maar zag alleen een paar kinderen en een vader met zijn armen troostend om zijn dochter heen geslagen, die een bult op haar voorhoofd had.
Ik zocht de hele bovenverdieping af naar Charlie, maar zag hem nergens. Rond de hele bovenverdieping was een hekwerk aangebracht van een meter hoog. Ik leunde eroverheen en keek naar beneden waar ik een groepje sparren zag staan. Een van de sparren zag er vreemd uit, de top was geknakt. Ik

staarde er een paar tellen naar, liet mijn blik naar de straat dwalen en volgde hem in zuidelijke richting. In de verte zag ik een gedrongen figuur in een geruite korte broek wegvluchten, hij kwam niet hard vooruit, maar hij vluchtte wel; hij rende voor zijn leven.

Hij was al vijftien jaar op de vlucht. Het werd tijd dat ik hem naar huis bracht. Maar eerst wilde ik weten voor wie hij nu precies op de vlucht was en dan moest ik er nog achter zien te komen waarom een buitenissig gezelschap als de chique advocaat van de Randolph Stichting en Charlies twee oude maatjes uit de Warrick-bende, zo vastbesloten leek om mijn opzet te laten mislukken.

38

'Het spijt me, meneer Carl, u staat niet op de lijst.'
'Wat bedoelt u, ik sta niet op de lijst.' Ik deed mijn best een verontwaardigde toon in mijn stem te leggen, wat nergens op sloeg, aangezien ik mijn hele leven nog niet op de lijst had gestaan. 'Natuurlijk sta ik op de lijst.'
'Nee, ik heb het nog een keer nagekeken, maar u staat er niet op,' zei de forse, kale beveiligingsmedewerker bij de receptiebalie. 'En we hebben hier de regel dat bezoekers die niet op de lijst staan, niet worden toegelaten.'
En ik heb de regel, dacht ik, dat ik me niet door regels laat tegenhouden.
'Maar hij is mijn oom Max. Natuurlijk wil hij me wel zien. Mijn zus is een paar dagen in de stad en ze is zijn lievelingsnicht. Altijd al geweest.'
De beveiligingsmedewerker richtte zijn blik op Monica, die achter me stond met een bos bloemen in haar hand, die we net bij een benzinestation hadden gekocht. Zijn blik gleed bewonderend over haar witte topje en strakke zwartleren broek.
'Ik heb oom Max in geen jaren gezien.' Monica klonk als een klein meisje. 'Misschien herkent hij me niet eens meer.'
'Ik weet zeker dat hij haar maar wat graag zou zien, denkt u ook niet?' vroeg ik.
Monica glimlachte stralend en de man knipperde onwillekeurig een paar keer met zijn ogen.
Haar lippen vormden het woord 'alstublieft', hoewel er geen geluid uit haar mond klonk.
'Nou ja, aangezien er geen specifieke restricties worden vermeld en aangezien jullie familie zijn... geloof ik niet dat het veel kwaad kan.'
'Wat aardig van je,' zei Monica. 'Hoe heet je?'
'Pete.'
'Bedankt, Pete,' zei ze.
'Het is wel goed. Oké, ik heb identiteitsbewijzen nodig, jullie moeten ingeschreven worden en dan zal ik jullie persoonlijk naar hem toe brengen.'
Het Sheldon Himmelfarb Verpleeghuis voor bejaarden was een geforceerd vrolijk, klein pakhuis in een van de noordelijke buitenwijken, niet ver van de plek waar ik op de middelbare school had gezeten. Ik was dus bekend met deze troosteloze plek. Het beschikte over een klein lapje gras, een groot parkeerterrein, en binnen werd je belegerd door een stortvloed aan onna-

tuurlijke glimlachjes en onnatuurlijke ziekenhuisluchtjes uit het ventilatiesysteem. We hadden oom Max nog nooit eerder ontmoet en eerlijk gezegd was hij ook geen oom van ons, maar we hadden te horen gekregen dat er geen specifieke restricties waren voor de bezoekers van oom Max, dat hij lichtelijk dementerend was, en dat hij het bezoek zeer op prijs zou stellen.
Pete bleef in de deuropening staan toen ik naar binnen liep en mijn armen spreidde. 'Oom Max,' zei ik op enthousiaste toon. De ongeschoren oude man in het bed ging rechtop zitten toen hij mijn stem hoorde. Er lag een onzekere uitdrukking op zijn langgerekte, grauwe gezicht.
'Ik ben het, Victor.'
'Victor?'
'De zoon van uw nicht Sandra. U herinnert zich Sandra toch nog wel?'
'Sandra?' herhaalde hij op verdrietige toon, alsof hij zich tegenwoordig zoveel mensen niet meer kon herinneren.
'Natuurlijk herinnert u zich Sandra nog. Brede heupen, kleine handen, en ze maakte altijd die lekkere bonensalade.'
'Bonensalade?'
'Ja, mam maakte de lekkerste bonensalade ter wereld. Dat kwam omdat ze er drie verschillende soorten bonen in deed. Niets kwam uit blik, alles was vers. Daarom was het zo lekker. En door de wijnazijn en verse basilicum uit onze tuin. Er gaat niets boven een zelfgemaakte bonensalade, toch?'
'Ik geloof niet dat ik een Sandra ken,' zei Max.
'Kom nou, oom Max, u herinnert zich mijn zusje, Monica, toch nog wel? U was altijd zo dol op haar. Zij is ook meegekomen.' Ik trok Monica naar voren, die struikelde maar net voor ze languit op het bed zou vallen haar evenwicht hervond.
'Zeg eens gedag, Monica.'
'Hallo, oom Max,' koerde ze braaf. Ze boog zich voorover naar de oude man en stak hem de bos bloemen toe. 'Deze zijn voor u.'
Max' kaak trilde even toen hij haar zag. 'O, ja,' zei hij uiteindelijk. 'Die Sandra. Hoe is het met haar?'
'Overleden,' zei ik.
'Zulke dingen gebeuren nu eenmaal.' Hij haalde zijn schouders berustend op. Daarna klopte hij uitnodigend naast zich op het bed. 'Kom hier zitten, Monica, en vertel hoe het met je gaat.'
'Het gaat uitstekend met me, oom Max,' zei ze toen ze naast hem op bed zat. Ze zwaaide glimlachend naar Pete, die haar glimlach beantwoordde voor hij terugliep naar zijn post achter de balie.
'Waar woon je nu, Monica?' vroeg oom Max.
'In San Francisco.'
'Heb je een vriend?'
'Ja. Hij is accountant.'

'Dat is een goede vangst,' zei oom Max, die steeds levendiger werd en zich naar Monica toe boog. 'Wist je dat ik vroeger ook accountant was?'
'Echt? Ik vind al die cijfertjes maar ingewikkeld.'
'Is het goed als ik de muziek wat harder zet?' Ik wees naar de kleine klokradio op het nachtkastje naast zijn bed.
'Ga je gang,' zei Max.
Uit de kleine speaker kwam het gesmoorde geluid van een melancholieke ballade die door een big band werd gespeeld. Ik vond een station dat lekkere, ouderwetse rock-'n-rollmuziek draaide, zette het geluid harder en begon een stukje luchtgitaar weg te geven.
'Is dat Bob Seger?' vroeg ik.
'Hoe zeg je?' vroeg oom Max.
'Nee, niet The Who, maar geen slechte gok.'
Monica lachte. Oom Max trok zijn wenkbrauwen op, opende de la van zijn nachtkastje en haalde er een fles rum en een paar plastic bekers uit tevoorschijn. 'Niet verklappen, hè?'
'Proost,' zei Monica.
Het werd een gezellig bezoekje. We dronken rum, op de achtergrond klonk goede muziek, en we keuvelden over onze fictieve moeder, onze fictieve familie, Monica's fictieve leven, en over haar fictieve vriend in San Francisco. Ik snapte wel waarom Monica zich prettiger leek te voelen bij haar fictieve leven dan bij de harde werkelijkheid. En eerlijk is eerlijk, als ik naar Max keek, die vrolijk glimlachte, gezellig met Monica praatte en van zijn rum genoot, leek hij zich ook prettig te voelen bij zijn fictieve familieleden.
De ruimte die oom Max met zijn kamergenoot moest delen, was klein. Er was net genoeg plek voor twee bedden met nachtkastjes, een deur naar de badkamer, twee tafeltjes met stoelen, twee televisies die aan de muur waren bevestigd, en een dichtgetrokken gordijn dat de ruimte in tweeën deelde. Er klonk geen enkel geluid van de persoon achter het gordijn. Ik hoorde alleen de televisie, die blijkbaar op een praatprogramma stond afgesteld. Terwijl Max Monica een paar anekdotes uit zijn tijd als accountant vertelde, dook ik achter het gordijn om de man die daar lag te bezoeken.
Hij moest ooit een indrukwekkend figuur zijn geweest: geprononceerde kaak, grote handen en zijn voeten staken onder de deken uit en kwamen tot over de rand van zijn bed. Maar de tand des tijds had zijn verwoestende werk gedaan en nu lag hij verzwakt op bed, zijn kaak trilde en zijn waterige ogen staarden leeg voor zich uit. Hij draaide zijn hoofd langzaam mijn richting uit toen ik naar hem toe liep. Hij registreerde mijn aanwezigheid en draaide zijn hoofd weer af. Ik pakte een stoel, zette hem naast het bed neer, ging zitten, en legde mijn handen op de deken.
'Rechercheur Hathaway, mijn naam is Victor Carl. Ik ben advocaat en ik wil u een paar vragen stellen.'

Toen ik achter het gordijn vandaan stapte, kreeg ik nog een onaangename verrassing te verwerken. Jenna Hathaway en Pete de beveiligingsmedewerker stonden in de deuropening van de kamer en keken me nijdig aan. Petes hand lag op zijn holster.
'Hallo, Jenna.' Ik probeerde rustig te klinken. 'Leuk om je weer eens te zien.'
'Wat doe je hier, verdomme, jij hufter,' kreeg ik te horen.
'Ik ben op ziekenbezoek,' antwoordde ik.
'Ik laat je oppakken voor dit klotegeintje,' zei ze.
'Omdat ik mijn oom Max een bezoek breng?'
'Voor huisvredebreuk, bedrog en intimidatie.' Een paar seconden bleef ze me woest aanstaren en zei toen zonder haar blik van me af te wenden: 'Meneer Myerson, wilt u de muziek uitzetten?'
Max zette de radio uit, legde de fles rum terug in zijn la en sloot hem.
'Het spijt me dat deze mensen u lastiggevallen hebben,' zei Jenna.
'Het zijn niet zomaar mensen en ze hebben me niet lastiggevallen,' zei Max, die Monica een klopje op haar arm gaf. 'Ze kwamen gewoon een bezoekje brengen aan hun oom Max. Het zijn de kinderen van mijn nicht, Sandra.'
'Uw nicht?'
'Hij is onze achteroom om precies te zijn,' zei ik.
'Wat is een achteroom eigenlijk?' vroeg Jenna.
'Geen idee, maar het klinkt wel aardig.'
Jenna zuchtte. 'U hebt helemaal geen nicht die Sandra heet, meneer Myerson.'
'Natuurlijk heb ik die wel,' zei Max. 'Of beter gezegd, die had ik. Ze is overleden. Wat jammer is voor iedereen. Want ze maakte altijd een lekkere bonensalade.'
'Nu moet ik wel tussenbeide komen, oom Max,' zei ik. 'Mam maakte geen lekkere bonensalade, ze maakte een zalige bonensalade, en er gaat nu eenmaal niets boven een zelfgemaakte bonensalade, of wel soms?'
'Victor, maak dat je wegkomt,' zei Jenna Hathaway.
'We zijn op bezoek.'
'Nu meteen.' Haar stem klonk dreigend en er lag een gevaarlijke schittering in haar ogen.
Het leek me daarom beter niet langer te treuzelen. 'Het spijt me, oom Max,' zei ik, 'maar we moeten er kennelijk vandoor.'
'Het was leuk u weer eens te zien,' zei Monica.
'Komen jullie nog een keer langs?' vroeg Max.
'Zodra ik weer in de stad ben,' zei Monica.
'Veel succes in San Francisco en doe de groeten aan die vriend van je. Zeg maar dat ik ook accountant was.'
'Zal ik doen.' Monica stond op.

'En de volgende keer dat jullie langskomen,' zei Max, 'neem dan een *bissel* van die bonensalade mee.'
Toen we in de hal stonden, staarde Jenna ons woedend aan terwijl ze haar vuist balde en weer ontspande. 'We gaan nu naar de receptie en bellen de politie.'
'Is dat echt nodig?' vroeg ik.
'Zeker. Hier kom je niet mee weg.' Ze draaide zich naar Monica toe. 'En wie mag jij wel zijn?'
'Ik vergeet mijn manieren helemaal,' zei ik. 'Ik zal jullie aan elkaar voorstellen. Monica, dit is Jenna Hathaway. Haar vader, voormalig rechercheur Hathaway, is de kamergenoot van oom Max. Jenna Hathaway, dit is Monica Adair.'
Jenna staarde Monica aan met een mengeling van ontzag en ongeloof op haar gezicht en overrompelde ons volkomen toen ze Monica omarmde alsof ze haar verloren gewaande zus terugzag, en vervolgens in tranen uitbarstte.

39

'Hij is nu al een jaar zo,' zei Jenna Hathaway toen we in het felle zonlicht op het parkeerterrein naast het Sheldon Himmelfarb Verpleeghuis voor bejaarden stonden.
Ze stond met gebogen hoofd, rammelde met haar autosleutels en leek ineens jonger nu ze het over haar vader had.
'Wat bedoel je met "zo"?' vroeg Monica.
'Hij herkent niemand meer. Zijn oude vrienden niet, mijn moeder niet en mij ook niet. Ik ben alleen een vrouw die hem om de paar dagen een bezoekje brengt. Het is alsof alle namen uit zijn geheugen zijn verdwenen, op eentje na.'
'Die van jouw zus,' zei ik tegen Monica.
Monica knikte begrijpend, alsof een obsessie voor haar zus Chantal de gewoonste zaak van de wereld was, en gezien het gezelschap waarin ze zich bevond, was dat niet zo vreemd.
'Elke rechercheur heeft wel een onopgeloste zaak die hem de rest van zijn leven niet meer loslaat,' vertelde Jenna. 'En bij mijn vader was dat jouw verdwenen zus. Het feit dat zo'n jong, levenslustig meisje zomaar verdween, liet hem niet meer los. Hij is altijd met die zaak bezig gebleven en na zijn pensionering nam hij het dossier mee naar huis en bleef hij eraan werken. Het werd zijn hobby. Op een gegeven moment veranderde die hobby in een obsessie. Dag en nacht zat hij in het dossier te staren: naar de foto's, de krantenartikelen, en de vreemde aansteker die hij in de la van je zus had gevonden. Het was alsof de rest van de wereld niet langer bestond voor hem. De enige die er nog toe deed voor hem was er niet meer: Chantal.'
Dat was me al snel duidelijk geworden tijdens mijn korte bezoekje achter het gordijn. Het was de eerste onaangename verrassing geweest die ik te verwerken had gekregen. Ik was gekomen om rechercheur Hathaway vragen te stellen, maar hij draaide de zaak om en stelde mij vragen. Heb je haar gezien? Weet je wat er met haar is gebeurd? Het ene moment was ze er nog en het volgende moment was ze verdwenen. Zijn ogen stonden wazig en zijn kaak trilde. Chantal. Waar is Chantal?
'Ik heb geen idee,' had ik geantwoord.
'Ik moet hiervandaan. Ik moet haar vinden. Wil je me helpen?'
'Ik denk niet dat ik dat kan, rechercheur Hathaway.'

'Dat moet. Doe het alsjeblieft. Ze moet gevonden worden.'
'Dat willen we allemaal,' had ik geantwoord.
'Na een tijdje kon mijn moeder er niet meer tegen,' vertelde Jenna Hathaway. 'Ze griste zijn dossier weg, alles wat hij over Chantal had verzameld, en verbrandde de hele handel. Ze hoopte dat daardoor zijn obsessie voor het verdwenen meisje zou verdwijnen. Dat gebeurde niet, het zorgde er alleen voor dat hij zich nog verder in zichzelf terugtrok. En op de een of andere manier was dat voor ons beter te verdragen dan de waarheid, dat zijn obsessie voor Chantal erop wees dat er iets fout zat in zijn hoofd. Maar toen was het al te laat om er nog iets aan te doen.'
'En toch probeer je het nog steeds,' zei ik.
Op dat moment veranderde er iets in haar. Ze rechtte haar rug, de boze uitdrukking keerde terug in haar ogen en ze was niet langer Jenna Hathaway, de bedroefde dochter. In plaats daarvan was ze weer Jenna Hathaway, de zelfingenomen federale aanklaagster. Dat duurde hooguit twee seconden. Toen was de bedroefde dochter weer terug.
'Ik hoopte dat de waarheid hem zou helpen,' zei ze. 'Als hij zou weten wat er echt met Chantal was gebeurd, zou hij misschien haar naam door een andere naam in zijn geheugen vervangen.'
Monica legde haar hand op die van Jenna Hathaway. 'Ik begrijp het wel.' Op beide gezichten lag dezelfde treurige uitdrukking. Beiden hadden ouders die geobsedeerd waren door hetzelfde verdwenen meisje.
'En hoe kwam je bij Charlie terecht?' vroeg ik.
'Er was een speciaal team geformeerd dat voor eens en altijd korte metten zou maken met de overgebleven leden van de Warrick-bende. Ik werd erbij gehaald omdat ze hoopten dat ik met een belastingwet op de proppen zou komen die we ze ten laste konden leggen.'
'De Al Capone-strategie,' zei ik. Ondanks alle inbraken en moorden was het uiteindelijk een belastingwet die Capone in de gevangenis had doen belanden.
'Tijdens een van de vergaderingen,' vertelde Jenna, 'werd de naam Charlie Kalakos genoemd. Er gingen geruchten dat hij naar huis wilde komen. Hij had al eens tegen de Warrick-bende getuigd en zijn getuigenis zou deze keer de spil kunnen vormen om de rest van de bende voor eens en altijd achter de tralies te krijgen. Maar ik herinnerde me ook dat mijn vader altijd vermoed had dat er een verband bestond tussen Charlie Kalakos, de inbraak in de Randolph Stichting en het verdwenen meisje. Dus vroeg ik of ik de onderhandelingen over de deal met Charlie Kalakos mocht leiden en ik oefende druk uit op de FBI om hem op te sporen. Daarom stond de FBI voor het huis van zijn moeder toen jij daar op bezoek was.'
'En daarom doe je zo moeilijk over die deal,' zei ik.
'Ik wil erachter komen wat hij weet.'

‘Maar je wilt hem geen vrijstelling van rechtsvervolging garanderen.’
‘Als hij verantwoordelijk is voor wat er met dat meisje is gebeurd, moet hij daarvoor boeten. En als je daar problemen mee hebt, moet je het Monica maar eens vragen.’
We keken alle twee naar Monica.
‘Ik sta aan haar kant.’ Ze deed een stap naar Jenna toe.
‘Fijn, die onvoorwaardelijke steun van je,’ zei ik. ‘Oké, dan, wat vind je hiervan? Ik stel een concept samenwerkingsovereenkomst op voor mijn cliënt. Die stuur ik naar je toe en dan kun jij er je voorwaarden aan toevoegen voor de informatie over Chantals verdwijning. Dan zal ik daar een kritisch oog over laten gaan.’
Ze staarde me een paar seconden achterdochtig aan en vroeg: ‘En wat is het addertje onder het gras?’
‘Geen enkel addertje, dat beloof ik. Maar ik zou het op prijs stellen als je de stukken persoonlijk brengt zodat we het kunnen bespreken. De komende paar dagen vlieg ik van hot naar her, maar woensdagmorgen moet ik in de rechtbank zijn voor een voogdijzaak. Het kind in kwestie loopt geen gevaar, daarom heeft de rechter geen haast met die zaak en behandelt ze eerst de dringende gevallen. Ik zal wel een paar uur moeten wachten. Dat geeft ons de tijd om te praten. En misschien dat die zaak jou ook iets interessants oplevert.’
‘Wat dan?’
‘Dat vertel ik je dan wel. Geloof me, je zult niet teleurgesteld worden.’
Ze nam me aandachtig op alsof ze erachter probeerde te komen wat ik in mijn schild voerde en verlegde haar blik vervolgens naar Monica. ‘Hoe zijn jullie in vredesnaam met elkaar in contact gekomen?’
‘Ik was zelf naspeuringen aan het doen naar Chantal,’ zei ik, ‘en toen liep ik Monica tegen het lijf. Maar nog even over je vader, heeft hij je nog iets verteld over de zaak voor hij zich in zichzelf terugtrok?’
‘Alleen dat hij ervan overtuigd was dat er een verband bestond tussen de inbraak en de verdwijning en dat zijn onderzoek zich concentreerde rond vijf knullen uit dezelfde buurt. Daar was Charlie er een van.’
‘En de stichting? Geloofde hij dat er iemand van de stichting bij betrokken was?’
‘Er werkten twee vrouwen bij de stichting, die elkaar het leven zo zuur mogelijk maakten. Eentje was een jonge Latijns-Amerikaanse vrouw en de andere was een oudere vrouw. Die laatste vertrouwde hij niet, vertelde hij. Maar ik weet niet meer hoe ze heette.’
‘LeComte?’
Ze keek me verrast aan. ‘Zo heette ze, ja. Waarom ben jij zo geïnteresseerd in die zaak, Victor? Waarom ben jij überhaupt in Chantals verdwijning geïnteresseerd?’

'Weet je dat niet?'
'Nee. Hoe moet ik dat nou weten?'
'Omdat iemand dat weet. Iemand heeft ervoor gezorgd dat ik de naam van dat verdwenen meisje nooit meer zal vergeten. Ik dacht dat jij dat misschien was.'
'Ik heb geen idee wat je bedoelt.'
'Geen idee?'
'Echt niet.'
Ik keek haar onderzoekend aan. Geen grijns, geen spoor van een glimlach te bekennen. Verdomme, ik dacht dat ik er eindelijk achter was.
'Leuke meid,' zei Monica, nadat Jenna in haar auto was gestapt en wegreed. 'Zo te zien lagen jullie elkaar wel.'
'Ze zei dat ik haar een keer moest bellen om een kop koffie te gaan drinken, en weet je? Ik denk dat ik dat doe. We hebben best wel wat gemeen.'
'Vertel je haar ook wat voor werk je doet?'
'Grappig, hoor.'
'Het viel me alleen op dat jij je prettiger lijkt te voelen bij een fictieve baan en een fictief leven. Dus misschien moet je maar liegen tegen Jenna en een fictieve vriendschap met haar beginnen.'
'Victor, als je de psychoanalist wilt uithangen, moet je nog heel wat leren.'
'Je bezwaar staat genoteerd.'
'Wat?'
'Dat is advocatenjargon voor jij hebt gelijk en ik zit fout.'
'Dacht je echt dat Jenna je met die tatoeage had opgezadeld?'
'Het had gekund.'
'Je wilt er nog steeds niet aan, hè? En wat gaan we nu doen?'
'Ik denk dat het tijd wordt om mevrouw LeComte een bezoekje te brengen bij de Randolph Stichting.'
'Best, laten we gaan.'
'Ik kan beter alleen gaan, Monica. Mevrouw LeComte mag dan aan de verkeerde kant van de zeventig zijn, ze blijft een vrouw om rekening mee te houden. Waarschijnlijk zal ze al haar charmes op me loslaten en ik denk dat ik me dat lekker laat aanleunen.'

40

'Nee maar, je bent een echte Sammy Glick,' zei Agnes LeComte. Ze boog naar voren, plantte haar ellebogen op tafel en begon met een lange, zilveren lepel in haar ijsthee te roeren. We zaten op het terras van een café vlak bij Rittenhouse Square. De zon scheen fel en ze droeg een grote zonnebril. Voetgangers liepen met kwieke stappen voorbij, hun armen meedeinend op het ritme. Vrouwen glimlachten naar me in de veronderstelling dat ik met mijn oma lunchte.

'Ik kende nog zo'n Sammy Glick als jij,' zei ze, 'maar dat was lang geleden.'

'Sammy Glick?' vroeg ik.

'Wat ben je toch nog een jong broekie. Heb je een mentor, Victor?'

'Niet echt. Er zijn wel een paar mensen geweest die me op weg hebben geholpen, maar voor de rest heb ik me in mijn eentje een weg door de doolhof van de wetgeving moeten banen.'

'Ik had het niet over de wet. Wat weet ik nu van de wet af? Ik bedoelde op andere gebieden. Er valt zo veel te leren van iemand met meer levenservaring.' Ze tuitte haar gerimpelde lippen en sloeg zedig haar blik neer. 'Geloof me, ik kan het weten.'

'Ik zal niet ontkennen dat iemand met meer levenservaring me heel wat zou kunnen leren, mevrouw LeComte, maar eigenlijk wilde ik het met u hebben over die inbraak van dertig jaar geleden in de Randolph Stichting.'

'Waarom wil je daar met mij over praten?' vroeg ze, terwijl ze in haar ijsthee bleef roeren. 'Waarom stel je je vragen niet aan je cliënt? Ik weet zeker dat hij daar veel meer van afweet dan ik.'

'Dat geloof ik graag,' zei ik. 'Helaas is contact met hem een tikkeltje moeilijk op dit moment aangezien hij op de vlucht is. En ik zou graag het standpunt van de stichting over de inbraak horen.'

'O, ik heb helemaal geen zin om over die stomme inbraak te praten. Kunnen we het niet over iets anders hebben?'

'Goed,' zei ik. 'Wie is die Sammy Glick over wie u het had?'

'Je bent toch niet jaloers op een andere man?' Ze lachte. 'Sammy Glick is een figuur uit een boek van lang geleden. Hij was een jonge, joodse knul met een scherp, fretachtig gezicht, die gedreven werd door een niets en niemand ontziende ambitie.'

Mijn hand ging naar mijn kaak. 'Vindt u dat ik een fretachtig gezicht heb?'

'Uit eigen ervaring weet ik, Victor, dat een intieme relatie tussen twee mensen van uiteenlopende leeftijd voor beiden fantastisch kan zijn. De jongste leert van de ervaring van de rijpere partner en de rijpere partner geniet van de jeugd. Heb je ooit iets van Colette gelezen?'
'Nee. Is ze goed?'
'Ze is geweldig en weet als geen ander te beschrijven hoe bevredigend zo'n relatie kan zijn.'
Gatver, dit werd wel heel bizar. 'Kunnen we het over de inbraak hebben?'
'Liever niet.'
'Meneer Spurlock opperde dat ik met u over de inbraak zou praten. Hij stelt het vast niet op prijs als hij erachter komt dat u mijn vragen niet wilde beantwoorden.'
Er verscheen een zure uitdrukking op haar gezicht toen ik de naam van de directeur noemde. 'Ik werkte al bij de stichting voor hij geboren werd en geloof me, ik werk er nog steeds als hij allang van het toneel verdwenen is.'
Ze nam het stukje citroen van de rand van het glas en zette haar gelige tanden erin. Haar lippen krulden zich als die van een oude filmster. 'Wat wil je weten, Victor?'
Ik boog me naar voren en liet mijn stem dalen. 'Hoe hebben ze het gedaan?'
'Dat weet niemand zeker,' zei ze. 'Je hebt het gebouw van de stichting gezien. Het is net een fort, onneembaar, zelfs met een stormram zou je niet binnen kunnen komen. En er werden geen sporen van braak aangetroffen. De deuren zaten allemaal op slot en alle ramen waren intact. Maar net als de Grieken bij Troje hebben ze een manier gevonden om binnen te komen. Hoe ze dat voor elkaar hebben gekregen blijft een raadsel. Eenmaal binnen hebben ze de bewakers uitgeschakeld, de alarmsystemen gedeactiveerd en de sloten van de kasten en kluizen open gekregen, waarin de kostbaarste voorwerpen opgeslagen waren.'
'Zouden ze op een of andere manier het gebouw binnen geslopen kunnen zijn?'
'Er zijn twee toegangen tot het gebouw en beide werden constant bewaakt. Niemand kwam zonder toestemming binnen. En iedereen moest zich inschrijven. Zelfs ik moest me altijd in- en uitschrijven.'
'Misschien kwamen ze als bezoekers binnen en zijn ze gewoon gebleven.'
'Onmogelijk. Al in de begintijd van de stichting was meneer Randolph bang dat iemand de kunstwerken zou stelen of beschadigen. En een paar jaar voor de inbraak, toen een idioot zich met een hamer uitleefde op Michelangelo's Pietà in Rome, heeft meneer Randolph zelf alle veiligheidsprocedures aangescherpt. Bezoekers moesten zich inschrijven en elke avond na sluitingstijd werd het hele gebouw gecontroleerd. En trouwens, op de dag van de inbraak was de stichting niet geopend voor bezoekers en waren er ook geen educatieve activiteiten.'

'Zou iemand ze binnengelaten kunnen hebben? Misschien door een raam op een kier te laten slaan?'
'Alles is die avond gecontroleerd. Dat staat in de verslagen. Toch waren er een paar vreemde dingetjes. Mevrouw Chicos had bouwtekeningen van het gebouw mee naar huis genomen, dat bleek uit het register want ze had ervoor moeten tekenen, en haar vingerafdrukken werden op het dossier met de schema's van de alarminstallatie gevonden. Ze had geen van beide nodig voor haar werk en was daarom een van de voornaamste verdachten. Er kon niets bewezen worden, maar ze werd wel gedwongen om ontslag te nemen. Ik had toch al niet veel met haar op. Ze had een nogal vulgaire smaak en haar nek was te lang.'
'Te lang waarvoor?'
'Is er echt een kans dat jouw cliënt de Rembrandt teruggeeft aan de stichting?'
'Ja, die kans is reëel.'
'En de vermiste Monet? Dat was een klein werk, maar wel prachtig. Heeft je cliënt daar nog iets over gezegd?' Haar kin kwam omhoog en de rimpels in haar gezicht leken nog dieper te worden.
'Nee,' zei ik. 'Alleen over de Rembrandt.'
'Jammer. Het was een van mijn favoriete werken.'
'Ik wil u iets laten zien, mevrouw LeComte,' zei ik en ik haalde de foto van Chantal Adair tevoorschijn. 'Hebt u dit meisje ooit gezien?'
Ze pakte de foto aan en keek er aandachtig naar. 'Nee. Nog nooit. Wat een lief kind. Zou ik haar moeten kennen?'
'Waarschijnlijk niet. Weet u waar mevrouw Chicos nu is?'
'In Rochester, heb ik gehoord. Daar is ze echt op haar plek, vind je ook niet?'
'Waarom?'
'Ik heb geruchten gehoord over Rochester.'
'U vertelde dat u al eerder een Sammy Glick had ontmoet? Wie was dat?'
'Ach, Victor, iedereen heeft wel een verloren liefde, nietwaar? Sommigen blijven in het verleden hangen, anderen pakken de draad weer op. Dit was gezellig. We moeten het een keertje overdoen. Maar dan in een besloten omgeving, niet op een terras. Misschien als je wat van Colette hebt gelezen. Iemand die de jongere in zo'n speciale relatie is geweest, wil namelijk niets liever dan die ervaring doorgeven. Er is zo veel wat ik voor je zou kunnen doen, als je me de kans zou geven.'
Ik wist precies wat ze in gedachten had.

41

'Wat er met Ralphie Ciulla is gebeurd, is diep treurig.' Mijn vader zat in zijn luie stoel, nam een slok van zijn biertje en boerde. Hij vond het erg voor Grote Ralph, maar leek het zich niet persoonlijk aan te trekken. 'Dat had hij niet verdiend. Een kogel door zijn hoofd in het huis van zijn moeder.'
'Dat verdient niemand.'
'Enig idee wie het gedaan heeft?'
'Ze denken dat het iemand van de Warrick-bende was.'
'Ik wist niet dat Ralph zich had ingelaten met die idioten.'
'Hij had zich ingelaten met Charlie Kalakos. Dat was blijkbaar genoeg.'
'Zitten ze verder nog achter iemand aan?'
'Joey Pride, Charlie, en de andere twee, neem ik aan. Kennelijk zitten ze achter iedereen aan die bij de inbraak in de Randolph Stichting betrokken was.'
'Dat zou weleens een bloedbad kunnen worden.'
'Ja, daar begint het wel op te lijken.'
'Dat is erg.'
'Ja.'
'Heel erg.' Hij was stil, je kon zien dat hij erover nadacht. Niet zozeer over het mogelijke lot van de anderen en de afgrijselijke dood van Grote Ralph, maar eerder over hoe lang een respectvolle stilte na dergelijk nieuws moest duren. Na zorgvuldige overweging besloot hij dat het niet zo lang hoefde te duren. 'Zou je nog een biertje voor me willen halen?'
'Natuurlijk, pa.'
'En neem dan gelijk wat chips mee.'
Toen ik terugkwam uit de keuken met een zak chips en twee biertjes, stond de televisie aan. Vanaf het moment dat ik zijn kleine huis was binnengestapt, had hij zitten popelen om met zijn afstandsbediening de tv aan te zetten. Hij keek naar alles zolang het maar bewoog, dat bleek wel uit het feit dat hij naar een klein wit stipje staarde dat door een strak blauwe lucht scheerde.
'Golf?'
'De Phillies zitten in L.A.'
'Maar je hebt een pesthekel aan golf.'
'Behalve als ze de bal in het water slaan en zo'n jankgezicht trekken. Ik ben

gek op die jankgezichten. "O, nee, hè, ik verdien zes miljoen per jaar plus extra's, maar nu heb ik de bal in het water geslagen. Wat heb ik toch een pech."'

Ik overhandigde hem het biertje en de chips, liep vervolgens naar de televisie en zette het geluid zacht. Hij keek me geschokt aan, als een kind bij wie net een lolly uit zijn handen is gegrist.

'Wat doe je nou, verdomme?' Hij zette het geluid harder met zijn afstandsbediening.

Ik zette het geluid weer zacht. 'We moeten praten,' zei ik.

'Wat, wil je de verkering tussen ons uitmaken?' Hij zette het geluid weer harder. 'Geen probleem. Gewoon weggaan en de deur achter je dichttrekken.'

'Johnny Miller gaat zeggen dat die vent belazerd heeft geput. Moet je dat per se horen?'

'Het geeft er wat jeu aan.'

'We moeten praten,' zei ik, 'over waarom jij mevrouw Kalakos een gunst schuldig bent. Daar slaat ze me constant mee om de oren.'

Hij staarde me een paar tellen aan, dacht na, en zette toen het geluid van de tv uit. Hij trok zijn biertje open en nam een slok. Ik ging in de stoel schuin tegenover hem zitten en trok mijn eigen blikje open.'

'Dat kwam door mijn moeder,' zei hij.

'Mijn moeder was kunstenares,' zei mijn vader, terwijl de golfspelers in stilte op het scherm voorbijtrokken. 'Tenminste, dat vond ze zelf.'

'Ik kan me niet herinneren dat oma Gilda schilderde.'

'Dat was voor jij geboren werd. Ons huis stond altijd vol met haar schilderijen. Ze was ook dichteres en ze hield van zingen. Het speelde zich allemaal af toen ik nog een kind was, nadat we van North Philly naar Mayfair waren verhuisd.'

'Dus toen woonde je in de buurt van de familie Kalakos?'

'Ja. Er was een schildercursus in het buurtcentrum en elke dinsdag- en donderavond stopte mijn moeder haar tubes verf en kwasten in haar houten schildersdoos en ging ze naar les. En raad eens wie dezelfde cursus volgde?'

'Mevrouw Kalakos?'

'Precies. Op een avond hing ik met mijn vrienden rond bij het buurtcentrum toen de les net was afgelopen. Ik zag mijn moeder naar buiten komen met haar schort en haar schildersdoos in de hand. Het vreemde was dat ze lachte, wat niet vaak gebeurde. Naast haar liep een lange, boerse vent die een beetje krom liep en ook lachte. Hij had een glimmend, kaal hoofd en een pijp tussen zijn meisjesachtige lippen. Niet bepaald een knappe vent, maar die hufter maakte mijn moeder wel aan het lachen. Zijn naam was Guernsey.'

'Guernsey?'
'Net als de koe. Na die avond merkte ik dat ze zich afwezig gedroeg. Daarvoor liep ze mijn vader altijd te commanderen en tegen mij zeurde ze dat ik me niet genoeg inzette en niets in mijn leven zou bereiken. Daar hield ze mee op, alsof ze andere dingen aan haar hoofd had. Een tijd lang was de sfeer in huis zelfs aangenaam, maar op een avond ging ze naar cursus en kwam ze niet meer terug.'
'Guernsey.'
'Ze belde mijn vader zodat hij zich geen zorgen zou maken. Ze vertelde dat ze niet meer terugkwam, bij Guernsey was ingetrokken en kunstenares werd. Ze was nog jong, in de dertig, en zei dat ze het benauwde wereldje als vrouw van een schoenmaker zat was. En dat ze weg wilde nu het nog kon.'
'Hoe nam opa het op?'
'Niet best. De donderdagavond erna stond ik samen met hem bij het wijkcentrum te wachten tot de schilderles afgelopen was. Toen iedereen naar buiten kwam, stapte mijn vader op haar af. Hij smeekte haar thuis te komen. Ze weigerde. Hij begon in het Jiddisch tegen haar te schelden en zij schold net zo hard terug. Hij was zo woedend dat hij Guernsey te lijf wilde gaan. Ik hield mijn vader tegen terwijl die lange, kromme vent angstig terugdeinsde voor zijn kleine vuisten en het op een lopen zette. Ik herinner me dat ik gaten in zijn zolen zag toen hij als een angsthaas wegrende. Mijn moeder duwde mijn vader omver voor ze achter Guernsey aan ging. Het was een hele heisa en toen het was afgelopen – de heisa, het huwelijk, de hele rataplan – stapte mevrouw Kalakos, die alles had gezien, op mijn vader af.
'Ze zei: "Jij geen zorgen maken", in gebroken Engels met dat zware Griekse accent. Mijn vader, die nog op de grond lag, keek haar aan met een zielige en tegelijkertijd hoopvolle blik in zijn ogen. "Een vrouw en moeder, zij in eigen huis horen. Ik haar terugbrengen naar jou." En dat deed ze ook. Een paar weken later beende ze ons huis binnen met mijn moeder in haar kielzog, die gedwee volgde en een koffer bij zich had. Ze gingen met zijn drieën om de tafel zitten en praatten het uit.'
'Hoe dan?' vroeg ik.
'Geen idee. Ze stuurden mij naar buiten. Toen ik terugkwam was het alsof het nooit was gebeurd. Mijn moeder deed het huishouden, mijn vader liep neuriënd rond, zij commandeerde hem weer en hij liet dat met een glimlach toe. Dat was het. Er werd nooit meer over gepraat.'
'Die oma Gilda toch.'
'Voor mijn gevoel lag er sinds die tijd altijd een droevige blik in haar ogen. Ze schilderde niet meer, maakte geen gedichten meer en zong ook niet meer. Mijn vader bleef mevrouw Kalakos altijd dankbaar. Elke keer dat hij haar zag, herinnerde hij me eraan wat ze gedaan had en zei hij dat ik het nooit mocht vergeten.'

'Wie had dat van oma Gilda gedacht?'
'Daarom ben ik die oude dame iets schuldig. Kan het geluid nu weer harder?'
'Wil je er niet verder over praten? Hoe voelde je je toen dat speelde?'
'Verloren, verlaten, ik miste een arm om me heen.'
'Meen je dat?'
'Maak het nou. Het was gewoon iets wat gebeurde. Maar zo gauw ik kon, ging ik bij het leger. Ik wilde zo snel mogelijk het huis uit.'
'Dat kan ik me voorstellen.'
'Mooi, dan hebben we dat ook weer gehad.' Hij richtte de afstandsbediening op de televisie en de golfcommentatoren gingen verder met hun gebazel.
We zaten een tijd naar het golfen te kijken tot de zon langzaam onderging en het honkbal begon. Je kunt veel zeggen over honkbal op televisie, maar het is in elk geval beter dan golf. Ik haalde nog een paar biertjes voor ons beiden en terwijl ik mijn bier dronk, dacht ik aan mijn oma.
In mijn herinnering was ze oud en klaagde ze altijd. Ze was nooit blij en leek nooit tevreden met haar leven. Maar ooit had ze een grote stap gezet en was ze in zonde gaan leven met die lompe boer van een Guernsey en had ze zich op schilderen toegelegd. Het was bijna romantisch, een vrouw die haar rustige leventje als huisvrouw achter zich liet en voor de liefde en de kunst koos. Zoals Helena die Menelaos verliet voor Paris, of Louise Bryant die haar saaie leventje de rug toekeerde voor John Reed, of Pattie Harrison die George verliet voor Eric Clapton. Dat waren de heldinnen van epische verhalen, van Oscar-winnende films, van klassieke rockballades. En mijn oma had een paar weken lang deel uitgemaakt van dat illustere gezelschap.
Ik vroeg me af of het een succes zou zijn geweest. Zou ze gelukkiger zijn geweest als ze bij Guernsey was gebleven? Het zat er dik in dat ze hem na een paar wittebroodsweken aan zijn hoofd was gaan zeuren over de afwas in de gootsteen, de rondslingerende kleren op de grond, zijn gebrek aan ambitie, en het feit dat hij haar nooit mee uit dansen nam. Zover was het nooit gekomen, omdat mevrouw Kalakos daar een stokje voor had gestoken.
De drie wraakgodinnen uit de Griekse mythologie zijn drie zussen die de aarde afspeuren naar zondaars om te martelen. Een van de drie, Megaera, was een verschrompeld oud wijf met vleermuisvleugels en een hondenkop. Die dreef haar slachtoffers vaak tot zelfmoord met haar pesterijen. Ik durf te wedden dat ze ook slappe thee dronk en haar gordijnen dicht hield. Ik durf te wedden dat ze wierook brandde om de stank van haar pestilente adem te verbergen. Ik durf te wedden dat ze tegen vrijheid en risico's was, tegen vrije wil, en tegen elke kans om vooruit te komen en iets anders te worden dan wat het lot voor je in petto had.
'Ik heb trouwens nog een boodschap voor je,' zei mijn vader.

Ik voelde me nerveus worden. 'Van mevrouw Kalakos?'
'Nee, van die Joey Pride. Hij wil met je praten. Hij zei dat hij je morgenochtend om dezelfde tijd voor je appartement zou oppikken.'
'Dat kan niet. Je moet hem bellen. Zeg dat hij dat niet moet doen.'
'Vertel het hem zelf maar. Ik bel hem niet, hij belt mij.'
'Pa, ik word de hele tijd gevolgd. Volgens mij hebben ze me ook gevolgd naar Ralph. En ze zijn op zoek naar Joey. Als hij me voor mijn appartement oppikt, vinden ze hem.'
'Dan heeft Joey pech.'
'Pa.'
'Als hij belt, zal ik het zeggen.'
'Het ziet er slecht uit.'
'Voor Joey misschien.'
'Dat kan je niets schelen, hè?'
'Het was tuig,' zei hij. 'Altijd geweest en dat zal altijd zo blijven. Als ze bij die inbraak betrokken waren zoals jij zei, dan hebben ze te hoog gegrepen en nu betalen ze daar de prijs voor. Zo gaat het altijd. Je moet je grenzen kennen.'
'Zoals jouw moeder.'
'Precies. Toen ze terug was, deed ze al haar schilderijen weg. Ze heeft nooit meer een kwast aangeraakt.'
'Waren haar schilderijen eigenlijk goed?'
'Dat niet. Maar ze was dol op schilderen.'

42

De volgende ochtend was ik al vroeg op kantoor, deed ik wat onbenullig papierwerk en pleegde ik een paar telefoontjes. Daarna vertrok ik naar het gemeentehuis.

Het gemeentehuis van Philadelphia huist in een monstruositeit van een gebouw, dat precies in het centrum van William Penns plan voor de stad staat. Bijna twee hectare aan metselwerk dat in de barokke stijl van het tweede Franse Keizerrijk is opgetrokken. Het complex is groter dan welk ander gemeentehuis in Amerika dan ook, het is zelfs groter dan het Capitool. De granieten muren op de begane grond zijn ruim zesenhalve meter dik en het bronzen beeld van Billy Penn is het grootste beeld ter wereld dat boven op een gebouw staat. En om aan te geven hoe groot dat complex is: zo'n tien jaar geleden hebben ze zevenendertig ton duivenstront van de daken en beeldhouwwerken geschraapt. Kun je nagaan! Dat is wel heel veel stront, zelfs voor een gebouw dat voor politici werd ontworpen. Iemand die niet weet te verdwalen in het gemeentehuis van Philadelphia, doet niet erg zijn best.

Ik nam de toegangsdeur in het zuidwestelijke kwadrant, beklom de brede granieten trap naar de eerste verdieping en ging op weg naar het kantoor van de protonotarius. Dat is de plaatselijke benaming voor het kantoor van de griffier. Zo noemen we in Philadelphia een flinke biefstuk met een paar plakken vette kaas 'gezond eten', en 'wethouder' is onze benaming voor een crimineel. Ik dook naar binnen, keek om me heen, dook de gang weer op, maar zag geen verdachte figuren in de hal rondlopen. Ik besloot mezelf op een uitgebreide rondleiding door het gebouw te trakteren en begon bij het kantoor van de burgemeester. Er stond een agent voor de deur zodat de FBI niet naar binnen kon sluipen om voor de tweede keer afluisterapparatuur aan te brengen. Ik nam de lift naar de derde en liep langs het Marriage License Bureau, waar je een trouwvergunning kon aanvragen en langs het Orphans' Court. Met beide had ik godzijdank nog nooit te maken gehad. Ik daalde een imposante trap af naar de tweede verdieping en toen ik de kantoren van de wethouders passeerde, voelde ik mijn normen- en waardenbesef in een vreemde draaikolk verdwijnen. Ik keek even om me heen bij de lift en ging terug naar de eerste verdieping.

De agent voor het kantoor van de burgemeester nam me aandachtig op toen ik langsliep. 'Zoek je soms iets?' vroeg hij.

'Ja,' antwoordde ik, 'helaas kan ik het niet vinden.'
Ik slenterde verder en nam de trap naar de begane grond. Ik bevond me nu in het noordoostelijke kwadrant van het gebouw. Ik liep naar buiten en stak snel mijn hand op.
Een gedeukte, oude gele taxi stopte pal naast me en ik dook de achterbank op. De taxi reed een minuut of tien kriskras door de stad en zoefde toen in noordelijke richting over Broad.
'Ik neem aan dat er een goede reden is voor dit dramatische gedoe?' klonk Joey Prides stem vanachter het stuur.
'Ik wil gewoon dat er zo min mogelijk bloed vloeit,' zei ik.
'Over wiens bloed hebben we het?'
'Het jouwe.'
'In dat geval mag je net zo dramatisch doen als je maar wilt. En je hebt me in elk geval een leuke koerier gestuurd.'
'Ja, hè,' zei ik en ik grijnsde naar Monica Adair, die naast me zat. Toen ik 's ochtends op kantoor aan het werk was geweest, stond Monica voor mijn appartement op Joey te wachten om hem naar het rendez-vouspunt te brengen. Ik had niet ontdekt wie me volgde – ik was per slot van rekening geen Phil Skink, die op vijftig meter afstand nog een muizenstaart kon ontdekken – maar na wat er met Charlie in Ocean City was gebeurd, had ik voor de zekerheid een paar voorzorgsmaatregelen getroffen.
'Jij wilde me spreken, Joey?'
'Die fijne cliënt van je probeert me te besodemieteren,' vertelde Joey, 'en ik wilde hem via jou laten weten dat hij zich ver beneden peil gedraagt, gezien ons verleden.'
'Hoor ik te weten waar je het in vredesnaam over hebt?'
'Misschien moeten we haar eerst afzetten voor we verder praten.'
'O, maak je geen zorgen om Monica,' zei ik. 'Alles wat ik mag weten, mag zij ook weten. In haar beroep krijgt ze dagelijks geheimen te horen.'
'Goed dan. Herinner je je die vreemde vogel nog over wie we het hadden voor Ralph werd vermoord, die ons die honderdjes gaf?'
Lavender Hill. Verdomme. 'Ja, die herinner ik me nog.'
'Hij heeft weer contact met me opgenomen. Hij vertelde dat hij bijna een deal rond had met Charlie en dat Charlie, uit de goedheid van zijn verschrompelde Griekse hart, besloten had wat mijn deel wordt als de deal doorgaat.'
'En wat wordt jouw deel?'
'Hij vond dat ik een vijfde moest krijgen omdat we destijds met zijn vijven waren.'
'Dat klinkt logisch.'
'Dertig jaar geleden misschien, maar nu niet meer. Ralph is dood. We hebben Teddy na de inbraak nooit meer gezien en als je bedenkt waarmee hij er

destijds vandoor ging, verdient hij ook geen cent meer. En Hugo zal zijn deel niet opeisen, dat kan ik je verzekeren.'
'Wat bedoel je daarmee?'
'Dat is niet belangrijk. Waar het mij om gaat, is dat ik de helft zou moeten krijgen.'
'Mij best, maar laat mij erbuiten. Het zijn illegale zaken, dus ik wil er niet bij betrokken worden.'
'Je bent er al bij betrokken, Victor. Jij bent degene die alles heeft opgezet.'
'Dat weet je niet.'
'Het zou anders nooit opgezet kunnen zijn, dus doe nu niet alsof je zo onschuldig bent als een pasgeboren lammetje. Zeg tegen onze gezamenlijke vriend dat hij eerlijk deelt, anders krijgt hij problemen.'
'Wat voor problemen, Joey?'
'Hij heeft toch nog een moeder en een zus, of niet soms? Die hebben een huis, of niet soms? En het is niet slim om een wanhopig man die op de vlucht is voor spoken uit het verleden oneerlijk te behandelen.'
'Heb je dat gehoord, Monica?'
'Ik heb het gehoord.'
'Dat is een dreigement en dat is strafbaar. En het is mijn plicht misdrijven te melden waarvan ik getuige ben.'
'Ik heb een mobieltje bij me,' zei ze.
'Je belt niet, hoor!' Joey klonk boos.
'Dat is niet nodig,' zei ik. 'Ik zal je een goede raad geven, Joey. Laat mevrouw Kalakos met rust. Die hakt je in mootjes en trekt soep van je botten.'
Hij dacht daar even over na terwijl hij over Broad reed en steeds dichter bij haar territorium en zijn verleden kwam. 'Ze is een oude vrouw.'
'Niet oud genoeg. Jouw zorgen over een eerlijke verdeling staan genoteerd en hoewel ik uiteraard niet buiten mijn boekje mag gaan, zal ik kijken of ik je klachten kan overbrengen.'
'En daar moet ik het mee doen? Een vage belofte waarmee je alle kanten uit kunt?'
'Ja.'
'Nou, oké dan.'
'Mooi zo. Ik heb ook nog een paar vragen voor jou.' Ik boog me naar voren, haalde een foto uit mijn zak en hield hem de foto voor. Tijdens het rijden wierp hij afwisselend een blik op de foto en op de weg.
De taxi slingerde plotseling naar links, er werd nijdig getoeterd en de taxi slingerde terug.
'Blijf op je eigen rijstrook!' schreeuwde Joey uit het raam.
'Herken je haar?' vroeg ik.
'Nee.'
'Dat zeg je wel, maar die slingering zegt iets heel anders.'

'Kijk nog een keer,' zei Monica. 'Alsjeblieft.'
Joey wierp een nerveuze blik in het achteruitkijkspiegeltje.
'Haar naam was Chantal Adair,' zei ze. 'Ze was mijn zus.'
'Je zus?'
'Ze is achtentwintig jaar geleden verdwenen. Zou je alsjeblieft nog een keer willen kijken?'
Hij keek nog een keer naar de foto. 'Nooit eerder gezien.'
'Dat zei Charlie ook, maar hij loog, net als jij,' zei ik.
'Dus je noemt me een leugenaar?'
'Rustig maar. Vertel eens wat er gebeurde nadat Teddy jullie die toespraak gaf. Wanneer vertelde hij dat een inbraak in de Randolph Stichting jullie laatste kans op succes was?'
'Diezelfde avond. Hij legde het plan voor en liet ons toen alleen om erover na te denken. Ik had al een keer in de gevangenis gezeten en dat wilde ik nooit meer. Ralph was altijd zo eerlijk als goud en Charlie was er gewoon het type niet voor. Maar toen Teddy vertrok, begon Hugo op ons in te praten. Hij zei dat we altijd hadden gedroomd over de kans om ons leven te veranderen en dat die kans nu voor het grijpen lag. Het enige wat ervoor nodig was, was het lef om ervoor te gaan.'
'Hij was er vanaf het begin bij betrokken.'
'Hugo?'
'Nou en of,' zei ik. 'Hoe kon Teddy anders zoveel over jullie levens weten? Toen ik je verhaal hoorde, dacht ik meteen al dat een van jullie gerekruteerd was voor Teddy ooit een voet in die bar zette.'
'Hugo. Verdomme.'
'Dus jullie vieren besloten de stap te wagen.'
'Weet je, door al dat gepraat over je leven in eigen hand nemen en iets nieuws worden, raakten we gewoon in een roes, alsof we ons lam gezopen hadden. Dus besloten we mee te doen en Teddy had voor elk van ons een taak in gedachten.'
'Jij was degene die het inbrekersalarm moest uitschakelen.'
'Ja, dat, en de auto besturen. Teddy had de elektrische schema's in handen weten te krijgen. Het zag er ingewikkeld uit, het leek net een bord spaghetti, maar uiteindelijk vond ik een manier om het alarm uit te schakelen. Een leiding is een leiding, stroom is stroom, zo moeilijk is het niet om dat naar je hand te zetten.'
'Wat was Ralphs taak?'
'Hij fungeerde als de sterke man van het team. En tijdens de voorbereiding voor de kraak zette hij stiekem een hele werkplaats op in de kelder van zijn moeders huis. Hij zou al het goud en zilver dat we buitmaakten omsmelten tot iets wat we konden verkopen zonder dat het naar ons terug te leiden was.'

'Wat is er na afloop met het gereedschap gebeurd?'
'We hebben alles in de kelder begraven. We hebben de betonnen vloer opengebroken, een gat gegraven en het gereedschap erin gedumpt, samen met onze kleding en de wapens die we hadden gebruikt om de bewakers mee in bedwang te houden. Daarna hebben we er een laag snelhardend beton over gestort. Zover ik weet, ligt het er allemaal nog.'
'Begraven in de kelder zodat er nooit meer iets naar jullie terug te leiden was.' Ik maakte een aantekening in mijn geheugen om Sheila de makelaar een belletje te geven. 'En Charlie moest zeker de kluis voor zijn rekening nemen?'
'Als hij hem open kreeg. Zo niet, dan zouden we het ding opblazen, vertelde Teddy. Toen hij ons zijn plan voorlegde, was het allemaal "als dit, dan dat, zo niet, dan dat."'
'Hoe zijn jullie binnengekomen?'
'Dat was Hugo's afdeling. Hugo was een sluwe, harde vent. Hij was nog leper dan een oude vos.'
'Hoe is het hem gelukt?'
'Ik praat niet over Hugo.'
'Waarom niet?'
'Je weet toch wat ik je heb gezegd over spoken? Sommige zijn gevaarlijker dan andere. En ook minder vluchtig.'
'Vertel ons dan hoe dat meisje in die puinhoop terechtkwam.'
'Welk meisje?'
'Het meisje op de foto, Joey. Chantal Adair.'
'Ik heb haar nog nooit eerder gezien.'
'Joey?'
'Oké dan, ik geef het toe. Ik herken haar foto. Ik heb die foto eerder gezien, want hij heeft in alle kranten gestaan. Rond de tijd van de inbraak verdween er een meisje. Zij is toch dat meisje?'
'Ja, zij is dat meisje,' zei Monica.
'Maar zij was niet degene die de hele tijd bij ons in de buurt rondhing toen we bezig waren met de voorbereidingen.'
'Waar heb je het over?' vroeg ik. 'Wie hing er bij jullie rond?'
'Teddy was net de rattenvanger van Hamelen. Alle kinderen waren dol op hem. Hij had altijd wel wat snoep of een speelgoedje bij zich. Zo was hij gewoon. Er was een knulletje dat altijd om hem heen hing, als een mot om een kaars. Een knulletje met stroblond haar.'
'Hoe heette hij?' vroeg Monica.
'Jezus, hoe moet ik dat nu weten? Ik heb geen flauw idee,' zei Joey.
'Ik wel,' zei ik.

43

Soms is het een hele kluif om iemand te vinden. Soms kan dat dagen, maanden of jaren duren, zelfs als je een heel leger agenten inzet. Soms ligt een complete zaak stil omdat een belangrijke getuige niet gevonden kan worden. Soms is het een hele kluif en soms is het een fluitje van een cent.
'Wat moet jij hier?' schreeuwde hij.
Het rook bedompt in de smerige kamer. De vloer was bezaaid met kruimels en kleren en het beddengoed lag in een verkreukelde hoop aan het voeteneinde. Ik rook de weeïge geur van oud zweet. Hij zat achter zijn computer en het scherm veranderde plotseling van een onsmakelijke mengeling van huidtinten met her en der wat rood, in een foto van een heuvellandschap onder een licht bewolkte hemel.
'Niemand mag hier binnenkomen,' klonk het nijdig. 'Sodemieter op. Alle twee.'
Hij droeg een groezelig T-shirt, een rafelige onderbroek, een paar zwarte sokken en een bril. Hij had kwabbige armen, was ongeschoren en had harige benen. Toen hij zich naar ons omdraaide, lag er een verontwaardigde uitdrukking op zijn gezicht, alsof hij een imam was wiens moskee ontheiligd werd door de inval van een stel kruisridders.
'Hallo, Richard,' zei ik. 'Hoe gaan de zaken?'
'Monica,' jammerde hij, 'zorg dat hij weggaat.'
Ze keek naar de puinhoop, schudde haar hoofd, boog zich voorover en raapte een flodderige joggingbroek op. Ze smeet de broek naar haar broer.
'Trek aan,' zei ze.
Hij hield de broek voor zijn kruis. 'Ga weg. Alsjeblieft.'
'Nee, we hebben een paar dingen te bespreken,' zei ik.
'Monica?'
'Trek je broek aan, Richard,' zei ze.
Hij keek naar zijn zus, toen naar mij en vervolgens nog een keer naar zijn zus voor hij opstond en zich omdraaide. Zijn huid had de kleur van een hardgekookt ei, zijn kont was uitgezakt en zijn nek zat vol pukkels. Tot ik Richard Adair in zijn ondergoed zag, had ik niet beseft hoe gezond het is om lekker in de buitenlucht te wandelen. Met zijn rug naar ons toe trok hij zijn joggingbroek aan, daarna keerde hij zich om.
'Gaan jullie nu weg?'

Ik liep naar zijn bureau, dat vol lag met restjes eten, lege frisdrankblikjes, stukjes papier, tijdschriften en opgerolde panty's. Panty's? Ik friemelde met de muis tot het heuvellandschap weer plaatsmaakte voor de onsmakelijke mengeling van huidtinten. Ik hield mijn hoofd scheef en staarde een paar tellen naar het scherm tot ik ineens de verschillende ledematen, borsten, lippen en piemels kon onderscheiden.
'Zo, zo,' zei ik, 'druk bezig met onderzoek voor onze website, Richard?'
Hij stak zijn hand uit en drukte een knop in waarop het scherm zwart werd.
'Wat moet je?'
'Zoals ik al zei, hebben we een paar dingen te bespreken.'
'Wat voor dingen?'
Ik wees naar het zwarte computerscherm. Hij staarde er een paar tellen naar en draaide zich naar zijn zus toe. Ze schokschouderde.
'Echt?'
'Ja,' zei ik. 'We willen erover praten.'
'Monica?'
'We hebben het erover gehad,' zei ze. 'Ik ben bereid om te luisteren.'
'Goed. Fantastisch.' Hij wreef in zijn handen. 'Ik wist wel dat je haar zou overhalen, Victor. Dit wordt een succes, dat weet ik zeker. Ga toch zitten.'
'Waar?' Ik keek om me heen.
'Hier.' Hij trok de sprei over de warboel aan lakens en dekens. 'Ga hier maar zitten.'
Ik keek naar de smerige sprei die over zijn bed lag, schudde mijn hoofd en leunde tegen de deurpost aan. 'Ik blijf wel staan.'
'Monica, ga toch zitten.' Hij gebaarde naar het bed.
Ze ging aarzelend zitten en hield haar handen veilig in haar schoot.
'Mooi zo,' zei Richard. Hij draaide zijn stoel om, ging zitten en boog zich naar voren als een verkoper die een deal denkt te sluiten. 'Ik heb aardig wat ervaring met dit soort websites en ik weet zeker dat die van ons een groot succes gaat worden. We beginnen met een paar foto's en een chatroom. Ik zal de chatroom voor mijn rekening nemen. Ik weet wat die gasten willen horen en hoe ik ze geld afhandig moet maken. En ik zal alle e-mails beantwoorden. In de toekomst kunnen we misschien iets met een webcam doen, maar dat is voor later, als je wat meer gewend bent aan alles. Voorlopig beginnen we klein. Een paar foto's, een paar advertenties, we rekenen een klein bedrag om online met Monica te mogen praten, en we verkopen een paar spulletjes.'
'Wat voor spulletjes?' vroeg ik.
'De gebruikelijke dingen: ondergoed en andere spulletjes die Monica heeft gedragen.'
'Doet het je helemaal niets, Richard, om foto's van mij op zo'n site te plaatsen?'

'Het zijn alleen foto's, digitale stipjes, meer niet. Het is niet echt. Vertrouw me, Mon. Zeker de helft van die meiden op de sites die grof geld opleveren, haalt het op geen stukken na bij jou. Het gaat erom hoe je het brengt. Je houding en zo.'
'Hoe zit het met de foto's?' vroeg ik.
'Die zal ik wel maken. Ik heb een camera. We kunnen wel iets in de kelder opzetten met een paar lakens of zo als achtergronddecor. Of als je dat liever hebt, mag jij die foto's ook wel maken, Victor. Dat vind ik best.'
'Wat voor soort foto's moet ik dan maken?'
'Het hoeft geen harde porno te zijn. Nog niet. Als haar lekkere kont, die lange benen en haar borsten er maar op staan. Misschien dat je een pruillip kunt trekken, Mon, terwijl je je topje omhoog houdt. Het is gewoon een lokkertje zodat ze hun portefeuilles trekken.'
'En jij wilt echt dat ik dat doe?' vroeg Monica.
'Het zijn alleen maar foto's,' zei hij. 'En dat gaat bakken met geld opleveren, veel meer dan je nu verdient bij die vrekken van advocaten. Je hoeft niets te doen wat je niet wilt, Mon. En we kunnen een andere naam voor je verzinnen als je dat wilt.'
'Waarom noemen we haar niet Chantal?' vroeg ik.
Zijn hoofd draaide met een ruk mijn kant uit, alsof ik hem vol in zijn gezicht had geslagen, en de enthousiaste blik in zijn ogen verdween.
'Ik bedoel, als we consequent willen zijn, kunnen we net zo goed de naam van de zus gebruiken die ook al slachtoffer van je is geworden.'
'Waar heb je het over? Waar heeft hij het over, Mon?'
'We hebben het over Teddy,' zei ik. 'We willen weten hoe jouw vriend Teddy Chantal in handen kreeg.'
'Monica?'
'Ik neem het je niet kwalijk, Richard. Jij was net zo goed een slachtoffer als zij. We willen gewoon weten wat er gebeurd is.'
'Niets. Ik weet niets. Dat heb ik jullie al verteld. Dat heb ik iedereen verteld. Niets.' Maar zijn lip trilde.
'O, Richard, lieverd,' zei Monica. Ze stond op, liep naar haar broer, knielde bij hem neer en legde haar hoofd op zijn been. 'Je hebt het zo lang verzwegen dat je er vanbinnen door verteerd wordt.'
Richard probeerde iets te zeggen, zijn lippen begonnen steeds heftiger te trillen, zijn ogen werden vochtig, maar het enige wat hij op jammerende toon uitbracht, was: 'Mon.'
'Kijk toch om je heen, Richard,' zei ze. 'Moet je zien hoe je leeft. Kijk alleen al naar deze kamer. Je bent mijn grote broer, mijn held, maar je zou jezelf nu eens moeten zien. De waarheid vertellen kan niet erger zijn dan zo te moeten leven.'
'En hoe zit het dan met de website?' vroeg hij.

'We zijn hier niet voor die website,' zei ik. 'We zijn hier voor Chantal.'
Hij huilde met jammerende uithalen en de tranen stroomden over zijn wangen. 'Maar ik weet niet wat er gebeurd is,' bracht hij tussen het snikken door uit, 'echt niet.'
Monica kwam overeind, nam zijn lelijke, natte gezicht in haar handen en trok hem tegen zich aan. Ook zij huilde nu.
'Vertel ons gewoon wat je weet, lieverd,' zei ze.
'Nee.'
'Het is goed. Alles is goed.'
'Nee, het is niet goed.'
'Het komt weer goed, dat beloof ik,' zei ze. 'We zullen haar vinden. Dat weet ik gewoon, dat voel ik, dat heeft ze me laten weten. Maar we hebben jouw hulp nodig.'
'Ik kan het niet.'
'Natuurlijk kun je dat wel, lieverd. Vertel ons gewoon wat er is gebeurd.'
En tussen het snikken door kwam eindelijk het hele verhaal eruit.

Ricky Adair was een knulletje geweest dat graag rondzwierf door de buurt, de straten, de steegjes, en in het kleine Disston Park naar eekhoorntjes zocht. Hij was een eenling die altijd op straat was te vinden. In die tijd was de buurt nog een veilige plek en moeders lieten hun kinderen gewoon buiten spelen. Ga lekker buiten spelen. Ga een frisse neus halen. En dat deed hij, hij zwierf door een landschap dat zijn wortels in de harde werkelijkheid had, maar doorvlochten was met zijn fantasie. Het spookhuis aan Ditman, de trol die Algard Street terroriseerde, de enge heks die samen met de vleermuizen in de schemering boven de Our Lady of Consolation-kerk aan Tulip vloog. En op een van zijn tochtjes had hij de Halloween Man ontmoet, die op een stoepje in een steeg een sigaret rookte.
'Hallo, knul,' had hij geroepen toen hij Richard zag. 'Woon je hier in de buurt?'
'Ja, hier niet zo ver vandaan.' Ricky bleef op veilige afstand. Hij had de man nog nooit eerder gezien.
'Wil je een sigaret? Natuurlijk wel.'
Ricky deed een stap achteruit. Hoewel zijn moeder en vader beiden rookten, had niemand hem ooit eerder een sigaret aangeboden en nu bood deze man hem er een aan. Hij vond het heel spannend. Hij was negen. 'Nee, bedankt.'
'Zeker weten?'
'Ik mag niet roken.'
'Een stukje kauwgom dan?'
'Graag.'
'Kom dan.' De man haalde iets uit zijn zak.

Ricky stapte behoedzaam op de man af, die zei dat hij dichterbij moest komen en zijn hand moest uitsteken. De man legde met een klap zijn hand op die van Ricky en hield hem daar een paar tellen, alsof hij een goocheltruc deed. Toen de man zijn hand weghaalde, lag er een reepje kauwgom in een glinsterende groen met zilverkleurige wikkel in zijn hand en een sigaret.
'Niet verder vertellen, hoor,' zei de man met een vriendelijke glimlach. 'Dit is ons geheimpje.'
'Best.'
'Kom morgen terug, dan tover ik een doosje lucifers uit je oren.'
'Ik mag niet met lucifers spelen.'
'Maak je niet druk, knul. Als jij het niet verklapt, zal ik het ook niet doen.'
'Oké,' zei Ricky, waarna hij de steeg uit rende met zijn kauwgom, zijn sigaret en zijn geheim.
De volgende dag kreeg hij een doosje lucifers en een grote toverbal waar hij de hele dag op sabbelde voor hij de zoete, rode kern bereikte. De dag daarna gaf de Halloween Man hem een reep chocola en een toverdoosje waarin je een kwartje kon laten verdwijnen. Hij liet twee keer een kwartje verdwijnen voor hij Ricky vertelde hoe het werkte. De dag daarna kreeg Ricky nog een reep chocolade en een fluitje.
'Hé, knul,' zei de Halloween Man. 'Heb je ook vriendjes?'
'Niet echt.' Dat was de droevige waarheid. Hij was niet goed in sport of muziek en hij was ook niet vlot gebekt; hij was eigenlijk nergens goed in. Ricky had geen vrienden. 'Maar ik heb wel een zusje.'
'Heus? Hoe oud is ze?'
'Zes.'
De scheve grijns werd breder. 'Neem haar de volgende keer mee, dan krijgt zij ook wat.'
De volgende dag nam Ricky zijn kleine zusje, Chantal, mee. Hij had erover nagedacht, het van alle kanten bekeken, en volgens hem was het een slimme zet. Chantal had beloofd om hem de helft te geven van alle repen die de Halloween Man haar gaf. Ricky wist zeker dat het geen kwaad kon. Hij voelde gevaar instinctief aan, dat was zijn talent, alsof hij een speciale radar in zijn achterhoofd had. Hij voelde het als de vreemde man in de bibliotheek te veel interesse in hem toonde of als de zacht grommende hond op de loer lag om hem te bijten zodra hij binnen het bereik van de ketting kwam. Hij voelde gevaar aan en bij de Halloween Man bespeurde zijn radar niets. Elke keer dat Ricky langskwam, zat de man op het stoepje in de steeg. Soms was hij alleen en soms waren zijn vier vrienden bij hem: een reus van een vent met een enorme kaak; een kleine donkere man; een dik mannetje met een rond gezicht; en een knappe man die altijd een spijkerbroek droeg. Als Ricky dan langskwam, hielden ze ineens op met praten alsof ze een geheim hadden. De Halloween Man zei dan: 'Hallo, knul,' gaf hem wat snoep, een

klopje op zijn hoofd en stuurde hem weer weg. Niets aan de hand. Niets om je zorgen over te maken. Gewoon gratis snoep, gratis speelgoed en die scheve grijns. Dus nam hij op zekere dag Chantal mee om de buit te vergroten. Maar toen hij Chantal meenam naar de Halloween Man, veranderde alles.
'Hallo, knul.' De Halloween Man, die was opgestaan, keek niet naar hém maar naar zijn zusje. 'En wie hebben we daar?'
'Mijn zusje,' zei Ricky. 'Chantal.'
'Wat een mooie naam.' De Halloween Man stak zijn hand uit en boog zich naar haar toe. 'Aangenaam kennis met je te maken, Chantal. Mijn naam is Teddy. Wat vind jij leuk om te doen?'
'Dansen,' zei ze.
'Zo, zo.'
'Ik ben op televisie geweest.'
'Nee, maar. Echt waar?'
'Bent u de man van het snoep?' vroeg Chantal.
'In eigen persoon,' zei hij. 'Wat vind je het lekkerst, Chantal? Chocolade, spekkies, toverballen?'
'Noga,' zei ze.
'Noga? Ik weet niet eens wat noga is,' zei de Halloween Man met een brede grijns.
'Ik ook niet,' bekende Chantal. 'Maar in de reclame op tv zeggen ze dat het heel lekker is.'
'Dan krijg jij de volgende keer noga. Je komt de volgende keer toch weer mee, hè?'
Chantal haalde haar schouders op.
'Steek je hand eens uit,' zei de Halloween Man.
Dat deed Chantal. De Halloween Man legde zijn twee grote handen om haar kleine handje en hield ze daar een paar tellen. Toen hij ze weghaalde, lagen er ineens een Milky Way en een dollar in haar hand.
'Alsjeblieft, knul.' De Halloween Man gooide Ricky ook een Milky Way toe voor hij naar binnen verdween.
Als je iets de schuld kon geven van wat er later gebeurde, dan was het die dollar. De Halloween Man had Ricky nog nooit een dollar gegeven.
'Daar krijg ik ook de helft van,' zei Ricky.
'Die is van mij.'
'Maar we hadden een afspraak.'
'Ik heb alleen beloofd dat je de helft van mijn reep zou krijgen.'
'Dat is niet eerlijk.'
'Hij gaf hem aan mij.' Er lag een zelfvoldane glimlach rond haar mond. 'Zorg zelf maar dat je er een krijgt.'
Dat was Chantal ten voeten uit.
Ze was een egoïstisch krengetje met die rode schoentjes en die schattige

kuiltjes in haar wangen. Lieve Chantal. Schattige Chantal. Knappe Chantal die zo mooi kon dansen. Het lievelingetje van iedereen. Chantal was de ster van de familie; het lieve meisje dat iedereen inpakte met een glimlach, een knipoog of een danspasje. Als er volwassenen bij waren, was ze altijd lief, vrolijk en gehoorzaam. Het was altijd: ja, mammie; nee, mammie; alsjeblieft, mammie; en ik hou heel veel van je, mammie, met dat onschuldige stemmetje. Maar als ze alleen met hem was, gedroeg ze zich als een gemeen kreng, ze pikte zijn spullen en deelde nooit iets met hem. Hij ergerde zich rot aan alle aandacht die ze kreeg, aan de complimentjes die altijd voor haar waren, aan de cadeautjes en het speelgoed, aan de kussen en omhelzingen en aan het feit dat iedereen altijd naar haar keek wanneer ze in de kamer was, net alsof hij niet bestond. Daar kwam nog eens bij dat hij altijd de standjes kreeg. Hou je mond, Richard en zit stil. Chantal is aan het dansen. Ga je gang, lieverd. Doe het nog maar een keer.
En nu deed de Halloween Man hetzelfde. Hij had alleen nog maar aandacht voor haar, zij kreeg een dollar en hem werd een Milky Way toegegooid alsof hij een hond was. Ricky was te boos en te jaloers om te beseffen dat er gevaar school in de overdreven interesse van de Halloween Man voor Chantal. Het feit dat hij haar naam keer op keer noemde, dat hij haar zijn eigen naam wel vertelde maar Ricky niet en dat hij haar handje net iets te lang vasthield. Dat had hem moeten waarschuwen, maar zijn radar werd geblokkeerd door bittere wrok, en dat allemaal door die ene dollar. Of misschien was de waarheid wel dat hij ondanks alle wrok het gevaar wel voelde, maar dat het hem gewoon niets kon schelen.

'Vanaf die tijd,' zei Richard, die zijn tranen wegveegde met zijn arm, 'vond ik het niet zo leuk meer om bij de Halloween Man langs te gaan. Toen we er een keer met zijn tweetjes waren, zei hij tegen mij dat ik even buiten moest blijven wachten en nam hij Chantal mee om haar iets in de kelder te laten zien. Toen ze terugkwam, straalde ze helemaal alsof ze het mooiste cadeau ter wereld had gekregen dat ze nooit, maar dan ook nooit, met mij zou delen. Ze wilde nooit iets delen.'
'Wat had ze gekregen?' vroeg ik.
'Een aansteker. Een gouden aansteker. Ik mocht hem niet eens proberen. Daarna had ik geen zin meer om bij hem langs te gaan.'
'Chantal ging nog wel?'
'Ze liet me altijd het snoep zien dat hij haar gaf en dan lachte ze me uit omdat ik niet meer ging. En dan was er ook nog die aansteker, die ze in een la had verborgen. Ze speelde er altijd mee als mam niet in de buurt was.'
'De gouden aansteker die de rechercheur vond.'
'Ja, die.'
'Wat gebeurde er toen ze verdween?'

'Ik weet niet precies wat er gebeurde. Maar toen het gebeurd was, wist ik meteen dat het de Halloween Man was geweest, die Teddy.'
'Heb je dat aan iemand verteld?'
'Niet meteen. Dat durfde ik niet. Ik had haar meegenomen naar hem. Het was mijn schuld. Mam en pap zouden me vermoord hebben, ze zouden me op straat hebben gezet.'
'Je was pas negen,' zei Monica. 'Je was een kind. Jij kon dat niet weten.'
'Maar ik wist het wel, dat was het juist. Toen Chantal weg was, veranderde thuis alles ineens. Ik kreeg niet langer te horen: "Zit stil, Richard, hou je mond. Chantal is aan het dansen." Toen was het: "O, Richard, lieve Richard, blijf toch thuis. Thuis ben je veilig." Ik werd overstelpt met liefde en aandacht. Ze lieten me niet meer naar buiten gaan en dat vond ik allang best, echt, want toen Chantal weg was, was het weer mijn huis en was ik de ster. Ik. En eerlijk gezegd wilde ik niet dat ze terugkwam.'
'Haatte je haar zo erg?' vroeg Monica.
'Nee. Ja. Ik weet het niet.'
'Je zei dat je dat niet meteen aan iemand had verteld toen ze verdween. Heb je het later wel aan iemand verteld?'
'Aan die rechercheur. Hij nam me apart en beloofde dat hij niets van wat ik zei aan mam en pap zou vertellen. Dus toen heb ik het hem verteld.'
'Aan rechercheur Hathaway.'
'Ja. Hij was heel aardig. Hij heeft nooit gezegd dat het allemaal mijn schuld was. Hij zei dat hij de Halloween Man voor me zou opsporen, maar dat is hem nooit gelukt.'
'Oké, Richard,' zei ik, 'dat was het.'
'Dat is alles?'
'Dat is alles, ja. Bedankt.'
Hij keek naar zijn zus met een angstige, wanhopige uitdrukking op zijn gezicht. 'Ga je het aan mam vertellen?'
'O, lieverd.' Monica knielde weer bij hem neer. 'Je was pas negen.'
'Zeg het niet tegen mam.'
'Je kunt niet zo blijven leven, dat kan gewoon niet. Je kamer moet opgeruimd worden en je moet weer naar buiten.'
'Ik vind het hier fijn.'
'Je kunt niet zo doorgaan, echt niet.'
'Maar dat wil ik.'
'O, Richard, lieve Richard. Kijk toch eens wat hij met je gedaan heeft. Wat hij met ons allemaal gedaan heeft.'
Ik liet de twee alleen, de man met agorafobie en de vrouw die haar lichaam tentoonstelde in een stripclub; broer en zus. Ik liet de twee alleen achter in die kamer, in tranen, in complete ontreddering. En Monica had gelijk, hij had hun dit aangedaan, hun allemaal. Om maar te zwijgen over wat hij

Chantal had aangedaan of nog steeds aandeed. Want misschien had Monica het vanaf het begin toch goed gezien. Toen die hufter er met al het geld vandoor was gegaan, had hij Chantal misschien ook meegenomen. Gewoon meegenomen. Meegenomen naar zijn nieuwe leven, waar hij met haar kon doen wat hij maar wilde, zonder problemen, zonder consequenties. Tenminste, nog niet.

Maar ik zou hem opsporen. Ik zou hem vinden. En Chantal ook. Dat was voor mij net zo kristalhelder als de tatoeage op mijn borst. Ik zou hem vinden en hem laten boeten en ik wist precies waar ik zou beginnen.

Maar eerst moest ik een boodschap afleveren.

44

Ik koos de meest onwaarschijnlijke ontmoetingsplek die je maar kon bedenken. Dirty Frank's. De naam zei het al. En dan de wc's. Gatver!
In een vervallen pand op de hoek van 13th en Pine huisde Dirty Frank's, dat officieel bekendstond als drankhol. Van oudsher het toevluchtsoord voor bebaarde motorrijders en magere, kettingrokende studenten van de kunstacademie. Het had een laag plafond, gammele tafels en stoelen, beschikte over een gestage toeloop van norse klanten en over een prachtige jukebox met alle klassiekers op 45-toerensingles. Het stond er altijd blauw van de rook en het stonk er naar verschaald bier en oud zweet.
Ik was met opzet aan de late kant, zodat de ambiance goed tot zijn bleke, zachte huid zou doordringen. Hij zat tussen twee dronken motorrijders aan de bar met een glas wijn voor zich.
'Ik wist niet dat ze in deze tent rode wijn serveerden,' zei ik.
Lavender Hill, die in paars fluweel was gehuld, snoof verachtelijk. 'Dat doen ze ook niet,' zei hij. 'Dit is ossenpies vermengd met lamsbloed en een snufje jodium.'
'Ach, de specialiteit van het huis.'
'Leuke tent heb je uitgezocht,' zei hij.
'Voor jou is alleen het allerbeste goed genoeg, Lav. Dit leek me de perfecte plek om onopvallend onze clandestiene zaakjes af te handelen.'
'Misschien dat jij niet opvalt in dat pak van je, Victor, wat is dat in vredesnaam – jute? – maar voor mij gaat dat niet helemaal op, mocht het je nog niet opgevallen zijn. Als je me een hint had gegeven over het soort etablissement waar je me naartoe stuurde, zou ik mijn zwartleren jumpsuit aangetrokken hebben.'
'Ik geef het eerlijk toe. Dat had ik graag willen zien.'
'O, je zou aangenaam verrast zijn geweest, geen twijfel aan. Maar intussen zit ik hier wel dit afgrijselijke brouwsel te drinken; mijn ogen tranen van de rook en dat is de pest voor mascara; en die neanderthalers aan weerszijde van me staan op het punt een kotswedstrijd te houden.'
Een van de motorrijders die wezenloos voor zich uit staarde, kwam plotseling tot leven toen hij Lavenders woorden hoorde en zei: 'Wat zei je?'
'Die opmerking was niet voor u bedoeld, beste man,' zei Lavender Hill. 'Kruip maar weer terug in uw bier. Het enige pluspuntje aan dit etablisse-

ment, Victor, is de zeer reële kans op een kroeggevecht. De perfecte afsluiting van een gezellig avondje uit, nietwaar?'
'Ik ben niet echt het type voor een kroeggevecht.'
'Dat dacht ik al.'
'Maar dat lijkt me ook geen favoriete bezigheid van jou.'
'Je moest eens weten wat mijn favoriete bezigheid is. Misschien dat we beter op een rustigere plek kunnen praten. Aha, kijk, daar is een leeg tafeltje.' Hij stond elegant van zijn barkruk op. 'Zou jij een paar biertjes willen bestellen? Voor dat brouwsel dat ze hier wijn noemen, zou een varken nog zijn neus ophalen.'
Hij trippelde nuffig naar het lege, smerige tafeltje met de krakkemikkige stoelen. De barkeepster liep mijn richting uit en samen keken we hem na. Het was een hele show. Toen Lavender bij het tafeltje stond, keek hij er met een treurige blik naar. Hij haalde zijn zakdoek tevoorschijn en drapeerde het over een van de stoelen voor hij behoedzaam plaatsnam.
'Is dat een vriend van je?' vroeg de barkeepster, een goed uitziende vrouw die een zwart T-shirt droeg.
'Een zakenrelatie.'
Ze wierp een blik op het volle wijnglas. 'Hij vond de wijn zeker niet lekker.'
'Niet bijzonder.'
'Ik snap niet waarom. Het kwam uit een nieuw pak.'
'Zijn smaak is te verfijnd voor zijn eigen bestwil.'
'Misschien wel,' zei ze, 'maar wat ruikt hij allejezus lekker.'
'Een kan Yuengling en twee glazen graag,' zei ik en ik legde een tientje op de bar.
Lavender zat aan het tafeltje en was naarstig op zoek naar een plekje dat schoon genoeg was om zijn ellebogen op te laten rusten. Zonder succes. Hij wierp me een geïrriteerde blik toe en legde zijn kleine handen toen in zijn schoot. Ik ging tegenover hem zitten en leunde naar voren.
'Ik heb begrepen dat jij contact hebt gehad met mijn cliënt.'
'We hebben gecommuniceerd. Ik heb geen idee hoe hij aan mijn nummer kwam' – hij knipoogde – 'maar hij beschikte over mijn nummer en de laatste tijd hebben we regelmatig contact gehad. Heeft hij je verteld over onze gesprekken?'
'Nee.'
'Hoe wist je dat dan?'
'Joey Pride.'
'Aha, onze recalcitrante meneer Pride. Het was nog een hele klus om hem te vinden na wat er met zijn vriend was gebeurd.'
'Hoe heb je hem opgespoord?'
'Daar heb ik zo mijn manieren voor.'
'Heb je hem aan de telefoon gehad of persoonlijk ontmoet?'

'Hij was niet bereid tot een persoonlijke ontmoeting na de betreurenswaardige dood van zijn vriend.'
'Dat was niet betreurenswaardig. Dat was moord.'
'Weet de politie dat zeker?'
'Hij was door zijn hoofd geschoten.'
'Wat beestachtig. Zelfmoord is uitgesloten, neem ik aan?'
'Hij kreeg twee kogels in zijn hoofd. Nadat hij in zijn knie was geschoten. En er werd ook geen wapen bij hem aangetroffen.'
'Ik begrijp het. Slordig werk, vind je niet? Maar ja, de training die ze tegenwoordig krijgen is dan ook abominabel. Inderdaad, dan lijkt moord de meest waarschijnlijke doodsoorzaak. Tja, dat is treurig, maar wellicht niet zo treurig als dit etablissement.'
'Joey vertelde me dat hij niet gelukkig is met de deal die Charlie voorstelt. Hij wil geen vijfde, hij wil de helft.'
'Wat uiterst voorspelbaar. Maar ik ben bang dat zijn deel misschien de helft van niets wordt. Het enthousiasme dat jouw cliënt aanvankelijk aan de dag legde om mijn bod te accepteren, lijkt verdwenen.'
'Twijfelt hij?'
'Ja, helaas wel. Alle partijen hadden er hun voordeel mee kunnen doen, maar die jammerende sukkel blijft maar bazelen over zijn moeder.'
'Hij is nogal verknocht aan haar.'
'Wat treurig. Zijn jij en je moeder ook zo dik met elkaar, Victor?'
'Niet echt.'
'Dat betekent dat de familieband toch nog ergens knelt. Kom maar terug wanneer je zo'n bloedhekel aan haar hebt dat je jaren nadat ze haar in een smerige lap moerasgrond hebben begraven, nog de onbedwingbare neiging hebt om op haar graf te spugen, dan kunnen we tenminste praten. Nee maar, we hebben bezoek.'
'Waar?' Mijn hoofd schoot van links naar rechts. De enige die ik zag was de barkeepster die met een dienblad onze kant uit kwam. 'Nee, ze brengt alleen het bier dat ik had besteld.'
'Zij niet. Op tafel.'
Daar was hij, bij mijn elleboog. Ik trok mijn elleboog razendsnel terug en de vadsige, bruine kakkerlak sprintte naar de rand van het tafeltje, draaide zich om en bleef toen stilstaan, terwijl zijn antenneachtige voelspriet lichtjes heen en weer zwaaide. Hij begon op volle snelheid terug te rennen toen een kan bier uit de hemel viel en de geleedpotige plette. Twee druppels schuimend bier vlogen uit de kan en belandden op tafel.
'Hier is jullie bier,' zei de barkeepster. Bam, bam. Twee glazen werden met een klap op tafel gezet. 'Als jullie nog een kan willen, geef je maar een schreeuw.'
Lavender Hill keek me met een geamuseerde twinkeling in zijn ogen aan.

Het bruin van zijn irissen paste perfect bij het bruine ding dat een paar tellen geleden nog over de tafel had gerend. Lav lachte toen hij de kan oppakte en twee glazen vol schonk. Terwijl hij inschonk, zag ik door het bier heen de bruine levenloze vlek die aan de onderkant van de glazen kan vastgekleefd zat.

'Soms ben je de kan,' zei Lav, 'en soms ben je de kakkerlak. Ik wil dat jij een goed woordje voor me doet bij je cliënt. Overtuig hem ervan dat deze deal het beste voor hem is.'

'Overtuig hem ervan dat hij een misdaad moet begaan, bedoel je. Nee, bedankt.' Ik nam een grote slok bier. Grappig, het smaakte fantastisch; koel en verfrissend. Misschien zouden ze onder elke kan bier een kakkerlak moeten pletten, in navolging van de worm in de tequila.

'Ik heb een idee,' zei Lav op schijnheilige toon alsof het idee hem net te binnen was geschoten. 'Misschien zou je met de moeder moeten praten. Ik heb begrepen dat je met haar in contact staat. Je zou haar kunnen vertellen wat volgens jou de meest winstgevende en veiligste handelswijze voor haar zoon is. Dan adviseer je Charlie niet om een misdaad te begaan, maar doe je iets wat hem misschien het leven redt.'

'Als je Charlies moeder wilt overtuigen, ga je je gang maar, het zal je niet helpen. Zij wil dat haar zoon naar huis komt, daar gaat het allemaal om. En geloof me, Lav, je wilt haar niet in de weg staan.'

'O.' Er verscheen een glimlach om zijn pruillippen. 'Ik denk dat ik haar wel aankan.'

'Neem dan maar een heel leger mee, want dat zul je nodig hebben.' Ik sloeg het laatste restje van mijn bier achterover, zette het glas neer en liet mijn stem dalen. 'Voor wie werk je eigenlijk?'

'Een van de dingen waarvoor ik betaald word, is discretie, iets wat jij eens zou moeten leren.'

'O, als het nodig is kan ik best discreet zijn, maar bepaalde dingen blijven me dwarszitten. Er werden twee schilderijen gestolen van de Randolph Stichting: de Rembrandt en een Monet. Je hebt alleen naar de Rembrandt gevraagd. Waarom?'

'Omdat alleen de Rembrandt in de kranten werd vermeld.'

'Dat zal best, maar zo'n slimme jongen als jij, eentje die zoals je me herhaaldelijk hebt verteld altijd zijn huiswerk doet, weet genoeg om in elk geval naar beide te vragen.'

'De verzamelaar die ik vertegenwoordig, is niet geïnteresseerd in het andere werk.'

'Dat gaat er bij mij moeilijk in. Als hij is zoals je hem beschrijft, zou hij niets liever willen dan twee meesterwerkjes in één illegale klap slaan.'

'Wie kan de onpeilbare dieptes van de obsceen rijken doorgronden? Fitzgerald had gelijk, de rijken zijn anders dan jij en ik.'

'Ja, ze betalen veel minder belasting. Toch was het een beetje vreemd dat je niet naar dat tweede schilderij vroeg. Alsof jouw verzamelaar vanaf het begin wist dat Charlie maar de hand op eentje kon leggen. Hoe kon hij dat weten?'
'Wat hij wel of niet weet, zal me een zorg zijn.'
'En hoe wist jij dat je Ralph en Joey moest benaderen toen het erop leek dat je aanbod geen gewillig oor vond? Waarom die twee?'
'Oude vrienden van Charlie.'
'Niet alleen oude vrienden, ze waren wel iets meer, nietwaar? Ook zij vonden dat ze aanspraak op het schilderij konden maken en dat wist jij. En op de een of andere manier wist jij ook van mijn vader af.'
'En je punt is?'
'Ik denk dat jij voor iemand werkt die betrokken was bij wat zich dertig jaar geleden heeft afgespeeld. Ik denk dat jij voor iemand werkt die geen moer geeft om dat schilderij, maar die er wel geld voor overheeft om alles stil te houden. En misschien is het niet genoeg om Charlie af te kopen. Misschien moet jij de anderen ook zover zien te krijgen dat ze hun mond houden. Zoals Ralph? En Joey, als je hem maar persoonlijk kon spreken en niet per telefoon? Koop de getuige om of vermoord hem? Het maakt niet uit. Als iedereen zijn mond maar houdt.'
Lav klapte sarcastisch in zijn handen. 'Wat ben je toch een slim jongetje! Een aardige theorie, helaas zit je er met je lasterlijke woorden compleet naast. Als ik Ralph had vermoord, zou het binnen de kortste keren als zelfmoord de boeken in zijn gegaan, neem dat maar van me aan. En je idee dat het schilderij niet van het grootste belang zou zijn? Fout, fout en nog eens fout. Het enige wat ik wil, is die Rembrandt, geloof me. Daar krijg ik voor betaald en ik zal betaald krijgen. En jouw opmerking dat het mijn opdrachtgever vooral om hun stilzwijgen is te doen? Ik weet niet wat zich in de spelonken van zijn ziel afspeelt, maar waarom zou hij dat in vredesnaam willen? Ik ben geen advocaat, maar ik weet wel dat die inbraak verjaard is. Waarom zouden er dan mensen vermoord moeten worden om het verhaal stil te houden?'
Ik haalde een foto uit mijn jaszak en schoof hem over tafel. Hij pakte hem op, keek ernaar en schoof hem terug. 'Ik ben niet zo gek op kinderen,' zei hij.
'Haar naam is Chantal Adair. Die foto is van dertig jaar geleden. Ze verdween rond dezelfde tijd als de Rembrandt. Er is nooit meer iets van haar gehoord.'
Hij trok de foto weer naar zich toe, keek ernaar en beet op zijn lip terwijl hij nadacht.
'Dat wil jouw cliënt geheimhouden,' zei ik.
'Is ze dood?'

‘Misschien. Of misschien maakt ze wel deel uit van zijn illegale verzameling en wordt ze net als een gestolen schilderij in een afgesloten kamer bewaard en komt iemand af en toe een kijkje bij haar nemen. Wie zal het zeggen?’
‘Maar jij bent vastbesloten om haar te vinden. Is dat het?’
‘Precies.’
‘Tot er genoeg geld wordt geboden om een oogje dicht te knijpen.’
‘Zoveel geld bestaat niet.’
‘Kom nu toch, Victor, natuurlijk wel. Dat zou jij onderhand moeten weten.’
‘Dat denk ik niet.’ Ik trok mijn das los en knoopte langzaam mijn overhemd open.
Lavender keek snel om zich heen of we geen belangstelling trokken voor hij over tafel leunde. Hij keek toe terwijl mijn borstkas centimeter voor centimeter ontbloot werd. Toen ik hem de tatoeage liet zijn, werden zijn ogen groot. Hij las de naam en er verscheen een brede grijns op zijn harde gezicht.
‘Je zit vol verrassingen!’
‘Waarom sluiten wij geen deal, Lav? Jij en ik?’
‘O, ja, dolletjes.’ Hij wreef begerig in zijn handen. ‘Ik vroeg me al af wanneer onze delicate onderhandelingen zouden beginnen. Wij zijn van hetzelfde soort, Victor. Dat voelde ik meteen al. En, wat zijn je voorwaarden?’
‘Ik zal je aanbod doorgeven aan mevrouw Kalakos, verder kan ik niet gaan, maar ze is slim genoeg om het te begrijpen, en zelfstandig genoeg om sowieso haar eigen beslissingen te nemen.’
‘Prachtig. Je zult Charlie en het schilderij naar mij toe moeten brengen als er een deal wordt gesloten.’
‘Ik kan hem en het schilderij alleen naar de politie brengen.’
‘Ik vertrouw hem niet. En jou vertrouw ik om een of andere reden wel. Als er een deal wordt gesloten, moet jij ervoor zorgen dat het schilderij en ik bij elkaar komen als twee geliefden. En uiteraard bescherm je je cliënt dan meteen tegen mijn moordzuchtige bedoelingen.’
Daar dacht ik even over na. Welke beslissing Charlie ook nam over het schilderij, ik zou erbij betrokken moeten worden, dat besefte ik. Want de kans dat Charlie het geld zou krijgen of een kogel, lag ongeveer gelijk. En ik had mevrouw Kalakos beloofd dat ik hem gezond en wel bij haar zou afleveren, deels omdat ze me de stuipen op het lijf joeg en deels vanwege de schuld die mijn familie aan haar had.
‘Best. Als hij een deal wil sluiten, zal ik helpen bij de overdracht, maar alleen om Charlie te beschermen.’
‘Fantastisch. En in ruil daarvoor?’
‘In ruil daarvoor ga jij nu linea recta naar je cliënt toe en geef je hem een boodschap van mij.’
‘En die boodschap is?’

'Zeg hem dat ik eraan kom.'
Lavender Hill keek me een paar tellen schuin aan en barstte in een venijnige schaterlach los. Er lag een waarschuwing in verborgen, maar ook oprechte geamuseerdheid. Hij lachte zo hard dat hij de aandacht trok, maar daar leek hij zich nooit iets van aan te trekken. Nadat hij was uitgelachen, glimlachte hij nog steeds, zelfs toen hij me hoofdschuddend aankeek alsof ik een ondeugend jongetje was dat hem aan het lachen had gemaakt.
'Ik had je toch verkeerd ingeschat,' zei Lavender Hill. 'Kennelijk ben je toch het type voor een kroeggevecht.'

45

Family Court, het laatste bastion van onze beschaving, waar vaders en moeders met groot gevoel voor decorum en de beste intenties er alles aan doen om de meest geschikte voogdijregeling voor hun kind te vinden. Ja, en hockey wordt gespeeld door tengere mannen met fantastische gebitten.

We zaten in de rechtszaal te wachten tot rechter Sistine kwam opdagen. Een advocaat die strafzaken deed, besteedde een groot gedeelte van de dag aan rondhangen en wachten, en dat beviel me best. Vandaag zou Bradley Hewitt getuigen in de voogdijzaak die Theresa Wellman tegen hem had aangespannen en ik beschikte over belazerd weinig ammunitie om mee te werken.

Nadat Theresa Wellman het getuigenbankje had verlaten, had Beth de dagen tot de volgende zitting doorgebracht met het vergaren van bewijsstukken over Theresa's rehabilitatie, haar nieuwe baan, haar nieuwe huis en haar nieuwe leven. We hadden zo goed mogelijk aangetoond dat het misschien geen complete ramp was als Belle parttime bij haar moeder zou wonen. De vraag of Theresa wel of niet geschikt was om voor haar dochter te zorgen, was eigenlijk de gemakkelijkste beslissing die de rechter moest nemen. Daarnaast moest ze ook nog beslissen of gedeelde voogdij, in plaats van het kind fulltime bij Bradley te laten wonen, wel het beste was voor Belle. Bradley Hewitt, met zijn mooie pakken en zijn beleefde manieren, zijn prachtige huis en zijn goede baan, zou een mooie show opvoeren. Eerlijk gezegd wist ik niet goed hoe ik kon aantonen dat gedeelde voogdij een betere oplossing was. Maar ik had een plan en rondhangen en wachten hoorde daarbij.

Bradley Hewitt, zelfverzekerd en zelfgenoegzaam, zat naast zijn advocaat, Arthur Gullicksen.

Zijn entourage was als een stel zwarte raven op de eerste rij van de publiekstribune achter hem neergestreken. Net toen Gullicksen zelfverzekerd naar me glimlachte, ging de deur van de rechtszaal open.

We draaiden ons allemaal om. Jenna Hathaway kwam binnen.

Ik wierp een snelle blik op Gullicksen. Er lag een peinzende uitdrukking op zijn gezicht. Hij kende haar, uiteraard. Ik zou hem alles over haar verteld hebben, maar ik had mijn huiswerk gedaan en wist dat het niet nodig was. Een van zijn cliënten, een vooraanstaand lid van een oude, gedistingeerde familie, had niet alleen bezittingen voor zijn vrouw verborgen, wat al erg genoeg was, maar hij had ze ook verborgen voor de fiscus. Jenna Hathaway was als een wrekende engel op hem neergedaald en had ervoor gezorgd dat hij een jaartje of zeven in de gevangenis in Morgantown werd opgeborgen. Ik liet Gullicksen nog een paar tellen langer in onzekerheid voor ik opstond en naar Jenna toe liep.

'Bedankt voor je komst,' zei ik zachtjes.

'Weet je zeker dat dit een goede plek is om te praten?' vroeg ze.

'Geen enkel probleem. Er is altijd wel een spoedeisende zaak die de rechter voor laat gaan omdat het kind in kwestie gevaar loopt, dus het kan nog wel even duren. Deze zaak loopt al langer dan *Cats*. Heb je de conceptsamenwerkingsovereenkomst nog bekeken?'

'Veel te beperkt, en jij durft dat als een volledig uitgewerkte overeenkomst te presenteren? Ik heb er een paar bladzijden aan toegevoegd.'

Ze reikte in haar aktetas en haalde er de grote rode map uit waarin ik haar het concept had toegestuurd. Toen ik hem aannam, keek ik snel opzij naar Gullicksen. Hij hield zijn ogen op ons gericht terwijl hij zijn cliënt iets toefluisterde.

'Ik heb de terminologie over Charlies getuigenis aangepast en mogelijke strafrechtelijke consequenties toegevoegd in verband met Chantal Adair,' zei ze.

'Ben je onredelijk geweest?'

'Misschien vind jij van wel.'

'Je vindt het toch niet erg, hè, als ik zelf ook nog een paar veranderingen aanbreng?'

'Je zei dat je iets voor me had?'

Ik maakte haar opmerkzaam op Bradley Hewitt, die ons geschrokken aanstaarde. Ik gebaarde naar hem, wel zo subtiel dat het niet theatraal werd, maar ook zo duidelijk dat hij het niet kon missen.

'Weet je wie dat is?'

'Nee,' zei ze.

'Zijn naam is Bradley Hewitt. Er wordt een onderzoek naar hem ingesteld vanwege die smeergeldzaak, je weet wel, waarin de FBI het kantoor van de burgemeester afluisterde, maar betrapt werd. Die Hewitt is een van de tussenpersonen die de burgemeester gebruikt en vandaag moet hij getuigen. Misschien is het interessant om te horen wat hij te zeggen heeft.'

'Ik werk niet aan die zaak.'

'Denk je niet dat jullie grote baas graag wil weten wat hij vandaag te vertellen heeft?'

'Is het iets interessants?'

'Zou kunnen,' antwoordde ik.

Ze wierp een blik door de rechtszaal en keek even op haar horloge. 'Oké, dan. Bedankt, Victor.'

Ik zwaaide met de map. 'Jij bedankt dat je deze hebt gebracht.'
Ik klemde de grote rode map stevig tegen mijn borst aan, beende zelfverzekerd door het middenpad, deed het hekje open, liep terug naar mijn plek, trok mijn stoel naar achteren, en ging zitten. Gullicksen stond naast me voor ik goed en wel zat.
'Wat doet zij hier?' vroeg hij.
'Het is een openbare rechtszaal. Ze zal de show wel willen zien, neem ik aan.'
'Wat zit er in die map?'
'Van alles,' zei ik. 'Ditjes en datjes.'
'Ik laat je geen vragen stellen over zijn zakentransacties.'
'Als die transacties illegaal zijn en er wordt een onderzoek naar hem ingesteld, denk je dan niet dat het van invloed kan zijn op de voogdijzaak?'
'Dat mag je er helemaal niet bij halen.'
'Doe me een lol, Arthur, en vraag je cliënt of ze in La Famiglia een lekkere kalfskotelet serveren.'
Op dat moment besloot rechter Sistine haar entree te maken.
'Iedereen opstaan,' galmde de bode. We stonden allemaal op. Ze kwam kordaat de rechtszaal binnen en nam plaats.
Iedereen ging zitten.
'De zaak-Wellman tegen Hewitt,' kondigde de bode aan.
'Waar waren we gebleven, mensen?' vroeg de rechter. 'Ik meen me te herinneren dat meneer Hewitt vandaag in het getuigenbankje zou plaatsnemen. Bent u klaar om te beginnen, meneer Gullicksen?'
'Mogen we nog een paar minuten overleggen, edelachtbare?' vroeg Gullicksen.
'U hebt ruim een halfuur de tijd gehad omdat er een spoedzaak tussen kwam. Was dat niet genoeg?'
Gullicksen keek even mijn kant op en zei: 'Bepaalde opmerkingen van meneer Carl wijzen erop dat we mogelijk tot een schikking kunnen komen in deze zaak. Het lijkt me in ieders belang om dat eerst uit te zoeken.'
'Hoe lang gaat dat duren?' vroeg de rechter.
'Een kwartiertje, hooguit,' zei Gullicksen.
'Goed dan. En ik moet zeggen, meneer Gullicksen, dat het hartverwarmend is om te horen dat twee partijen proberen samen te werken in het belang van hun kind. U krijgt uw vijftien minuten.'

'Wat betekent dit allemaal, meneer Carl?' vroeg Theresa Wellman toen we in de gang zaten te wachten terwijl Gullicksen op zijn cliënt inpraatte om hem tot rede te brengen.
'Het betekent dat er een schikking komt,' zei ik, 'als je niet te hebberig wordt.'

'Wat dacht je van de weekenden, Theresa?' vroeg Beth. 'Bradleys advocaat probeert hem ervan te overtuigen om daarin toe te stemmen. Laat Belle doordeweeks bij Bradley wonen, dan kan ze ook op die particuliere school blijven.'
'Ik wil haar de hele tijd bij me hebben,' zei Theresa. 'Ze is mijn dochter.'
'En ze is ook Bradleys dochter,' zei Beth. 'Als je doordeweeks ook voor haar moet zorgen, krijg je misschien problemen op je werk. Op deze manier komt ze terug in je leven en kun je tegelijkertijd je nieuwe leven verder uitbouwen. Als we te veel eisen en Bradley zegt nee, blijf je misschien met lege handen achter. Zie dit als een cadeautje en kijk hoe het loopt.'
'Ik weet het niet.'
'Denk erover na,' zei Beth. Ze keek op haar horloge. 'Je hebt nog tien minuten om ja te zeggen.'
Theresa Wellman liep bij ons weg om erover na te denken. Er lag iets triomfantelijks in haar houding.
'Wat zat er in die rode map?' vroeg Beth toen Theresa buiten gehoorsafstand was.
'De samenwerkingsovereenkomst voor Charlie Kalakos.'
'Ik zou niet graag door jou aangeklaagd worden,' zei ze. 'Gisteren heb ik trouwens het huis laten inspecteren.'
'En?'
'Er moet een nieuwe verwarmingsketel in, nieuwe waterleidingen en het dak lekt.'
'Dus je koopt het niet?'
'Natuurlijk wel. Sheila was bij me en ze was dolenthousiast. Ze ging over de vraagprijs onderhandelen.'
'Beth, dat huis valt van ellende bijna uit elkaar.'
'De inspecteur zei dat het skelet van het huis goed was.'
'Je kunt niet wonen in een skelet.'
'Mijn hypotheekaanvraag is goedgekeurd en volgende week teken ik het definitieve koopcontract. Wil jij meekomen als mijn advocaat?'
'Ga je niet een beetje overhaast te werk?'
'Sheila zegt dat het een buitenkansje is.'
'Sheila is makelaar, die zegt alles om haar commissie op te strijken.'
'Ik vind haar aardig.'
'Ik ook. Dat is het punt niet.'
'Wat is het punt dan?'
'Denk je heus dat een huis de oplossing is voor wat je dwarszit? Wat dat ook mag zijn?'
'Heb je gezien hoe gelukkig Theresa was? Ze heeft echt haar leven veranderd, denk je ook niet?'
'Laten we het hopen. Al was het maar voor Belle.'

‘Theresa inspireert me. Als zij het kan, kan ik het ook.’
‘En een huis is het antwoord?’
‘Het is een begin. Tijdens de inspectie liep ik door alle kamers en stelde ik me voor hoe ze eruit zouden zien als ik ermee klaar was. Ik zag iedereen al gezellig in mijn nieuwe keuken zitten tijdens een feestje.’
‘Je geeft nooit feestjes.’
‘Als ik een huis heb wel.’
‘En die keuken is een grote puinhoop.’
‘Maar ’s morgens heb je daar wel zon.’
‘Ja, in april.’
‘Ik zag het al helemaal voor me. Na zo’n feest hoeven mijn vrienden niet naar huis, maar kunnen ze in de logeerkamer slapen. En ik zou thuis in mijn kantoortje kunnen werken, wanneer ik maar wilde.’
‘En wat zag je in de kinderkamer?’
‘Heb je er soms problemen mee dat ik een huis koop, Victor?’
Was dat zo? Was ik bezorgd omdat ze onroerend goed als oplossing voor een existentieel dilemma beschouwde en dus teleurgesteld zou worden? Of was ik gewoon jaloers omdat zij een huis kocht en een nieuw leven begon terwijl ik bleef doormodderen? En waarom leek alles tegenwoordig zo stroef te gaan tussen ons?’
‘Nee, Beth,’ zei ik. ‘Geen enkel probleem. Ik hoop dat je heel gelukkig wordt in je nieuwe huis.’
‘En ga je mee als ik het koopcontract onderteken?’
‘Ja,’ zei ik, ‘dat beloof ik.’

46

We keren terug naar de curieuze zaak van Sammy Glick.
Je bent een echte Sammy Glick, had Agnes LeComte gezegd tijdens ons gezellige tête-à-tête vlak bij Rittenhouse Square. Ik had wel een idee wat die oude draak ermee had bedoeld, want de welbewuste zure, neerbuigende toon in haar stem sprak boekdelen. Ik had de opmerking min of meer van me laten afglijden toen ze het zei. In de loop der tijd had ik geleerd mijn reacties af te meten aan de beledigingen die me werden toegeslingerd, maar ik had de opmerking wel opgeslagen en ik vond dat ik beter meteen naar de bron kon gaan om de volledige omvang van de sneer te achterhalen. Nadat ik de naam op internet had opgezocht, ging ik langs de boekhandel om een exemplaar van *What Makes Sammy Run*? op te pikken voor ik naar het vliegveld reed. Ik had een vlucht naar Rochester geboekt. Zaken of plezier? Ik heb het over Rochester. Dus dat lijkt me duidelijk.

'Ik zei aan de telefoon al dat ik u niets te vertellen had,' zei Serena Chicos. Ze was een kleine donkere vrouw van in de vijftig: knap, slank, en had de doordringende ogen en strenge trek rond haar mond van iemand die gewend was opdrachten te geven en gehoorzaamd te worden.
'Ik hoopte dat als ik persoonlijk zou langskomen u zou begrijpen hoe belangrijk deze zaak voor me is.'
'Die hoop was tevergeefs,' zei ze. 'Als u me nu wilt excuseren, ik heb werk te doen.'
'Ik kan u verzekeren, mevrouw Chicos, dat ik alles wat u zegt als strikt vertrouwelijk zal beschouwen.'
'Maar ik wil u helemaal niet in vertrouwen nemen. Zoals ik al herhaaldelijk heb aangegeven, wil ik niet praten over mijn aanstelling bij de Randolph Stichting.'
'Is daar een reden voor?'
'Het is zo lang geleden. Het maakt deel uit van een verleden dat ik achter me heb gelaten.'
'Weten ze er hier vanaf?' vroeg ik en ik gebaarde naar de gang. 'Weten ze wat er gebeurd is toen u daar werkte?'
Ik stond in de deuropening van haar nogal kleine kantoor. We bevonden ons op de eerste verdieping van een indrukwekkend granieten gebouw met

een gigantische klokkentoren: de Memorial Art Gallery van de universiteit van Rochester. Ze werkte voor het curatorium en het kantoor van de hoofdcurator was een paar deuren verderop en aanmerkelijk groter.
Ze glimlachte geforceerd. 'Ik werk al twintig jaar in dit museum, meneer Carl. De directie is intussen wel overtuigd van mijn kwalificaties.'
'Dus het antwoord is nee.'
'Het spijt me dat ik u teleurstel, maar u kunt me niet chanteren om met u te praten. Mijn functie als assistent-curatrice bij de Randolph Stichting was mijn allereerste baan na mijn studie. Dat staat duidelijk op mijn cv vermeld. Het was meneer Randolph zelf die me vlak voor zijn dood geholpen heeft om deze baan te krijgen.'
'Interessant, want ik heb gehoord dat u verdacht werd van medeplichtigheid aan de inbraak in zijn stichting.'
'Wie heeft u dat verteld?' vroeg ze op scherpe toon, nadat ze onwillekeurig een blik langs me had geworpen om te zien of er iemand meeluisterde.
'Misschien dat we beter een rustiger plekje kunnen opzoeken om te praten, lijkt u dat wat?'
Haar ogen vernauwden zich even en ze schudde haar hoofd. 'Nee, meneer Carl. Ik weiger over de Randolph Stichting te praten, al verspreidt u nog zoveel gemene geruchten over me. Het spijt me dat u uw tijd hebt verspild. Als u wilt, kan ik u een toegangskaartje voor de kunstgalerie geven. Onze collectie is het bekijken meer dan waard.'
'Maar niet zo bijzonder als die van de Randolph Stichting.'
'Nee. De collectie van de Randolph Stichting is... fantastisch.' Ze was even stil alsof ze in gedachten elk afzonderlijk werk voor zich zag. 'Ik hoop dat dit alles was, want ik moet echt weer aan het werk.'
'Het was mevrouw LeComte die insinueerde dat u bij de inbraak betrokken was.'
Ze trok een wenkbrauw op. 'O, werkelijk? En hoe gaat het met die oude heks?'
'Oud. Maar ze huppelt er nog steeds rond en wil haar troon nog niet afstaan. Ze vertelde dat u vlak voor de inbraak het dossier met de bouwtekeningen van het gebouw mee naar huis had genomen.'
'Dat is niet waar.'
'Ze zei dat er vingerafdrukken waren gevonden.'
'Er werd een fout gemaakt.'
'Ze zei ook dat u een nogal vulgaire smaak had.'
'Ik een vulgaire smaak? Hebt u gezien hoe hoog haar hakken zijn?'
'En dat uw nek te lang was.'
'Er hangen dertien meesterwerken van Modigliani in de Randolph Stichting.'
'Dat betekent, neem ik aan, dat meneer Randolph een liefhebber was van lange nekken.'

Onwillekeurig ging haar hand omhoog naar haar nek, halverwege kreeg ze hem weer in bedwang. Een man en een vrouw die druk in gesprek leken, wierpen beiden een blik in haar kantoor toen ze langsliepen. Serena Chicos zuchtte.
'Waar logeert u, meneer Carl?'
'In de Holiday Inn bij het vliegveld.'
'Ik kan na mijn werk wel even langskomen.'
'Heel fijn,' zei ik. 'Tot straks dan.'

Zijn echte naam was Samuel Glickstein. Joods, uiteraard, wat een belangrijk deel uitmaakte van de steek onder water die mevrouw LeComte had uitgedeeld. Zij stamde nog uit de prehistorische tijd toen joden in Philadelphia beschouwd werden als minderwaardige schepsels, net als alcoholisten en mensen met een voorliefde voor jonge jongens; je zou er je baan niet door verliezen, maar toch. Jij bent een echte Sammy Glick, hè? Ja, dat klopte wel, toch? Kleine Shmelka Glickstein van de Lower East Side verschijnt voor het eerst op het toneel als loopjongen bij het fictieve dagblad *New York Record*. Hij rende altijd, las ik. En zag er altijd dorstig uit. Sammy Glick.
De roman *What Makes Sammy Run*? werd geschreven door Budd Schulberg. Het boek werd de hemel in geprezen toen het in 1941 op de markt kwam. Je kent Schulberg wel, hij is de vent die *On the Waterfront* schreef als rechtvaardiging voor het feit dat hij namen had genoemd toen hij voor het House Un-American Affairs Committee in de jaren vijftig van de vorige eeuw moest verschijnen. 'I could have had class' en 'I could have been a contender' zijn legendarische uitspraken uit de film *On the Waterfront* die naar aanleiding van het boek werd gemaakt.
De slinkse manoeuvres waarmee Sammy Glick zich een weg naar de top klauwt, maakten Sammy rijk en Budd Schulberg beroemd.
Toen ik in mijn hotelkamer op Serena Chicos zat te wachten, volgde ik Sammy's spurt op de maatschappelijke ladder van loopjongen tot columnist, van columnist tot scriptschrijver in Hollywood, en van scriptschrijver tot hoofd van de filmstudio. En hij trouwde met een roodharige schoonheid. Die jongen ging als een speer. Natuurlijk trapte hij onderweg op een paar tenen, ging hij af en toe over de schreef, belazerde hij een paar schrijvers en hielp hij de vakbond naar de verdommenis, maar in het hele boek kwam ik niets tegen wat erger was dan wat een doorsnee congreslid nog voor het ontbijt uitspookt. En Sammy had een betere smaak op het gebied van schoenen.
Toch zat het boek me dwars. Het probleem was niet dat ik me identificeerde met Sammy Glick, het probleem was juist dat ik dat niet deed, althans niet genoeg, en niet op de manier die ik wilde. Ik had gedacht dat het levenspad dat ik zou afleggen net zo zou verlopen als het zijne, een genadeloze opmars

naar rijkdom en succes, om maar te zwijgen over de roodharige schoonheid. Toch kreeg ik dat niet voor elkaar. Ik had een zwakke plek, Sammy Glick was staalhard. De pest was dat ik niet meedogenloos genoeg was om zonder pardon alles te grijpen wat ik wilde. De illustere mannen en vrouwen uit de geschiedenis beschikten wel over dat staalharde pantser. Als je denkt dat Ghandi een watje was, heb je nooit geprobeerd hem een broodje ham te geven.

Dat zat me dwars toen ik er in mijn sjofele hotelkamer over nadacht. In mijn bureaula op kantoor lag een vermogen aan goud en juwelen te wachten om verkocht te worden. En Lavender Hill bood me een fortuin aan als ik Charlie ervan kon overtuigen om de Rembrandt te verkopen en ergens ver weg een nieuw leven te beginnen. Eigenlijk kon ik niet verliezen, maar concentreerde ik me op de zaak waarmee het grote geld te verdienen was? Welnee, ik moest zo nodig aan liefdadigheid doen en was een zoektocht gestart naar een vermist meisje. Weet je wat ik was? Een watje, een levensgroot watje, en dat werd me pijnlijk duidelijk toen ik over Sammy Glicks spurt op de ladder naar het grote succes las. Dat kunststukje zou ik nooit kunnen evenaren.

Toch las ik het boek niet alleen om mezelf een rotgevoel te bezorgen of om de omvang van de belediging van mevrouw LeComte te doorgronden, of zelfs maar om de tijd te doden terwijl ik wachtte, hoewel ik alle drie voor elkaar kreeg. Nee, ik las het boek omdat de opmerking van mevrouw LeComte misschien niet zomaar uit de lucht was komen vallen en ik het gevoel had dat ik misschien, heel misschien, ergens in het boek een aanwijzing zou vinden die me duidelijk maakte wat er achtentwintig jaar geleden werkelijk met Chantal Adair was gebeurd. En ik had verdomme nog gelijk ook!

'Ik werd erin geluisd, meneer Carl,' zei Serena Chicos, en misschien hoorde ze de onvermijdelijke zucht wel die ik altijd slaakte wanneer iemand zei dat hij of zij erin was geluisd, want ze voegde er iets aan toe. 'Eerlijk waar.'

'Door wie dan?'

'Dat weet ik niet zeker en ik ben niet iemand die in het wilde weg anderen beschuldigt.'

'Zoals bij u is gebeurd?'

'Precies.'

'Maar waarom zou die persoon u erin willen luizen?'

'Om de aandacht van zichzelf af te leiden, om een carrière te vernietigen. Toen meneer Randolph nog leefde, was de Randolph Stichting net Versailles, een slangenkuil vol hovelingen die om de aandacht van de koning wedijverden.'

'En u was jong en had een prachtige, lange nek, is dat het?'

Ze staarde me aan zonder antwoord te geven en tikte ongeduldig met haar

vingers op het kleine, ronde tafeltje in de bar van het hotel. Er verscheen een klein glimlachje rond haar strenge mond en ineens zag ik het allemaal voor me: de jonge kunstacademica, de oude, stinkend rijke kunstverzamelaar, de gedeelde passie, de wederzijdse bewondering, de hartstocht tussen de Monets en de Matisses en de Modigliani's, en zijn knokige handen die haar lange nek streelden.
'Ik vind het moeilijk om erover te praten,' zei ze.
'Hebt u kinderen?'
'Drie. Twee jongens en een meisje. Ze zitten thuis op me te wachten.'
'Ik heb belangstelling voor de inbraak in de Randolph Stichting omdat er rond diezelfde tijd iets anders gebeurde. Een klein meisje verdween. De rechercheur die dertig jaar geleden onderzoek deed in die zaak, geloofde dat er een verband bestond tussen de inbraak en het verdwenen meisje. Om haar familie te helpen, probeer ik erachter te komen of dat zo is. Alles wat u me over die inbraak kunt vertellen, is welkom.'
'Ik heb u al verteld dat ik er niets mee te maken had.'
'Ik geloof u, maar misschien weet u iets wat me een eindje op weg helpt.'
'Dat betwijfel ik.'
'Ze was zes toen ze verdween. Wilt u een foto van haar zien?'
'Nee.' Ze leunde achterover, sloeg haar armen over elkaar en dacht even na. 'Meneer Randolph en ik waren heel hecht tot ik na de inbraak gedwongen werd om ontslag te nemen,' zei ze uiteindelijk. 'Er werd vermoed dat de inbrekers hulp van binnenuit hadden gekregen. Iemand van de stichting moest boeten. De keuze viel op mij.'
'Maakte meneer Randolph die keuze?'
'Nee, anderen.'
'En meneer Randolph hielp u niet?'
'Er waren destijds twee mensen die macht over Wilfred hadden. De ene was zijn vrouw, die nogal ontzagwekkend was. Hun huwelijk deed denken aan een museumstuk, zo stoffig als de pest. Maar ze was al bij hem toen hij nog arm was en hielp hem bij de opbouw van zijn collectie. Als hij al geheimen had, dan was zij daarvan op de hoogte.'
'Wist ze ook van u af?'
'Daar was ik me indertijd niet van bewust, maar uit wat ik later hoorde, begreep ik dat ze alles bespraken. Hun leven stond in het teken van die tijd: Kinsey, Masters en Johnson. Eigenlijk hadden ze toen meer persoonlijke vrijheid dan wij nu. Wilfred was wel altijd een beetje bang voor zijn vrouw. En ook voor Agnes LeComte.'
'Mevrouw LeComte? Hoe kwam dat?'
'Ten eerste was ze in de loop der tijd een goede vriendin van hem geworden. En voor Wilfred en ik een... verhouding kregen, was hij met haar. Ze hadden zeker tien jaar een affaire gehad.'

'Tot hij haar voor u dumpte.'
'Ja. Die twee vrouwen overtuigden hem ervan dat ik, in het belang van de stichting, het veld moest ruimen.'
'Zo te horen had LeComte een goed motief om u erin te luizen.'
'Uiteraard. We hebben elkaar nooit gelegen en in het begin liet ze haar wrok duidelijk merken, maar toen ze terugkwam, was dat anders.'
'Terugkwam? Waarvan dan?'
'Van haar sabbatsverlof. Nadat Wilfred haar duidelijk had gemaakt dat hij een ander had gevonden en mevrouw Randolph weigerde om haar te hulp te schieten, verliet ze de stichting. Ze bleef ruim zes maanden weg.'
'Waar ging ze naartoe?'
'Ze is gaan reizen heb ik gehoord, hoewel ze er nooit veel over vertelde. Toen ze terugkwam, leek ze veranderd. Alsof ze een zekere rust had gevonden. Destijds begreep ik dat niet, maar nu wel, geloof ik. Ik denk dat ze iemand ontmoet had, dat ze verliefd was geworden. Ze gaf nooit iets toe, maar toen ze terug was, stortte ze zich op haar werk voor de stichting, bleef ze op goede voet staan met mevrouw Randolph en begon ze interesse voor mijn carrière te tonen. Misschien een beetje te veel. Uiteraard bleef onze relatie altijd een tikje gespannen, maar ze probeerde een soort mentrix voor me te worden.'
'Hoe ging dat?'
'Niet zo best. Ik had al een mentor, Wilfred. Hij was briljant. Hij kon me zo veel leren over zo veel dingen en hij was nooit saai. Dat kom je bij mannen niet vaak tegen en bij advocaten zelfs nog minder.'
'Wat kunt u me over de inbraak zelf vertellen?'
'Niet veel. Die dag waren we gesloten, geen bezoekers, geen educatieve activiteiten. Wilfred werkte samen met mevrouw LeComte in de tuin. De stichting beschikt over een prachtige tuin vol zeldzame planten die uit de hele wereld afkomstig zijn. Mevrouw Randolph en ik werkten die dag samen aan allerlei verslagen. Toen de bewakers met hun nachtdienst begonnen, gingen we allemaal naar huis. Niemand wist dat er iets gebeurd was tot we de volgende ochtend binnenkwamen en de bewakers vastgebonden aantroffen.'
'Hoe kwamen de inbrekers binnen?'
'Kennelijk was er al iemand binnen. Niemand weet hoe die persoon dat voor elkaar heeft gekregen.'
'Hebt u een idee?'
'Nee. Dat is altijd een raadsel gebleven.'
'Is u die avond iets opgevallen aan de bewakers?'
'Hetzelfde groepje werkte al jaren samen. De hoofdbewaker was een oude vriend van meneer en mevrouw Randolph. De politie richtte haar aandacht uiteraard op hen, maar kon niets belastends vinden. Ze vonden over niemand iets belastends, behalve over mij.'
'De vingerafdrukken en de dossiers.'

'Ja, maar omdat het heel eenvoudig zou zijn geweest om valse bewijsstukken te fabriceren, werd ik nooit aangeklaagd. De omslag van dat dossier kon met die van een ander dossier omgewisseld zijn. Ik werkte aan tientallen dossiers. En mijn handtekening op die lijst moet vervalst zijn. Gelooft u echt dat ik ervoor getekend zou hebben, als ik die bouwtekeningen wilde stelen?'
'Dat denk ik niet.'
'Ik had zo veel vrijheid dat ik dossiers mee naar huis kon nemen zonder ervoor te hoeven tekenen. Toch kwam het me niet slecht uit dat ik de schuld kreeg. Wilfred was namelijk al een paar keer over trouwen begonnen. Dat zag ik niet zitten, maar later hoorde ik dat mevrouw Randolph het verschrikkelijk vond dat hij misschien van haar zou scheiden. En mevrouw LeComte was bezorgd over mijn invloed bij de stichting. Wilfred gaf me steeds meer verantwoordelijkheid.'
'En met u uit de weg was het huwelijk van mevrouw Randolph gered en mevrouw LeComtes baan bij de stichting ook.'
'Ja. Maar zelfs toen ik gedwongen werd om ontslag te nemen, bleef Wilfred me helpen. Hij gaf me geld toen ik het nodig had en hielp me aan deze baan. Hij was echt een schatje. Wilt u nog meer weten?'
'Waar is ze allemaal geweest?'
'Wie?'
'Mevrouw LeComte. Tijdens haar sabbatsverlof. Waar ging ze heen?'
'Europa, Azië, Australië. Ze kwam terug via de Westkust.'
'Californië.'
'Ja.'
'Hollywood.'
'Ik denk het.'
'Ze bleef daar een tijdje.'
'Dat geloof ik wel, ja.'
'En nam een minnaar.'
'Dat heb ik altijd geloofd.'
'Ik durf te wedden dat ik weet wie die minnaar was.'
'Echt?' Ze leunde naar voren, in de ban van een roddel uit haar verre verleden. 'Wie dan?'
'Sammy Glick.'

47

Ik stond opnieuw voor de grote rode deur van het granieten gebouw waarin de Randolph Stichting was gehuisvest. Wanneer ik er nu naar keek, dacht ik aan de beerput die erachter schuilging. Aan de overspelige Wilfred Randolph, aan zijn ongelukkige vrouw en aan de ruzies tussen zijn twee minnaressen. Aan de diefstal van juwelen, gouden beeldjes en twee uiterst kostbare schilderijen, die gepleegd was door vijf kruimeldieven uit een achterbuurt met hulp van binnenuit. Aan het onderzoek, de beschuldigingen, het vermiste meisje, en aan de aantrekkelijke jonge curatrice die Randolphs bed deelde en de schuld van de inbraak in de schoenen kreeg geschoven. Dat maakte net zo'n intrinsiek deel uit van het gebouw als de stenen en de metselspecie.
Nu waren Randolph en zijn vrouw overleden, Serena Chicos bracht een gezin groot in Rochester, en Agnes LeComte takelde elke dag iets meer af hoewel ze nog steeds op zoek was naar een jongeman van wie ze de seksuele mentrix wilde zijn. Chantal Adair werd nog steeds vermist, Charlie Kalakos leefde nog steeds als banneling, Ralph Ciulla was vermoord, en Joey Pride was op de vlucht geslagen. Alsof dat allemaal nog niet genoeg was, pakten donkere wolken zich samen boven de stichting omdat invloedrijke figuren hun uiterste best deden de stichting haar uitmuntende kunstcollectie afhandig te maken, en het zag ernaar uit dat ze hun zin zouden krijgen.
Dat was treurig omdat de collectie in dat geval op een andere locatie terecht zou komen en het zo'n essentieel deel vormde van het gebouw en zijn geschiedenis – treurig, maar niet tragisch. De Randolph Stichting was een monument voor een man en zijn rijkdom, maar voor een fantastisch werk van Cézanne of een portret van Matisse is dat niet van belang. Hang die schilderijen in een museum, hang ze in een bordeel, dat maakt niets uit, ze zouden nog steeds schitteren. Het kwam erop neer dat de schilderijen van de Randolph Stichting te perfect waren om onder controle te houden, middelmatigheid kan in de hand worden gehouden, maar de exquise kunstwerken die Randolph had gekocht, waren de kooi ontstegen die hij om ze heen had gebouwd.
Ik had de neiging om op de deur te bonzen en naar binnen te stappen om ze allemaal nog een keer te zien, maar dit was niet de tweede maandag van de maand of Goede Vrijdag of een van die woensdagen, en ik was niet voor de kunst gekomen.

Ik liep om het gebouw heen. Ik had eerst gebeld en te horen gekregen dat ze vandaag in de tuin aan het werk was. Wilde ik een boodschap achterlaten? Nee. Wat ik wilde vragen, moest ik persoonlijk doen.
'Dus je bent eindelijk gekomen, schattebout,' zei mevrouw LeComte. 'Wil dat zeggen dat je mijn aanbod aanneemt?'
Ze zat voorovergebogen op een kleine, groene handkar en was bezig onkruid te wieden in een bloemperk met bloemen die dezelfde felrode kleur hadden als haar lippenstift. Ze keek even op toen ze mijn voetstappen hoorde en richtte haar aandacht weer op haar werk. Ze droeg een jasschort, handschoenen en een hoed met een brede rand. Ze deed denken aan een deftige douairière die in haar tuintje aan het werk was, als dit een doorsnee tuintje was geweest en als ze niet die belachelijk hoge hakken had gedragen. Maar deze tuin was een lust voor het oog met prachtige, uitbundig bloeiende bloemperken, marmeren beelden en mooie stenen paadjes. Bij elke boom, elke struik en elk groepje bloemen stond een mooi groen bordje dat de Latijnse naam vermeldde. Om haar heen was een groepje hoveniers in groene overalls bezig met snoeien en harken terwijl zij haar eigen, kleine bloemperk wiedde.
'Nee. Ik moet het aanbod helaas afslaan.'
'Wat jammer. Uit eigen ervaring weet ik dat de seksuele passie tussen de partners in het begin van dit soort mentor-protegérelaties soms op een laag pitje staat, maar kan uitgroeien tot een verzengend vuur.'
'Ze zeggen ook dat de wereld over vijf miljard jaar zal vergaan.'
'O, maak je geen zorgen, Victor, ik weet zeker dat mocht ik al afkeer voor je voelen, ik me daar uiteindelijk wel overheen kan zetten, als je hard genoeg je best doet.'
'Is dat wat er tussen u en meneer Randolph gebeurde? Zette u zich uiteindelijk over uw afkeer voor hem heen?'
'Met wie heb je gepraat?'
'Ik ben net terug uit Rochester.'
'Hoe gaat het met dat sletje?'
'Een stuk ouder en ze heeft kinderen.'
'Net goed. Ik weet niet wat ze heeft gezegd, maar ze liegt. Wilfred en ik voelden ons vanaf het begin hartstochtelijk tot elkaar aangetrokken. Onze relatie was net een tsunami van passie.'
'Zolang als het duurde.'
'En zolang het duurde was het fantastisch. Wat hij me gegeven heeft, is niet in geld uit te drukken. Het was de mooiste tijd van mijn leven, die ik niet had willen missen.'
'Tot er een einde aan kwam.'
'Het einde van een relatie is altijd problematisch of ga je nooit naar de film? Wilfred, vooral toen hij ouder werd, voelde zich aangetrokken tot jonge

mensen. Mijn jeugd was voorbij en zij was een jonge, frisse bloem. En dan die ordinaire, paarse kettingen die ze om haar nek droeg, net een loopse teef. Uiteindelijk hebben Wilfred en ik het bijgelegd en werden we goede vrienden die een dierbare herinnering deelden. Wilfred, mevrouw Randolph en ik zaten hier vaak in de tuin een glas wijn te drinken en dan praatten we over van alles.'

'Ook over uw liefdesleven?'

'De Randolphs waren heel open in die dingen en mevrouw Randolph wilde altijd graag de details horen. Ze luisterde liever dan dat ze actief deelnam.'

'Toch denk ik dat u nooit iets verteld hebt over de minnaar die u had nadat uw relatie met Randolph voorbij was, maar voor u het bijlegde met hem. Was dat ook zo'n mentor-protegérelatie?'

'Hij was zo jong en moest nog zo veel leren. En ik beschikte over een zee aan kennis die Wilfred me had bijgebracht. Ik was er vol van en moest het met iemand delen.'

'En u vond uw eigen Sammy Glick. Ambitieus en meedogenloos; een gewillige pupil.'

'Een gemeenschappelijke vriend uit Philadelphia heeft ons aan elkaar voorgesteld. Over hartstochtelijke minnaren en verzengende vuren gesproken. Wilfred was wel hartstochtelijk, maar toch een beetje te zacht wanneer het eropaan kwam, als je begrijpt wat ik bedoel. Hij leek in dat opzicht wel wat op jou, denk ik. Teddy was totaal anders. Agressief, vol vuur en zijn begeerte was niet te stillen. Als ik eraan terugdenk, word ik nog vochtig.'

'Gatver,' zei ik.

'Ben je een tikje preuts, Victor?'

'Absoluut. Wie kwam op het idee om de stichting te beroven zodat u wraak kon nemen op de minnaar die u aan de kant had gezet?'

'Het kwam op een avond ineens in ons op. We waren op het strand en lagen in elkaars armen toen het ineens opkwam.'

'O, dat geloof ik graag.'

Ze lachte. 'Ja, dat ook. En terwijl we op dat strand lagen met onze naakte, bezwete lichamen dicht tegen elkaar aan gedrukt met onder ons het zand en boven ons een prachtige sterrenhemel, hebben we het plan uitgewerkt.'

'Wat kan de liefde toch een prachtige kunstkraak opleveren. Hoe hebben jullie het voor elkaar gekregen?'

'O, Victor, sommige dingen moeten geheim blijven, vind je ook niet?'

'Het verbaast me dat u me al zoveel hebt verteld.'

'Ik hou niet van onbeleefde mensen.'

'Ik probeer beleefd te zijn.'

'Jij niet. Jouw manieren zullen me een zorg zijn.'

'Dus u hebt iets van hem gehoord?'

'Niet rechtstreeks, maar ja. Kennelijk maakt hij zich zorgen om jou. Om de

een of andere reden vond hij het nodig me een boodschap te sturen.'
'Laat me eens raden. U moest de Monet verbergen en uw mond houden.'
'Je moet niet proberen om te slim te zijn, Victor, want te slimme mensen eindigen altijd bij de psychiater.'
'En u bent ongehoorzaam. Bent u niet bang voor wat hij u kan aandoen?'
'Ik ben taaier dan ik lijk, lieverd. Ik hou nog steeds van hem, maar als ik hem ooit weer zie, zou ik hem de ogen uitkrabben.' Haar hand reikte naar een van de bloemen waar ze zorgvuldig omheen had gewied en met een snelle, harde ruk trok ze hem uit de grond. 'Zo'n prachtige rode kleur. Net een plaatje, vind je niet?'
'Waar is hij?'
'Dat weet ik niet.'
'U hebt toch wel een idee?'
'Nee. Totaal niet. Niet meer.'
'Wanneer hebt u hem voor het laatst gezien?'
'De dag erna. Hij zei dat hij me een paar dagen later een berichtje zou sturen waar hij was, zodat ik naar hem toe kon komen.'
'En daar wacht u nog steeds op.'
'Weet je, 's nachts als buiten de wind zachtjes waait, denk ik nog steeds aan hem. Iedereen heeft wel iemand die 's nachts op bezoek komt als een geest, en voor mij is hij dat.'
'Wat weet u over het meisje?'
'Welk meisje? O, dat meisje op de foto. Waarom blijf je toch steeds naar haar vragen?'
'Ik wil nog één dingetje weten. Wie heeft die boodschap doorgegeven? Was het een klein, fatterig mannetje met een zuidelijk accent? Gehuld in een wolk parfum?'
'Doe niet zo raar. Wat zou ik met zo'n figuur moeten?'
'Wie dan?'
'Weet je hoe laat het is, Victor?'
'Rond de middag?'
'Nee, lieverd. De schemering begint te vallen en de donkere nacht wenkt. De perfecte tijd om oude rekeningen te vereffenen.'
'Daar ben ik voor gekomen,' zei ik opgewekt.
'Hij vroeg me om een gunst. Dat speelde jaren geleden, toen ik niet langer als Falstaff zat te wachten tot ik ontboden werd. Een tijd lang zijn we in contact gebleven. Een paar telefoontjes met wat loos gezwets over waar we naartoe zouden gaan. We dachten aan Australië. Daar was ik al eerder geweest en hij zei dat hij er ook naartoe wilde. Maar hij kon nog niet weg, zei hij. Dat zou te verdacht zijn. In die tijd was hij weer terug in Californië, waar we elkaar hadden ontmoet. Ik wilde eigenlijk meteen naar hem toe, maar ik nam zijn waarschuwing ter harte. Wat kon ik anders doen? De jaren

verstreken en de begeerte doofde. Toen belde hij ineens, een stem uit mijn verleden, die me om een gunst vroeg. Een jonge advocaat wilde graag bij een grote, invloedrijke firma werken. Het zou helpen als hij een belangrijke cliënt kon meebrengen. Of ik een goed woordje bij meneer Randolph wilde doen. Toen hij bij de stichting opdook, netjes in het pak gestoken voor zijn sollicitatiegesprek, herkende ik hem meteen en deed ik een goed woordje voor hem.'

'U herkende hem?'

'Hij was een van de inbrekers.'

Dat kon er maar één zijn. 'Hugo Farr?'

'Dat is niet de naam die hij tegenwoordig gebruikt. Ik dacht dat ik een jongeman een handje op weg hielp in zijn leven. Hij was aantrekkelijk en jong en ik was zo dom om te geloven dat dit mijn kans was op iets nieuws in mijn leven. Maar in plaats van een minnaar, haalde ik een spion binnen en al snel kwam ik erachter dat er maar één reden was voor zijn komst, namelijk mij onder de duim houden en ervoor zorgen dat ik mijn mond hield.'

'Wie?'

'Kom, kom, Victor, denk eens na. Doe niet zo traag.'

'Moet ik snel zijn, is dat het?'

'Ik denk dat mijn werk hier gedaan is. Bedankt voor je komst. Ik heb genoten van ons gesprekje. Het wordt tijd dat ik mijn koffers ga pakken.'

'Gaat u weer op reis?'

'Ik heb lang genoeg gewacht. Als je ooit aan de andere kant van de wereld bent, kom dan niet langs.'

'Wat wilde hij met het geld doen?'

'Wat iedereen daar met geld wil doen. Daar ging het allemaal om. Hij wilde een film maken.'

Ineens klikte het in mijn hoofd. Klik, klik, Sammy Glick.

48

Ik reed rechtstreeks terug naar het centrum, parkeerde voor het kantoor, ging niet naar binnen maar liep meteen door naar One Liberty Place. Ik nam de lift naar de drieënvijftigste verdieping. De deuren openden zich en ik stapte de gigantische receptie binnen van Talbott, Kittredge & Chase met de glanzende, houten vloeren en het antieke meubilair. Wat een verrassing, hè?

'Ik kom voor meneer Quick,' zei ik tegen de receptioniste.

'Hebt u een afspraak met hem?' vroeg ze.

'Nee, maar hij wil me vast wel te woord staan. Zeg maar dat Victor Carl hem wil spreken.'

Een paar minuten later verscheen er een slanke, jonge vrouw in een blauw mantelpakje met een sombere uitdrukking op haar gezicht. Degene die zij kwam ophalen, stond een akelige verrassing te wachten, dacht ik nog. Een paar tellen later besefte ik dat ze voor mij kwam.

'Meneer Carl?'

Ik stond abrupt op. 'Ja?'

'U wilde meneer Quick spreken?'

'Dat klopt.' Ineens herkende ik haar van mijn eerdere bezoekje. Het was Jennifer.

Ze gebaarde naar een plek bij de imposante glaswand die uitzicht bood over de oostelijke helft van de stad. Haar mooie haar was strak naar achteren getrokken en ze had nauwelijks lippenstift op haar lippen, toch was haar jeugdige schoonheid onmiskenbaar. Toen we bij de glaswand stonden, boog ze zich naar me toe en liet ze haar stem dalen.

'Waar wilde u meneer Quick over spreken?'

'Over een zaak die de Randolph Stichting betreft,' antwoordde ik. 'Waarom? Is er een probleem?'

'Is het mogelijk dat meneer Quick voor die zaak dringend op reis moest?'

'Zover ik weet niet.'

Ze wierp een snelle blik om zich heen. 'Het spijt me, meneer Carl, maar meneer Quick is vandaag niet op kantoor.'

'Weet je waar hij wel is?'

'Nee, dat is het juist. Hij heeft niet gebeld en anders belt hij altijd.' Ze lachte nerveus. 'Hij belt bijna om de tien minuten als hij niet op kantoor is. Hij

wil altijd weten wat er speelt. Maar nu heb ik al twee dagen niets van hem gehoord.'
'Is hij misschien thuis?'
'Hij neemt zijn mobieltje niet op en zijn vrouw zei dat hij er niet was, maar ik weet niet zeker of ik haar wel geloof. Je kunt niet echt van haar op aan.' Er verscheen een afkeurende blik op haar gezicht. 'Vanwege de alcohol. Eerlijk gezegd maak ik me zorgen.'
'Misschien wil hij niet dat het bedrijf weet waar hij is. Misschien is hij ziek of is hij aan het golfen. Is hij lid van een club?'
'De Philadelphia Country Club.'
'Natuurlijk, dat had ik kunnen weten. Als je me zijn huisadres geeft, ga ik wel even langs en laat ik je weten of hij thuis is.'
'We mogen eigenlijk geen privéadressen aan derden geven.'
'Stanford en ik zijn oude vrienden, Jennifer. En ik weet zeker dat hij niet zou willen dat jij je zorgen maakt.' Ze knikte bevestigend. 'En zodra ik iets weet, zal ik je bellen.'
'Graag, meneer Carl.' Ze legde haar hand op mijn arm. 'Ik wil heel graag weten of hij in orde is en mevrouw Quick schijnt me om de een of andere reden niet zo te mogen.'
Vreemd hoe de dingen lopen, bedacht ik, toen ze me zijn mobiele nummer en zijn huisadres gaf.
'Mag ik je iets vragen, Jennifer?' vroeg ik.
'Natuurlijk.'
'Hou oud ben je?'
'Eenentwintig.' Ze rechtte haar schouders. 'Ik ben net afgestudeerd.'
'Stanford mag in zijn handen knijpen met iemand als jij.'

Toen ik weer in de richting van de buitenwijken reed, had ik één hand aan het stuur en de andere aan mijn mobieltje.
'Met de Philadelphia Country Club,' hoorde ik aan de andere kant van de lijn.
'Kunt u me doorverbinden met de starter?' vroeg ik.
'Een moment, alstublieft.'
Merion mocht dan over de beste golfbaan van de stad beschikken, de Philadelphia Country Club was een goede tweede en had het bijkomende voordeel dat ze er nog snobistischer waren. Als je golf wilde spelen, ging je naar Merion, als je wilde laten zien dat je het gemaakt had, werd je lid van de Philadelphia Country Club. Ondanks de verschillen tussen de twee was er één ding waarover ze het roerend eens waren: geen van beide wilde mij als lid accepteren. Wat, ze wilden me niet eens als caddie hebben.
'Kantoor van de starter, met Chris.'
'Hallo, Chris. Ik zou vanmiddag met meneer Quick spelen, maar ik heb niets

meer van hem gehoord. Ik vroeg me af of hij misschien al op de baan was.'
'Nee, ik heb meneer Quick vandaag nog niet gezien.'
'Welke starttijd heeft hij gereserveerd? Dat ben ik vergeten.'
'Ik denk dat u zich in de dag vergist. Er wordt vandaag pas rond vijven gespeeld, maar meneer Quick heeft geen starttijd gereserveerd.'
'Ja, dan moet ik me vergist hebben. Bedankt.'
'Als ik hem zie, zal ik dan een boodschap doorgeven?'
'Graag. Zeg hem dat hij Carl moet bellen voor een nieuwe afspraak. Ik kan bijna niet wachten om mijn clubs weer eens tevoorschijn te halen.'

Ik had altijd gedacht dat ik ooit in een schitterende villa zou wonen met een enorm grasveld ervoor waarin een enkele wilg stond. Mijn hond zou een dutje kunnen doen in de schaduw van die wilg. Aan het einde van de gebogen oprijlaan stond een vrijstaande garage en daar zou ik een basketbalnet aan hangen zodat mijn kinderen hun driepunters konden oefenen. Het gazon zou netjes gemaaid zijn, de bomen eromheen netjes gesnoeid en de zon scheen. Pal onder dat basketbalnet stond een bakbeest van een SUV, met daarnaast een zwarte BMW, geen overdreven dure om niet als een patser over te komen, maar eentje uit de 5-serie bijvoorbeeld.
Het goede nieuws was dat als ik ooit een fortuin in handen kreeg, ik nu wist waar ik mijn droomhuis kon vinden.
De hond schrok wakker toen ik de oprijlaan op reed. Zodra ik uitstapte, sprong hij overeind en kwam hij uitgelaten naar me toe rennen. Ik stak mijn hand uit, hij snuffelde eraan, likte hem, en liet toe dat ik hem aaide.
'Hoe gaat het ermee, knul,' zei ik.
Hij stapte achteruit en begon luid te blaffen.
'Ja,' zei ik. 'Ik ook.'
De deur van de schitterende villa had dezelfde rode kleur als de deur van de Randolph Stichting. Toepasselijk, nietwaar? Ik liet de zware klopper op de rode deur neerkomen en even later nog een keer. De hond blafte. Ik had de neiging om te roepen: schat, ik ben thuis!
De deur ging open en er verscheen een vrouw in de deuropening. De hond zag zijn kans schoon, schoot naar binnen en wreef zijn zij tegen haar been. Mazzelaar!
'Ja?'
'Mevrouw Quick?'
'Ja.' Ze was lang, aantrekkelijk en zo'n dertig jaar jonger dan haar echtgenoot. Ik vroeg me af of ze ook Jennifer heette. Ze droeg een spijerbroek, een witte blouse en had kort blond haar. Ze glimlachte nerveus toen ze de hond bij zijn halsband greep. 'Kan ik iets voor u doen?'
'Dat denk ik wel. Mijn naam is Victor Carl. Ik ben advocaat en ik wil uw man graag spreken.'

Ze hield haar hoofd schuin en staarde me met een wazige blik aan, alsof ik een puzzel was die ze tegen haar zin moest oplossen.
'Het spijt me, maar ik begrijp het niet helemaal. Waarom wilt u mijn man thuis over zaken spreken?'
'Het gaat om iets belangrijks dat niet kan wachten. Is hij thuis?'
'Als u documenten of iets dergelijks voor hem hebt, kunt u beter naar zijn kantoor gaan. Hij houdt zijn zaken en zijn privéleven altijd strikt gescheiden.'
'Dat is het hem nu juist, hij is niet op kantoor.'
Geen reactie. Kennelijk wist ze dat al.
'Het spijt me, maar ik kan u niet helpen.'
'Wil dat zeggen dat u niet weet waar hij is, mevrouw Quick?'
Achter haar klonk een stem. 'Mam, straks kom ik te laat.'
Ze deed een stap opzij en draaide zich half om. Achter haar zag ik een jonge knul van een jaar of acht die zijn honkbaltenue aan had: kastanjebruin shirt, kastanjebruine sokken, en op zijn hoofd stond een honkbalpetje met de letters LM.
'Een momentje, Sean.'
'Maar dan kom ik te laat.'
'Ik kom zo.' Ze draaide zich naar me toe. 'Ik moet nu echt weg.'
'Hoe lang is hij al weg?'
Langzaam maakte de wazige uitdrukking plaats voor een heldere blik en ze nam me aandachtig op, alsof ik net voor haar ogen gematerialiseerd was. Ze deed een stap naar voren met de hond naast zich en trok de deur achter zich dicht. 'U was op televisie. U bent de advocaat met de cliënt die dat schilderij heeft.'
'Dat klopt.'
'Stanford was erg bezorgd om wat er gebeurde.'
'Dat zal best.'
'Laat hem met rust. Laat ons met rust.'
'Ik ben niet degene over wie u zich zorgen moet maken, mevrouw Quick. Weet u waar hij is?'
'Nee. Dat weet ik niet.'
'Wanneer hebt u hem voor het laatst gezien?'
Ze keek me nog een keer aan en liet haar blik toen over haar perfecte voortuin dwalen met het prachtige gazon en de prachtige wilg. 'Gistermorgen. Hij ging vroeg weg. Hij was van slag.'
'Zei hij waar hij naartoe ging?'
'Hij zei alleen dat hij misschien een tijdje weg zou blijven. Hij zei dat hij een boodschap had gekregen van een oude vriend die in de problemen zat.'
'Heeft hij u nog gebeld?'
'Nee.'

'Hebt u zijn mobieltje geprobeerd?'
'Ik krijg constant zijn voicemail. Ik heb vier keer iets ingesproken.'
'Met welke auto is hij vertrokken?'
'We hebben een Volvo stationwagen. Een groene.'
'Oké. Dank u.'
'Wilt u hem voor me zoeken?'
'Ik zal het proberen.'
'En als u hem vindt, zeg dan tegen hem dat ik hem vergeef. Wilt u dat doen?'
'Ja. Dat zal ik doen.'

Aanvankelijk wist ik niet waar ik naartoe ging. Ik zat achter het stuur van mijn kleine, grijze auto, stopte voor rood licht en trok op bij groen licht, maar mijn gedachten waren niet bij de weg. In plaats daarvan mepte ik in gedachten naar de bluebirds of happiness die rond mijn schouders fladderden en op mijn hoofd scheten. En weet je waarom ze op mijn hoofd scheten? Omdat het niet mijn bluebirds of happiness waren, maar die van Stanford Quick. Hij had op een of andere manier het leven gestolen waar ik altijd naar had verlangd.
Hij had het huis, de vrouw, de baan, de country club en zelfs de minnares – o, Jennifer – en hoewel zij misschien geen deel had uitgemaakt van mijn oorspronkelijke plan, werd ik er alleen maar jaloerser door. Het was vooral de manier waarop hij die schatten had vergaard, die als een mes door mijn hart sneed. Hij had ze gewoon gepakt. Hugo Farr had met beide handen de kans gegrepen die Teddy Pravitz hem had geboden; hij had de sprong gewaagd, was het ravijn overgestoken en had zichzelf getransformeerd in een nieuw persoon. Toegegeven, onderweg had hij zich niet aan de wet gehouden, hij had zijn naam veranderd en zich voorgedaan als iets wat hij niet was... nou en? Hij had zich door dat soort onbenullige details er niet van laten weerhouden om zijn doel te bereiken.
Hugo Farr. Stanford Quick. Sammy Glick. Godver.
Wat me nog het meest dwarszat, was dat hij het verzinsel uiteen had laten spatten waarmee ik de zwakte in mezelf had gerechtvaardigd, die elke keer mijn hand had teruggetrokken wanneer het leven waarnaar ik verlangde bijna binnen handbereik was. Natuurlijk had ik daar altijd redenen voor gehad, voor elke mislukking kun je wel een excuus aanvoeren, maar onder die aarzeling ging een diepgeworteld geloof schuil dat ik maar niet van me af kon zetten. We zijn wat we zijn, we kunnen onszelf niet veranderen, de teerling is geworpen en we vervullen ons lot. Misschien dat ik ooit die miljoenenzaak zou krijgen, misschien dat ik ooit de liefde van mijn leven tegen het lijf zou lopen die alles zou veranderen, maar toch zou er niet echt iets veranderen. Ik zou nog steeds Victor Carl zijn, ik zou nog steeds een tweederangsfiguur zijn.

Ik zou nog steeds minder zijn dan waar ik altijd naar verlangd had.
Maar nu, in slechts een paar uur tijd, had Stanford Quick de leugen boven water gehaald die de grondslag vormde voor mijn verkrampte kijk op het leven. Verandering was wel degelijk mogelijk, hij was daar het levende bewijs van en het feit dat het mij niet lukte, kwam door mezelf. Het was niet alleen pech, het kwam niet alleen door een grillige speling van het lot; ik was gewoon niet mans genoeg om mijn lot in eigen handen te nemen en zelf de richting te bepalen. Ik dobberde wat rond en dreef mee op de stroming van mijn leven dat zijn eigen kronkelende weg zocht. En zo reed ik ook, ik volgde alle bochten in de weg.
Alleen reed ik nu niet zomaar wat rond, ik ging een specifieke richting uit. Toen ik die richting herkende, wist ik waar ik naartoe ging en waarom. Hij had een boodschap gekregen van een oude vriend die in de problemen zat, had zijn vrouw gezegd. Dat betekende dat hij op weg was naar zijn verleden. En ik wist intussen waar dat verleden lag.
Ik was op zoek naar een groene Volvo stationwagen, het soort auto dat je bij paardenshows en voetbalwedstrijden in Gladwyne verwacht, maar niet in een arbeiderswijk in het noordoosten van Philadelphia. Ik reed eerst naar de straat waar Hugo Farr vroeger had gewoond. Niets. Toen naar de straat waar Teddy Pravitz had gewoond. Niets. Toen naar Ralphs Ciulla's straat. Niets. Ik stond op het punt naar mevrouw Kalakos' adres te rijden toen ik me iets herinnerde. Hoewel ik in een buitenwijk was opgegroeid, wist ik dat achter elke rij huizen in de stad een steegje liep. En ineens zag ik de auto, hij stond pal achter Ralphie Meats huis.
Naast een deur die uitkwam op de steeg was een trap die naar een kleine, gammele veranda leidde. De trap was afgezet met politielint dat aan de trapleuning was vastgemaakt, maar de deur zelf was niet afgezet. Ik kon wel raden wat er gebeurd was. De deurknop draaide soepel om, toch ging de deur niet open. Ik zette mijn schouders ertegen en kreeg hem een paar centimeter open, duwde nog een keer, kreeg hem nog een paar centimeter verder open, en glipte naar binnen.
Ik kwam in een nauw gangetje terecht dat naar een overvolle kelder leidde met een oneffen betonnen vloer, waarin allerlei dozen en oude meubels lukraak opgestapeld stonden die klauwachtige, dreigende schaduwen vormden. Het rook er bedompt en de geur van waspoeder kringelde in mijn neus. Met behulp van het beetje licht dat door de open deur en een groezelig raampje viel, onderscheidde ik de contouren van een oude wasmachine en een droger in de hoek. Langs een van de muren liepen koperen leidingen en op een geïmproviseerde werkbank lagen allerlei bizarre stukken gereedschap die uit gietijzeren pijpen waren gefabriceerd.
'Meneer Quick?' riep ik luid.
Het geluid stierf weg in de donkere kelder. Er kwam geen antwoord.

Ik deed een stap vooruit en hoorde iets kraken. Ik draaide me razendsnel om, zag niets, toch wist ik het meteen. Ik denk dat ik het al wist toen Jennifer met een somber gezicht naar me toe kwam lopen.
Aan de linkerkant van de kelder zag ik een smalle, houten trap. Ik liep de krakende, uitgesleten houten treden op, kwam bij een dichte deur, duwde hem open, en stapte de keuken binnen die baadde in het zonlicht. Het was een ruime keuken met avocadogroene apparaten die me aan mijn kindertijd deden denken en het gele linoleum op de vloer zat vol vlekken en was totaal versleten.
'Meneer Quick? Stanford?'
Geen antwoord. Maar ik rook iets wat me niet aanstond, iets wat me bekend voorkwam. Ik had die geur nog niet zo lang geleden ook geroken, in ditzelfde huis. Het aroma van oud vet, knoflook en kruiden dat in de loop der jaren in de muren was getrokken, vermengd met de misselijkmakende, koperachtige stank van de dood. Van een onnatuurlijke dood. Ralph Ciulla's dood. Zijn vermoorde lichaam was in ditzelfde huis aangetroffen en de politie had het huis afgezet met politielint voor verder onderzoek. Nu stond ik in dat huis en rook ik weer die geur.
En nu leek het verser dan ik me herinnerde, als de geur van de dood al als vers omschreven kan worden.
Ik deed het licht aan: de lamp in de keuken en de oude lamp in de eetkamer met de groene muren. Ik deed het licht aan om me te beschermen tegen wat ik ongetwijfeld zou aantreffen.
Ik stond onder de toog naar de woonkamer, liet mijn blik door de kamer dwalen en zag de leunstoel en een stukje been omhuld door een beige broek. De glanzende bruine instapper stond plat op de grond, alsof iemand in die stoel zat te wachten tot ik de kamer in kwam en gedag zei.
'Hallo,' zei ik. 'Meneer Quick?'
Geen antwoord.

49

Stanford Quick zat in de leunstoel, in dezelfde stoel waarin ik was neergeploft toen ik bijna over mijn nek was gegaan. Hij droeg een beige broek, wit overhemd, donkerblauw jasje, en had een drankje in zijn hand, iets bruins en waterigs. Hij zat achterover geleund en op zijn gezicht lag de uitdrukking van iemand die een grappig verhaal vertelde, maar ruw onderbroken was. Onderbroken door een kogel in zijn hoofd. Kennelijk was het toch niet zo'n grappig verhaal geweest.

Ik werd verblind door een flits, het tafereel verdween en kwam toen weer terug. Net zo vreemd en net zo bloederig. Flits. Flits.

'Kunnen we het nog één keer doornemen?' vroeg McDeiss, die me bij mijn revers greep. Ik wendde mijn blik af van de stoel vol bloedspatten en het lijk van Stanford Quick terwijl de fotograaf verderging met zijn werk. Opnieuw liepen er bosjes agenten rond in Ralph Ciulla's huis, die naar vingerafdrukken zochten en naar bloed. Buiten was het circus in volle hevigheid losgebarsten – luidruchtige menigte toeschouwers, journalisten, en busjes van televisiestations die hun schotelvormige antennes de lucht in staken. Grappig hoe een moord het nieuws een nieuwe impuls kan geven.

'Je zat in je auto en was op zoek naar Stanford Quick,' herhaalde McDeiss.

'Dat klopt,' antwoordde ik.

'Toen kreeg je ineens het heldere idee om hem hier te zoeken.'

'Ik dacht dat er misschien een verband was.'

'En toevallig zag je de auto staan die mevrouw Quick had beschreven.'

'Grappig, nietwaar, dat dergelijke details je bijblijven wanneer je een verhaal voor de tiende keer vertelt?'

'En uiteraard stapte je naar binnen ondanks het feit dat het huis met politielint was afgezet.'

'Het lint was weg en de deur zat niet op slot.'

'Je liep naar binnen en deed elke lamp in het huis aan.'

'Ik ben bang in het donker.'

'En liet een spoor aan vingerafdrukken achter.'

'Mijn cadeautje aan de technische recherche. Ik heb in elk geval niet overgegeven en ik weet hoe dol ze daarop zijn.'

'Je trof hem aan zoals hij daar zit en besloot de politie te bellen.'

'Ik heb hem eerst een drankje ingeschonken.'

'Wat?'
'Hij zag er dorstig uit.'
'En je hebt niets aangeraakt toen je hem vond.'
'Helemaal niets,' antwoordde ik. Dat was niet helemaal waar, want voor ik de politie had gebeld, had ik naar iets gezocht. Ik had het gevonden, gecontroleerd, mijn vingerafdrukken weggeveegd en het weer teruggestoken.
'En krijg ik nog te horen wat het verband is tussen Stanford Quick uit Gladwyne en Ralph Ciulla uit Tacony, waar je het over had?'
'Ik wacht liever even op Slocum en Jenna Hathaway. Ik vertel een verhaal niet graag keer op keer en... O, kijk, daar zijn ze al.'
Slocum beende het huis binnen als een kapitein die het halfdek op stapt. De ogen achter zijn brillenglazen stonden alert en zijn beige regenjas wapperde dramatisch achter hem aan. Het was niet kil buiten en het regende ook niet, wat het effect van de wapperende jas enigszins tenietdeed, maar toch zag je dat hij zich al helemaal thuis begon te voelen op een plek waar een misdrijf was gepleegd. Dat gold niet voor Jenna Hathaway, die aarzelend naar binnen stapte en stokstijf bleef staan toen ze het lijk zag. Ze staarde er een paar tellen naar, sloeg haar hand voor haar mond en vluchtte weg.
Haar vader had regelmatig dit soort tafereeltjes onder ogen gehad, maar ik neem aan dat je in het wereldje van belastingontduikers niet vaak een lijk tegenkomt.
'Ik ben zo terug,' zei McDeiss. 'Blijf hier en verroer je niet.' Hij liep in de richting van de deur en wierp ineens een blik over zijn schouders om te zien of ik wel naar hem had geluisterd.
'Wat?' vroeg ik.
'Nog geen vin,' zei hij, voor hij verder liep.
Toen ik de politie had gebeld om te melden dat ik een dode man in een leunstoel had aangetroffen, had ik rechtstreeks naar McDeiss gebeld. Hoe we ook over elkaar dachten, ik had respect voor zijn professionaliteit. Ik had McDeiss gevraagd om Slocum en Hathaway te bellen en te vragen of ze ook naar het huis wilden komen, want met twee lijken, een moordenaar die vrij rondliep en een cliënt die nog steeds naar huis wilde komen, werd het hoog tijd om spijkers met koppen te slaan.
'Enig idee wat er gebeurd is?' vroeg Slocum, toen we eindelijk met zijn vieren in de keuken stonden en ik voor de elfde keer het hele verhaal had verteld.
'Het lijkt op moord,' zei ik.
'Denk je?' Jenna Hathaway klonk sarcastisch. 'Hoe ben je op dat slimme idee gekomen? Door die kogel in zijn voorhoofd?'
'Enig idee wie het gedaan heeft?' vroeg Slocum.
'Dezelfde vent die Ralph heeft vermoord,' antwoordde ik.
'Waarom?'

'Omdat het in hetzelfde huis en in dezelfde kamer is gebeurd. En als ik McDeiss zo eens hoor, lijkt het erop dat er een kogel van hetzelfde kaliber is gebruikt, die door een linkshandige is afgeschoten.'
'Nee, ik bedoel: waarom zou dezelfde man twee mensen vermoorden die zo verschillend zijn? Ralph Ciulla was een arbeider uit Tacony en Stanford Quick was een vooraanstaande advocaat uit Gladwyne. Wat is het verband?'
'De Randolph Stichting.'
'Stanford Quick was de advocaat van de stichting. Ralph Ciulla was mogelijk achtentwintig jaar geleden betrokken bij de inbraak. Dat verband lijkt me nogal vergezocht.'
'Er zit nog veel meer achter en het gaat ook nog verder terug,' zei ik.
'Geen uitvluchten meer, Carl,' zei McDeiss. 'We willen alles horen wat je weet.'
Ik keek even op mijn horloge. 'Het is een beetje laat om nu nog een verhaaltje te vertellen, vind je ook niet?'
'Je mag het nu doen,' zei McDeiss op kalme toon, 'of straks in een cel op het politiebureau.'
'Nu is best,' zei ik snel. Ik vertelde alles wat ik wist over de inbraak bij de Randolph Stichting, over de vijf mislukkelingen die de diefstal hadden gepland en wat er naderhand met vier van hen was gebeurd.
'Dus jij beweert dat Ralph Ciulla, Joey Pride, jouw cliënt en deze Stanford Quick allemaal deel uitmaakten van de groep die de inbraak heeft gepleegd,' zei McDeiss, nadat ik alles zo goed mogelijk had uitgelegd.
'Dat klopt.'
'Waarom duiken sommigen van dat groepje dan nu dood op?'
'Hun werd het zwijgen opgelegd. Er mocht niets over bekend worden. Om Charlie uit de buurt te houden, om het schilderij verborgen te houden, om alle schakels te verbreken tussen de inbraak in de Randolph Stichting en de enige van de vijf die nog niet geïdentificeerd is. Die vijfde man heeft Stanford Quick naar Ralphs oude huis weten te lokken en hem laten vermoorden. In dezelfde kamer waar Ralph vermoord werd.'
'Teddy Pravitz,' zei Jenna Hathaway.
'Dus jij denkt dat hij terug is en al zijn oude vrienden vermoordt, net als Jason Voorhees in *Friday the 13th*?' vroeg McDeiss.
'Zoiets ja,' zei ik. 'Of hij heeft iemand ingehuurd om die moorden te plegen.'
'Maar die inbraak is allang verjaard. Wat heeft het dan voor zin om die mensen te vermoorden? Dan komt de zaak juist weer in de belangstelling.'
'Omdat het niet alleen om die inbraak ging, nietwaar, Jenna?' Ik keek haar aan.
'Nee,' zei ze.
'Hij was bij haar. Haar broer heeft ons verteld wat hij je vader had verteld.

Hij had ze samen gezien. Na de inbraak nam die klootzak haar mee, dat weet ik zeker.'

'Denk je dat hij haar nog steeds heeft?'

'Geen idee.'

'Het is achtentwintig jaar geleden.'

'Dat weet ik. Toch moeten we erachter zien te komen.'

'Hoe?'

'Dat gedoe over een samenwerkingsovereenkomst die als een voetbal heen en weer gespeeld wordt, moet afgelopen zijn,' zei ik. 'Twee mannen zijn dood en er zullen nog meer lijken opduiken als Slocum, jij en ik niet heel snel een deal sluiten.'

'Kan iemand me misschien vertellen waar jullie het in vredesnaam over hebben?' McDeiss klonk geërgerd.

'Dat hoor je van haar,' zei ik, 'nadat we een deal hebben gesloten.'

Slocum staarde me een paar tellen aan alsof hij probeerde uit te vogelen welk deel van mijn verhaal de waarheid was en welk deel pure onzin, draaide zich vervolgens naar Jenna toe en knikte.

'Wat wil je?' vroeg ze me.

'Immuniteit,' zei ik. 'Ik wil dat hij in het getuigenbeschermingsprogramma wordt opgenomen en een nieuw leven kan beginnen in een warme omgeving. Dat is goed voor zijn holtes. Als jij daarvoor zorgt, zorg ik ervoor dat hij je alles vertelt over de bende, de inbraak en het meisje.'

'En over het schilderij,' zei Slocum. 'Laten we dat kleine detail niet vergeten.'

'Gaat hij akkoord met dat aanbod?' vroeg Hathaway.

'Daar zorg ik wel voor.'

'En wat vertelt hij ons dan?'

'Dat weet ik nog niet, maar daar kom ik wel achter. Dat beloof ik.'

'Oké. Hij krijgt immuniteit voor alles wat niet met het meisje heeft te maken. Als hij meewerkt in de zaak van het meisje, we komen achter de waarheid en er volgt een arrestatie, dan ligt het aan zijn rol in het geheel hoe lang hij moet zitten, daarna volgt relocatie. Dat beloof ik.'

Slocum keek me aan. 'Is dat genoeg?'

'Dat is genoeg.'

'En wie brengt hem bij de politie?'

'Ik,' zei ik.

'Jij?' Er lag een spottende toon in Slocums stem.

'Ja, ik.'

'Heb je een kogelvrij vest?'

'Nee.'

'Dan zou ik er maar een aanschaffen.'

'Dit is allemaal heel leuk en gezellig,' zei McDeiss, 'en ik hoop voor jullie dat

ik heel snel te horen krijg waar dit over gaat, maar eerst heb ik nog twee andere vragen. Ten eerste: wie vermoordt al deze gasten?'
'Heb je het briefje dat ik van Joey Pride kreeg, laten onderzoeken op vingerafdrukken?' vroeg ik.
'We hebben twee stel vingerafdrukken gevonden. Het ene stel was van jou en het andere stel komt overeen met de vingerafdrukken die we in de telefooncel hebben gevonden vanwaaruit de melding over Ralph Ciulla's moord werd gedaan.'
'Die zijn van Joey Pride, maar hij is niet de moordenaar, misschien wel het volgende slachtoffer. De moordenaar is waarschijnlijk een oude huurmoordenaar uit Allentown, een veteraan uit de Korea-oorlog, met stekeltjeshaar en knokige handen. Ingehuurd door de resterende leden van de Warrickbende, die hem ook helpen. Twee leden van die bende, Fred en Louie, volgen me constant.'
'Als je die twee weer ziet, geef me dan een belletje, oké?'
'Met plezier.'
'En mijn tweede vraag,' zei McDeiss, 'wat moest Stanford Quick verdomme met een pikhouweel in de kofferbak van zijn Volvo?'

50

Om de menigte toeschouwers en de journalisten te ontlopen die buiten stonden te wachten, mocht ik de achterdeur van Ralphs huis gebruiken, terwijl Slocum op de stoep voor het huis de pers te woord stond en een nietszeggende verklaring aflegde. Natuurlijk wilde ik de fotografen en de insinuerende vragen ontlopen die de paus nog in een verdacht licht zouden stellen, maar ik wilde ook de gelegenheid hebben om nog even in de kelder rond te kijken voor ik het huis verliet. Ik had gehoopt dat ik in mijn eentje mocht vertrekken maar ze stuurden een agent met me mee die Ernie heette om er zeker van te zijn dat ik de weg naar buiten zou vinden. Aardig van ze, nietwaar?

Nu er licht brandde in de kelder zag het er niet zo dreigend meer uit. De bizarre stukken gereedschap op de geïmproviseerde werkbank waren in werkelijkheid lasbenodigdheden: een laskap, een brander, een ontsteker en lasdraden, waar een dikke laag stof overheen lag. De trieste overblijfselen van Ralph Ciulla's droom die nooit werkelijkheid was geworden.

Toen McDeiss me naar het pikhouweel in Stanford Quicks Volvo vroeg, had ik mijn schouders opgehaald en iets gemompeld over Quicks tuin in Gladwyne. Ik had McDeiss met opzet niets verteld over de spullen, de kleding en de wapens die in Ralphs kelder begraven lagen en daar had ik zo mijn redenen voor. Sheila de makelaar had beloofd me een belletje te geven als er gegadigden voor Ralphs huis zouden opduiken. Er was nogal wat interesse voor het pand, had ze laten weten. Ik wilde niet dat bekend werd dat de politie de keldervloer aan het openbreken was, voor ik wist uit welke hoek die interesse afkomstig was.

Ik had gehoopt dat de agent me in de richting van de deur zou wijzen en dan rechtsomkeert zou maken zodat ik de tijd kreeg om op onderzoek uit te gaan, maar helaas leek dat er niet in te zitten.

'U moet deze kant uit, meneer Carl.'

'Bedankt, Ernie,' zei ik. 'Ik kan het verder zelf wel vinden. Je kunt wel weer naar boven gaan.'

'Geen probleem,' zei Ernie, die me voorging en de deur openhield, 'het hoort allemaal bij de service.'

Ernie bleef in de deuropening staan en keek toe terwijl ik naar mijn auto liep, het portier opende en naar hem zwaaide. Hij stond nog steeds te kijken

toen ik de motor startte, langzaam optrok en langs Stanford Quicks Volvo de steeg uit reed. De agenten van tegenwoordig lijken steeds beter opgeleid te worden.
Ik was bijna bij het eind van het steegje toen een donkere figuur voor mijn auto sprong. Mijn voet trapte bijna door het rempedaal heen en nog net op tijd wist ik een botsing met de onverschrokken Rhonda Harris te voorkomen.
Ik draaide mijn raampje open; ze liep om de auto heen en stak haar hoofd naar binnen.
'Kun je me een lift geven?'
'Je mist de verklaring van meneer Slocum,' zei ik.
'Heeft hij iets te vertellen?'
'Dat niet.'
'Dan praat ik liever met jou.'
'Liever niet, Rhonda. Ik heb de pers niets te melden.'
Ze grijnsde plagerig. 'Ik voel me een beetje schuldig omdat ik je die avond in je eentje heb achtergelaten.'
'Het was een tikkeltje abrupt.'
'Die afspraak die ik had, duurde minder lang dan ik had verwacht. Ik ben nog bij je appartement langs geweest, maar je was er niet.'
'Ben je echt langs geweest?'
'Ja. Waar was je?'
In bed met Sheila de makelaar, maar dat zei ik niet. 'Ik had een kennis gebeld.'
'Moet ik jaloers zijn?'
'Nee,' antwoordde ik.
'Mooi zo. Nou, hoe zit het met die lift?'
Ik dacht er even over na. Alles in me schreeuwde dat het geen goed idee was om een verslaggever mee te nemen, maar ze was bij mijn appartement langs geweest. Ik voelde de oude zwakte weer de kop opsteken.
'Waarom ook niet.' Haar glimlach was zo stralend dat het gewoon pijn deed.
Ze vertelde dat ze in het Loews hotel aan Market Street bivakkeerde zolang ze aan het artikel werkte. Ik reed naar de I-95, draaide de snelweg op, zoefde richting stadscentrum en was me constant bewust van haar aanwezigheid, haar warmte, haar kruidige geur, en de sensualiteit die ze leek uit te stralen.
'Hoe was het in dat huis?' vroeg ze.
'Laten we het erop houden dat jij een stuk lekkerder ruikt dan die dode man.'
'Wie was hij?'
'Heeft de politie zijn naam al vrijgegeven?'
'Nee. Daar wordt mee gewacht tot zijn familie is ingelicht.'

'Dan doe ik dat ook.'
'Heeft deze moord ook met het schilderij te maken?'
'Geen commentaar, Rhonda. Ik dacht dat je alleen een lift wilde.'
'Dat is ook zo, maar ik ben nu eenmaal journalist. Laten we het anders aanpakken. Ik doe een paar uitspraken en als ik helemaal fout zit, zeg je dat. Zit ik goed, dan hoef je niets te zeggen.'
'Heb je dat trucje op de school voor journalistiek geleerd?'
'Nee, van Robert Redford. Klaar?'
'Ga je gang maar.'
'Er is een verband tussen de dode man en Ralph Ciulla.'
'Geen commentaar.'
'Die dode man was op een of andere manier ook betrokken bij het schilderij.'
'Nog steeds geen commentaar.'
'Volgens het geruchtencircuit van de pers was hij een prominente advocaat.'
'Ik heb niets te zeggen.'
'En andere mensen lopen gevaar, onder wie jouw cliënt.'
'Kunnen we er nu mee ophouden?'
'En het gaat allemaal om iemand die koste wat kost dat schilderij zelf wil hebben.'
'Volgens mij niet,' zei ik. 'Volgens mij heeft het niets te maken met het schilderij.'
'Nee? Waar gaat het dan om?'
'Ik beantwoord geen vragen, weet je nog wel?'
'Maar op de een of andere manier staan de inbraak, het schilderij, jouw cliënt en de twee dode mannen allemaal met elkaar in verband, toch?'
'Geen commentaar.'
'Oké, bedankt. Eén momentje, ik moet even bellen.' Ze haalde haar mobieltje tevoorschijn, drukte op de snelkeuzetoets en wachtte tot er werd opgenomen. 'Jim? Met Rhonda. Het zit precies zoals ik al zei... Ja, het staat allemaal met elkaar in verband. Dus niet alleen de Rembrandt en die boef op de vlucht die naar huis wil, maar we hebben nu ook twee doden en waarschijnlijk volgen er nog meer... Ja, fantastisch. Ik denk niet dat we nog hoeven te wachten of ik dat interview krijg. Laten we er maar voor gaan... Geweldig. Ik hoor het nog wel... Ciao.'
'Wie was dat?' vroeg ik. 'Je hoofdredacteur?'
'Nee, mijn agent.'
'Je agent?'
'We maken er een boek van. Een waargebeurd misdaadverhaal met kunst, moord en seks.'
'Seks?'
'Er komt altijd seks aan te pas,' zei ze en ze legde haar hand verstrooid op

mijn knie alsof ze ter plekke voor een portie seks in haar boek wilde zorgen. 'Sommige uitgeverijen hebben al een aanbod gedaan, maar de meeste vonden het verhaal nog niet interessant genoeg en wilden eerst weten of ik een interview met Charlie kon krijgen. Nu er weer een slachtoffer is gevallen, maakt dat niet meer uit. Ik denk dat ik morgenmiddag al een voorschot heb.'

'Er ligt een dode man in dat huis. Hij had een vrouw en kinderen.'

'Ja. Heel treurig, allemaal.'

'Je hebt niet veel op met het kunstwereldje, of wel?'

'Hoe raad je het zo? Oké, genoeg over het werk. Hoe gaat het met je?'

'Eerlijk gezegd ben ik een beetje van slag.'

'O, Victor, het spijt me,' zei ze. Ze haalde haar hand van mijn been en legde hem tegen mijn wang. 'Ik was vergeten dat je een zwakke maag had.'

'Het is meer dat ik de hele dag jaloers op hem was tot ik hem dood aantrof. Ik had het gevoel dat hij het leven leidde waar ik altijd naar verlangd heb: het huis, de baan, het gezin.'

'En nu ligt dat allemaal voor het oprapen.'

Ik lachte. 'O, dus ik zou zijn vrouw een belletje moeten geven?'

'Na een gepaste rouwperiode.'

'En dat is?'

'Dat ligt eraan. Is ze knap?'

'Ja, dat vind ik wel.'

'Dan zou ik niet te lang wachten.'

'Je bent een harde tante.'

'Het is een harde wereld, Victor. Je moet pakken wat je wilt.'

'Denk je dat ik hard genoeg ben om dat te doen?'

'Victor, gaat het wel?'

'Het was alleen een vraag. Nou, wat vind je?'

'Geen commentaar.'

'Dat beschouw ik dan maar als antwoord.'

Toen we voor haar hotel stonden, stapte ze niet uit, maar bleef ze een paar minuten zwijgend zitten. Het Loews hotel was gehuisvest in het oude PSFS-gebouw, een klassieker op het gebied van modern ontwerp. Het gebouw was rank, sober, had grote ramen en duidelijke lijnen. Onwillekeurig bedacht ik dat de liefde bedrijven in het Loews net zoiets moest zijn als de liefde bedrijven in een Zweedse film. En Rhonda had wel iets weg van Liv Ullmann.

'Kom je mee naar boven?' vroeg ze uiteindelijk.

'Ik denk het niet. Vanavond niet. Ik zie hem nog steeds in die stoel zitten. Hij had een drankje in zijn hand.'

'Een drankje in zijn hand? O, dat is geweldig. Ik moet mijn agent nog even terugbellen om hem dat te vertellen. Het zijn de details die een verhaal

maken. Wanneer het boek wordt uitgegeven, Victor, word je een ster. Geloof me.'
'Ik voel me geen ster.'
'Dat komt nog wel. En een interview met je cliënt zou helemaal de doorslag geven. Wil je dat aan hem vragen?'
'Ja, ik zal het hem vragen.'
'Bedankt.' Ze boog zich naar me toe en gaf me een kus. Het begon als een vriendschappelijke zoen maar veranderde in iets anders. Haar lippen op de mijne voelden hard en hoekig aan. Ze boog haar bovenlichaam naar me toe zodat haar borsten tegen mijn borstkast drukten en toen ze haar mond opende, ketsten onze tanden tegen elkaar. Ze had een ruwe, sterke tong. En de opwinding in mijn broek was bijna hoorbaar.
'Kom mee naar boven.' Haar stem klonk hees. 'We kunnen iets van roomservice bestellen. Champagne en aardbeien, lijkt dat je wat? Om te vieren dat de deal over mijn boek zo goed als rond is.'
'Ik denk niet dat het een goed idee is.'
'O, Victor, je moet niet zoveel denken.'
'Dat gaat vanzelf. Daar heb ik mijn hele leven al last van. Het spijt me, heus, maar ik moet je aanbod afslaan. Trouwens, ik moet nog pakken. Ik ga de stad uit.'
'Waar ga je naartoe?'
'Dat weet ik nog niet, maar daar kom ik vanavond achter.'

51

Het bleek Los Angeles te zijn, wat niet zo verbazingwekkend was. Als je achter Sammy Glick aan zit, ga je niet naar Moline. Ik reed in noordelijke richting over de 405, of beter gezegd, de neus van de auto wees die richting uit, en ik had het vreemde gevoel dat ik eindelijk mijn plek in deze wereld had gevonden. Ik had een auto gehuurd, een cabriolet, felrood en goedkoop – eigenschappen die ik zowel bij lipstick als auto's ongelooflijk sexy vind – en de kap was neergeklapt. De wind blies niet door mijn haar, aangezien je op de 405 meer stilstond dan reed, en vanwege de felle zon, die onaangenaam heet aanvoelde op mijn schouders en de stank die van het zinderende asfalt opsteeg, voelde ik me ook niet zo geweldig, maar toch had ik het idee dat ik op de juiste plek was. En verbeeldde ik het me nu, of zag ik daar echt een palmboom? Daar, aan een van de wegen links van de snelweg.
Ik vroeg me af of de andere bestuurders een jonge vent zagen die hard op weg was om het helemaal te maken en naar de Westkust was gekomen om zijn toekomst in eigen hand te nemen of zagen ze een bleke toerist in een goedkoop pak, met een zonnebril van een benzinestation en een gehuurde cabriolet, die deed alsof hij erbij hoorde, maar duidelijk een sukkel was. Ach, wat kon het me ook schelen wat ze dachten. Ik was hier, ik zat in een cabriolet, ik had een knappe vrouw naast me en ik was klaar voor mijn close-up. En ja, om het plaatje helemaal compleet te maken, was ik ook nog eens op weg naar een afspraak met een filmbons. Dat is pas succes, baby.
Nu moest alleen de verkeersstroom nog op gang komen.

Nadat ik Rhonda Harris bij haar hotel had afgezet en gefrustreerd op mijn lip had gebeten toen ze heupwiegend de lobby in liep, had ik Skink gebeld. We spraken af in het stofhok dat hij zijn kantoor noemt en probeerden uit te vogelen waar die klootzak van een Teddy Pravitz kon zitten. Het enige wat nodig was om hem te vinden, bleek uiteindelijk een simpele driehoeksmeting te zijn.
'Wat weten we over hem, maat?' vroeg Skink, die in kousenvoeten op de leren bank lag. Skink werkt het best zonder schoenen.
'Niet veel. Hij heeft waarschijnlijk zijn naam veranderd en hij heeft een tijdje in Californië gezeten. Hij wilde een film maken.'
'Wie niet? Ik heb ook een aardig idee voor een film. Het gaat over een privé-

detective in Fresno die een motorbende oprolt om een schone maagd in nood te redden. Dan blijkt dat de schone maagd vieze handjes heeft en ook geen maagd meer is. Het enige wat ik nog moet doen, is het script schrijven. Hoe lang zou je daarvoor nodig hebben?'
'Een paar uurtjes hooguit, denk ik,' zei ik. 'Je hebt toch ook een tijdje in Fresno gezeten, Phil?'
'Dus je denkt dat hij in het westen zit?' vroeg Skink, die snel van onderwerp veranderde.
'Ja, voorlopig gok ik daarop.'
'Dat is een flinke lap grond.'
'Misschien heb ik nog iets.' Ik haalde een stukje papier uit mijn jaszak en gaf het aan Skink.
'Wat is dat voor lijstje?'
'De telefoontjes die een dode heeft gepleegd of ontvangen.'
'Wat?'
'Dat is een lijst van de binnenkomende, gepleegde en gemiste telefoontjes van vorige week uit Stanford Quicks mobieltje.'
'Heb je die nummers van de politie gekregen?'
'Dat niet.'
'O, ik snap hem al. Je hebt een lijk gefouilleerd.' Skink grijnsde bewonderend.
'Ik denk dat een van die nummers ons naar de man zal leiden die we zoeken. En ik denk dat we ons om te beginnen op de nummers van de Westkust moeten concentreren.'
'Ik zal kijken of ik de bijbehorende namen kan vinden.' Skink kwam geïnteresseerd overeind. 'Ik zal ook een naam controleren die ik opving toen ik naar Lavender Hill informeerde. Eens zien of die naam in combinatie met een van de nummers iets oplevert.'
'Mooi,' zei ik. 'Misschien dat ik intussen nog een aanwijzing kan opduikelen.'
'Waar dacht je dat te doen?'
'Bij een vrouw die ik ken,' zei ik.
'Zaken of plezier?'
'Ze is makelaar.'
'Dan hoef ik niet verder te vragen, wel? Bij een makelaar draait alles om zaken.'

'Je hebt me je plan nog niet verteld.' Monica zat naast me in de rode cabriolet. Ze moest bijna schreeuwen om boven de herrie van het verkeer uit te komen en het harde gesuis van de wind die over onze hoofden blies nu het verkeer weer op gang was gekomen.
'Welk plan?'

'Je hebt toch wel een plan?'
'Plannen vallen in duigen,' zei ik. 'Een strategie kun je beter aanpassen aan de waarheid en de situatie die je aantreft. Ik geef de voorkeur aan een strategie.'
'Ook goed. Dan heb je me je strategie nog niet verteld.'
'Welke strategie?'
'Heb je ook nog geen strategie?'
'Daar ben ik mee bezig,' zei ik.
Monica keek me met gefronste wenkbrauwen aan, en wat kon ze prachtig fronsen. Haar mooie haar zat in een paardenstaart en ze droeg een grote, ronde zonnebril. De andere bestuurders die stiekeme blikken in onze cabriolet wierpen, dachten vast dat ze een aankomend filmsterretje was dat naar de set werd gereden. En waarschijnlijk dachten ze dat ik haar accountant was.
'Vertrouw me nu maar,' zei ik. 'Hé, we komen in de buurt van de Grote Oceaan. Ruik je de zee?'
'We moeten hier ergens rechtsaf.'
'Dat weet ik. Maar is dit niet fantastisch? Ontspan je en snuif die geur op. De Grote Oceaan, de Santa Monica Pier, Muscle Beach.' Ik had de trage verkeersstroom achter me gelaten toen ik de afslag naar Venice Boulevard had genomen en nu reden we in westelijke richting over de Pacific Coast Highway. Niet de kortste route misschien, maar wel de mooiste, en trouwens, we hadden toch geen haast? 'Misschien dat ik mijn imposante bicepsspieren even moet laten rollen voor de inboorlingen.'
'Dan moet je eerst vergrootglazen uitdelen.'
'Wel lief blijven,' zei ik.
'Victor, doe eens serieus. Wat is je plan? Of stormen we gewoon naar binnen en eisen we dat hij de waarheid vertelt?'
'Daar komt het min of meer op neer,' zei ik. 'Hij weet dat we eraan komen. Ik weet niet of we eruit gegooid worden of dat hij met de stroopkwast gaat smeren, maar dat maakt niet uit, want we passen ons gewoon aan. Soms is de beste strategie om als een olifant de porseleinkast binnen te stormen en er een grote puinhoop van te maken. Zo heb ik hem gevonden. Ik heb net zo lang herrie geschopt tot hij wist dat ik eraan kwam en hij nerveus werd. Daarom kreeg mevrouw LeComte ook de waarschuwing om haar mond te houden en daarom werd Stanford Quick een kopje kleiner gemaakt.'
'En die puinhoop leverde zijn naam op?'
'Ik heb een beetje hulp gehad.'

Het Chinese delicatessenrestaurant met de prachtige naam Lakeside lag niet in de buurt van een meer, was geen delicatessenrestaurant en de kale tafels, het roestige uithangbord en de met de hand geschreven menu's in Chinese karakters die voor het raam hingen, schreeuwden het bijna uit dat ze in deze tent botulisme serveerden. Maar als je in Philadelphia dim sum wilde eten,

je niet op linnen tafelkleden en zilveren kandelaars stond en je het niet erg vond om de enige westerling in de tent te zijn of als familie behandeld te worden, wat inhield dat de obers onvriendelijk waren en er nogal wat heen en weer werd geschreeuwd, was er geen betere tent dan de Lakeside.
'Je eet niets,' zei ik tegen Sheila.
'Ik heb niet zo'n honger.'
'Maar ik heb dit allemaal voor ons besteld.' Ik gebaarde naar de stoommandjes en de kleine ronde schalen die op tafel stonden en gevuld waren met allerlei zalig uitziende noedels en pasteitjes.
'O, ik weet zeker dat jij er wel raad mee weet.'
En daar had ze gelijk in. Ik had trek of beter gezegd, ik was uitgehongerd, alsof mijn honger gevoed was door de aanblik van de dode man. Eet nu het nog kan, want je weet maar nooit wanneer je zelf in die stoel zit met een drankje in je hand en een kogel in je hoofd terwijl zo'n gore insluiper in je zakken graait en je mobieltje jat. Ik had hem wel teruggestopt. Ik pakte een noedel op met mijn stokjes, doopte hem in de saus en stak hem in mijn mond. Garnalenvulling. Lekker.
'Als je geen honger hebt,' zei ik, 'waarom ben je dan gekomen?'
'Omdat je me belde.'
'Alleen daarom?'
'Is dat niet genoeg?'
'Hoe gaat het met je verloofde?'
'Uitstekend, dank je.'
Er lag een ironische glimlach rond haar koraalrode lippen, haar ogen glansden en ik keek goedkeurend naar het geverfde blonde haar dat lichtjes haar wangen beroerde. Sheila was zo'n vrouw die elke keer dat je haar ziet, mooier lijkt te zijn. Hoe kreeg ze dat toch voor elkaar, vroeg ik me af.
'Heb je dat appartement al verkocht?' vroeg ik.
'Heb je interesse?'
'Dat wel, maar niet in het appartement.'
'Mooi zo, want volgens mij past dat appartement niet bij je.' Ze sloeg haar blik neer en haar vinger volgde gedachteloos de lijnen van een Chinees karakter op de placemat. 'Als je het nog een keer wilt bezichtigen om alle twijfel weg te nemen, kan ik dat wel regelen.'
'Niet vanavond, dank je. Ik heb een zware dag achter de rug.'
'Jammer. Ik had wel zin in een stoeipartijtje.'
'Blijf je afspraakjes maken als je getrouwd bent?'
'Geen idee. Geef me na de trouwerij een belletje, dan laat ik het je weten.'
'Je verloofde mag in zijn handjes knijpen met jou.'
'Je moest eens weten.'
'Een investeringsbankier, toch?'
'Uiteraard. Ik heb trouwens iets voor je, Victor. Een naam.'

Ik legde mijn eetstokjes neer. 'Laat horen.'
'Het huis waar ik een oogje op moest houden van je? Van die Ciulla? Er is een makelaar die wel heel veel interesse toont voor dat pand. Zijn naam is Darryl. Ik heb gisteren met Darryl geluncht. We hebben gekletst, gelachen en te veel gedronken. Het was heel gezellig.'
'Dat zal best.'
'Darryl is een klein, zweterig mannetje dat ook nog eens een toupet draagt en toch dacht hij dat ik niets liever wilde dan zijn tong in mijn oor voelen.'
'Tja, mannen, hè?'
'Tijdens onze nogal vochtige lunch besloten we samen te werken en een syndicaat te vormen om het pand zelf te kopen. Het is onethisch en illegaal en daarom ook zo leuk. De makelaars gaan niet tegen elkaar opbieden om de verkoper rijk te maken, maar kopen het pand zelf en dan mogen de cliënten tegen elkaar opbieden om het van het syndicaat te kopen. Dat kost de cliënten geen cent meer, maar de makelaars strijken een leuke winst op.'
'Leuk bedacht.'
'Natuurlijk hou je ook in een syndicaat de naam van potentiële kopers geheim. Geen enkele makelaar wil dat een andere makelaar een cliënt voor zijn neus wegkaapt.'
'Zoiets zou jij nooit doen.'
'Ik ben makelaar, Victor. Hoe dan ook, in de loop van ons gesprek, ik schat na het vijfde drankje, toen mijn trommelvlies op het punt stond te verdrinken, liet Darryl zich de voornaam van zijn cliënt ontglippen. Reggie, noemde hij hem.'
'Reggie als in Reginald?'
'Bijvoorbeeld.'
'Reggie.'
'Ja, en hij woont aan de Westkust. Darryl was in zijn nopjes met een cliënt van de Westkust. Want hij zei het wel een paar keer. "Mijn cliënt aan de Westkust".'
'Reggie van de Westkust.'
'Helpt dat?'
'Nou en of. Ik kan je wel zoenen.'
'Ach, het stelde niets voor.'
'Zeker wel, maar dat is niet wat ik bedoel. Je ziet er echt uit om te zoenen.'
'O.' Ze bloosde bijna. 'Bedankt voor het compliment.'
'Ik vroeg me af hoe het toch komt dat je elke keer dat ik je zie, nog mooier lijkt te zijn. En nu weet ik hoe dat komt.'
'Hoe komt dat dan, Victor?'
'Omdat je ondanks alles, ondanks je Escalade en je armbanden, je nogal angstwekkende beroep en ondanks al je pogingen om als een harde tante over te komen, diep vanbinnen eigenlijk een schatje bent. Ik vroeg je iets

voor me te doen zonder uit te leggen waarom en jij stelde je bloot aan een vochtige lunch met handtastelijke Darryl om dat voor elkaar te krijgen. Je bent echt een schatje en hoe vaker ik je zie, hoe duidelijker dat wordt.'
Ze keek weg en was even stil. 'Als je dat ooit aan iemand vertelt,' zei ze na een tijdje, 'ruk ik je kop van je romp.'
'Daar zie ik je nog voor aan ook.'
'Niemand wil een lieve makelaar.'
'Beloof me één ding.'
'Wat?'
'Als het met die investeringsbankier niets wordt, geef me dan een belletje.'
Ze bedwong met moeite een glimlach en pakte haar eetstokjes op.
'Misschien dat ik toch een hapje neem,' zei ze, terwijl ze een noedel aan haar stokjes spietste.

Driehoeksmetingen zijn een fluitje van een cent. We hadden de nummers uit Stanford Quicks mobieltje, we hadden de naam van Sheila de makelaar, en we hadden het brokje informatie dat Skink via zijn contacten in Savannah had opgeduikeld. Lavender Hill had namelijk aan een van zijn nogal duistere zakenrelaties verteld dat hij erover dacht om in de filmbusiness te stappen. Hij was met een filmscript bezig over een kunsthandelaar, een kostbare urn en een vooraanstaande rijke familie die het slechte pad op ging. Hij had ook laten vallen dat hij een cliënt had om het script aan te verkopen.
'Iedereen denkt altijd dat hij het perfecte idee voor een film heeft,' zei ik tegen Skink. 'Hoe heette die filmmaatschappij?'
'Sara Nog Iets Productions. Hij kon de naam niet goed verstaan, maar hij zei dat het als een naam klonk. Sara nog iets.'
'Bestaat die maatschappij?'
'Ik heb hem niet kunnen vinden. Ik heb wel een lijst gevonden met de namen van alle productiebedrijven, maar er stond geen Sara nog iets op die lijst.'
'Sara,' zei ik. 'Sara nog iets.' Ik dacht er een paar minuten over na. 'Wat dacht je van Zarathustra?'
'Sara wat?'
'Zarathustra met een Z, niet met een S. Dat heeft met Nietzsche te maken en onze man was dol op Nietzsche.'
'Was dat niet die kale vent die voor de Packers speelde?'
'Vast wel. Zoek die naam maar op. Zarathustra Productions.'
En die kwam wel voor, met een kantoor in North Hollywood. Verder werden er alleen een paar telefoonnummers van contactpersonen vermeld en een van die nummers stond op naam van een zekere Reginald Winters. Reggie van de Westkust. Ik lachte toen ik de naam las. Wat een perfecte naam had die joodse knul uit Tacony voor zichzelf uitgezocht, alsof hij in zijn

jeugd altijd op de tennisbaan had gestaan, elke zomer op Mount Desert Island vakantie had gevierd, en neven in Andover had. Reginald Winters. Ik liet de naam een paar keer over mijn tong rollen en raakte er steeds meer van overtuigd dat het een verzonnen naam was. Reginald Winters. Zo heette toch niemand? Dus wel.

'Ik heb zoveel mogelijk over hem opgezocht,' zei Skink, nadat hij een paar minuten lang in zijn databases had gespeurd. 'Geboren in Ohio, afgestudeerd aan de Northwestern University in Chicago, en begonnen als scriptlezer bij Paramount voor hij zijn huidige positie wist te bemachtigen.'

'Hoe oud is hij?'

'Midden twintig.'

Verdomme. Niet de juiste vent, op geen stukken na. Daar ging mijn theorie over de mooie nepnaam. 'Wat is zijn functie?'

'Hij is vicepresident.'

'Vicepresident van wat?'

'Vicepresident Aankoop.'

'Dat geloof ik graag. Dat is echt een baan voor een knul van in de twintig. De nieuwe Irving Thalberg. Hij is een loopjongen. Daarom stond hij in contact met Darryl de makelaar. Voor wie werkt hij?'

'De grote baas van Zarathustra is een man die Purcell heet,' zei Skink. 'Theodore Purcell.'

'Theodore. Hmm.'

'Het is zijn bedrijf. Hij schijnt al jaren in de filmbusiness te zitten.'

'Is zijn bedrijf succesvol?'

'Vroeger wel. Herinner je je die film *Tony in Love* nog? Dat was een kaskraker in het begin van de jaren tachtig.'

'Die sentimentele troep over twee gedoemde geliefden die eindigt in een tranendal?'

'Mij heeft die film ook aan het huilen gebracht, maat. Dat geef ik eerlijk toe. Die kwam uit de koker van Theodore Purcell. En *Piscataway* met Gene Hackman, je weet wel, met die autoachtervolging. Daarna kwam hij met *The Dancing Shoes*.'

'*The Dancing Shoes*?'

'Kennelijk ging het toen bergafwaarts.'

'Geen wonder als hij dat soort troep uitbrengt. Wat is zijn achtergrond?'

'Geen idee. Ik kan alleen maar filmografieën vinden. En die beginnen allemaal met Theodore Purcell die de rechten van het boek koopt en dan *Tony in Love* produceert.'

'Hoe kwam hij aan het geld om de filmrechten voor dat boek te kopen?'

'Geen idee.'

'Nou, ik wel. En hij was zo arrogant dat hij niet eens zijn voornaam heeft veranderd. Heb je zijn adres?'

'Ik heb gezocht. Niets. Hij wil niet gevonden worden.'
'En via Stanford Quicks mobieltje? Is een van die nummers misschien van Purcell?'
'Geen rechtstreeks nummer. Ik heb wel een ander nummer gevonden waarmee een paar keer naar zijn mobieltje is gebeld. Ik heb het gebeld en de stem aan de andere kant weigert me informatie te geven, wil alleen weten wie ik ben en zegt dat ik niet nog een keer moet bellen. Nogal onbeschoft, eerlijk gezegd. Een Chinese vent, zo te horen.'
'Bel nog een keer. Zeg tegen de vent die opneemt dat je een pakje voor meneer Purcell hebt. Een cadeaumand van Universal. Maar dat je zijn huis niet kunt vinden. Probeer aanwijzingen te krijgen hoe je er moet komen. Misschien noemt hij de straat en het huisnummer.'
'Denk je dat hij daarin trapt?'
'Als er één ding is dat ik over Hollywood weet, is het wel dat ze daar dol zijn op cadeaumanden.'

Het huis stond hoog in de Santa Monica Mountains en keek uit over het chique Malibu. De weg ernaartoe was steil, bochtig en kronkelde af en toe zelfs een stukje terug, toch stegen we gestaag. Naast de weg lag een ravijn; bruine woestijngrond met her en der een groen stipje. Ik stopte bij de intercom voor het roestige hek. Onder de intercom hing een postbus zonder naam of nummer erop en boven op het hek, aan de rechterkant, was een camera bevestigd die op de auto was gericht. Ik leunde uit het raampje en drukte de knop van de intercom in.
Niets.
Ik drukte nog een keer de knop in.
Nog steeds niets.
'Weet je zeker dat we hier moeten zijn?' vroeg Monica. 'Misschien zijn we er al voorbij.'
'Hier is het,' zei ik en ik drukte voor de derde keer de knop in.
'Waarom jij als idioot knop indrukken?' Uit de intercom klonk een blikkerige stem van iemand uit het Oosten, niet het Noordoosten maar het Verre Oosten. Niet Chinees, maar wel uit die buurt. 'Wij niet doof. Wij jou horen. Wat jij willen?'
'We komen voor meneer Purcell,' zei ik.
'Jij afspraak hebben?'
'Nee, meneer.'
'Waarom jij dan knop indrukken? Ga weg. Meneer Purcell niet te spreken zijn voor jou.'
'Volgens mij verwacht hij me.'
'Nee. Meneer Purcell rust. Meneer Purcell ziek. Meneer Purcell in New York. Meneer Purcell niet te spreken zijn voor jou. Wat jij hebben, film-

script? Wij geen filmscript aannemen behalve als wij om filmscript vragen en wij nooit om filmscript vragen. Stop in postbus, dan wij geen contact opnemen met jou. Nu weggaan. Meneer Purcell hoofdpijn hebben en niet gestoord kunnen worden.'
'U hebt vast rechten gestudeerd.'
'Waarom jij mij beledigen? Ik alleen mijn werk doen.'
'Wilt u meneer Purcell vertellen dat Victor Carl hem wil spreken?'
'Victor Carl?'
'Ja.'
'Jij, Victor Carl?'
'Ja, dat ben ik.'
'Aha, meneer Carl. Werd tijd.'
'Pardon?'
'Wij jou al dagen verwachten. Jij opschieten. Meneer Purcell al dagen op jou wachten.'
'Vast wel,' zei ik, terwijl het hek langzaam openzwaaide.
Even later reed ik over een oprijlaan die op een gegeven moment een bocht maakte langs een heuvelig landschap vol weelderige bloemen en bomen met her en der een lapje overwoekerd gazon dat bespikkeld was met zonnestralen.
'Dus hij gaat met de stroopkwast smeren en de charmeur uithangen,' zei ik toen we langzaam over de oprijlaan reden.
'Ik denk dat ik immuun ben voor de charmes van meneer Purcell,' zei Monica.
'Daar zou ik niet zo zeker van zijn. Hij zal het er dik op leggen. Maar hoe charmant hij ook mag zijn, één ding moet je niet vergeten.'
'Wat niet?'
'Dat hij een leugenaar is. Als je nooit de waarheid moet spreken om succes in Hollywood te hebben, is hij daar perfect op zijn plek. Hij zal overtuigend zijn, zijn oprechtheid zal geen grenzen kennen en ons bijna verpletteren, zijn blik zal open en eerlijk zijn en ons instinct zal ons voorhouden dat we hem kunnen vertrouwen. Op een gegeven moment zullen we elk woord willen geloven dat uit zijn mond komt, want hij is een leugenaar eersteklas. Maar vergeet nooit dat hij een leugenaar pur sang is, net als de slang een buikschuiver is en de tijger een meedogenloos roofdier.'
'Waarom zijn we hier dan gekomen, Victor, als hij toch alleen leugens vertelt?'
'Omdat een goede leugenaar niet zomaar leugens verzint. In elke goede leugen zit een kern van waarheid en die zoeken we. De kern van waarheid over wat die klootzak met je zus heeft gedaan.'

52

De man van de intercom stond bij de voordeur van het huis op ons te wachten. Een kleine, magere man met ravenzwart haar, dat overduidelijk nep was en een vreemde aanblik op zijn gerimpelde schedel vormde. Hij droeg sandalen, een witte broek en een ruimvallend gebloemd overhemd. Er lag een diepe frons op zijn gezicht en hij was minstens negentig, misschien zelfs ouder; de oudste Filippijnse huisbediende ter wereld.
'Jij, Victor Carl?' De man was blijkbaar niet onder de indruk van mijn verschijning.
'Ja, dat ben ik.'
'En uw dame?'
'Een vriendin.'
'Ik denk meneer Purcell liever jouw vriendin zien dan jou. Ik wel zeker weten. Laat auto staan en kom mee.'
De entree van het huis deed denken aan een dure boetiek of een heel chic bordeel; een cirkelvormige colonnade met een marmeren vloer en een kastanjebruine luifel. Het zou indrukwekkend zijn geweest als de voegen tussen de marmeren tegels niet groen hadden gezien van het onkruid.
We volgden hem door de dubbele voordeur en via een lege hal kwamen we in een enorme zitkamer terecht waar geen stukje vloerbedekking lag en alleen één enkele witte bank voor een open haard stond. Een houten krat fungeerde als salontafel. De muren waren donker met her en der lichtere plekken waar ooit schilderijen hadden gehangen. Langs de muren stonden foto's in zilveren lijstjes; foto's van prachtig gebronsde mannen met parelwitte gebitten en vrouwen met diepe decolletés.
'Waar is alles?'
'Bij stomerij,' zei de man.
Vanuit een andere kamer hoorden we een geaffecteerde stem roepen: 'Lou, is dat Anglethorp?'
'Niet Anglethorp.' Lou stootte een kort, blaffend lachje uit. 'Victor Carl.'
'Wie, verdomme?'
We hoorden een stoel over de vloer schrapen, er viel iets op de grond en even later verscheen een jongeman in een crèmekleurige broek. Hij was mager, blond, diep gebronsd en zijn gezicht zag er vreemd leeg, bijna karakterloos uit.

'Ben jij Victor Carl?' De man sprak mijn naam langzaam uit alsof ik een diepe teleurstelling voor hem was.
'Dat klopt.'
'Ik dacht dat je er anders zou uitzien. Ik weet het niet, misschien groter. En dat je een hoed zou dragen. Hoe ben je hier gekomen?'
'We zijn komen vliegen en jezus, je zou mijn armen eens...'
'Ik jou toch zeggen hij komen, meneer Winters,' zei Lou. 'Jij Lou nog honderd dollar schuldig zijn. Nog even en jouw auto van mij zijn.'
'Zie eerst je geld maar eens te krijgen, jij kleine maki.' Reggie Winters draaide zich met een nietszeggende uitdrukking op zijn gezicht naar Monica toe. 'En jij bent?'
'Ze is mijn zakenpartner,' zei ik.
'De Derringer van Derringer & Carl?'
'Zoiets.'
'Dus het hele bedrijf vereert ons met een bezoekje. Wat gezellig. Maar jullie hebben helaas een slecht tijdstip uitgekozen. Waar logeren jullie?'
'We zitten in een hotel bij het vliegveld. Hoezo?'
'Meneer Purcell is op het moment bezig en kan niet gestoord worden,' zei Reggie. 'Dat snappen jullie wel. Laat het nummer van het hotel maar achter, dan neemt hij wel contact op zodra hij daar de gelegenheid voor heeft.'
'Dat meen je toch niet serieus, zeker?' vroeg ik. 'Lou, meent hij dat serieus?'
'O, meneer Winters, hij heel serieuze jongeman. Altijd. Geen spoor van kind in hem.'
Reggie Winters snoof. 'Jullie kunnen hier niet komen binnenstormen als een kudde...'
'Maar we zijn al binnen, toch, Reg? Waar is de grote baas, Lou? Buiten?'
'Bij zwembad,' zei Lou. 'Ik jou brengen.'
Reggie Winters wierp ons een boze blik toe en beende naar een brede trap achter in de kamer. Lou schudde zijn hoofd en ging ons voor in dezelfde richting. We daalden een donkere trap af en kwamen door een grote kamer die helemaal leeg was op een plantenbak na, waarin een half verdord boompje stond dat het merendeel van zijn bladeren had laten vallen. Nadat we een biljartkamer met mahoniehouten lambrisering waren gepasseerd, sloeg Lou rechtsaf en leidde hij ons naar buiten. We liepen onder een pergola door die bijna bezweek onder de grote hoeveelheid rozen en seringen die eroverheen woekerden. Erachter lag een groot zwembad met troebel, groen water. Tussen de stenen rond het zwembad groeide onkruid, er stonden een paar gammele ligstoelen bij de waterrand, die een treurige aanblik boden en een paar meter ernaast stond een hot tub met een spiegelglad oppervlak. En in de verte, diep beneden ons, pronkte de Grote Oceaan met haar grenzeloze uitgestrektheid.
'Achhh, nee, je hebt geen week om het te lezen.' Het norse gemompel klonk links van ons. 'Morgen wil ik je antwoord weten.'

Een kleine man in een badjas zat samen met een vrouw aan een gietijzeren tafeltje onder een groene parasol. De man had zijn rug naar ons toe en praatte in zijn koptelefoon. Er hing een wolk sigarenrook om hem heen. De aantrekkelijke vrouw maakte aantekeningen en hield een telefoon vast. De aanwezigheid van Reggie Winters, die naast de tafel stond, maakte me duidelijk wie de man was.
'Achhh, geloof me. Het beste script dat ik in jaren heb gelezen,' zei de man. 'Gewoonweg briljant. Echt geniaal. En ik bied het jou als eerste aan, knul. Denk daaraan als de Oscars worden uitgedeeld.'
Bijna elke zin werd voorafgegaan door een schraperig geluid, alsof zijn stem zich voorbereidde om een stortvloed aan woorden uit te stoten en wanneer de stroom losbarstte, kwamen de woorden er gehaast en grillig uit.
'Achhh, nee, ik moet het zo snel mogelijk weten. Kom morgenavond langs, dan draai ik mijn nieuwste film. Groot feest. Vertel me dan maar wat je ervan vindt... Dat klopt... Oké. Doe me een lol en geef je nieuwe vrouw een beurt van me.' Hij lachte. 'Dat weet je toch. Achhh, we gaan een geweldige kaskraker maken... Afgesproken. Tot morgen.'
De man gebaarde met zijn hand en de vrouw drukte een toets op de telefoon in. 'Die probeert me te naaien, dat weet ik zeker. Achhh, bel George en zeg dat ik een script voor hem heb.'
'We hebben een probleem,' zei Reggie.
De man deed zijn koptelefoon af en draaide zich naar Reggie toe. 'Achhh, kun je dat niet zelf afhandelen, knul? Daar heb ik geen tijd voor. Wat voor probleem?'
'Ik denk dat hij mij bedoelt,' zei ik.
De man in de badjas draaide zich met een ruk om in zijn stoel en keek me met een verbaasde uitdrukking aan. Hij droeg een bril met grote glazen die zijn blauwe ogen vergrootten, zijn zwarte haar was glad achterovergekamd en op zijn blote borst bungelde een gouden medaillon. Zijn gezicht was diep gebronsd en zijn huid was net zo strak en glanzend als plasticfolie om een fruitmand.
'Wie ben jij, verdomme?' vroeg hij.
'Victor Carl.'
Hij haalde de sigaar uit zijn mond en nam me aandachtig op. 'Lena,' zei hij, 'ga maar en zet de boel alvast klaar voor Anglethorp.'
De vrouw stond op en glimlachte naar ons voor ze in de richting van het huis verdween.
Toen ze weg was, zei Purcell tegen me: 'Achhh, waar bleef je zo lang?'
'Je was moeilijk te vinden.'
'Kennelijk niet moeilijk genoeg voor een knul uit Philly. Zei ik het niet, Reggie? Een knul uit Philly krijgt alles voor elkaar als je hem maar uit Philly haalt.'

'U dat gezegd hebben, meneer Purcell,' zei Lou. 'En nu hij mij honderd dollar schuldig zijn.'
'Betalen, knul. Zo doen we dat hier. We betalen altijd onze schulden.'
'Ik betaal heus wel,' zei Reggie.
'Volgende keer, ik jouw auto krijgen,' zei Lou.
Purcells ogen gleden naar Monica, die hij van top tot teen opnam. 'Wie is het stuk?'
'Haar naam is Monica,' zei ik. 'Monica Adair.'
'Adair?'
Ik had verwacht dat de naam hem als een mokerslag zou treffen, maar hij bleef onverstoorbaar. 'Nicht?' vroeg hij.
'Zus,' antwoordde Monica.
'Ik wist niet dat ze een zus had.'
'Ik ben geboren nadat Chantal was verdwenen.'
'Interessant. Zo te zien ben je aardig opgedroogd. Achhh, meer dan aardig. Wat doe je voor de kost, Monica Adair?'
'Ik werk op een advocatenkantoor.'
'Jezus, wat een verspilling. Ooit in een film gespeeld?'
'Nee.'
'Doe auditie. Je hebt een goede uitstraling. Gezond. Zoals Connelly voor ze anorexia kreeg. Je gebit lappen we wel op. Hebben jullie zwemspullen bij je?'
'We zijn niet voor het amusement gekomen.'
'Dit is L.A., knul. Alles draait hier om amusement. Maar ik heb nu geen tijd. Anglethorp is onderweg. We praten later wel. Alleen wij drieën.'
'We moeten nu praten,' zei ik.
'Dat zou ik wel willen, want ik heb heel veel te vertellen, maar dat gaat niet. Het gaat gewoon niet. Achhh, Lou, geef die twee een paar handdoeken en zwemspullen. Geef haar een lekker strak pakje. En geef ze iets te drinken. Hou je wel van een drankje, Victor?'
'Ja, maar de drank houdt niet van mij.'
'Dan moet je meer oefenen. Als je het hier wilt maken, knul, moet je de jongens met het grote geld onder tafel kunnen drinken zodat je hun geld kunt jatten. Maak er een stevig drankje van, Lou. We praten straks wel, dat beloof ik. Nu moet ik me met iets anders bezighouden. Hoe laat zou Anglethorp komen?'
'Een uur geleden,' zei Reggie.
'De klootzak. Hé, Victor, kijk intussen hier eens naar, je moet toch wachten.' Hij gooide me een boekwerk in een plastic ringband toe. 'Net binnengekomen. Briljant. Geniaal. Eens zien of jij er een neus voor hebt.'
Hij stond op en liep snel weg in de richting van de pergola en het huis. Hij was kleiner dan ik had gedacht, wel dertig centimeter kleiner dan ik. Reggie liep achter hem aan, net een slaafse echtgenote.

'Heb je twee keer gebeld?' vroeg Purcell.
'Twee keer,' zei Reggie.
'En wat zei hij?'
'Hij nam niet op.'
'Achhh, die hufter komt nog niet eens op tijd bij zijn eigen orgasme.'
'Wat is er met mijn zus gebeurd?' riep Monica hem na.
Purcell bleef stilstaan, draaide zich om en keek haar een paar tellen met zijn grote ogen aan. 'Ik had je niet binnen hoeven laten,' zei hij uiteindelijk. 'Je zult even geduld moeten hebben, we hebben het er straks over, maar zaken gaan voor. Zo gaat dat in deze business.'
'We blijven wachten,' zei ik.
'Ik zou teleurgesteld zijn als je dat niet zou doen. Die tattoo waar Lavender het over had, was dat het echte werk of alleen een beetje verf?'
'Het echte werk.'
'Zit er een verhaal achter?'
'Daar probeer ik nog steeds achter te komen.'
'Dat geloof ik graag. Je bent net een buldog, knul. Als je eenmaal beethebt, laat je niet meer los. Dat mag ik wel. Iemand uit Philly is mans genoeg om flink wat herrie te schoppen in deze stad.' Hij gebaarde naar het zwembad en de oceaan in de verte. 'Maar intussen kun je nog wel van de omgeving genieten.'
Hij stak de sigaar in zijn mond, sabbelde er een paar tellen aan, draaide zich om en verdween onder de pergola met Reggie op zijn hielen. De verbazingwekkende Theodore Purcell was in een flits weg. Het enige wat achterbleef was een klein rookwolkje.
'Ik zorgen voor jullie,' zei Lou, 'ik zwemspullen halen die passen.' Hij gebaarde naar een kleine, lage omkleedcabine naast het zwembad. 'Daar omkleden.'

53

Je denkt misschien dat ik Lou vertelde wat hij met zijn zwemspullen kon doen, dat ik op hoge poten achter de onverstoorbare Theodore Purcell aan stormde en antwoorden eiste omdat ik had besloten dat de hele smerige geschiedenis ter plekke tot op de bodem moest worden uitgezocht, maar dan zit je verkeerd. Ik zou allerlei strategische redenen kunnen opnoemen waarom ik rustig afwachtte, maar het had niet alleen met strategie te maken. Het kwam ook omdat ik het heet had, bijna uit mijn jasje dreef van het zweet en het idee om een frisse duik te nemen me wel aanstond, zelfs als ik me daarvoor in het troebele water van Teddy Purcells zwembad moest begeven.

Ik stapte de omkleedcabine uit in een geleende zwembroek met daarover een badjas die ik strak om me heen had gesnoerd als een regenjas, met een zonnebril op mijn neus en het script in mijn hand. Ik slenterde naar de rand van het zwembad. De zon hing vadsig en lui boven de oceaan. De lome middag, het onkruid, de hitte, de kleur van het water en het verlaten terras gaven me het gevoel dat ik bij het zwembad van een tweederangs hotel in een derdewereldland stond. Mijn voeten waren zo wit dat het net twee angstige albinomuizen leken die per ongeluk in de zon waren beland.

'Waarom is het water groen?' Monica kwam naast me staan.

'Misschien hebben ze de knul die het zwembad schoonhoudt ook naar de stomerij gebracht, net als de rest van de spullen.'

'Heeft die Purcell net eigenlijk niet toegegeven dat hij iets met mijn zus heeft uitgespookt?'

'Hij heeft min of meer toegegeven dat hij Teddy Pravitz is en je zus kende. Maar verder?'

'Wat hij ook gedaan heeft, hij lijkt niet verscheurd te worden door schuldgevoelens, vind je wel?'

'Nee, dat niet, zo'n soort vent lijkt hij me niet. Eerlijk gezegd, komt hij ook niet over als het type vent dat oude vrienden vermoordt om zijn geheim veilig te stellen.'

'Misschien zie je dat verkeerd,' zei ze.

'Dat betwijfel ik.'

'Wat gaan we nu doen?'

'Zwemmen.'

Ik keek even opzij, toen nog een keer en bleef ten slotte naar haar staren. Het tweedelige niemendalletje dat Lou Monica had gegeven, leek speciaal voor haar gemaakt te zijn. Het gaf haar lichaam een Amerikaanse uistraling: gezond, fris, en weelderig, misschien zelfs iets te weelderig, maar een beetje overdaad tussen vrienden moet kunnen, nietwaar?
'Het zit me niet lekker dat we zijn gastvrijheid accepteren,' zei Monica. 'Ik voel me er een beetje smerig door.'
'Zo te horen wil hij een verhaal vertellen. Ik vind dat we net moeten doen of we volop van zijn gastvrijheid genieten, dat stelt hem op zijn gemak, en dan laten we hem zijn verhaal doen.'
'Dus dit maakt deel uit van je strategie? Luieren bij het zwembad?'
'Natuurlijk, Monica. Je denkt toch niet dat ik hier echt van geniet?'
Op dat moment verscheen Lou, die een dienblad droeg met daarop een glas waarin een parapluutje was gestoken. 'Ik jou colada brengen,' zei hij. 'Vers gemaakt, zo uit het pak.'
'Ik ga daar zitten, Lou.' Ik wees naar een ligstoel die in de schaduw van een boom stond. Wil je deze spullen daar ook even neerleggen?' Ik trok de ceintuur van mijn badjas los, deed hem uit en overhandigde hem samen met het script aan Lou.
'Best. Lou toch niets beters te doen hebben dan jou op wenken bedienen.'
'Dank je. Wil je ook een piña colada voor mijn vriendin halen? En Lou, blijf ze maar aanvoeren.'
Lou snoof. Ik grijnsde breeduit naar Monica. Haar hand kwam omhoog alsof ze verblind werd door mijn stralende glimlach. Of kwam het door mijn spierwitte huid?
'Ik wist niet dat jij een Duitser was,' zei ze na een blik op de kleine Speedozwembroek die ik van Lou had gekregen. 'Ik heb strings gedragen waarin meer materiaal was verwerkt.'
'Lou had geen andere voor me.'
'Dan draag je vast een afdankertje van Teddy Purcell.'
'Waarom zeg je dat nu? Gadver.'
'Je krijgt me met nog geen tien paarden in dat smerige water. Het is alsof er hele kolonies gemuteerde levensvormen in rondzwemmen. Volgens mij kan elk moment dat enge goedje uit *The Blob* opduiken.'
'Waar is Steve McQueen als je hem nodig hebt?' Ik kon de bodem van het zwembad niet zien. Ik besloot geen duik te nemen, maar ging op de rand zitten en liet mijn benen in de smurrie bungelen.
Ik zat nog maar net toen er een jong meisje verscheen dat de trap naar de duikplank op klom en sierlijk het water in dook. Ze trok een perfect baantje en hees zich aan de andere kant moeiteloos uit het water. Als het water schoon genoeg voor haar was, was het dat ook voor mij. Ik liet mezelf in het zwembad zakken en hield mijn hoofd boven water terwijl ik wat rondspet-

terde. Het water voelde koel en zijdeachtig aan, het deed eerder aan een meer denken dan aan het gebruikelijke chloorwater van zwembaden. Na een tijdje hees ik mezelf uit het zwembad. Ik liep naar de ligstoel in de schaduw van de boom en droogde mezelf af met de badjas. Dat leverde de badjas een merkwaardige, groenige tint op. Ik plofte in de ligstoel neer, nam een flinke teug van mijn drankje en leunde achterover met een vreemd tevreden gevoel. Gisteren stond ik nog in een oud rijtjeshuis in Philly en zag ik een dode man in een leunstoel zitten. Vandaag zat ik bij het zwembad van een luxueus buitenverblijf in de bergen dat eigendom was van een filmbons uit Hollywood. Dat er een verband bestond tussen die twee plekken stond vast, toch weerhield me dat er niet van om nu te genieten. Ineens zag ik in mijn ooghoek iets bewegen. Ik keek opzij en zag het jonge meisje weer op de duikplank staan met haar armen voor zich uitgestoken. Ze droeg een bikini in een geel met blauw bloemenpatroon dat goed bij haar geelblonde haar paste. Lange benen, mooie borstjes, en her en der een paar jeugdpuistjes op haar geprononceerde jukbeenderen. Ze straalde van jeugdig enthousiasme, toch was er ook al een glimp te zien van de vrouw die ze zou worden. Even vroeg ik me af of zij misschien de vermiste Chantal was, maar rekenkundig gezien was dat onmogelijk. Chantal moest nu midden dertig zijn en dit meisje was hooguit veertien. Toch gedroeg ze zich alsof ze hier thuis was. Misschien was dat ook wel zo. Misschien was ze wel de dochter van Theodore Purcell. Ik keek toe terwijl ze een gracieuze zweefduik in het water maakte en peinsde over wat er door mijn toedoen misschien zou veranderen in haar comfortabele leventje. Ik besloot daar niet langer over na te denken en nam nog een slok van mijn drankje. En aangezien ik toch niets beters had te doen, sloeg ik het script open.

FADE IN.

Ik had meteen door dat het bagger was met die clichématige titel en de zoetsappige dialogen die nergens toe leidden, en al snel veranderde de titel voor mij van *Fade in* naar *Fade out*.

'Wie is Chantal?'

Ik schrok wakker toen ik de stem hoorde. Het jonge meisje stond naast mijn ligstoel en keek op me neer. 'Wie?' vroeg ik.

'Chantal. De naam in je tatoeage. Is dat je moeder? Meestal staat er in zo'n tatoeage "mama".'

'Nee, niet mijn moeder,' zei ik. 'Gewoon de naam van een meisje. Ik ben Victor.'

'Ik heet Bryce. Is zij Chantal?' Ze wees naar Monica, die in de andere ligstoel lag te slapen. Door de hitte en Lou's pittige piña colada's had de jetlag ons te pakken gekregen.

'Nee, zij heet Monica. Ze is gewoon een vriendin. We werken samen.'

'Maak jij ook films?'

'Niet bepaald.'
'Waarom ligt er dan een opengeslagen script op je buik?'
'O, dit?' Ik pakte het script op en ging rechtop zitten. 'Meneer Purcell vroeg of ik het wilde doorlezen.'
'Oom Theodore heeft altijd wel een script dat doorgelezen moet worden. Ze zijn allemaal' – ze schraapte haar keel en deed haar oom na – 'briljant. Gewoon geniaal. Lees het en laat me weten wat je ervan vindt.'
'Dus hij is je oom?'
'Ik noem hem oom, maar hij is geen echte oom. Ik vind je tatoeage mooi. De kleuren zijn nog helder en meestal zie je zo'n hart alleen bij oude mannen.'
'Dank je, geloof ik.'
'Je vriendin Monica heeft een mooie bloem op haar enkel. En die duif op haar schouder is ook leuk. Ik wilde een tatoeage van een vis op mijn rug, maar dat mocht niet van mijn moeder. Ze zei dat ik nog te jong was.'
'Nou, Bryce, dat vind ik heel verstandig van haar. Veel mensen krijgen spijt van hun tatoeage.'
'Maar het was wel een mooie vis, blauw met gele strepen. Ik heb hem gezien toen ik met oom Theodore aan het duiken was in Cabo San Lucas.'
'Is je moeder ook hier?'
'Ze zit binnen te werken. Haar naam is Lena. Ze is oom Theodores secretaresse. Ze werkt al eeuwen voor hem, nog voor ik geboren werd. Heb jij spijt van je tatoeage?'
'Dat weet ik nog niet,' zei ik, na eventjes nagedacht te hebben.
'Ik zou geen spijt van de mijne krijgen, want het was een prachtige vis.' Ze glimlachte stralend naar me voor ze zich omdraaide en naar de hot tub liep. Ik keek haar na. Ze drukte een paar knoppen in en het wateroppervlak begon te borrelen. Ze stapte in het bubbelbad, ging languit achterover liggen met haar hoofd in het water, en liet zich masseren door de krachtige stralen.
'Wie was dat?' Monica hees zich slaperig op haar ellebogen en opende haar ogen.
'Dat was Bryce.'
'Wie is Bryce?'
'Geen idee, maar ze heeft iets waardoor ik me zorgen maak.'
'Hoe is het script?'
'Bagger.'
'Jammer. Ik heb zelf ook een idee voor een film.'
'Dat geloof ik graag. Iedereen heeft wel een idee voor een film.'
'Het gaat over een meisje dat spoorloos verdwijnt.'
'Dat verbaast me niets.'
'Jaren later duikt ze ineens weer op. Maar, en nu komt het, ze is nog net zo

oud als toen ze verdween. Ze is helemaal in het wit gekleed en straalt.'
'En dan redt ze de wereld.'
'Hoe wist je dat?'
'Ik deed maar een gooi. Maar vertel, waarom verdween ze?'
'Daar ben ik nog niet helemaal uit. Buitenaardse wezens, misschien. Maar goede, geen slechte.'
'Wat een opluchting.'
'Of misschien was er wel een heilige bij betrokken.'
'Of een clown.'
Op dat moment zag ik Theodore Purcell met grote passen het huis uit stormen, gevolgd door de jonge, slaafse Reggie en de oude, gedienstige Lou. Theodore Purcell kauwde op zijn sigaar, hij was duidelijk van slag. Toen hij ons zag, bleef hij even staan en siste iets tussen zijn tanden. Lou knikte en kwam onze richting uit terwijl Theodore zijn badjas uittrok. Onder zijn ronde, uitgezakte buik zat een strakke zwembroek, ook een Speedo. Purcell gaf zijn badjas aan Reggie en liet zich naast Bryce in de hot tub zakken. Ik hoorde dat hij zijn keel schraapte en iets tegen Bryce zei, die begon te schateren van de lach.
'Jij van lekkere kippetjes houden?'
'Lou, toch. Dat is geen politiek correcte opmerking.'
'Ik vogel bedoelen. Gegrild. Met ananas en pijnboompitten.'
'Klinkt heerlijk.'
'Ik speciaal maken voor jou en knappe vriendin. Jullie hier eten.'
'Is dat een uitnodiging?'
'Wat jij dan denken? Dit restaurant?'
'Eet meneer Purcell ook mee?'
'O, ja, jullie met drieën eten. Hij zeggen hij intiem etentje willen. Iedereen weg. Alle bedienden vrij. Alleen Lou koken en slaaf spelen.'
'Ik neem aan dat hij ons een verhaal wil vertellen.'
'Jij soms denken hij hete seks met jou willen?'
Ik keek naar Purcell, die in de hot tub zat. 'Laten we hopen dat hij een verhaal wil vertellen.'
'Dus jullie blijven?'
Ik zag dat Theodore Purcell de jonge Bryce een aai over haar bol gaf. Bryce bewoog zich in de richting van zijn hand. Reggie wendde zijn blik af.
'Ik zou het niet willen missen.'

54

'Wat vond je van het script, knul?' vroeg Theodore Purcell.
'Ik vond er niet veel aan,' zei ik, terwijl ik mijn mes in de kip zette. 'Ik werd er niet door gegrepen.'
Hij keek me aan alsof ik zijn moeder had beledigd.
'Het deed me denken aan mijn tijd in de Little League,' zei ik. 'Een hoop gevlieg van hot naar her, maar het leidde nergens toe.'
'Oké, slimme jongen, laat maar horen. Hoe zou jij het verbeteren?'
'Ik zou een scriptschrijver inhuren en hem op bladzijde één laten beginnen.'
Theodore Purcell staarde me een paar tellen met een woedende blik aan en begon toen ineens te lachen. Een bassende lach van achter uit zijn keel. We zaten in een gigantische kamer, groot genoeg om een banket in te houden, maar op de ronde tafel voor het raam na, was hij leeg. Er lag een gestreken tafelkleed op tafel, prachtig serviesgoed en zilveren messen en vorken, maar elke keer dat ik mijn mes in de kip zette, wiebelde de tafel alsof hij elk moment kon bezwijken onder het gewicht van alles wat erop stond.
Maar ach, we hadden een lekker kleurtje opgedaan in de zon en de kip was mals. Lou, die een smoking droeg, vulde onze wijnglazen met iets wat heel oud en heel wit was en helemaal niet slecht smaakte. Ik dacht er perzik en eikenhout in te proeven. Bij Theodore Purcell kwam geen witte *zinfandel* op tafel. Het was allemaal zo lekker en ontspannen, dat ik bijna zou vergeten waarom we hier waren en misschien was dat ook wel de bedoeling.
'Denk je dat je het zou redden in deze stad, knul?' vroeg Purcell toen hij uitgelachen was. 'Denk je dat je het zou maken als producer?'
'Hoe moeilijk kan dat zijn? Je leest een paar bladzijden Nietzsche, steelt een paar kunstwerken en belazert je maten. Fluitje van een cent.'
'Probeer het maar eens, lefgozertje. L.A. kan een keiharde stad zijn voor iemand die er niet vandaan komt, hoewel iedereen hier import is. Ik heb er jaren over gedaan om een voet tussen de deur te krijgen. Was dat moeilijk? Reken maar. Ik was net als jij, knul. Ik had geen Harvard gedaan en had geen rijke pappie. Ik had alleen de neus van een jachthond. En ik was bereid er de prijs voor te betalen.'
'En wat was die prijs?'
'Mijn leven inzetten in de hoop iets nieuws en beters op te bouwen. Wil je weten hoe dat gegaan is?'

'We willen weten wat er met Chantal is gebeurd,' zei Monica.

'O, die maakt er ook deel van uit. Het beste deel. Dus luister goed en haal je aantekenboekjes tevoorschijn. Misschien dat je dan zelf ook een kans maakt.'

'Ik stond achter een bar in Del Rey. Ik werkte als barkeeper tot ik de overstap naar de filmbusiness zou maken. Waarom ik de filmbusiness in wilde? Dezelfde reden als iedereen. Als je het in L.A. wilt maken, moet je wel de filmbusiness in. Maar het schoot niet op en ik werd steeds beter in cocktails mixen. Op een avond raak ik aan de praat met een dronken stamgast die me vertelt dat hij schrijver is. Hij had een boek geschreven, het was uitgegeven en geflopt, daarom had hij het op een zuipen gezet. Het oude liedje. Ik vraag om een exemplaar, lees het door en zie meteen waarom het geen succes is. Er zat geen kern in, toch had het wel iets. We sluiten een deal. Ik betaal zijn drankrekening en hij draagt de filmrechten van het boek aan me over. En ineens was ik producer.' Hij was even stil.

'Omdat ik de filmrechten heb, willen de hoge heren ineens wel met me praten. Ik steek overal mijn verkooppraatje af, maar niemand hapt toe. Ik ben langs alle studio's geweest. Het heeft me geen cent opgeleverd, maar ik heb er veel van geleerd. En zodra er weer een boek mijn bar binnenwandelde, zou ik opnieuw bij ze op de stoep staan. Dat beloofde ik mezelf. En op een dag gebeurt dat. Geen schrijver, maar een aantrekkelijk stuk met mooie benen en doorgelopen mascara. Ik vraag wat er aan de hand is. Ze zegt dat er niets is, maar dat ze net een boek heeft gelezen. Dat moet me het boek wel zijn geweest, zeg ik. "Het heeft me in mijn ziel geraakt," zegt ze. Ik vraag haar om me erover te vertellen en dat doet ze, de hele avond lang. Zelfs ik begon te janken toen ze het verhaal vertelde. De volgende ochtend, zonder het boek zelfs maar te lezen, bel ik de schrijver op. Blijkt dat die hufter een agent heeft, wat betekent dat het me meer gaat kosten dan een drankrekening. Zijn agent vertelt dat het me vijftigduizend gaat kosten. En je raadt zeker wel wat de titel was? Juist. Dat was *Tony in Love*. De kans waarop ik gewacht had. Ik wist hoe ik het moest verkopen en aan wie, maar eerst moest ik de rechten in handen zien te krijgen. In deze stad moet je de filmrechten hebben of bakken met geld, anders naaien ze je aan alle kanten. Ik was niet van plan een studio binnen te stappen zonder de rechten. Het was net een pokerspelletje dat ik zou kunnen winnen als ik die inzet van vijftigduizend maar bij elkaar kon schrapen. Het zag er hopeloos uit, maar ik had een idee om het geld bij elkaar te krijgen dat zo oud is als de wereld. Ik zou een oudere, rijke vrouw zoeken die voor me zou vallen en het geld voor me zou ophoesten. Dat soort dingen gebeurt aan de lopende band in de grote stad. Toch besefte ik heel goed dat ik zo'n vrouw niet in een bar in Del Rey zou vinden. En toen had ik eindelijk een mazzeltje. Een van de filmbonzen,

zo'n rijke stinkerd uit een chique wijk van Philly, mocht me wel omdat ik ook uit Philly kwam. Hij nodigde me uit op een feestje bij hem thuis. Het krioelde er van de filmsterren en de studiobonzen en er speelde een hippieband. En daar zag ik haar. Ze paste precies in het plaatje. Een oudere vrouw, afkomstig uit Philadelphia, opgestoken haar, dure kleding en een nerveuze trek rond haar mond die me duidelijk maakte dat ze op zoek was naar iets; dat ze op zoek was naar mij. Ik haalde twee sigaretten tevoorschijn en stak ze beide in mijn mond. Ze haalde haar aansteker tevoorschijn. Ik sloeg mijn hand om de hare en hielp haar de sigaretten aan te steken. Ik gaf haar een sigaret en zij gaf mij de aansteker. Zo simpel ging het.' Hij laste weer een korte pauze in.
'Zij wilde me allerlei dingen leren en ik was een bereidwillige leerling. We werden beiden verteerd door een verlangen dat niets met elkaar had te maken. Deed ik het alleen om het geld? Eerlijk gezegd smaakte ze als een oude asla, maar ik had wel smerigere dingen geproefd en je moet nu eenmaal eerst je groente eten voor je aan het toetje mag beginnen. Op een avond op het strand heb ik de nerveuze trek rond haar mond laten verdwijnen en na afloop, toen we samen naar de sterren keken, vertelde ik haar dat ik van haar hield. Dit is Hollywood, knul, de grootste droomfabriek ter wereld, en ik spiegelde haar een fantastische droom voor. Toen ze toehapte, vertelde ik haar wat ik nodig had. Ze zei dat ze geen geld had en het was alsof ik een trap in mijn maag kreeg. Ineens kwam ze met een idee op de proppen dat ik nooit achter haar had gezocht. Een inbraak. Waarom een inbraak, vroeg ik, en ze zei dat ze daar haar redenen voor had. Het was te doen en het zou meer geld opleveren dan ik ooit zou kunnen dromen, vertelde ze. Toen ik die avond naar de sterren lag te koekeloeren met de smaak van oude as in mijn mond, drong het tot me door dat mijn kans op succes met de minuut kleiner werd, daarom dacht ik over haar voorstel na. Het hield een groot risico in, maar door op veilig te spelen had ik ook niets bereikt. Tijdens een van mijn verkooppraatjes had een hotemetoot van een studio me een boek gegeven. Daar kickte hij op, dat boek cadeau geven. Hij dacht dat hij daardoor als een hippe, maar wel geletterde vent overkwam. Ja, dat was een boek van Nietzsche. Aan het einde van dat jaar was die hotemetoot weer terug in Waukegan, maar ik had het boek nog en dat had me een belangrijke les geleerd: dat je met pure wilskracht macht kunt verkrijgen. Nietzsche beschrijft de mens als een "koord boven een afgrond geknoopt tussen beest en supermens". En dat wilde ik geloven. Aan de ene kant van de afgrond stond Teddy Pravitz, een barkeeper uit een arbeiderswijk in Philadelphia die langzaam in het moeras van zijn mislukkingen zakte. Aan de andere kant stond een vreemde van wie ik alleen een vage glimp opving: Theodore Purcell, een man met een naam die ik verzonnen had om in de filmbusiness te gebruiken, de machtige man die ik altijd al had willen zijn.

De vraag was of ik de sprong naar de andere kant van de afgrond durfde te maken om een ander mens te worden.' Hij keek me aan en vroeg: 'Hoe zit dat met jou, knul? Zou jij daar het lef voor hebben?'

Het was een bijzondere ervaring om naar Theodor Purcell te luisteren die de keuzes in zijn leven rechtvaardigde. Hij genoot van de kans om het aan iemand te vertellen die wist waar hij vandaan kwam en wat hij had moeten doen om te komen waar hij nu was. Hij verontschuldigde zich niet, maar ging trots de confrontatie aan. Toen hij vertelde hoe hij contact had gezocht met Hugo, de rest van zijn oude maten erbij had gehaald, en de hele boel had opgezet, wist hij nauwelijks een zelfvoldane grijns binnen te houden. Hij leunde naar voren tijdens het praten. De zinnen volgden elkaar op als de stoten van een bokser, snel en agressief. Dit is wat ik deed, dit is hoe ik een rijke filmbons werd, en wie ben jij dat jij zou mogen oordelen over wat ik met mijn leven heb gedaan?
'Je hebt een aardige show weggegeven in die bar,' zei ik, 'om Charlie, Joey en Ralphie Meat zover te krijgen dat ze instemden met dat idiote plan van je.'
'Ik overtuigde ze zoals ik zelf was overtuigd. Met Nietzsche. Ik verkocht ze het idee alsof ik een film aan de man moest brengen en kreeg ze zover dat ze ter plekke een optie namen op de rechten. Ik begon met de grote lijnen van de plot, diepte de karakters uit, beschreef de grote actiescène, de succesvolle ontsnapping en de onvoorstelbare buit, deelde de rollen uit, en zorgde ervoor dat alles en iedereen klaar was voor de grote opnamedag. En weet je, van alle successen die ik geboekt heb, stak die er met kop en schouders bovenuit. Ik nam het risico, waagde de sprong en zag alle puzzelstukjes op zijn plek vallen. En zo is het ook gegaan, één take en het stond erop. Heb jij ooit iets gedaan wat zo perfect liep dat alles erdoor veranderde, knul?'
'Nee,' antwoordde ik.
'Nou, het is hard werken, geloof me.'
'Hoe zijn jullie binnengekomen?'
'Dat was haar idee,' zei Purcell. 'Zodra ze Hugo zag, wist ze hoe we dat voor elkaar konden krijgen. Hij was net zo groot als die oude man en had dezelfde bouw. En die ouwe was de enige die zich niet hoefde in- en uit te schrijven. Ze drukte een pak en een hoed van hem achterover, deed zelf de make-up, leerde Hugo zijn loopje, en vertelde hem dat hij de bewakers moest negeren, net als die ouwe altijd deed. Terwijl zij met die ouwe in de tuin zat, liep Hugo brutaalweg naar binnen en verstopte hij zich in een kast tot het tijd was om de rest van de ploeg binnen te laten.'
'En jullie hebben een fortuin buitgemaakt.'
'Niet helemaal. Ze was iets te optimistisch geweest, want een deel van de sieraden waarop we gerekend hadden, was er die avond niet. En uiteraard wis-

ten we vanaf het begin dat we de schilderijen niet konden verkopen. Ze waren te beroemd. Die zouden ons niets opleveren.'
'Waarom hebben jullie ze dan meegenomen?'
'Eentje was voor haar, dat was haar deel van de buit. Het had sentimentele waarde, zei ze. Het andere was voor ons, onze troefkaart voor het geval er iets fout zou lopen. Je moet altijd iets achter de hand hebben, knul, een reserveplan, anders scheuren die gieren hier je aan stukken.'
'En je liet je troefkaart bij Charlie achter?'
'Ja, dat klopt. Bij Charlie.'
'Waarom juist bij hem?'
'Waarom niet? Zoveel keus had ik niet. Nadat Ralph het goud had omgesmolten, bracht ik het naar een heler die er zeventigduizend voor bood. Meer niet. Dat was genoeg voor een nieuwe start voor mij, maar niet als iedereen zijn deel kreeg. Dus ging ik er met het geld vandoor. Die anderen zouden het toch over de balk hebben gesmeten, dat wist ik zeker. Ralph aan de meiden, Joey aan auto's, en Charlie zou een vergeefse poging hebben gedaan om onder het juk van zijn moeder uit te komen. Zij zaten gevangen. Ik had nog een kans. Dus hield ik alles voor mezelf en kocht ik mijn kans op succes.'
'*Tony in Love*.'
'Het was een kaskraker, knul. Die film bracht me het grote succes. Ik heb de filmrechten niet domweg verkocht, hoewel ze dat natuurlijk het liefst hadden gehad. In plaats daarvan gebruikte ik ze om mee te onderhandelen en dat leverde me een contract voor drie films op, mijn eigen productiemaatschappij, een kantoor in de studio, en een vaste plek aan hun tafel. En daar eet ik nog steeds.'
Ik schoof mijn bord met het karkas van de kip van me af. 'Dus je holde die oude vriendschap uit tot op het bot; er bleef alleen een leeg karkas over. Over gieren gesproken, zeg.'
'Teddy Pravitz had niet het lef om zijn oude maten te naaien. Maar Teddy Pravitz was een mislukkeling, een barkeeper in een tweederangs kroeg die nooit verder zou komen. Ik verslond hem met huid en haar en werd iemand anders. Ik nam officieel een andere naam aan voor het geval mijn oude maten me wilden opzoeken en ik werd de persoon die ik altijd voor ogen had gehad. Als je iets wilt bereiken in het leven, knul, moet je er alles voor overhebben. Je moet alles op alles zetten en dan zie je wel hoever je komt.'
'En je werd bang dat je alles zou verliezen toen je hoorde dat Charlie het schilderij wilde gebruiken om uit de gevangenis te blijven.'
'Bang is niet het goede woord.'
'Is doodsbenauwd beter?'
'Nee, je snapt het niet. Ik zag een kans om mijn oude maten een handje te helpen. Ik had Hugo geld gegeven om te studeren, ik had hem geholpen

zijn naam te veranderen en ik had hem die baan bij dat dure advocatenkantoor bezorgd. Het leek me een goede oplossing om het schilderij te kopen zodat de anderen de opbrengst konden delen en alsnog hun deel van de buit zouden krijgen, waarop ze al die jaren hadden gewacht. Op die manier hoefde ik me niet in de kaart te laten kijken en konden zij in stijl van hun pensioen genieten.'
'Dus stuurde je Lavender Hill op pad om een deal te sluiten.'
'Dat klopt.'
'Omdat jij het schilderij wilde kopen.'
'Precies.'
'Waarmee dan? Als ik om me heen kijk, zie ik alleen lege kamers, een zwembad dat in geen tijden is schoongemaakt en een verwaarloosde tuin. Ik zie een man die op de rand van een faillissement verkeert.'
'In deze business heb je pieken en dalen, knul. Ik zit op het moment in een dalletje, dat geef ik toe, maar ik ben vaker voor dood versleten en weer opgestaan dan Lazarus. En binnenkort komt er een nieuwe film van me uit, die me een hoop geld gaat opleveren.'
'Maar als je nu in een dal zit, hoe was je dan van plan het geld te betalen dat je Charlie had beloofd?'
'Dat had ik al helemaal uitgedokterd. Ik ken een Zwitserse bankier die wat liefhebbert in films en kunst. Dat schilderij komt boven zijn open haard te hangen.'
'En jij strijkt een flink deel van de winst op.'
'Dit is Amerika.'
'En hoe zit het met de moorden?'
'Ja, hoe zit het daarmee? Enig idee wie de moordenaar is?'
'Jij.'
Hij schudde zijn hoofd. 'Ik niet, knul. Het waren ooit vrienden van me, stuk voor stuk. Ik wilde ze alleen helpen. Het enige wat ik kan bedenken, is dat die moorden met Charlie hebben te maken. Na onze stunt begon hij met een stel gevaarlijke gasten op te trekken en werd hij lid van hun bende. Volgens de geruchten willen zij niet dat hij terugkomt en gaat praten. Daarom wil ik dat hij Lavenders bod aanneemt en wegblijft. Daarom heb ik je binnengelaten, om jou ervan te overtuigen dat je hem zover moet zien te krijgen dat hij het aanbod aanneemt en zijn hachje redt.'
'Dat is wat je wilt?'
'Eindelijk heb je het door. Zorg dat hij het aanbod aanneemt en ergens ver weg een nieuw leven begint. In Belize, of zo. Ben je ooit in Belize geweest?'
'Ja, eerlijk gezegd wel.'
'Een aardige plek om te rentenieren, heb ik me laten vertellen.'
'Niet echt,' zei ik. 'Waarom heb ik toch het akelige gevoel, Theodore, dat zodra je mijn cliënt vindt, hij hetzelfde lot ondergaat als Ralph en Hugo?'

'Doe niet zo achterlijk. Het waren vrienden van me. Waarom zou ik in vredesnaam mijn vrienden willen vermoorden?'
'Vanwege Chantal.'
Hij leunde achterover en staarde me een paar tellen aan met zijn grote blauwe ogen achter de overmaatse brillenglazen. 'Het is een beetje maf om de naam van een meisje op je borst te laten tatoeëren dat je nog nooit hebt ontmoet, vind je ook niet?'
'Absoluut.'
'Daar heb ik grote bewondering voor, knul. Misschien dat je het toch in je hebt om een goede producent te worden. Maar vertel eens, waarom die tatoeage?'
'Zodat ik het niet vergeet, denk ik.' Ik bracht mijn wijnglas omhoog. 'Zodat ik me niet laat inpakken door luxe en lekker eten.'
'Jij fungeert als haar wraakengel? Moet ik het zo zien?'
'Daarom ben ik hier.'
Hij lachte. 'Het zou romantisch zijn geweest, als je er niet faliekant naast had gezeten.'
'Je zei dat Chantal het beste deel van je verhaal was,' zei Monica. 'Wat bedoelde je daarmee?'
'Precies wat ik zei. Jullie denken dat mijn nieuwe leven alleen op die misdaad is gebaseerd. Dat is niet zo. Er zat ook een heroïsch tintje aan. Ik heb je zus niets aangedaan, ik heb haar juist gered. Ik heb haar het leven gegeven waar ze altijd al van droomde.'
'En dat moeten wij geloven?' vroeg ik.
'Lou,' riep hij, 'schiet eens op met het dessert. Ik heb vanavond nog een afspraakje. Met een lekker stuk van vierentwintig. Ze heeft nogal hoekige kaken, dat wel, maar ze is vierentwintig. En ze wil in de filmbusiness werken. Stel je eens voor.'
'Je denkt toch niet serieus dat je ons kunt afschepen met die paar vage woorden?'
'Als ik dat dacht, zat je hier niet, knul.'
'Vertel ons dan wat er met Chantal is gebeurd.'
'Waarom vraag je dat aan mij? Vraag het haar zelf.'
'Aan Chantal?' Monica staarde hem met open mond aan.
'Ja, waarom niet. Is morgen goed? Kunnen jullie 's middags? Ik regel het wel. Het wordt hoog tijd dat je je zus ontmoet, vind je ook niet?'

55

'Ik geloof dat ik moet overgeven,' zei Monica.
'Hé, dat hoor ik te zeggen,' zei ik.
'Ik maak geen grapje. Stop, alsjeblieft. Ik wil eruit.'
'We zitten op de snelweg, Monica. Als ik zomaar stop, gaan ze nog op ons schieten.'
'O, mijn god. O, mijn god.'
'Rustig maar.'
'Niks rustig maar. Ik heb een hartaanval in die goedkope huurauto van je.'
'Ik heb wel het meest luxueuze model. Dat kost me vijfenzeventig dollar per dag extra.'
'Mijn arm tintelt. Ik zie sterretjes.'
'Dat zijn zonnestralen die van bumpers weerkaatsen. Je hebt alleen een paniekaanval, Monica. Het komt wel goed.'
'Hoe weet jij dat zo zeker? Jij bent toch geen dokter?'
'Als ik dokter was, stond ik nu wel op de golfbaan. Ik ben gek op golf. Niet op het spelletje zelf, want dat is eigenlijk nogal idioot, maar op de kleding. Witte handschoenen, hip petje, en zo'n geruite broek.'
'Hou je kop, Victor.'
'Hou je niet van geruite broeken?'
'Die zouden verboden moeten worden.'
'In Connecticut draagt bijna iedereen er een. Daar zijn ze er trots op.'
'Waarom hebben we het in vredesnaam over geruite broeken?'
'Omdat jij een paniekaanval hebt en de snelste remedie voor een paniekaanval is opzichtige herenkleding.'
'Draag je daarom die das?'
'Die houdt mijn paniekgevoelens in toom.'
'Zelfs als ik een paniekaanval zou hebben, zo gek is dat toch niet?'
'Nee, zeker niet,' zei ik. 'Paniek er maar lekker op los.'
'Het is gewoon... dit zou weleens het belangrijkste moment in mijn leven kunnen zijn.'
'Of niet.'
'Straks zie ik Chantal. Eindelijk, na al die jaren. Straks zie ik mijn zus.'
'Of niet.'
'O, jawel,' zei ze. 'Ze is het. Dat voel ik. Al die tijd heeft ze stilletjes met me

gecommuniceerd. En ze heeft me naar zich toe geleid via jouw tatoeage, het vermiste schilderij en die puinhoop in Philly.'
'Ze had toch ook gewoon kunnen bellen?'
'Doe niet zo raar, Victor. Zo werken heiligen niet. Ze pakken niet gewoon de telefoon op of sturen een e-mailtje. Heiligen geven je raadselachtige boodschappen en plaatsen hindernissen op je pad, omdat ze een onvoorwaardelijk geloof van je eisen. Daar draait het om.'
'En je zus is een heilige?'
'Waarom niet?'
'Als je echt zo'n onvoorwaardelijk geloof in heiligen hebt, waarom ben je dan zo zenuwachtig?'
'Stel dat ik niet goed genoeg ben? Stel dat ze me afwijst? Victor, vertel haar alsjeblieft niet wat voor werk ik doe. Beloof me dat je dat niet vertelt.'
'Dat beloof ik.'
'Ik werk op een advocatenkantoor. Ik ga uit met een aardige man. Ik heb een hond.'
'Je hebt toch ook een hond?'
'Victor.'
'Monica, je kunt haar vertellen wat je maar wilt. Dat is tussen jou en haar. Ik zit er alleen bij om te luisteren.'
'Je gelooft niet in haar. Nog steeds niet.'
'Wat heb ik je nou verteld over hem?'
'Misschien vertelt hij de waarheid wel. Dat kan toch?'
'En misschien kunnen vissen vliegen en vogels zwemmen.'
'Dat is toch ook zo? Het is een kwestie van geloof, Victor. Geloof jij ergens in?'
'In pijn en geld. De rest is een grote teleurstelling voor me geworden.'
'Dat is diep treurig en dat meen ik serieus. Je zou hulp moeten zoeken, iets waardoor je kijk op het leven verandert. Wat dacht je van een beetje zon om mee te beginnen, dan doe je gelijk een lekker kleurtje op.'
'Waar geloof jij in, Monica?'
'In Chantal.'
'Zal ik eens iets geks zeggen? Op mijn eigen manier doe ik dat ook.'
Het adres dat Purcell ons had gegeven was in West Hollywood, iets ten noorden van Hollywood Boulevard. Het was een van die beige appartementencomplexen die ze aan de Oostkust niet hebben. Ze dragen namen die veel te mooi zijn voor dat soort gebouwen met twee lagen saaie appartementen rond een klein, beschaduwd zwembad, met een conciërge die vol tatoeages zit, met roestige smeedijzeren hekken en met een oude, bleke dame die in appartement 22 woont en altijd haar kamerjas strak om zich heen trekt wanneer ze de deur opent voor de knul van de drankwinkel die haar bestelling brengt en hem vertelt dat ze ooit in een film met Jean Harlow heeft

gespeeld, ja, Jean Harlow, een echte filmster, niet zo'n magere spriet die je tegenwoordig in films ziet. Dit complex heette de Fairway Arms, hoewel de dichtstbijzijnde golfbaan zeker twaalf straten verderop lag.
De twee bezoekersparkeerplaatsen in de ondergrondse parkeergarage waren bezet, dus parkeerden we op een plek die wel leeg was, plek 22 om precies te zijn. Dat kon geen kwaad, nam ik aan, omdat de auto van de oude dame waarschijnlijk al rond 1959 door de bank in beslag was genomen.
Monica liep een paar keer nerveus heen en weer voor de hoofdingang van het complex en drukte toen op de bel van appartement 17.
Ze stond op het punt om nog een keer de bel in te drukken, toen er een stem uit de intercom klonk. Een vrouwelijke stem, die vreemd bekend klonk. 'Wie is daar?'
Monica verstijfde, ze kon geen antwoord geven en bleef met uitgestoken hand staan, net de hand van de Adam van Michelangelo, die naar die grijsharige vent is uitgestoken.
'Meneer Purcell heeft ons gestuurd,' antwoordde ik in haar plaats. 'We komen voor Chantal.'
'Jullie zijn met zijn tweetjes?'
'Dat klopt.'
'Kom dan maar binnen.' De voordeur begon te zoemen. 'En je hoeft niet bang te zijn voor Cecil. Hou wel je handen in je zak, dan bijt hij ze er niet af.'
Cecil bleek een witte hond te zijn met een gevlekt oor, een stompe neus en een lijf dat net één grote, gespannen spierbundel leek. Hij kwam stilletjes overeind van een ligstoel naast het zwembad, sprong op de grond, draaide zijn neus onze kant uit en kwam op een drafje naar ons toe gelopen. Hij was niet groot, zijn rug bevond zich ter hoogte van onze knieën, maar ik zag meteen dat dit torpedovormige gedrocht me met één beet van zijn imposante kaken in tweeën kon scheuren. Ik stak mijn handen snel in mijn zak. Dat was voor Cecil aanleiding om nog sneller naar ons toe te komen.
Ik deed een stap achteruit, Monica boog zich voorover. Ze stak haar hand uit, met de palm omhoog. Cecil rende op haar af, stopte abrupt, snuffelde aan Monica's vingers, hield zijn hoofd schuin alsof hij iets niet begreep, en wreef vervolgens met zijn neus langs haar hand.
'Wat een schatje,' zei Monica. 'Hij is net Luke, die wil ook altijd aangehaald worden.'
'Cecil, hier komen,' hoorde ik iemand zeggen.
De hond gaf een snelle lik over Monica's hand, draafde vervolgens in de richting van een openstaande deur en wreef zijn neus langs het been van een lang, jong meisje dat een spijkerbroek en een T-shirt droeg. Ze was aantrekkelijk, blond en staarde ons aan met een open, ongekunstelde blik in haar ogen. Bryce. Waarom verbaasde me dat niet?

'Hij moet meestal niets van vreemden hebben,' zei Bryce.
'Is hij van jou?' Monica ging rechtop staan.
'Hij is van de conciërge. Maar ik zorg voor hem.'
'Hoe gaat het met je, Bryce?' vroeg ik.
'Best. Ik dacht al dat jij het was, vanwege die tatoeage en zo.'
'Ken je Chantal?' vroeg Monica.
'Ja, maar zo noem ik haar niet.'
'Hoe noem jij haar dan?' vroeg ik.
'Mam.'
'O, lieverd,' zei Monica, die op haar afstapte. 'Wat ben je mooi. Net een plaatje. Weet je wie ik ben?'
'Nee.'
'Ik dacht dat je zei dat je moeder Lena heette,' zei ik.
'Dat is ook zo. Of was zo. Ik weet het niet precies. Dit is L.A., daar kan alles, toch?'
'En je vader? Wie is je vader, Bryce?'
'Hij heet Scott en woont in Texas.'
'Scott? Zie je hem vaak?'
'In de vakanties en op feestdagen en zo.'
Op dat moment verscheen haar moeder, die niet langer op de efficiënte secretaresse leek die we bij het zwembad hadden gezien. Haar blonde haar zat in een paardenstaart, ze droeg een spijkerbroek met daarop een witte blouse, en wreef nerveus in haar handen.
Monica deed een stap naar voren. 'Ben jij Chantal?'
De vrouw knikte.
'O, hemeltje. O, hemeltje. Hallo. Ik ben je zus, Monica. Hoe gaat het met je? O, mijn hemel, ik kan niet geloven dat ik je eindelijk heb gevonden.'
Monica barstte in tranen uit, stak haar armen uit naar haar verloren gewaande zus en naar haar nichtje, en omhelsde de twee. Verblind door liefde en verlangen, gehoor gevend aan een behoefte die uit het diepst van haar ziel kwam en helemaal opgaand in de obsessie die haar leven vanaf het begin had beheerst, merkte ze niet dat Bryce verlegen was met de situatie, merkte ze niet dat Cecil zijn lip optrok voor hij terugliep naar zijn plekje op de ligstoel, en merkte ze ook niet dat er een uitdrukking van angst en paniek op Lena's gezicht verscheen. Ze merkte daar allemaal niets van, omdat de grote leegte in haar leven op dat moment gevuld werd met iets warms en behaaglijks, iets liefdevols en teders, iets wat dicht in de buurt van hoop kwam.

56

We zullen haar Lena noemen, omdat ze zichzelf zo noemde. Lena zat stijfjes op het puntje van de bank, haar ineengeslagen handen rustten op een knie, en haar mond stond strak. Lena had jaren geleden in een paar films gespeeld. Theodore had haar aan die rollen geholpen toen ze nog op de middelbare school zat. In een film van Chevy Chase was ze Meisje Nummer Drie geweest en ze had Sue Ellen gespeeld in een horrorfilm die nogal wat geld had opgeleverd. Ze was niet zo'n type dat haar aandeel in een film buiten alle proporties opblies. Ze haalde haar schouders op en vertelde dat ze een van de honderden knappe meisjes was geweest die een paar rolletjes had gespeeld en daar een beetje geld mee had verdiend, maar dat ze niet het doorzettingsvermogen of het talent had om er haar carrière van te maken.

'Mam, weet je waar dat shirt is?' riep Bryce.

'Welk shirt?'

'Die met die dingen op mijn je-weet-wels.'

'Die hangt aan de douchestang in de badkamer.'

'Bedankt.'

We zaten in de woonkamer van Lena's kleine appartement in de Fairway Arms. De bekleding van de bank was verschoten, de stoelen waren een beetje smoezelig van ouderdom, maar er zat een verse lik verf op de muren, er hingen vrolijke schilderijen, en haar televisie was een breedbeeld-LCD die met allerlei elektronische apparaten was verbonden. Vergeleken met mijn verwoeste appartement in Philadelphia had Lena het leuk voor elkaar.

Ze was getrouwd geweest, vertelde ze. Haar ex-man heette Scott. Een cowboy die zijn paard voor een limo had ingeruild. Op zekere avond had hij Theodore en Lena naar een première gereden. Scott had met haar geflirt, het klikte tussen hun tweetjes en hij bleef met haar flirten. Hij was ouder geweest dan Lena, ongelooflijk knap, en straalde een tikkeltje gevaar uit, wat haar zowel aantrok als beangstigde. Het was vanaf het begin al duidelijk dat hij niets voor haar was, maar ze was destijds negentien geweest en wilde wanhopig graag het huis uit. Theodore had haar strikte regels opgelegd. Ze mocht niet drinken, moest op tijd thuis zijn, en een avondje stappen zat er al helemaal niet in. Ze was nog jong, wilde van het leven genieten en vond zichzelf oud genoeg om haar eigen fouten te maken, dus was ze er met Scott vandoor gegaan. Ze hadden een tijdje in Texas gewoond en waren teruggekomen nadat ze de baby had gekregen. Dat leek Scott het aangewezen moment om bij Theodore aan te kloppen en hem om geld en een baan te vragen. Maar Theodore, die woedend was geweest toen zij en Scott stiekem de benen hadden genomen en nog steeds wrok koesterde, zei dat hij moest opsodemieteren. Na een tijdje, toen de rekeningen zich opstapelden en het steeds moeilijker werd om voor de baby te zorgen, ging Scott ervandoor. Toen kwam Theodore haar weer redden.

'Mam?'

'Wat is er, liefje?'

'Kun je even hier komen?'

Lena zuchtte en riep: 'Wat is er, Bryce?'

'Ik heb iets nodig, maar ik weet niet wat.'

'Eén momentje, ik ben zo terug, oké?'

'Natuurlijk. Ga je gang,' zei Monica.

Lena verdween. Ik keek naar Monica, die haar emoties bijna niet meer in de hand had. Ze trok haar shirt recht en veegde langs haar ogen.

'Ze wilde een paar sieraden van me lenen,' zei Lena toen ze terugkwam. 'Ze heeft er zelf meer dan genoeg want Theodore is heel gul, maar ze voelt zich wat volwassener als ze de mijne draagt. Weet je, ik kan me niet herinneren dat ik ooit zo jong ben geweest.'

'Ik wel,' zei Monica. 'En het was afgrijselijk.'

'O, hoe kan dat nou? Jij was vast een heel mooi meisje op die leeftijd.'

'Ik was een laatbloeier,' zei Monica. 'Toen ik haar leeftijd had, was ik een heel onzekere puber.'

'Hoe heeft Theodore je gered?' vroeg ik.

'Hij hielp me aan een baan, gaf me advies op financieel gebied en zorgde ervoor dat ik mijn school afmaakte. Hij gaf me geen geld, maar iets beters. Hij gaf me mezelf terug. Ik heb het aan hem te danken dat ik geworden ben wie ik ben. En hij heeft ook altijd met Bryces opvoeding geholpen. Vanaf de tijd dat ze een baby was. Zodra Scott verdween, nam hij de plaats van de vaderfiguur voor haar in.'

'Hoe laat word ik opgehaald?' riep Bryce.

Lena keek even op haar horloge. 'De auto komt zo.'

'Nee, hè? Nu al? Waar ligt die baret?'

'Op het bureau. En gebruik niet te veel make-up. Je weet dat oom Theodore daar niet van houdt.'

'Ja, ja, ik zal eraan denken.'

'Waar gaat ze naartoe?' vroeg ik. 'Gaat ze uit met een jongen?'

'Godzijdank niet,' zei Lena. 'Bryce is pas veertien. Ze gaat naar Theodore om zijn nieuwste film te bekijken. Hij maakt er een groot feest van.'

'Jij gaat niet?'

Lena keek Monica aan en glimlachte. 'Ik leer liever mijn zus kennen.'

Monica straalde helemaal door het compliment en haar ogen werden vochtig.

Lena vertelde dat ze voor Theodore werkte. Voor zijn bedrijf. Ze stond op sommige aftitelingen vermeld als executive producer, maar vertelde dat ze eigenlijk alleen de telefoon beantwoordde, het kantoor bemande, en eventuele crises op de set afhandelde. Het was een stressvolle baan omdat Theodore altijd gestrest was, maar ze verdiende genoeg om het appartement te betalen en Bryce te onderhouden. Ze had de laatste paar jaar een paar keer een vaste vriend gehad, toch was ze meestal thuis bij Bryce of bij Theodore op kantoor. Het was niet het leven waarvan ze altijd had gedroomd, maar wel een goed leven. De fouten die ze had gemaakt waren haar eigen schuld en al het goede in haar leven, op Bryce na, had ze aan Theodore te danken.

'Hij is heel aardig voor me geweest,' zei ze. 'Je zou het niet zeggen als je hem zo ziet, toch heeft hij een hart van goud.'

'Daar heb je gelijk in,' zei ik, 'dat zou je niet zeggen als je hem zo ziet.'

Lena keek me met een gepijnigde blik aan toen ineens de zoemer ging. Ze stond op. Bryce stormde de kamer in. Strakke spijkerbroek, zijden cowboyshirt, steil loshangend haar, en flink wat make-up. Ze zag er niet uit als veertien, ze leek vreemd volwassen, en zag er zelfs ouder uit dan haar moeder.

'Ik kom eraan,' riep Bryce in de intercom, waarna ze haar moeder omhelsde. Ze zei Monica gedag, draaide zich naar mij toe, keek me nadenkend aan en zei: 'Ik neem aan dat ik jou nog wel een keer zie.'

'Zeker weten,' zei ik.

'Ik maak het niet te laat,' zei ze tegen haar moeder. Een paar tellen later sloeg de deur achter haar dicht.

'Leuke meid,' zei ik.

'Ze is mijn oogappeltje,' zei Lena. 'De spil van mijn leven, ik zou alles voor haar doen. En alles wat er ooit is gebeurd, was het waard, vanwege haar.' Ze was even stil en wreef nerveus in haar handen. 'Ik neem aan dat jullie me een paar vragen willen stellen?'

'Ja, natuurlijk willen we dat,' zei Monica. 'Maar als je er nu nog niet over wilt praten, is dat ook goed, hoor.'

'Ik heb er in geen jaren aan teruggedacht. Het is net een vage herinnering aan een film die ik lang geleden heb gezien, waarin iemand meespeelde die ik me niet goed meer voor de geest kan halen.'

'Dan praten we er later wel over,' zei Monica. 'Wanneer je eraan toe bent.'

'Heb jij een goed leven, Monica?'

'Ik denk het wel.'

'Wat doe je voor werk?'

'Ik werk op kantoor. Ik heb een vriend.'

'Daar ben ik blij om,' zei Lena. 'Ik ben blij dat het goed met je gaat. Hoe gaat het met pap en mam?'

'Goed, maar nog wel verdrietig. Ze zijn nooit over jouw verdwijning heen gekomen.'
'Het was nog erger geweest als ik was gebleven. Ik was verdrietig toen ik wegging, maar ik kon niet anders. Zoals Theodore het uitlegde, had ik eigenlijk geen keuze. Ik moest wel.'
'Waarom dan?' vroeg ik.
'Om iedereen te redden,' zei Lena. 'Om ons gezin te redden.'
Lena vertelde wat ze zich herinnerde. De details uit de periode die ze zoveel mogelijk had verdrongen, waren vaag. Ze had een wazig beeld van haar moeders gezicht. Haar vader herinnerde ze zich als een enorm grote man. Net een reus. Ze hield van dansen. En ze was gek geweest op haar rode schoenen. Ze wist nog dat ze heel opgewonden en ook heel nerveus was geweest toen ze in de televisieshow mocht optreden. Ze had wel een paar leuke herinneringen aan haar kindertijd, maar wat haar vooral was bijgebleven, was de constante angst.
'Angst?' vroeg Monica.
Lena vertelde dat ze doodsbang was geweest voor hem, want hij was altijd in de buurt en hij was groter dan zij en sterker. Hij sloeg haar, deed haar pijn en raakte haar aan. Hij raakte haar aan op plekken waar hij haar helemaal niet zou moeten aanraken. Hij liet haar afgrijselijke dingen doen. Ze begreep het niet, was te jong om het te begrijpen, maar zelfs toen wist ze dat het te erg was om aan iemand te vertellen. Alle dingen die hij haar liet doen en die ze bij hem moest doen.
'Wie deed dat?' vroeg ik. 'Was het Teddy? Teddy Pravitz?'
'Wie is dat?'
'Theodore.'
'Hoe kom je daarbij en waarom noem je hem Teddy Pravitz?'
'Zo heette hij toen.'
'Dat herinner ik me niet. Hij was het niet, natuurlijk niet. Hij heeft me nooit aangeraakt. Hij luisterde. Hij was de enige die naar me luisterde. Hij was aardig, gaf me snoep en speelgoed, en luisterde naar me. Ik heb het iedereen verteld. Niemand geloofde me, niemand deed iets. Ik heb het mam verteld. Ik heb het de pastoor verteld. Niemand deed iets.'
'En Ronnie?' vroeg Monica.
'Nee. Hij dacht ook dat ik het allemaal verzonnen had. Theodore geloofde me wel. En hij heeft me gered. Hij heeft me daarvandaan gehaald.'
'Wie wist dat Theodore jou had meegenomen?' vroeg ik. 'Aan wie had hij dat verteld?'
'Aan niemand. Niet aan pap of mam en ook niet aan zijn vrienden. Niemand wist het. Het was een geheim. Als iemand het wist, zei Theodore, dan zouden ze me weer naar huis brengen. Dan zou er niets veranderen en was ik de rest van mijn leven aan hem overgeleverd. En als ze me wél geloofden,

dan zou hij naar de gevangenis gaan en zou het gezin uit elkaar gerukt worden. Ik wilde niet dat hij naar de gevangenis zou gaan, ik wilde alleen dat het ophield.'
'Was het pap die je dat aandeed?' vroeg Monica.
'Weet je dat niet, Monica? Weet je dat echt niet?'
'Nee. Echt niet.'
'Godzijdank. Dan heeft hij het niet bij jou gedaan. Misschien ging het alleen om mij, dat heb ik trouwens toch altijd gedacht. Weet je, ik ben altijd bang geweest dat hij het ook bij iemand anders zou doen. Theodore vertelde me dat er maar één manier was om het te laten ophouden. Dan werd ik gered en zou het gezin niet verscheurd worden. Ik moest weggaan. Het zou ophouden als hij me meenam naar een veilige plek.'
'Wie was het, Chantal?' vroeg Monica. 'Wie heeft je dat aangedaan? Wie heeft je zoveel pijn gedaan?'
'Je weet het echt niet, hè?'
'Nee. Wie?'
'Dat betekent dat het ophield. Voor iedereen. Wat een opluchting. Dat betekent dat ik de goede keuze heb gemaakt. Dat weggaan het beste was. Voor iedereen.'
'Wie was het?'
'Mijn broer,' zei ze. 'Onze broer. Het was Richard.'
'Richard?'
'Niemand stopte hem. Misschien was hij jaloers of misschien was hij zo geboren, maar niemand stopte hem. Ik wilde hem doodmaken, ik wilde zelf dood, tot Theodore verscheen.'
'Ik snap er niets van,' zei Monica. 'Richard?'
'Hij was veel groter dan ik en veel sterker en zo boos. Ik kon hem gewoon niet tegenhouden, dat lukte gewoon niet.'
'O, wat afgrijselijk voor je.' Monica, die naast Lena op de bank zat, schoof wat dichter naar haar toe. 'Wat moet dat erg voor je zijn geweest.'
Ze sloeg haar armen om haar zus en trok haar tegen zich aan. Beide vrouwen begonnen te huilen. Het licht dimde, de camera ging langzaam achteruit en de muziek zwol aan.

57

'Jij knop blijven indrukken, dat heel irritant zijn.' Lou's stem klonk uit de intercom naast het gesloten hek. 'Ik al hoofdpijn hebben. Wat jij willen?'
'Ik wil zijn nieuwste film zien en met hem praten.'
'Hij jou weer uitgenodigd hebben?'
'Natuurlijk. Hij zei dat ik mocht langskomen wanneer ik maar wilde. Zijn er nog knappe vrouwen op het feestje?'
'Altijd knappe vrouwen op feestjes. Jij denken, jij vanavond iemand versieren, Victor Carl?'
'Waarom niet?'
'Mijn Engels niet goed genoeg zijn anders ik jou dat uitleggen.'
'O, Lou, volgens mij zou Shakespeare qua welsprekendheid nog een puntje aan je kunnen zuigen, als je dat echt wilde.'
'Oké, jij slimmer dan jij lijken, misschien niet moeilijk in jouw geval. Ik jou binnenlaten, maar jij niet al mijn canapés opeten. Die alleen voor uitgenodigde gasten zijn.'
'Afgesproken,' zei ik. Een paar tellen later zwaaide het hek open.
Ik reed over de slingerende, verwaarloosde oprit en even later zag ik een groep auto's aan de zijkant van het huis staan en een knul in een rood jasje, die bij de voordeur stond.
'Leef je uit, al rij je er een deuk in, het zal me een rotzorg zijn,' zei ik toen ik hem de sleutels overhandigde. 'Het is een huurauto.'
Ik verwachtte dat de lege woonkamer vol zou staan met de crème de la crème uit het filmwereldje, maar zag alleen een stelletje dat in een hoek stond te zoenen, een man die bij het raam stond met een drankje in zijn hand en wazig en verward naar buiten staarde, en Bryce, die met opgetrokken benen op de bank zat en in een tijdschrift bladerde. Op het kratje annex koffietafel stond een schaal met hapjes.
'Waar is het feestje?' vroeg ik.
Bryce keek op en glimlachte naar me. Die glimlach fleurde mijn hele dag op. Ik had het vreemde gevoel dat Chantal naar me glimlachte, de echte Chantal.
'Ik wist niet dat jij zou komen,' zei ze.
'Ik ook niet.'
'Is mijn moeder er ook?'

'Nee. Ze besloot thuis te blijven om met Monica te praten.'
Bryce zag er een beetje teleurgesteld uit. 'Ook leuk.'
'Ik denk dat Monica vannacht bij jullie blijft slapen.'
'Net een pyjamafeestje,' zei Bryce.
'Precies,' zei ik. 'Wat heeft je moeder je eigenlijk verteld over de naam Chantal?'
'Niets. Ze vertelde vandaag dat er mensen zouden langskomen die haar Chantal zouden noemen en dat ze alles later wel zou uitleggen.'
'En daar had je geen problemen mee?'
'Mijn moeder is actrice, ze speelt altijd een rol.'
'En ze speelt die rollen voor oom Theodore?'
'Als ze het niet te druk heeft op kantoor.'
'Ik begrijp het. Waar is iedereen trouwens?'
'Beneden, in de filmkamer. Tegenover de biljartkamer. Theodore draait zijn nieuwste film.'
'Waarom zit jij niet te kijken?'
'Dat mag ik niet. Theodore is heel streng.'
Ik liep naar haar toe en bukte me zodat we op gelijke ooghoogte kwamen. 'Hoe bedoel je streng?'
'Hij staat altijd voor me klaar en hij is heel beschermend. Hij is wel aardig voor me, hoor, maar hij is wel streng. Hij vindt het fijn als ik in de buurt ben, maar ik mag niets. Ik mag niet uit met vriendjes en ik mag ook geen lelijke woorden gebruiken. Net een knorrige opa, snap je? Hij is heel ouderwets in veel dingen.'
'Ik snap het,' zei ik. 'Mooi zo.'
'Wanneer gaan jij en Monica weg?'
'Morgen.'
'Mis het vliegtuig niet.'
'Maak je geen zorgen. Die kant op?'
Ze knikte in de richting van de trap. Ik werkte snel een van Lou's hapjes naar binnen, liep de trap af en vond de filmkamer door op mijn oren af te gaan. Een onaangenaam, primitief geluid.
Het was een grote kamer, groter dan de woonkamer, die vol stond met allerlei leunstoelen en banken die naar een enorm filmdoek waren gericht. Aan het plafond was een videoprojector bevestigd en het geluid bulderde uit de speakers die voor en achter in de kamer waren opgehangen. De stoelen en banken waren voor het grootste deel bezet, de kamer hing vol rook, de beelden op het doek waren bijna levensgroot, en de dialogen waren luid en kristalhelder.
Waarom dat zo belangrijk is bij dialogen als: o, schatje, ja, ja, dat is lekker, ga door, ga door, is mij trouwens een raadsel.
Eigenlijk had ik niet verbaasd moeten zijn. Hoewel ik gehard ben door mijn

ervaring als advocaat en wist wat er in de wereld te koop was, hoopte ik soms toch dat niet alles zo vunzig was als ik dacht. En op dat soort momenten kwam ik altijd in een beerput terecht.
Juist ja, die film op dat gigantische doek. Theodores nieuwste film was pure pornografie. Sommigen in dit land beschouwen de tekenfilms van SpongeBob Squarepants met zijn konijnentanden en strakke broekje al als pornografie, maar ik heb het over keiharde pornografie die je zelfs 's avonds op de betaalzender van de televisie in je hotelkamer niet eens te zien krijgt. Ik heb het over pornografie die me zo schokte dat ik bijna mijn tong inslikte waardoor ik een enorme hoestbui kreeg en een groot deel van het filmpubliek mijn richting uit draaide om te zien wie de boel verstoorde. Een van die blikken kwam van Theodore Purcell met zijn onafscheidelijke sigaar. Hij zat op een bank naast een lang blond stuk met een uitgesproken kaakpartij. Ze had een arm om zijn schouders geslagen, een van haar handen rustte op zijn knie en terwijl ze naar me staarde, fluisterde ze iets in zijn oor.
Purcell zei iets tegen de vrouw, die me opnieuw aanstaarde. Een paar tellen later kwam hij moeizaam overeind. Hij liep zwijgend langs me en verdween de biljartkamer in.
Ik ging hem achterna en zodra ik binnen was, deed hij de deur dicht. Het gesteun en gekreun uit de filmkamer nam af tot een gedempt gemompel. Het puntje van zijn sigaar gloeide. Er lag een enkele speelbal op het grote, bruine biljart. Het raam bood uitzicht op het troebele zwembad, dat een vreemde gloed uitstraalde. Eigenlijk verwachtte ik er een lijk in te zien drijven tot ik me herinnerde dat een lijk meestal pas in het derde bedrijf opdook.
'Ik had je niet verwacht, knul,' zei Theodore Purcell.
'Ik wilde je nieuwe film zien. Ik wist niet dat je tegenwoordig van die gezellige familiefilms maakte. Hoe lang zit je al in de pornobusiness?'
'Niet zo lang. Maar een pornofilm is zo klaar en levert een hoop geld op. Een paar flops in deze stad en je staat weer onder aan de ladder, maar ik ben bezig om terug te komen, nog even en ik sta weer bovenaan. Ik heb een script dat fantastisch is. Het beste dat ik in jaren heb gelezen. En geen porno; het echte werk.'
'Die rommel die je me gisteren liet lezen?'
'Nee, dat was bagger. Ik wilde je testen. Het script dat ik bedoel, is echt goed. Het is briljant, geniaal. Een tweede *Tony in Love*, wat, nog beter dan *Tony in Love*. Die film brengt me er weer helemaal bovenop. Wil je het lezen?'
'Nee, bedankt.'
'Ik heb nog een lineproducer nodig voor die film.'
'En Reggie dan?'
'Die is daar niet geschikt voor. Ik heb iemand nodig die door de wol is

geverfd, die weet hoe het werkt in deze wereld. Het zou een leuk opstapje in de business zijn. En iedereen wil toch de filmbusiness in? Nou, lijkt het je wat?'
'Mij niet gezien.'
'Denk er eens over na. Het aanbod staat. Het verbaast me trouwens je hier te zien.' Purcell gaf een poeier tegen de witte bal die hard tegen de overkant van het biljart aan knalde, terugkaatste en behendig gestopt werd door hem. 'Ik dacht dat je nog bij Chantal zou zijn.'
'Dat is Chantal niet. Ze is een bedriegster en erg goed is ze niet.'
'En wat vindt je vriendin Monica?'
'Die wil het graag geloven, maar dat verandert niets aan het feit dat Lena een bedriegster is.'
'Hoe weet je dat zo zeker?'
'O, door een paar kleine dingetjes,' zei ik. 'Ze wist niets over Chantals familie, haar vrienden of haar ooms. Toen Monica het over Ronnie had, had ze geen flauw idee wie dat was. Ze probeerde zich eruit te kletsen en ging de fout in, want Ronnie is geen hij, maar een klein blond meisje dat misschien wel de belangrijkste persoon in Chantals leven was.'
'Ze heeft het merendeel van haar jeugdherinneringen verdrongen.'
'Hou toch op, Teddy. Ze wist niets wat jij haar niet had ingefluisterd. En daar kwam nog bij dat jij haar de verkeerde liet beschuldigen. Richard is er het type niet voor, hij is een lafaard. Altijd al geweest. Volgens mij is hij eerder slachtoffer dan schuldige als het om de verdwijning van zijn zus gaat. En ik wist het zeker toen jij Lena liet zeggen dat geen van je vrienden wist dat je haar had meegenomen. Dat is een leugen, dat weten we, want Charlie wist wat er met Chantal was gebeurd, nietwaar?'
'Heeft hij je dat verteld?'
'Nee.'
Hij gaf nog een poeier tegen de witte bal en griste hem met een snelle, agressieve zwaai van tafel toen hij terug rolde. 'Dus je raadt maar wat.'
'Zeker. Dat doen advocaten nu eenmaal, maar ik heb wel gelijk.'
'Als je alles al weet, wat moet je dan van mij? Wat doe je hier dan?'
'Eigenlijk kwam ik hier om Bryce op te halen en naar huis te brengen,' zei ik.
Zijn ogen werden groot, zijn kaak verslapte en hij hield zijn hoofd schuin. Hij was de belichaming van een man die probeerde uit te vogelen wat er in het hoofd van een andere man omging. Hij stak zijn sigaar in zijn mond, nam een flinke haal, en ineens ging hem een lichtje op; ineens was het hem duidelijk. Op dat moment maakte de nerveuze spanning plaats voor ontspanning omdat hij besefte dat zijn tegenstander nog niet genoeg wist om hem kwaad te berokkenen.
'Dus je weet nog niet alles?'

'Een deel wel, maar nog niet alles.'
'Kennis is macht, knul. Wat je niet weet, kan je ruïneren. En je hebt mij helemaal verkeerd ingeschat. Ik ben niet zo'n goorlap.'
'Dat valt nog te bezien,' zei ik. 'Maar ik geloof niet dat Bryce gevaar loopt. Wat betekent dat ik nog steeds niet begrijp wat er met Chantal is gebeurd. Ik dacht eerst dat je haar misbruikte, dat het uit de hand was gelopen en je haar vermoord had. Nu denk ik dat niet meer.'
'Natuurlijk niet. Ik ben gewoon gek op kinderen, ik heb ze graag om me heen. En Chantal had iets speciaals. Ze was een taaie rakker.'
'Waarom is ze dan verdwenen?'
'Misschien liep ze weg.'
'Daar was ze te jong voor.'
'Misschien zit je verkeerd over Lena.'
'Nee, dat ook niet, er is iets ergs gebeurd. Dat weet ik zeker.'
'Hoe kun jij dat nou weten?'
'Omdat Charlie het schilderij heeft, meer hoef ik niet te weten. Jij had het gestolen om een troefkaart achter de hand te hebben, om mee te kunnen onderhandelen voor het geval er iets verkeerd ging, maar op de een of andere manier is het bij Charlie terechtgekomen. Ik heb je op de man af gevraagd waarom je het aan Charlie had gegeven en daar had je geen antwoord op. Ik wel. Je gaf hem het schilderij om hem stil te houden. Daarom wil je hem uit de buurt van Philly houden en hem afkopen, zodat hij niets zegt. Omdat hij het weet.'
'Wat weet hij dan wel?'
'Hij weet wat je gedaan hebt om een nieuw leven op te bouwen. Jij zei dat wat je met Chantal had gedaan een heroïsch tintje had, en ik geloof best dat je daar nu nog zo over denkt. Helaas pakte dat voor Chantal niet zo best uit, hè? Eerst speelde je de hoer voor mevrouw LeComte. Vervolgens besloot je een nieuw leven op te bouwen met de buit van die inbraak, en dat je daarvoor je vrienden moest belazeren, was bijzaak. Maar dat was nog niet alles. Wat je lot bezegelde, dat zogenaamde heroïsche gebaar waardoor het allemaal mogelijk werd, was Chantal. Je hebt haar vermoord, dat weet ik zeker. Ik weet alleen niet waarom. Waarom heb je dat gedaan?'
Purcell liet de bal nog een keer over het biljart rollen, pakte hem razendsnel op toen hij terug rolde en gooide hem naar mijn hoofd.
Als hij geen slappe oude man met een buikje was geweest, had ik een flinke deuk in mijn hoofd opgelopen. Ik dook weg, de bal knalde tegen een houten dartbord aan de muur, het bord kwam naar beneden en de pijlen vlogen alle kanten op.
De deur vloog open en zowel Reggie als Lou stormde de biljartkamer binnen. Lou nam een of andere oosterse gevechtshouding aan en Reggie bleek een pistool in zijn hand te hebben. De actie was bedoeld om mij de stuipen

op het lijf te jagen, als indrukwekkende machtsvertoning, maar Lou's toupetje was naar voren geschoven en hing bijna voor zijn ogen en Reggie leek eerlijk gezegd nog banger voor het pistool te zijn dan ik.
'Wat weet jij er nou van wat je moet doen om je leven te veranderen?' schreeuwde Theodore Purcell. 'Helemaal niets. Jij bent een patser die stuurloos ronddobbert en dat zal ook nooit veranderen. Je bent zwak. Je eindigt met niets en dat is je verdiende loon.'
'We krijgen uiteindelijk allemaal ons verdiende loon,' zei ik. 'Zeg, Reggie, zou je dat pistool op iets anders willen richten? Je hand trilt namelijk nogal. Straks glijdt dat pistool uit je hand en komt het op mijn voet terecht.'
'Doe dat pistool weg, Reggie,' zei Purcell. 'Victor is te onbelangrijk om te vermoorden.'
Reggie hield het pistool nog een paar tellen op me gericht en stak het toen terug in zijn leren jasje.
'En wat ga je nu doen, knul?'
'Ik ga terug naar Philly. Ik breng Charlie naar huis. En ik ga net zo lang door tot ik de waarheid boven tafel heb.'
'Je hebt geen flauw idee wat de waarheid is.'
'Die vertelt Charlie me wel.'
'Misschien,' zei Purcell. 'Als ik hem niet eerst te pakken krijg. Je zou nog een keer over mijn aanbod moeten nadenken. Ik bied je de kans om iets van jezelf te maken.'
'Om een tweede Reggie te worden? Een slaafse hond met een goedkoop pistool, die je tegen je vijanden moet beschermen?'
'Ik ben geen slaafse hond.' Reggie klonk verontwaardigd.
'Natuurlijk wel, knul,' zei Theodore. 'En onthou dat goed.'
'Ik ben vicepresident,' zei Reggie.
'Vicepresident van de slaafse honden,' zei Purcell. 'Maar je hebt het altijd nog verder geschopt dan Victor. Want Victor is een mislukkeling, een geboren mislukkeling, die nooit iets zal bereiken.'
'Nog één vraagje, Theodore,' zei ik. 'Hoe is dat nou, om over die afgrond heen te springen, een nieuw mens te worden, en dan tot het besef te moeten komen dat je nieuwe ik een afgeleefd oud monster is?'
'Dus jij wilt weten hoe dat is, knul? Als ik een goed glas wijn in mijn hand heb, een lekkere maaltijd voor mijn neus, en een stuk met valse tieten geeft me een pijpbeurt, dan voelt dat verdomde goed.'

58

Had Purcell zout in de wonde gestrooid? Nou en of. Wat weet jij er nou van wat je moet doen om je leven te veranderen? Helemaal niets. Jij bent een patser die stuurloos ronddobbert en dat zal ook nooit veranderen. Je bent zwak. Je eindigt met niets en dat is je verdiende loon. Bedenk wie het zei, hield ik mezelf voor. Het kan je toch niets schelen wat een pornoproducent, een moordenaar nota bene, met een volledig verziekte geest van je vindt? Toch hadden zijn woorden een gevoelige snaar geraakt. Waarom? Dat zal ik je vertellen. Omdat hij gelijk had, dat wist ik diep vanbinnen.

Tijdens de vlucht terug naar huis, terwijl Monica stil en somber naast me zat, peinsde ik over de woorden die Purcell me had toegesnauwd. Monica had me op het vliegveld met een zwijgend knikje en een bedroefde blik in haar vochtige ogen begroet. Wat kon ik haar vertellen? Hoe overtuigde je een ware gelovige ervan dat haar geloof misplaatst was?

'Hoe gaat het met je?' vroeg ik toen we bij de gate zaten te wachten.

'Ik praat er liever niet over. Oké, Victor?'

'Dan ben ik je man, Monica. Ik kan zwijgen als het graf, als je dat wilt. Er zal geen woord over mijn lippen...'

'Sstt,' zei ze. Ik begreep de wenk.

Dus zaten we zwijgend naast elkaar. Monica staarde met een nietsziende blik uit het raam en ik dacht na over alles wat ik niet had bereikt in mijn leven.

Ik had altijd al gejammerd over alles wat tegenzat in mijn carrière. Over cliënten die hun rekeningen niet betaalden, over tegenstanders die op slinkse manier de rechter naar hun hand wisten te zetten, en over de miljoenenzaak die me nooit in de schoot werd geworpen. Boehoe. Ik jammerde en jankte maar door over alle tegenslagen terwijl mijn advocatenkantoor bijna kopje-onder ging, mijn liefdesleven steeds pathetischer werd en mijn appartement een slagveld was. Maar daar kon ik niets aan doen, zei ik tegen mezelf. Boehoe. Teddy Pravitz had zijn leven in eigen handen genomen en had zichzelf in Theodore Purcell veranderd en ook al stond het resultaat me niet aan, hij was tenminste niet op zijn kont blijven zitten janken. En hetzelfde gold voor Stanford Quick, die ook de stap had gewaagd en alles had bereikt waar ik altijd van had gedroomd. Hij had mijn baan gehad; mijn huis, mijn hond, mijn auto, mijn knappe blonde vrouw en mijn leven. Mijn

leven. Zij hadden hun kansen gegrepen, ik had de mijne als zand door mijn vingers laten glippen.
Ik was nijdig op mezelf, zo nijdig, dat ik mijn agressie wilde afreageren en dat deed ik op iemand anders.
'Ze is het niet, dat besef je toch wel?'
'Ik weet het.'
Dat schokte me. 'Hoe ben je daarachter gekomen? Toen ze dacht dat Ronnie een jongen was?'
'Al daarvoor. Ik wist het meteen.'
'Hoe dan?'
'Ik voelde het gewoon.'
'Waarom ben je daar dan blijven slapen?'
'Ik vond haar aardig,' zei ze. 'En ik wilde weten waarom ik naar haar toe was geleid.'
'Omdat die leugenachtige klootzak je erin wilde laten lopen.'
'Nee, er zat iets anders achter, daar ben ik van overtuigd. Lena vroeg of ik haar nog een keertje kwam opzoeken. En of ik dan een tijdje wilde blijven.'
'Dat ga je toch niet doen, hoop ik?'
'Ze was aardig.'
'Dat was gespeeld.'
'Niet helemaal. Alles heeft een doel, Victor. Er schuilt een boodschap in, ik weet nog niet welke, maar daar kom ik nog wel achter.'
'De boodschap is dat je hulp moet zoeken.'
'Wat doe je gemeen, Victor.'
'Die leugen heeft je geloof niet aan het wankelen gebracht?'
'Dat kan alleen de waarheid.'
'In Philly zullen we de waarheid vinden. Maar ben je wel bereid om de waarheid te accepteren, Monica?'
'Al mijn hele leven.'
'We zullen zien.'
'Wat ben je van plan?'
'Ik zal je zus vinden,' zei ik, 'en misschien dat mijn leven daardoor ook verandert.'
'Hoe dan?'
'Daar probeer ik achter te komen.'
Tijdens de lange vlucht naar huis hield ik me daarmee bezig. Misschien was het de hoogste tijd om de lessen die Teddy en Stanford Quick me hadden bijgebracht, ter harte te nemen. Uiteraard besefte ik heel goed dat Purcell een levensgrote griezel was en Quick een levensgroot lijk, maar toch hadden ze op één gebied meer kennis dan ik ooit zou hebben. Zij wisten hoe je de teugels van je leven in eigen hand moest nemen zodat je zelf de richting kon bepalen. Nietzsche mocht dan een incestueuze mafkees zijn geweest die aan

acute gynofobie leed en de snor van een pornoster bezat, maar misschien had hij in één ding wel gelijk. Spring over de afgrond heen of blijf tot in alle eeuwigheid aan de verkeerde kant rondsukkelen. Ik zou me niet langer bezighouden met als/dan-keuzes en de rijkdom aan mijn neus voorbij laten gaan vanwege gewetensbezwaren. Het was de hoogste tijd om mijn kansen te pakken. Om zelf richting te geven aan mijn lot. Om het voorbeeld van Sammy Glick te volgen en mijn succes verdomme gewoon te grijpen. Het was de hoogste tijd om mezelf eindelijk een ruggengraat van onbuigzaam staal aan te meten.

En verdomd als het niet waar is, ik had een plannetje.

59

'Ik breng hem naar huis, mevrouw Kalakos.' Ik stond naast haar bed.
Ze kwam half overeind van haar doodsbed en stak haar trillende hand uit naar mijn gezicht. 'Jij, goede knul,' zei ze, terwijl haar knokige vingers mijn wang streelden. 'Jij, goede knul.' Ineens gaf ze me een harde klap in mijn gezicht. Keihard. Het klonk als een stok die doormidden werd gebroken.
'Waar was dat in vredesnaam voor nodig?' vroeg ik.
'Is waarschuwing,' zei ze. 'Jij niet weer zo stom zijn als laatste keer en mannen naar Charlie leiden. Jij hem bijna als lam naar slachtbank leiden.'
'Ik dacht dat ik voldoende voorzorgsmaatregelen had genomen.'
'Ik spugen op voorzorgsmaatregelen, dat voor bange mannen zijn die vrouwen niet baas kunnen. Jij zeker moeten weten.'
'Ik zal mijn best doen.'
'Jouw best maar beter genoeg zijn, Victor.'
'Is dat een dreigement, mevrouw Kalakos?'
'Ik uit Griekenland, Victor. Ik niet dreigen. Ik aan repen snijden. Dunne repen. Wordt vlees mals van.'
'Hebben we het weer over dat lam?'
'Natuurlijk. Thalassa, zij zalig lam koken met knoflook en koffie. Speciaal recept. Jij mijn vleesmes willen zien?'
'Nee, dank u, dat wapen van de vorige keer was meer dan genoeg.'
'Dat speelgoeddingetje?'
'Ik zal heel voorzichtig zijn, mevrouw Kalakos.'
'Goed. Ik jou vertrouwen, en Charlie jou ook vertrouwen, omdat ik hem dat vertellen. Jij hem ontmoeten waar ik zeg en jij hem meteen bij mij brengen.'
'Een neutrale plek is misschien veiliger. Ik zat te denken dat het misschien beter is als ik hem samen met de politie...'
'Jij mij niet vertellen wat beste voor Charlie is. Ik zijn hele leven al weten wat beste voor hem is. Jij hem thuis brengen, bij mij.'
'Dat is de enige plek waar ze hem zeker zullen opwachten, mevrouw Kalakos. Het is niet veilig om hem hiernaartoe te brengen.'
'Jij veilig maken. Jij hem hier brengen. Ik niet weten hoeveel tijd ik nog hebben. Ik lang genoeg gewacht. Jij hem meteen bij mij brengen.'
'Ik denk niet dat het verstandig...'

‘Wij niet langer over praten, Victor. Jij doen wat ik zeg.’
‘Oké. Mijn cliënt heeft gezegd dat u de dienst mag uitmaken. Maar op twee voorwaarden. Ten eerste is dan de schuld vereffend die mijn familie aan u had. We staan quitte. Geen vriendendiensten meer.’
‘Afgesproken.’
‘Nu we het daar toch over hebben, wil ik nog iets vragen. Was mijn oma gelukkig met die man?’
‘Gelukkig, Victor? Wie in leven echt gelukkig zijn?’
‘Footballspelers,’ zei ik. ‘Supermodellen. Footballspelers die met supermodellen trouwen. Maar was mijn oma gelukkig met die man, voor u haar naar huis terug sleepte?’
‘Jij waarheid willen horen?’
‘Graag.’
‘Jouw oma elke avond huilen in kleine flat van die vreemde man. Zij begrijpen zij grote fout hebben gemaakt. Maar zij bang dat jouw opa haar niet terug willen. Ik haar niet naar huis brengen voor jouw opa, ik haar naar huis brengen omdat zij dat willen.’
‘En was ze daar dankbaar voor?’
‘Zij daarna zorgen dat mijn kinderen nooit voor schoenen betalen. Zij tegen jouw opa zeggen hij schoenen voor niets geven.’
‘Daar zal hij wel de pest over in hebben gehad.’
‘Hij ook dankbaar. Zij samen goed leven hebben. Zij eerder meer willen hebben en toen zij met lege handen staan. Als jij altijd meer willen hebben in leven, jij veel huilen. Is altijd zo.’
‘Dat brengt me op mijn tweede voorwaarde. We moeten het nog hebben over de betaling van mijn diensten als advocaat van uw zoon.’
‘Wat jij bedoelen met betaling?’
‘Tijdens ons eerste gesprek heb ik verteld dat ik een voorschot nodig had. Maar een voorschot is net genoeg om de zaak aan te nemen.’
‘Jij meer willen.’
‘Sinds dat gesprek heb ik veel tijd besteed aan de juridische bijstand van uw zoon.’
‘Dus jij dat zo noemen? Wat jij dan wel juridische bijstand noemen, Victor Carl?’
‘Vergaderingen, onderhandelingen, onderzoek. Als u wilt, kan ik u een rekening sturen waarin ik alle werkzaamheden uitsplits, desnoods per zes minuten, en dan kunt u me contant betalen. Als u niet genoeg geld hebt, kan ik u wel verwijzen naar een financiële instelling waar u een tweede hypotheek op uw huis kunt afsluiten. Dat vindt Thalassa vast niet erg.’
‘Fijn jij zo zeker zijn, Victor, dan een van ons in elk geval zeker zijn van zaak.’
‘We zouden de betaling ook op een andere manier kunnen regelen, als u dat liever hebt.’

'Jij idee hebben, uiteraard.'
'Toen u me tijdens ons eerste gesprek die juwelen gaf, viel me op dat er nog meer in die la lag.'
'En jij rest willen hebben, Victor Carl?'
'Dat klopt,' zei ik.
'Jij mij met niets willen achterlaten? Jij oude, stervende vrouw alles willen afnemen?'
'Ik ben advocaat, mevrouw Kalakos.'
'Jij zeker weten jij niet Griek zijn?'
'Zo goed als. Hoewel ik me met de dag meer Griek ga voelen.'

'Ik breng hem naar huis, pa,' zei ik door de telefoon, 'maar daar heb ik wat hulp bij nodig.'
'Hulp van mij?' vroeg mijn vader. 'Ik kom nauwelijks de trap op.'
'Niet op die manier. Ik wil dat je een reisje gaat maken. Naar zee bijvoorbeeld.'
'Ik heb de pest aan de zee.'
'Huur een week een huisje aan het strand. Ga lekker in de zon liggen.'
'Ik heb de pest aan het strand.'
'Pa, ze hebben daar enorme hotdogs, meisjes in kleine bikini's en zalig ijs.'
'Nu weet ik zeker dat je me dood wilt hebben.'
'Ik betaal.'
'Hou op, straks krijg ik nog een hartaanval.'
'Luister, pa, iemand in Californië wil koste wat kost voorkomen dat ik Charlie naar huis breng. En hij is niet vies van een beetje geweld of van een moord. Ik wil niet dat hij jou opzoekt om mij te pakken te krijgen.'
'Waarom zou hij bij mij langskomen?'
'Omdat hij je kent.'
'Wie mag die zogenaamd angstaanjagende figuur dan wel zijn?'
'Teddy Pravitz.'
Het werd even stil aan de andere kant. 'Ik heb altijd al een keer naar Stone Harbor gewild.'
'Ik ken een makelaar. Ik laat haar wel iets voor je huren. Ze neemt wel contact met je op.'
'Ik wil wel iets op de begane grond.'
'Komt voor elkaar. Ik wil dat je nog iets voor me doet. Om mijn plan te laten slagen, heb ik wat hulp nodig.'
'Wat voor soort hulp?'
'Ik heb een chauffeur nodig.'

'Ik breng hem naar huis,' zei ik. 'Maar voor ik dat doe, wil ik de deal zwart-op-wit hebben.'

McDeiss, Slocum, Jenna Hathaway en ik zaten in Slocums kantoor. Ze waren niet blij met me. Ze zaten met twee moorden en een hoop vragen in hun maag, hadden dagenlang geprobeerd om in contact te komen met een belangrijke getuige, en waren laaiend geworden toen ze erachter kwamen dat hij in L.A. zat en niet te bereiken was. Een van de dingen in het leven waar ik intens van genoot, was mijn mobieltje uitzetten.
'Heb je de antwoorden die we zochten?' vroeg Hathaway.
'Ja.'
'Je hebt haar gevonden?'
'Dat niet, maar ik heb hem gevonden.'
'Mijn hemel. Waar?'
'Dat zal ik je vertellen nadat iedereen zijn handtekening heeft gezet en ik mijn cliënt heb opgehaald.'
'En Charlie is bereid tegen hem te getuigen?'
'Als ik hem de deal zwart-op-wit laat zien, praat hij wel. En niet alleen Charlie. Joey Pride, die jullie ook zoeken maar nog niet gevonden hebben? Die is ook bereid om te praten. Over de moord op Ralph Ciulla en de gebeurtenissen rond de inbraak in de Randolph Stichting, dat wil zeggen, als er voor hem ook een deal op tafel komt.'
'Wat voor deal wil Joey?' vroeg Jenna.
'Immuniteit.'
'Is hij ook een cliënt van je?'
'Tegen de tijd dat jullie hem te pakken hebben wel.'
'Kunnen we die onbekende nog wel voor iets vervolgen na al die tijd?' vroeg Slocum.
'Nou en of. Je kunt hem voor de rest van zijn zielige leventje achter de tralies opbergen. En geloof me, Larry, je chef zal in zijn nopjes zijn met alle publiciteit. *Time* en *Newsweek* zullen op de stoep staan en de beststeller is al in de maak.'
'Dit gaat niet om publiciteit,' zei Jenna.
'Bij politici draait het altijd om publiciteit. En jouw vader zal eindelijk die zaak kunnen afsluiten, Jenna.'
Ze keek me aan, dacht even na en knikte toen.
'Klinkt goed,' zei Slocum. 'Waar kunnen we Charlie oppikken?'
'Bij zijn moeder thuis.'
'Doe niet zo achterlijk,' zei McDeiss. 'Dat loopt veel te veel in de gaten, dat is verdomme levensgevaarlijk.'
'Daar valt niet over te onderhandelen,' zei ik. 'Bij zijn moeder thuis. Ik laat nog weten wanneer. En hij moet de kans krijgen om wat tijd met zijn moeder door te brengen, zonder onderbrekingen, voor jullie hem meenemen.'
'Je stuurt hem regelrecht de dood in,' zei McDeiss.

'Nee, dat doe ik niet, rechercheur, omdat jij hem gaat beschermen. Ik heb het volste vertrouwen in je.'
'Steek die stroopkwast maar weer in je zak,' zei McDeiss. 'Daar moet ik niets van hebben. Hoe denk je hem trouwens hier te krijgen?'
'Ik bedenk wel wat.' Ik knikte naar Slocum. 'En dan bel ik Larry op zijn mobieltje om de juiste tijd en dag door te geven. Hij brengt jullie wel op de hoogte.'
'Dus dat is het?' vroeg Slocum. 'Alles is geregeld?'
'Bijna alles,' antwoordde ik.
'Nu komt het, hoor,' zei McDeiss.
'Waarom zo cynisch, rechercheur?' vroeg ik.
'Ik ken je al wat langer dan vandaag.'
'Nog even over het schilderij. Die Rembrandt. Charlie heeft zich misschien een beetje vergist over het schilderij. Hij had het ooit in zijn bezit, maar hij weet niet zeker of hij er nog steeds de hand op kan leggen. Misschien is het verdwenen. Een kleine misser van mijn kant.'
'Geen schilderij,' zei Slocum.
'Sorry.'
'Dat is toch hoop ik een grapje?'
'Helaas, was het maar zo. Jammer, eigenlijk. Ik ben altijd gek geweest op schilderijtjes van mannen die rare hoedjes dragen. Kennelijk was het noemen van de Rembrandt Charlies manier om aandacht te trekken.'
'Maar daar draaide deze hele zaak vanaf het begin juist om,' zei Slocum.
'Misschien in het begin, maar de crux van deze deal is nu Charlies getuigenis over de Warrick-bende en het verdwenen meisje. Als ik het zo eens bekijk, geeft niemand van jullie een moer om dat schilderij en ik ook niet. De Randolph Stichting zal het met die andere vijfhonderd meesterwerkjes moeten doen.'
'Het is een misdrijf om een gestolen kunstwerk te verkopen, dat weet je toch, hè?' Slocum klonk sarcastisch.
'Misschien heb ik de betekenis van immuniteit niet goed begrepen.'
'We kunnen niet toestaan dat er een misdrijf wordt begaan.'
'Zei ik niet dat er geen schilderij was?'
'En als we niet akkoord gaan?'
'De hele geschiedenis komt sowieso naar buiten, daar zorg ik voor. De trouwste bondgenoot van mijn cliënt in deze zaak is de pers geweest en die gaan we nog een laatste keer gebruiken. Dus nadat het hele verhaal in de publiciteit is gebracht, zijn er twee mogelijkheden. Of jullie hebben een behulpzame getuige die jullie de zaak min of meer op een presenteerblaadje aanbiedt, of iedereen komt te weten dat jullie een moordenaar hebben laten lopen uit liefde voor de kunst.'

'Ik breng hem naar huis, Lav,' zei ik, met de telefoon tegen mijn oor.
'Wat ben je toch een dom mannetje,' zei Lavender Hill. 'Een dom, dom mannetje.'
'Ik wist wel dat je er blij van zou worden. Heeft je cliënt genoten van ons bezoekje?'
'Hij zit nog na te genieten.'
'Hij draait de gevangenis in.'
'Niet zonder slag of stoot, dat verzeker ik je.'
'En, Lav, ben jij degene die voor hem in de ring stapt?'
'Ik bemiddel bij aankopen, meer niet.'
'Wat is het toch fijn dat jij je plekje in deze wereld hebt gevonden. Dus hij heeft iemand anders die het vuile werk voor hem opknapt, bedoel je dat?'
'Aangezien jij als een kip zonder kop rondloopt, zal dat niet moeilijk zijn. Gaat dit nog steeds over dat meisje op de foto die je me liet zien?'
'Ja.'
'Heb je de waarheid ontdekt?'
'Ja, en ik kan je verzekeren dat hij de gevangenis indraait. Wat was je financiële overeenkomst met je cliënt?'
'Dat gaat je niets aan, mooie jongen.'
'Ik neem aan dat hij een voorschot heeft betaald, want iemand van jouw kaliber werkt niet op krediet. Heeft hij het volledige bedrag voor het voorwerp in kwestie al op tafel gelegd?'
'Er zijn maatregelen getroffen.'
'Een borg in handen van derden?'
'Niet precies. Waarom?'
'Stel dat ik als extra voorwaarde beding dat de aankoop van dit tekeningetje alleen doorgaat als het niet in handen van jouw cliënt in L.A. terechtkomt. Wat gebeurt er dan?'
'Zijn we weer terug aan de onderhandelingstafel?'
'Met die extra voorwaarde.'
'Je zit vol verrassingen, hè? Ik heb niet stilgezeten, Victor. Ik heb rekening gehouden met de mogelijkheid dat mijn oorspronkelijke cliënt niet aan zijn financiële verplichtingen zou kunnen voldoen en daarom heb ik contact opgenomen met andere kunstverzamelaars aan wie ik in het verleden heb geleverd.'
'Dus zelfs als het schilderij niet in L.A. terechtkomt, gaat de aankoop door.'
'Dat klopt.'
'Zeg dan maar tegen je andere verzamelaars dat ze hun chequeboekjes trekken. Misschien dat we de kring wat groter moeten maken, zodat ze tegen elkaar kunnen opbieden. Dat drijft de commissie lekker op.'
'Wat een fantastisch idee.'
'Zorg dat je beschikbaar bent.'

'Geloof me, ik sta klaar. Mag ik je trouwens iets vragen? Word je niet een beetje te hebberig, Victor?'
'Lav, laten we het erop houden dat het de hoogste tijd is dat ik de sprong waag.'

60

'Wat wil je nu precies van me?' vroeg Beth, toen we naar een klein rijtjeshuis in een oude buurt vlak bij de Cobbs Creek Parkway in West Philly liepen.
'Ik wil dat je de veiligheidsmaatregelen test die McDeiss heeft geregeld. Misschien dat jij bepaalde personen kunt weglokken zodat ik ongestoord mijn gang kan gaan.'
'Dus ik fungeer als lokaas?'
'De term lokaas heeft een negatieve emotionele lading.'
'Ik heb liever een negatieve emotionele lading dan een lading van .38-patronen. En geloof me, daar zijn hun wapens mee geladen.'
'Je hoeft niet te helpen.'
'O, Victor, natuurlijk wil ik je helpen. Het is alleen dat jij me vanaf het begin welbewust buiten die hele Kalakos-zaak hebt gehouden, inclusief dat vakantietripje naar L.A. waar je platzak maar met een lekker kleurtje van terugkwam. En nu wil je ineens dat ik met een schietschijf op mijn rug ga rondlopen.'
'Ik heb je erbuiten gehouden om je te beschermen.'
'Nee, nu voel ik me veilig als jouw lokaas. Wanneer ga je?'
'Morgen.'
'Wat moet ik doen?'
'Je mobieltje bij de hand houden en op pad gaan zodra ik bel.'
'Best.'
'Misschien dat je een auto moet huren. Zodra ik weet wat voor eentje, laat ik het je weten.'
'Oké.'
'Je bent geweldig.'
'Ik ben een idioot.'
'Dat ook. Moeten we daar lang blijven?'
'Nee,' zei ze, toen we voor het huis stonden. 'Je gaat naar binnen, neemt een paar felicitaties in ontvangst en drinkt een biertje of twee op de goede afloop. Dat is alles.'
'Ik heb de pest aan dat soort gedoe.'
'Voor Theresa is het een fantastische overwinning. Ze heeft haar dochter terug in haar leven. Dat wil ze vieren en ze wil ons bedanken.'
'Het is dat ik een hoop lof krijg toegezwaaid, anders zou ik net zo lief alleen een biertje drinken.'

We liepen het pad op naar Theresa Wellmans nieuwe huis. Uit de openstaande voordeur klonk luide, ritmische muziek en op de veranda hing een stel feestvierders rond. We wrongen ons langs het groepje en stapten naar binnen.
'Hallo, daar.' Theresa Wellmans uitgelaten stem kwam nauwelijks boven het harde gedreun van de muziek uit. Ze droeg een gebloemde jurk, iets te veel sieraden en had een drankje in haar hand. 'Wat fijn dat jullie er zijn. Jullie zijn mijn helden.'
'Wij hebben alleen de bewijsstukken voorgelegd,' zei Beth. 'Jij bent de echte heldin.'
'Nee, niets daarvan. Jullie hebben mijn leven gered en me mijn dochter teruggegeven. En daar ben ik jullie eeuwig dankbaar voor.'
'Wat drink je?' vroeg ik.
Ze keek me aan, keek naar haar drankje en vervolgens weer naar mij. 'Gemberbier. Er staat frisdrank en koud bier in de keuken. Ontspan je toch, Victor. Waarom draag je trouwens een pak naar een feestje?'
'Ik draag zelfs een pak naar het strand,' zei ik.
'We vinden de keuken wel, Theresa. Bedankt voor je uitnodiging.'
'Victor, Beth, ik ben zo blij dat jullie gekomen zijn. Bedankt. Bedankt voor alles wat jullie gedaan hebben.'
Ze omhelsde Beth en glimlachte naar mij. Soms is al het werk het bijna waard. Misschien dat een caissière in een supermarkt meer verdient, maar als je iemands boodschappen aanslaat, krijg je geen omhelzing van je klant.
Het was een luidruchtig feestje met harde muziek. Er werd veel gelachen en gedanst en er liep ook aardig wat vrouwelijk schoon rond. Ik baande me een weg door de menigte in de richting van de keuken. Beth bekeek de lambrisering in de eetkamer.
'Leuk,' zei ze. 'Misschien moet ik ook zoiets laten doen.'
'Lambrisering zou je goed staan.'
'Dat denk ik ook. En moet je die vloer eens zien.'
'Ja, ik zie het. Het is een vloer.'
'Ik bedoel de afwerking. Ik denk dat ik meteen na de overdracht aan de vloeren begin. Ik schuur ze helemaal kaal en dan zet ik ze in de blanke lak.'
'Goed idee, maar eerlijk gezegd verontrust die bezetenheid over je nieuwe huis me een beetje.'
'Je bent gewoon jaloers omdat ik lid word van een club waar jij niet bij hoort.'
'De wereld is vol clubs waar ik niet bij hoor. En de club van huiseigenaren staat onder aan dat lijstje.'
'Ik ben gewoon opgewonden. Ik heb het gevoel dat ik aan een nieuw hoofdstuk in mijn leven begin.'
'Ik heb de perfecte naam voor dat hoofdstuk. Hoe ik dertig jaar kromlig voor een glimpje ochtendzon.'

'Kun je niet gewoon blij voor me zijn?'
'O, dat ben ik ook. Heus. Geloof me.'
'Ik wil een blikje frisdrank,' zei Beth toen we in de keuken stonden.
De keuken was klein, functioneel en schoon. Ruim en modern, zou Sheila de makelaar zeggen. Ergonomisch verantwoord, maar met een vleugje nostalgie. Op de kleine keukentafel stonden flessen frisdrank, flessen sterke drank, een grote ijskoeler en longdrinkglazen. Beth schonk zichzelf een glas suikervrije cola in. Ik haalde een biertje, een Rolling Rock, uit de koelkast. Ik nam een flinke teug van mijn bier en keek om me heen. Overal stonden mensen: in de deuropening, bij het aanrecht, bij de achterdeur. Ik vroeg me af waar al die mensen in vredesnaam vandaan kwamen. Theresa Wellman leek meer vrienden te hebben dan ze in onze gesprekken had laten merken, maar ach, zo gaat dat nu eenmaal, nam ik aan.
'Laten we naar boven gaan,' zei Beth. 'Ik ben benieuwd hoeveel slaapkamers en badkamers dit huis heeft.'
Ze heeft gewoon de onroerendgoedziekte, dacht ik, toen ik achter Beth aan de trap op liep. Een huis bezitten is nog erger dan een boot bezitten. Er is altijd wel een boot die groter, sneller en glanzender is. En er is altijd wel een huis met een mooiere keuken. Daarom huur ik, om die ziekte niet op te lopen. Toen ik het rook, voelde ik me zowel misselijk als zelfvoldaan. Ik rook een zoete, weeïge geur die me deed denken aan een studentenhuis op een donderdagavond.
'Wat is dat?' vroeg ik aan Beth.
'Wat?'
'Dat.'
'O, dat,' zei ze.
'Ruik ik het goed?'
'Ja.'
'Wat doen we nu?'
'Het liefst zou ik rechtsomkeert maken, maar dat kunnen we niet maken.'
'Het is niet van haar, dat weet ik zeker,' zei Beth.
'Ben je er net zo zeker van dat er gemberbier in haar glas zat?'
'We kunnen niet zomaar gaan rondsnuffelen, toch?'
'Geen idee,' zei ik, 'misschien kunnen we wel een kijkje in de slaapkamers nemen om onze nieuwsgierigheid op onroerendgoedgebied te bevredigen.'
'Dat kan wel,' zei Beth.
De geur was sterker toen we op de overloop stonden. Ik zag vier deuren; allemaal dicht. Op eentje hing een bordje met het opschrift BADKAMER. De deur ernaast had geen opschrift. Ik keek om me heen, leunde tegen de deur, maar hoorde niets. Ik draaide de knop om, trok de deur een stukje open en keek om het hoekje. Een linnenkast.
'Veel bergruimte,' zei ik.

'Bergruimte is heel belangrijk.'
Ik leunde tegen een andere, dichte deur aan en luisterde. Ik hoorde een levendige conversatie. Een levendige televisieconversatie, wel te verstaan. Ik draaide de knop langzaam om en deed de deur open. Er kwam me geen walm rook tegemoet drijven. Ik keek om het hoekje, zag de televisie waarop een tekenfilm was te zien, vervolgens een bed, en toen ik de deur iets verder opendeed ook nog een paar grote, bruine ogen.
'Hallo,' zei ik.
'Hallo,' zei het meisje.
'Jij bent vast Belle,' zei ik.
'Dat klopt.'
'Waar kijk je naar?'
'Cartoon Network. Kom je ook kijken?'
'Als je dat niet erg vindt.'
'Nee, hoor, als je maar niet te veel praat.'
'Dat beloof ik,' zei ik.
'Dat wil ik weleens meemaken,' zei Beth.
'Ik heb een ander idee,' zei ik tegen Beth. 'Waarom kijk jij niet in de andere slaapkamers of je Theresa kunt vinden? Ik denk dat we even een praatje moeten maken.'
Zodra Beth de deur achter zich had dichtgetrokken, draaide ik me naar Belle toe en stak ik mijn hand uit.
'Ik ben Victor,' zei ik.
'Sst.'
'Best,' zei ik.
Grappig, nietwaar, hoe slim wij advocaten kunnen zijn, met onze slimme vragen en slimme trucjes? We gebruiken onze slimmigheid om alles te verdraaien ten behoeve van onze cliënt en de slimme advocaat van de tegenpartij doet hetzelfde. De rechter die ertussenin zit, neemt alleen de beslissing. Het is ook een heel slim rechtssysteem omdat de betrokkenen van alle verantwoordelijkheid verschoond blijven. We zijn slechts kleine onderdeeltjes in het grote raderwerk van justitie. Wees zo slim mogelijk en hoop op een goed resultaat. Dat staat in onze functieomschrijving. En wat voelde ik me slim, zeg, toen ik naast Belle zat, die door ons toedoen aan de zorg van haar moeder was toevertrouwd.
Twee tekenfilmfiguurtjes werden achternagezeten door een skelet met een grote, zwarte cape. De drie zongen een vrolijk liedje. Ik had geen flauw idee wie de figuurtjes waren. Dat zijn het soort dingen die je mist als je geen kabeltelevisie hebt, aan de andere kant hoef je dan ook niet de zoveelste blunder van Pat Burrell te zien, dus dat houdt de zaak aardig in evenwicht. Ik geloof niet dat Belle genoot van de tekenfilm. Er lag een gespannen uitdrukking op haar gezicht alsof ze grote moeite had om niet in huilen uit te

barsten. Ik wilde haar vragen hoe lang ze al voor die televisie zat, of ze haar papa miste en wat ze van slimme advocaten vond, maar ik had haar beloofd dat ik niet te veel zou praten en die belofte kon ik tenminste wel nakomen.
Een kwartiertje later verscheen Beth weer. Ze was bleek en er lag een nerveuze trek om haar mond alsof een geest plotseling uit de gelakte vloeren was opgerezen, haar bij de armen had gegrepen en net zo lang door elkaar had gerammeld tot al haar vertrouwen eruit geschud was.
'Heb jij het telefoonnummer van Bradley Hewitt?'
'Daar kan ik wel aan komen.'
'Ik denk dat je hem een belletje moet geven.'

61

Ik nam de oprit naar de I-95 en zoefde langs Chester en Wilmington in de richting van Baltimore en Washington DC. Ik keek om de paar minuten in mijn achteruitkijkspiegeltje, maar zag niets, wat niet veel betekende. Het was allang duidelijk dat ik te stom was om erachter te komen of ik gevolgd werd. Ik versnelde, vertraagde, dook een parkeerplaats op, wachtte een paar minuten en reed de snelweg weer op. Ze waren er, daar twijfelde ik niet aan. Fred en kleine, dikke Louie zaten achter me in hun Impala, gedeukte Buick of in een tweekleurige Chevy voorzien van banden met witte zijvlakken. Ze waren er omdat ik overal had verkondigd dat ik Charlie naar huis ging brengen. Ze waren er, maar ik zag niemand. Toch bleef ik uitkijken naar de twee. Waarom? Omdat ze dat zouden verwachten.
Ik betaalde tolgeld om Maryland in te mogen en vervolgde mijn weg naar het zuiden. Je kunt veel zeggen over de I-95, maar het is geen toeristische route. Ik ging af en toe verzitten en prutste wat aan de radio. Sportcommentaar, nieuwsberichten, klassieke rocknummers. Wat heeft iedereen toch met klassieke rocknummers? Verzin godver eens wat anders. O, ja, dat hadden ze geprobeerd, maar dat beviel niet, dus terug naar de rocknummers. Ik schoof heen en weer op mijn stoel alsof mijn blaas op knappen stond. Best, dan lassen we een plaspauze in. Ik schoot naar rechts, sneed een busje af en dook de afrit op.
Ik vond een parkeerplaats, sprong uit de auto en keek een paar keer achterom voor ik me naar binnen haastte. De gebruikelijke fastfoodtenten onder één dak: een Burger King, een Mrs. Fields Cookies, een Pizza Hut Express, een Popeye's Fried Chicken, en om je geweten te sussen een TCBY wat stond voor The Country's Best Yoghurt. Alleen die laatste was al een bezoekje waard, toch? Er was ook een Starbucks zodat je wakker bleef en toiletten om al die koffie weer te lozen. Ik liep meteen naar de toiletten aan de linkerkant van de ingang, keek om me heen en beende naar het voorlaatste hokje. Dat was bezet.
'Alsjeblieft, maat,' fluisterde Skink en hij overhandigde me een blauwe overall en een pet. Hij was precies zo gekleed als ik: identiek pak, identieke das en identieke schoenen.
'Je ziet er goed uit, Skink.'
'De volgende keer dat ik hetzelfde moet dragen als jij, trek dan iets aan wat in de mode is. Nou, schiet op.'

'Ik moet eigenlijk even plassen,' zei ik.
'Geen tijd.'
Ik dook het hokje ernaast in, schoof mijn autosleutels onder het tussenmuurtje door en begon me in de overall te hijsen. 'Ik sta recht voor de ingang, derde rij.'
'Mooi zo.'
Skink kwam zijn hokje uit, ik volgde hem een paar tellen later.
'Je lijkt voor geen meter op me.'
'Niets aan te doen. Ik blijf hier nog even rondhangen en dan loop ik naar buiten met een krant voor mijn neus. Tegen de tijd dat ze erachter komen dat ik jou niet ben, ben jij allang weg.'
'Als ik opgehaald word.'
'Dat heb jij geregeld, maat.'
'Kijk wel uit. Ze zullen niet blij met je zijn.'
'Zij moeten uitkijken. Kom op, wegwezen.'
Ik zette de pet op, schudde mijn hoofd, en nam toen een vermoeide, gebogen houding aan, alsof ik al twaalf uur lang achter het stuur van een achttientonner had gezeten. Ik gaf Skink bij wijze van afscheid nog een vriendschappelijke stoot tegen zijn schouders en liep naar de wasbak toe. Ik waste mijn handen en keek intussen om me heen. Een oude vent stond bij een pisbak, een jonge knul waste iets verderop zijn handen. Ik grijnsde tegen de spiegel boven de wasbak, zette mijn pet iets schuiner en liep het toilet uit.
Ik was het gebouw aan de linkerkant binnengestapt en dook nu de tijdschriftenhandel aan de rechterkant binnen. Achter in de zaak was een deur die naar het benzinestation leidde. Zodra ik buiten stond, kwam er een groen met witte taxi recht op me afstormen, die op het laatste moment vol in de remmen ging hangen en pal naast me tot stilstand kwam. Ik opende het portier, keek naar binnen en aarzelde een paar seconden voor ik instapte. De taxi ging er meteen vandoor en even later raasden we weer op de I-95, maar nu in noordelijke richting.
'Wat doet zij hier, verdomme?' Ik gebaarde naast me.
'Ze wilde per se mee,' zei Joey Pride.
'We moeten haar ergens afzetten.'
'Volgens mij wil ze niet afgezet worden.'
'Monica,' zei ik boos, 'wat doe je hier, verdomme?'
'Jij zei dat ik naar Joey moest gaan.'
'Ja, om hem een boodschap te geven en dan zou je weer naar huis gaan.'
'Oeps. Dat laatste was ik vergeten.'
'Monica.'
'Charlie gaat jou vertellen wat hij weet over mijn zus.'
'Dat klopt.'
'Daarom wil ik mee. Ik heb lang genoeg gewacht. Ik wil de waarheid weten.

Dat had ik je toch gezegd?'
'Had je haar niet kunnen dumpen, Joey?'
'Daar was ik even succesvol in als jij. Maar ik kijk nu met veel meer plezier in mijn achteruitkijkspiegeltje, dat kan ik je wel vertellen.'
'En waarom zitten we in vredesnaam in een taxi? Ik had tegen mijn vader gezegd dat je met een andere auto moest komen.'
'Dat heb ik ook gedaan. Deze is van mijn vriend, Hookie.'
'Maar het is wel een taxi.'
'Niet de mijne. Oké, waar gaan we naartoe?'
'Waarschijnlijk rechtstreeks naar het mortuarium. Wat een puinhoop. De ene blunder na de andere. Ben je gevolgd?'
'Nee.'
'Weet je dat zeker?'
'Ik heb de ogen van een havik. Er zit niemand achter ons aan.'
'Voorlopig, dan. Weet je zeker dat we je nergens kunnen afzetten, Monica?'
'Heel zeker.'
'O, verdomme. Nou, goed dan. Ik moet even bellen. Joey, blijf naar het noorden rijden tot we de 295 kruisen, dan moeten we de Delaware Memorial Bridge over. We gaan naar New Jersey.'

62

We reden naar het oosten, in de richting van bekend terrein. Als alles volgens plan verliep, was Skink Baltimore al voorbij en leidde hij mijn achtervolgers nu naar Washington DC. Twee criminelen extra in onze hoofdstad zou volgens mij niet veel verschil maken. Kies hen in de Senaat, geef hun de verantwoordelijkheid voor de partijdiscipline, en wie weet komt daar dan eindelijk eens iets van de grond.

'Als we de snelweg pakken, besparen we flink wat tijd,' zei Joey.

'Nee, deze weg is perfect,' zei ik, en dat was ook zo. We reden over een binnenweg met één rijstrook per richting en zagen kleine plaatsjes, grote weilanden en boerenmarkten waar tomaten en prei werden verkocht aan ons voorbijtrekken. We hielden een rustig tempo aan en zo nu en dan stopten we langs de kant van de weg om andere auto's te laten passeren. Niemand leek ons te volgen.

'Ik heb Charlie de laatste vijftien, twintig jaar niet meer gezien,' zei Joey. 'Hij is eerder een herinnering dan een levende persoon voor me, net een wolkje rook. Ik weet niet of ik hem straks een vriendschappelijke klap op zijn schouders moet geven of een stoot recht in zijn gezicht.'

'Dat kan ik me voorstellen,' zei ik. 'Ik heb het trouwens nog over je gehad met de mensen van justitie.'

'En wat zeiden die lieverdjes?'

'Ze stemmen toe in een deal. Je krijgt immuniteit als je alles vertelt over de inbraak.'

'Alleen over de inbraak?'

'En over het meisje.'

'Ja, dat dacht ik al. Wat betekent immuniteit eigenlijk?'

'Dat ze je niets kunnen maken.'

'Misschien dat ik dan toch geen immuniteit verdien.'

'Er zijn genoeg andere manieren om boete te doen dan een paar jaar zitten. Wat er ook gebeurd mag zijn.'

'O, ja? Noem dan eens iets, dominee.'

Daar dacht ik een paar minuten over na. 'Dertig jaar geleden dacht je dat je iets van je leven kon maken door een misdaad te begaan. Dat pakte niet zo best uit. Misschien dat het je deze keer beter vergaat als je tenminste eerlijk naar jezelf kijkt en naar wat je gedaan hebt. Misschien dat je boete kunt doen

door de waarheid over jezelf te accepteren en een beter mens te worden.'
'Ik draai liever de gevangenis in.'
'Jij weet beter hoe het daarbinnen toegaat dan ik.'
'Heb jij die deal voor me geregeld?'
'Ja.'
'Wat ben ik je schuldig?'
'Dit ritje. Wil je daar even stoppen?'
'Daar is niemand.'
'Perfect,' zei ik.
We stopten bij een verlaten marktstalletje aan de linkerkant van de weg. Schmidty's Farmer's Market was allang niet meer in gebruik. Het kraampje stortte bijna in elkaar en het uithangbord erboven waarop zongerijpte maïskolven en tomaten werden aangeprezen, was afgebladderd en nauwelijks nog te lezen. Ik stapte uit en inspecteerde de omgeving. Het onkruid en struikgewas aan beide zijden van het terrein rukten langzaam op naar het midden waardoor er een kleine oase was ontstaan te midden van de woekerende plantenweelde. Tussen het half verrotte stalletje en de weg lag een parkeerterreintje met gravel en achter het kraampje zag ik nog een parkeerterreintje, dat overwoekerd was met hoge grassen en houtachtig onkruid. Naast het stalletje stond een picknicktafel die er nog redelijk uitzag. Kennelijk lasten gezinnen die op zondagavond na een dagje strand in de file naar huis terechtkwamen, hier een korte rustpauze in.
'Hoe ver zijn we nog van de kust vandaan?' vroeg ik aan Joey.
'Een kilometer of dertig.'
'Oké. Dan ga ik even bellen.'
'Weet hij dat ik meekom?' vroeg Joey.
'Dat ga ik hem nu vertellen.'
Ik ging een stukje verderop staan, keek nog een keer om me heen en klapte mijn mobieltje open.
'Oké, laten we gaan,' zei ik toen ik terugliep naar de taxi. 'We blijven naar het oosten rijden tot we borden naar Ocean City tegenkomen.'

Charlie zat op een bankje langs de promenade. Hij droeg een honkbalpetje, een zonnebril en sandalen waaruit de gebruikelijke sokken staken; zijn opvatting van een vermomming. Na wat er de laatste keer was gebeurd, leek me dit niet de beste ontmoetingsplek. Maar mevrouw Kalakos had gezegd dat ik Charlie op dezelfde plek als de vorige keer zou aantreffen en me geen keuze gelaten, vandaar.
'Leuke uitdossing,' zei ik toen ik naast hem ging zitten en hem het ijsje overhandigde dat ik voor hem had gekocht.
'Ik zie eruit als een coureur in NASCAR. Zie ik eruit als een coureur in NASCAR?'

'Die sandalen maken het helemaal af. Had je geen andere plek kunnen uitkiezen?'
'Wie gelooft nou dat we zo stom zijn om twee keer dezelfde ontmoetingsplek op de promenade uit te kiezen?'
'Ik niet,' zei ik.
'Is alles geregeld?'
'Ja.'
'Wat is de deal?'
'Jij beantwoordt al hun vragen, houdt niets achter en vertelt alles wat je weet over de Warrick-bende en de inbraak. En vooral over je oude vriend, Teddy Pravitz. Je wordt in beschermende hechtenis genomen, krijgt hooguit een paar jaar cel en daarna kun je het getuigenbeschermingsprogramma in, als je dat wilt.'
'En als ik eenmaal met ze om de tafel zit, kunnen ze er dan nog onderuit?'
'Niet echt. Ik heb hun aanbod op schrift en ik tref een paar voorzorgsmaatregelen om ervoor te zorgen dat ze zich aan hun woord houden.'
'Ik moet ze alles vertellen?'
'Ja.'
'Zelfs over het meisje?'
'Dat is het belangrijkste deel ervan.'
'Dat wil ik niet.'
'Daar loop je al heel lang mee rond, hè, Charlie?'
'Ik wil er niet over praten.'
'Je vertelde me ooit dat je leven één grote ellende was geworden. Volgens mij komt dat door wat er met het meisje is gebeurd en het effect dat die gebeurtenis op jou en de rest had. Jullie pleegden die misdaad om een nieuw leven te beginnen, maar moet je kijken wat het je heeft opgeleverd. Een leven met nog meer misdaad en nog meer ellende. Vervolgens sloeg je op de vlucht en werd je een zwerver. En dat allemaal om wat er met dat meisje is gebeurd. Je kunt geen nieuw begin maken zonder eerst schoon schip te maken met de misdaden uit je verleden.'
'Wat zegt mijn moeder ervan?'
'Die wil alleen dat je naar huis komt. Zodat ze afscheid kan nemen.'
'Hoe gaat het met haar?'
'Ze leek eerlijk gezegd zelfs wat levendiger. Ze wilde me haar vleesmes laten zien.'
'Ik zei toch al dat die ons alle twee zou overleven. Wat had je ook alweer geregeld met die vent die het schilderij wilde kopen? Wat was zijn naam? Lilac?'
'Lavender.'
'Die ja.'
'Het zit zo. Het schilderij maakt geen deel uit van de deal met justitie, dus je

hoeft het niet terug te geven. Het enige wat die deal met justitie kan torpederen, is als jij niet de hele waarheid vertelt. De verkoop van het schilderij aan Lavender Hill zou een misdrijf kunnen zijn, die niet gedekt is door die deal. Liegen over de verkoop van dat schilderij zou je ook die deal kunnen kosten. Maar het bedrag dat het je oplevert, is gigantisch. Ik kan die beslissing niet voor je nemen, maar ik kan wel een boodschap doorgeven aan meneer Hill. Schrijf je boodschap op, laat hem niet aan mij zien, doe hem in een envelop, en dan zorg ik ervoor dat hij bij meneer Hill terechtkomt. De rest is aan jou, daar wil ik niets mee te maken hebben.'
'Dus ik moet hem wél vertellen waar het schilderij is, jou niet, en tegen de politie moet ik erover liegen. Daar komt het op neer.'
'Als ze erachter komen, loopt je deal gevaar, maar het zou kunnen lukken.'
'Hoeveel jaar zou ik krijgen als ik dat schilderij verkoop?'
'Een paar jaar.'
'Dat is het misschien wel waard.'
'Het is jouw beslissing.'
'Wat moet ik volgens jou doen?'
'Het is veel geld, Charlie, daar kun je heel veel mee doen.'
'Ik wil erover nadenken.'
'Goed. We maken nog één tussenstop en dan gaan we naar je moeder.'
'Weet je, ik sta gewoon te trillen.'
'Van blijdschap of angst?'
'Wat denk je zelf?'
'Ik denk dat je je ijsje helemaal vergeten bent.'
Hij keek naar het ijsje in zijn hand, dat half gesmolten was, stond op en smeet het in de afvalbak naast het bankje.
'Ben je er klaar voor?' vroeg ik.
'Nee.'
'Goed, laten we gaan. Het wordt tijd om aan je nieuwe leven te beginnen.'

63

Het werd een vreemde reünie tussen de twee oude vrienden die een lang verzwegen geheim deelden en elkaar tientallen jaren niet hadden gezien.
De taxi stond in een zijstraat van de promenade geparkeerd en toen we er aankwamen, stond Joey tegen de bumper geleund en wierp hij Charlie een doordringende blik toe. Ze schudden elkaar de hand, keken elkaar aan en schuifelden gegeneerd met hun voeten. Ik stelde Charlie voor aan Monica. Hij wierp haar een onderzoekende blik toe toen hij haar achternaam hoorde.
'Dat is dezelfde naam als die van het meisje,' zei hij.
'Ja, dat klopt.'
'Ben je familie?'
'Ik ben haar zus,' zei Monica.
De twee keken elkaar met gespannen blikken aan. Ineens werd de spanning doorbroken door Joey, die verontwaardigd uitriep: 'Je wilde er met ons deel van de buit vandoor gaan, jij smerig Grieks onderkruipsel. Je wilde ons naaien en zelf het geld opstrijken.'
'Dat zou ik niet gedaan hebben, Joey. Echt niet.'
'We hadden recht op ons deel.'
'Dat weet ik, Joey. Geloof me.'
'Weet je het al over Ralphie?'
'Ja.'
'Die lekkere vriendjes van je hebben dat op hun geweten. Ze zochten jou.'
'Dat zijn mijn vrienden niet meer, al heel lang niet meer.'
'Als je gewoon je waffel had gehouden en weg was gebleven, zou het nooit gebeurd zijn.'
'Het kwam door mijn moeder.'
'Wat?'
'Het kwam door mijn moeder dat…'
'Je bent ook geen spat veranderd, hè, Charlie? Je staat nog steeds niet op eigen benen.'
'Ik dacht van wel.'
'Idioot. Als zij allang dood en begraven is, zou je nog steeds het liefst roepen: "Ma, ma, wat moet ik doen?" Nou, wat gaan we doen, Charlie?'
'Vertellen wat er gebeurd is, denk ik.'

'Ja, daar lijkt het wel op. Hoe zit het met het schilderij?'
'Dat weet ik niet.'
'Heb je het nog steeds?'
'Ik weet waar ik het verstopt heb.'
'Ga je het verkopen?'
'Misschien.'
Joey stapte naar voren en prikte met zijn vinger in Charlies borst. 'Laat ik je dan één ding vertellen, jij Griekse hufter. Ik wil er geen cent meer van hebben.'
'Wat?'
'Laat mij erbuiten.'
'Weet je dat zeker?'
'Het achtervolgt me nog steeds.'
'Ik denk dat ik snap wat je bedoelt.'
'Wat snap jij?'
'Ik denk ook nog steeds aan haar. En sinds Victor me die foto liet zien, zelfs nog vaker.'
'Misschien snap je het dan inderdaad.'
Ik besloot de twee te onderbreken. 'Dit is allemaal heel ontroerend en zo, maar kunnen we nu gaan? We hebben nog een hoop te doen en er lopen mensen rond die ons willen vermoorden.'
'Die hem willen vermoorden.' Joeys duim wees naar Charlie.
'Volgens mij maakt het ze niet uit hoeveel slachtoffers er vallen, denk je ook niet? Kom, we gaan.'
We stapten in de taxi. Joey en ik gingen voorin zitten, Charlie schoof naast Monica op de achterbank, en een paar minuten later lieten we Ocean City achter ons. We reden over de rotonde in Somers Point en zagen de afslag naar de Garden State Parkway die aansloot op de Atlantic City Expressway en ons regelrecht naar het centrum van Philadelphia zou brengen.
'Laten we dezelfde weg terug nemen,' zei ik.
'Dat is een gigantisch eind om,' zei Joey.
'Dat klopt, maar we moeten nog één tussenstop maken.'
'Waar?'
'Ik wil een paar tomaten kopen. En niets smaakt beter dan sappige, zongerijpte tomaten uit Jersey.'
'We hebben geen honger,' zei Joey.
'Nou, ik zou anders best iets...' klonk Charlies stem vanaf de achterbank.
'Ik wil best die weg nemen,' onderbrak Joey hem, 'maar we hebben geen honger.'
'Dat is maar goed ook,' zei ik. 'Want misschien zijn ze uitverkocht.'
We reden terug in de richting van de binnenweg die we op de heenweg ook hadden genomen. Joey hield op mijn verzoek een oog op zijn achteruitkijk-

spiegeltje om te zien of hij een verdachte auto kon ontdekken. Niets verdachts te zien. Een kilometer of vijftien later zag ik het half verrotte stalletje van Schmidty's Farmer's Market langs de weg staan.
Voor het kraampje stond een onopvallende, metallic grijze huurauto. Op de picknicktafel ernaast lag een roodgeruit tafelkleedje waarop een grote picknickmand stond. En wie zat er op het bankje met haar mooie benen over elkaar geslagen en wuifde ons een vriendelijk welkom toe? Rhonda Harris.
Ik zei tegen Joey dat hij de taxi op het overwoekerde parkeerterreintje achter het kraampje moest zetten. Een taxi zou misschien opvallen, maar een gewone personenauto en mensen die zaten te picknicken niet. En Rhonda had de perfecte illusie gecreëerd. Even later zaten we allemaal aan de picknicktafel en laadden we onze kartonnen bordjes vol aardappelsalade en gegrilde kippenpoten en schonken we wijn of frisdrank in onze plastic bekertjes. Een paar citronellakaarsen hielden de muggen op afstand.
Rhonda stelde Charlie een vraag, maar ik onderbrak haar. 'Voor we verdergaan, wil ik je belofte dat je het verhaal pas naar buiten brengt als ik je het groene licht geef.'
'Dat beloof ik,' zei ze.
'Ik wil niet dat de klootzak die erachter zit op de vlucht slaat voor de politie hem kan oppakken. En ik wil ook dat Charlie de kans krijgt om zijn verhaal te doen voor justitie hem in de kraag grijpt.'
'Is dat om justitie op het rechte pad te houden of je cliënt?'
'Beide,' zei ik. 'En om ervoor te zorgen dat onze vriend in L.A. de volle prijs betaalt voor wat hij heeft gedaan.' Ik keek even naar Charlie. 'Klaar?'
Charlie knikte.
'Oké, dan, Rhonda, ga je gang.'
'Hallo Charlie.' Ze wierp hem een stralende glimlach toe. 'Ik ben al een hele tijd naar je op zoek.'
'Dan heb je eindelijk geluk, want je hebt me gevonden,' zei hij.
Terwijl de auto's langs ons zoefden, begon Rhonda aan haar interview en kreeg ze van Charlie – af en toe aangevuld door Joey – het hele treurige en tegelijkertijd fantastische verhaal te horen over de grootste kunstroof in de geschiedenis van een stad die bekendstaat om haar criminele inborst.
'Hoe verliep je leven nadat je op de vlucht was geslagen, Charlie?' vroeg Rhonda, toen de twee oude mannen haar het hele verhaal van de inbraak tot in de details uit de doeken hadden gedaan. 'Wat heb je allemaal gedaan nadat je vijftien jaar geleden je borgtocht verbeurde door op de vlucht te slaan?'
'Wat zal ik zeggen,' zei Charlie. 'Het was één grote ellende.' Hij vertelde ons het treurige verhaal over zijn jarenlange ballingschap. Hij vertelde over de armoedige flatjes waarin hij had gewoond omdat hij geen papieren had, over de slecht betaalde baantjes die hem in leven hadden gehouden en over

zijn onvermogen om zonder de hulp van zijn moeder een redelijk bestaan op te bouwen. Tijdens het gesprek veranderde ik steeds van gedachten over mevrouw Kalakos. Was ze een monster die dromen verzwolg of de stabiele rots die ervoor zorgde dat de mensen om haar heen niet de realiteit uit het oog verloren en in het grote niets verdwenen?
'Oké,' zei Rhonda, toen Charlie aankwam bij het deel waarin hij mij voor het eerst had ontmoet en de beslissing had genomen om naar huis terug te gaan. 'Volgens mij heb ik nu alles, behalve het verhaal over de Rembrandt. Wat is er met die Rembrandt gebeurd?'
'Dat heeft met het meisje te maken,' zei Charlie.
'Welk meisje?'
'Daar draait het allemaal om,' zei ik. 'Daarom ben je hier. Om over het meisje te schrijven.'
Rhonda wierp me een verraste blik toe. Het was intussen gaan schemeren en met het rode avondlicht achter haar en het gele licht van de kaarsen dat in haar gezicht scheen, hing er een vreemde, demonische gloed om haar heen.
'Niemand heeft me iets over een meisje verteld,' zei ze.
'Haar naam was Chantal Adair,' zei Monica. 'Ze was mijn zus en daarom ben ik hier. Om te horen wat Charlie me over Chantal kan vertellen.'
'Joey weet net zo goed als ik wat er met haar gebeurd is,' zei Charlie. 'We wisten het allemaal. We maakten er deel van uit.'
'Maar jij was degene die erbij was,' zei Joey. 'Jij bent degene die het schilderij kreeg overhandigd. Het is jouw verhaal, Charlie. Dus vertel jij het maar.'
Charlie zat een hele tijd zwijgend voor zich uit te staren.
'Ga je gang, Charlie, vertel ons over het meisje,' zei Rhonda Harris, die aan haar cassetterecorder prutste.
Terwijl de avondgloed langzaam overging in duisternis begon Charlie aan zijn verhaal.

64

De avond van de inbraak was Charlie de hele tijd doodsbang geweest, doodsbang om gepakt te worden, doodsbang dat de bewakers op hem zouden schieten, doodsbang dat zijn moeder naar het politiebureau moest komen om zijn borgtocht te betalen en doodsbang voor wat ze hem zou aandoen wanneer ze weer thuis waren. Zijn hele leven waren de dingen nog nooit volgens plan verlopen en hij was ervan overtuigd dat het met dit idiote plan niet anders zou gaan. Maar dit was anders. Teddy's plan liet de stukjes op hun plek vallen als onderdelen van een delicaat slot en de wereld klikte voor hem open.

Toen ze na afloop terugreden in Ralphs busje met Joey aan het stuur, zaten de anderen achterin op de laadvloer met de gigantische buit. Charlie voelde een gevoel van intense euforie in zich opwellen en zag dat het de anderen net zo verging. Hij zag het aan hun brede glimlachen, aan hun opgewonden gezichten, en aan de triomfantelijk omhooggestoken vuisten. Ze voelden zich oppermachtig, vol energie, en onoverwinnelijk. Ze hadden het gevoel alsof ze echt over Teddy's afgrond waren gesprongen en nieuwe mensen waren geworden. Maar wat ze vooral voelden was liefde, liefde voor elkaar, terwijl ze hun glorieuze toekomst tegemoet reden.

Ralphs moeder was doof en invalide, daarom was zijn huis de perfecte plek voor het laatste deel van het plan. In Ralphies kelder verwijderde Charlie zorgvuldig de edelstenen uit de zettingen van de armbanden, kettingen en ringen, die ze uit de kluis hadden gehaald. Ralph en Hugo hielden zich met het zilver en goud bezig. Gouden beeldjes, zilveren medaillons en platina zettingen werden tot eenvoudige staven goud, zilver en platina omgesmolten, die verkocht zouden worden.

Joey luisterde dag en nacht de politieband af en hield de anderen op de hoogte van de vorderingen van de politie, die met man en macht op zoek was naar de daders van de kunstroof van de eeuw. Teddy trof voorbereidingen om alles, op de schilderijen na, te verkopen. Ze hadden ook een paar duizend dollar aan contant geld in de kluis aangetroffen, die ze onderling hadden verdeeld en ze hadden allemaal beloofd er geen cent van uit te geven tot de politie niet langer achter hen aan zat. Maar het grote geld zou pas komen wanneer ze de staven en de juwelen verkochten. Het zou alleen niet zoveel opleveren als ze gehoopt hadden. De buit was minder groot dan hun informant in het museum hun had voorgespiegeld, hoewel ze nog nooit zoveel goud en sieraden bij elkaar hadden gezien. Toch was het geld niet het belangrijkste. Het belangrijkste was dat ze de beslissing hadden genomen, de kans hadden gewaagd en ermee waren weggekomen. Ineens leken alle prachtige dromen die ooit zo ver buiten hun bereik hadden gelegen, werkelijkheid te kunnen worden.

Een paar dagen na de inbraak, terwijl de kranten nog steeds met vette koppen over de kunstroof van de eeuw schreven en de politie nog naarstig in alle hoeken en gaten naar de daders zocht, was Teddy in een rood sportautootje de steeg binnengereden. Charlie had de auto nog nooit eerder gezien. Ralph was naar zijn werk om de schijn op te houden, Joey zat thuis aan de politieradio gekluisterd en Hugo was even wat gaan halen. Charlie was alleen in de kelder met de juwelen, de twee schilderijen en het grote gat in de vloer dat ze alvast gegraven hadden om alle bewijsstukken in te begraven voor het geval de politie een inval zou doen.

'Ik heb de spullen nodig.' Teddy haalde een paar houten kratjes uit de auto tevoorschijn.

'Welke spullen?'

'Alles. Ik heb een vent gesproken die interesse heeft in de hele handel en er veel meer voor wil betalen dan we dachten.'

'Is het niet gevaarlijk om alles naar hem toe te brengen?'

'Niet gevaarlijker dan alles in de kelder laten,' zei hij. Hij trok zijn shirt een stukje omhoog en liet het wapen achter zijn riem zien. 'Maak je geen zorgen, Charlie, ik heb alles onder controle. Help eens een handje. Ik neem het hele handeltje mee.'

'Alles?'

'Ja, ook de schilderijen. Ik had er eentje aan mijn informant beloofd.'

'Best, maar waarom wil je het andere schilderij ook hebben? Dat was toch onze verzekeringspolis? Zo noemde je het toch?'

'We kunnen beter alles weghalen,' zei Teddy. 'Deze plek wordt te link. Ik breng het naar een veiligere stek.'

'Weten de jongens dat?'

'Natuurlijk. Ze zijn het ermee eens. Help me even met inladen, oké?'

'Goed,' zei Charlie, hoewel het hem niet lekker zat, helemaal niet lekker. Teddy gedroeg zich vreemd. Charlie dacht erover Ralph op zijn werk te bellen of Joey te halen, maar Teddy stond al binnen en was bezig de juwelen en de staven te verzamelen. Omdat Charlie niet wist wat hij moest doen, hielp hij Teddy alles in de kratten te stapelen. Ze waren halverwege toen het meisje door de openstaande deur naar binnen glipte.

Aanvankelijk zagen ze haar niet eens en bleven ze de spullen in de kratten verzamelen terwijl het meisje toekeek. Ze praatten zelfs over de schilderijen, de juwelen en de inbraak; over alles. Het meisje stond roerloos naast de

deur. Pas toen ze zich bewoog, draaiden ze beiden hun hoofd om en zagen ze het meisje dat hen met grote ogen aanstaarde.
Ze was geen vreemde, dit donkerharige, mooie meisje dat nog zo jong was. Ze was een van de kinderen die door Teddy met snoep en speelgoed naar de steeg was gelokt. Eerst was de jongen gekomen, haar oudere broer. Later had hij zijn zusje meegenomen en daarna doken er steeds meer kinderen op: net duiven die op kruimels aasden. Teddy had graag kinderen om zich heen; hij hoorde hen graag lachen; hij genoot van hun onbeschaamde hebberigheid omdat ze altijd om meer vroegen, zelfs als ze nog op snoep kauwden; en het meisje was zijn favoriete. Er zat niets anders achter: geen gestoorde, seksuele fantasieën. Zelfs toen de anderen zeiden dat ze het geen goed idee vonden om kinderen in de buurt te hebben, hield Teddy stug vol. Een huis waar constant kinderen in en uit liepen was juist een perfecte dekmantel, beweerde hij. Dat was niet de echte reden, dat wisten ze wel. Teddy wilde graag aanbeden worden en de kinderen vormden zijn trouwe volgelingen.
En nu stond een van zijn volgelingetjes, zijn favoriete, in de kelder en keek hen met grote onschuldige ogen aan, die iets minder onschuldig waren dan een paar minuten daarvoor.
'Hallo, Chantal,' zei Teddy.
'Hoi.'
'Wat doe je hier?'
'Ik hoorde stemmen.'
'Je hebt niet geklopt. Je moet altijd eerst kloppen voor je binnenkomt.'
'Oké, dan zal ik dat de volgende keer doen. Dat beloof ik.'
'Mooi zo. We zijn wat spullen aan het inpakken. Kom eens bij me, ik wil je wat laten zien.'
'Wat dan?'
'Kom maar.'
Dat deed ze. Ze liep naar hem toe.
'Kijk hier eens naar.' Er lag een grote, glinsterende steen in zijn handpalm. 'Weet je wat dit is?'
Ze schudde haar hoofd.
'Het is een diamant,' zei hij. 'Moet je kijken hoe hij schittert. Mooi, hè? Wil je hem aanraken?'
'Best.'
'Hier, voel maar.'
'Teddy,' zei Charlie, 'waar ben je in vredesnaam mee bezig?'
'O, hou je kop, Charlie. Hier, Chantal. Voel maar eens.'
Ze stak haar hand uit, aaide de diamant alsof het een katje was, en haar ogen begonnen te stralen.
'Wil jij er ook een?'
'Ja, graag,' zei ze.

'Weet je nog dat ik je die aansteker heb gegeven die je zo mooi vond? Ik zou je ook een diamant kunnen geven. Een kleintje. Als jij me iets belooft. Lijkt dat je wat, Chantal?'
'Goed.'
'Jij moet me beloven dat je niemand vertelt wat je hier vandaag hebt gezien, oké?'
'Hoe groot is de diamant die ik dan krijg?'
'Zo groot als je vingernagel.'
'Echt?'
'Ja, echt. Beloof je het?'
'Best. Waarom zit er een gat in de vloer?'
'Vanwege een paar kapotte leidingen. Je belooft het, hè?'
'Ik beloof het.'
'Goed zo. Charlie en ik moeten eerst nog een paar spullen in de auto leggen en dan geef ik je die diamant, afgesproken? Je moet even wachten. Ga zolang maar op die doos zitten.'
'Oké.'
'Kom op, Charlie, we gaan de auto inladen.'
En dat deden ze. Ze droegen de kratjes naar de auto. Omdat Ralph en Hugo alles omgesmolten hadden in handzame staven, paste de hele buit in de kratjes, die zonder problemen in de achterbak van het sportautootje gestouwd werden.
'Zo,' zei Teddy toen alles ingeladen was. 'Maak maar een testritje met de auto. Ga een eindje rijden en gooi de tank vol. Ik breng Chantal naar huis en dan zie ik je hier over een halfuurtje weer terug.'
'Ze weet het,' zei Charlie.
'Ze zegt het tegen niemand.'
'Natuurlijk wel. Het is een kind.'
'Ze zegt het tegen niemand,' zei Teddy. 'Ik geef haar die diamant en dan breng ik haar naar huis. Over een halfuurtje ben ik terug.'
'Misschien kan ik beter hier blijven.'
Toen zag hij iets in Teddy's ogen. Een harde kille blik, geen woedende blik, maar eentje waaruit begrip straalde voor wat er moest gebeuren. Charlie wilde zijn hoofd schudden, maar kon het niet, hij voelde zich verlamd. Op dat moment voelde hij alle euforie, alle opwinding over de geslaagde stunt en alle hoop, bijna alle hoop, wegstromen alsof er een ader was doorgesneden.
'Ga nu maar, Charlie,' zei Teddy.
'Ik denk dat ik beter kan blijven.'
'Je moet niet zoveel denken en gewoon gaan.'
'Teddy?'
'Ga.'

'Dat wil ik niet.'
'Charlie, nog even over dat schilderij. Je weet wel, het schilderij dat we achter de hand wilden houden voor het geval er iets fout zou lopen? Misschien moet jij dat maar voor ons bewaren.'
'Waar moet ik het verbergen?'
'Geen idee, je verzint wel wat. Maar ga nu, ga een eindje rijden. Ik zie je hier over een halfuurtje terug.'
En dat deed Charlie. Hij stapte in de auto, reed weg, ging benzine tanken, toerde wat rond en toen hij terugkwam, stond Teddy in het steegje op hem te wachten. Hij vertelde Charlie dat hij het meisje naar huis had gebracht. Hij vertelde Charlie dat alles in orde was, dat het meisje niets zou zeggen. Hij vertelde Charlie dat hij later die avond met het geld naar Ralphs huis zou komen, dan zouden ze het verdelen en een feestje bouwen. En terwijl Charlie in de steeg stond met een kartonnen koker in zijn hand waarin het opgerolde schilderij was verstopt, reed Teddy Pravitz weg met alles wat hun grootse en nobele sprong over het ravijn had opgeleverd.
Charlie zag hem nooit meer terug.

65

Het was donker, alleen de flikkerende vlammetjes van de citronellakaarsen en het licht uit de koplampen van de auto's die met tussenpozen voorbijkwamen, verlichtten onze gezichten. Maar zelfs in dat wazige, onregelmatige licht zag ik de tranen: op Charlies gezicht, op Monica's wangen en zelfs Joeys harde ogen waren vochtig. Alleen Rhonda leek niet aangedaan en maakte aantekeningen bij kaarslicht terwijl ze een oogje op haar cassetterecorder hield.

'Waarom zijn jullie hem niet gaan zoeken?' vroeg Rhonda.

'We dachten dat hij contact met ons zou opnemen,' zei Joey. 'Eerst waren we bang dat er iets was gebeurd, maar toen er niets in de kranten verscheen, gingen we ervan uit dat hij ons wel zou bellen.'

'Hij had het er weleens over gehad dat hij naar Australië wilde,' zei Charlie, die met zijn vuist zijn neus afveegde. 'Wat konden we doen? Naar Australië gaan? En trouwens, ik weet niet eens of we die klootzak nog wel wilden vinden. Dat pistool dat hij liet zien, was niet alleen als voorzorgsmaatregel bedoeld. Het was ook een waarschuwing.'

'Dat gebazel over Australië was alleen om jullie op het verkeerde been te zetten. Hij was vanaf het begin al van plan jullie te belazeren,' zei ik.

'En Chantal?' vroeg Monica. 'Wat heeft hij met haar gedaan?'

Charlie en Joey wisselden een korte blik, waarna Joey zijn ogen neersloeg.

'Wat? Vertel het, alsjeblieft,' zei Monica.

'We wilden alles wat met de inbraak te maken had, begraven in de kelder: onze kleren, de wapens en het gereedschap dat we gebruikt hadden om het goud en zo om te smelten,' zei Joey. 'Alles wat naar ons terug te leiden was. We dachten dat begraven veiliger was dan het hele handeltje op een of andere vuilnisbelt dumpen. We hadden al cement en zand klaarstaan om het gat met een betonlaag te vullen. En de dag nadat Teddy verdween, toen we het gat zouden vullen, zagen we het.'

'Wat?' vroeg Monica. 'Wat zagen jullie?'

'Een hoekje van een stuk plastic. Waar iets in was gerold. Er was aarde op geschept en brokstukken puin. Ik wist meteen wat het was.'

'O, mijn god.' Monica begon te huilen. 'Al die tijd. Maar dat zou ik geweten hebben. Ik zou het gevoeld hebben.'

'Wat deden jullie toen, Charlie?' vroeg ik.

'Wat konden we doen? We hebben alles in het gat gegooid, er beton over gestort en geprobeerd het te vergeten.'
'Daarom zochten we niet echt naar Teddy,' vertelde Joey. 'Zou jij dat wel gedaan hebben?'
'Maar alles was erdoor verpest,' zei Charlie. 'Al onze dromen stierven met haar. Hugo vertrok een paar weken later en Ralph en Joey probeerden zo goed en kwaad als het ging de draad weer op te pakken. Ik kende iemand die weer iemand anders kende en omdat ik dacht dat ik nog maar voor één ding goed was, liet ik weten dat ik goed was met sloten en kluizen. Al snel werd ik ingelijfd bij de Warrick-bende en pleegde ik de ene inbraak na de andere. Maar het voelde nooit meer hetzelfde aan.'
Dat kon ik me voorstellen. Het verhaal van vijf jeugdvrienden die de kunstroof van de eeuw hadden gepleegd, had zoiets triomfantelijks dat wat er daarna was gebeurd er helemaal niet bij leek te passen. Teddy en Hugo hadden hun namen veranderd in een poging het verleden uit te wissen, en nu begreep ik waarom. Ralph en Joey waren geen stap vooruitgekomen in hun leven, en nu begreep ik waarom. Charlies leven was één grote puinhoop geworden, en nu begreep ik waarom. Ze wilden een nieuw leven opbouwen, maar de basis ervan werd gevormd door de ergste misdaad die er bestaat, de moord op een kind, en hoe kon daar in vredesnaam een glanzende toekomst uit voortkomen?
Ik trok een kaars naar me toe en keek op mijn horloge. 'We moeten gaan. Heb je zo genoeg materiaal, Rhonda?'
'Zeker. Bedankt. Wat een verhaal, zeg.'
'Denk eraan dat je beloofd hebt om het nog even voor je te houden,' zei ik. 'Als ik zover ben, zal ik je ook nog vertellen wie Teddy Pravitz na de inbraak werd.'
'Heb ik daar iets aan?' vroeg ze.
'Dat levert je vette koppen in alle kranten op en een fulltime contract. Wil je nog één dingetje voor me doen? Zou jij Monica naar huis willen brengen?'
Rhonda draaide zich naar Monica toe, die nog steeds huilde en triest voor zich uit staarde. 'Natuurlijk.'
'Nee,' zei Monica. 'Ik blijf bij Victor.'
'Het wordt gevaarlijk. Ik wil je niet in de buurt hebben.'
'Gaan ze vanavond die kelder openbreken?'
'Waarschijnlijk wel,' zei ik.
'Dan ga ik mee.'
'Monica...'
'Nee, Victor. Het is mijn zus. Iemand van haar familie hoort erbij aanwezig te zijn.'
'Gaan jullie maar,' zei Rhonda. 'Ik ruim de boel wel op.'

Dus lieten we haar bij de picknicktafel achter terwijl we met zijn vieren langzaam naar de geleende taxi terugliepen en instapten. Monica zat achterin en schoof zo ver mogelijk bij Charlie vandaan. Charlie boog zich naar voren en wreef nerveus in zijn handen. Joey tikte zenuwachtig op het stuur. Ik haalde mijn mobieltje tevoorschijn.
'Waar gaan we nu naartoe, Victor?' vroeg Charlie.
'Naar huis,' zei ik en ik drukte de snelkeuzetoets voor Beths mobiele nummer in en sprak even met haar. We zouden net wegrijden toen ik Rhonda met haar notitieboekje in de hand naar ons toe zag lopen. 'Wacht even,' zei ik tegen Joey.
Rhonda leunde met haar ellebogen op mijn openstaande raam. 'Ik heb nog één vraagje,' zei ze. 'Mag dat nog even?'
'Geen probleem,' zei ik.
'Charlie, je vertelde dat Teddy jou de Rembrandt gaf, maar je hebt niet verteld wat je ermee gedaan hebt.'
Ik draaide me naar Charlie toe en schudde mijn hoofd. 'Hij weet niet wat er met het schilderij is gebeurd,' zei ik. 'Het is verdwenen.'
'Heb je echt geen idee waar het gebleven is?' vroeg ze.
'Ik heb wel een idee,' zei Charlie. 'En of ik een idee heb.'
'Charlie, hou je mond.'
'Nee, Victor. Joey wil niets meer met dat schilderij te maken hebben en ik ook niet.'
'Weet je het zeker?'
'Het museum kan dat verdomde schilderij terugkrijgen. Ik hoef er geen cent voor te hebben want ik zou er strontmisselijk van worden. Jij zei dat ik niet opnieuw kan beginnen zonder schoon schip te maken met mijn verleden. Dan kan ik toch geen nieuw leven beginnen met geld dat daarvan afkomstig is?'
Ik dacht er even over na en voelde het vertrouwde gevoel van teleurstelling in me opwellen, maar ineens drong het tot me door dat hij groot gelijk had. 'Best, Charlie. Vertel haar maar waar het is.'
'Nou, waar is het?' vroeg Rhonda.
'Staat Ralphies werkbank nog steeds in de kelder?' vroeg Charlie aan me.
'Ja.'
'Die was gemaakt van ijzeren pijpen en houten planken. Ik heb een van de planken losgewrikt, het doek in een pijp laten zakken en toen de plank weer vastgespijkerd. Zover ik weet, zit het daar nog steeds in.'
'Wat fantastisch,' zei Rhonda.
'Maar dat mag niet in de krant tot ik het zeg.'
'Beloofd,' zei Rhonda. Ze boog zich voorover, stak haar hoofd door het raampje, draaide haar hoofd naar me toe en leek me een kus te willen geven. Ik voelde me een tikje gegeneerd dat ze me wilde kussen na alles wat we net

gehoord hadden, maar haar gezicht draaide verder en haar blik verschoof. Ze stak haar arm uit, zette de motor uit, griste de sleutels uit het contact, trok haar hoofd terug en leunde weer op het raampje.
'Wat doe je nu?'
'Het spijt me, Victor, maar ik kan je niet laten gaan.'
'Waarom niet?'
'Omdat ik voor iets anders wordt betaald.' Ze stak haar linkerhand in haar tas, haalde er een glanzend pistool uit en zette de loop tegen mijn slaap.

66

Ik had het meteen door. Terwijl Charlie hartgrondig vloekte, Monica een kreet van schrik slaakte en Joey begon te lachen, klikten de stukjes in mijn hoofd op hun plek: links, rechts, links, o, godver. Ik mag dan niet de slimste zijn, maar zet een pistool tegen mijn hoofd en mijn hersens werken ineens een stuk beter.

Teddy had haar op ons afgestuurd, al vanaf het begin. Zij was de huurmoordenaar uit Allentown: Rhonda, niet een of andere oude, grijze veteraan. Zij was de linkshandige moordenaar die zowel Ralphie Meat als Stanford Quick had vermoord en nu de klus afmaakte door Charlie, Joey en mij te vermoorden. Monica had Teddy in Californië ontmoet, dus zij moest er ook aan. 'Wie volgt?', had er op het briefje gestaan. Wij volgden dus, wij viertjes; we zouden als offerlammeren op het altaar van mijn stupiditeit eindigen. Hoe had ik zo stom kunnen zijn?

Toch had ik haar nagetrokken. Ik had *Newsday* gebeld en gevraagd of ene Rhonda Harris de kunstartikelen voor hen verzorgde en dat was me verzekerd. Maar ik had niet om een beschrijving gevraagd en hoe moeilijk kon het voor een slimme meid zijn om een identiteit te stelen tot de klus erop zat? Ik had er nooit aan moeten twijfelen, nog geen seconde, dat er iemand op uit gestuurd was om Teddy's problemen in zijn geboortestad uit de weg te ruimen. Als ik iets over hem had geleerd, dan was het wel dat hij nooit alles op één kaart zette. Je moet altijd iets achter de hand hebben, knul, een reserveplan, anders scheuren die gieren hier je aan stukken. Dat had Teddy Purcell gezegd en nu richtte zijn reserveplan een pistool op me.

'Betekent dit dat je geen boek aan het schrijven bent?' Ik zei maar wat in de hoop een slimme ingeving te krijgen.

'Waarom zou ik me druk maken over woorden? Dit is veel simpeler.'

'Geen agent? Geen aanbod? Geen voorschot? Ik dacht dat we samen een toekomst hadden.'

'Ach, Victor,' zei ze en ze maakte een wuivend gebaar met het pistool, 'we hebben wel een toekomst samen, alleen een nogal korte.'

'Wat is er aan de hand?' vroeg Monica. 'Victor?'

'Ze gaat ons vermoorden.'

'Ja, dat snap ik. Maar waarom?'

'Uit wraak om wat we met je zus hebben gedaan,' zei Joey. 'Karma met een pistool.'
'Chantal zou dat nooit gewild hebben.'
'Toch krijgt ze dat,' zei Rhonda. 'En als ik het zo eens hoor, doe ik iedereen daar een plezier mee.'
'Je ziet er nog goed uit voor een oude oorlogsveteraan,' zei ik.
'Dat is mijn vader,' zei ze. 'Maar met twee kunstheupen is hij niet meer zo best ter been, dus heb ik het familiebedrijf overgenomen. Zoveel verschilt het niet van mijn werk bij de dierenpolitie. Daar moest ik ook het ongedierte uitroeien.'
'Je hebt ze weer naar me toe geleid, idioot,' zei Charlie.
'Dat geloof ik ook, ja.'
'Je mag misschien een goede advocaat zijn, Victor,' zei Charlie, 'maar als lijfwacht ben je een grote...'
Voor hij zijn zin kon afmaken, rukte ik aan de portiergreep en ramde ik mijn schouder tegen het portier, dat openvloog. Ik verwachtte dat het portier tegen haar lichaam zou knallen, maar ze stapte snel opzij. Ik hing half uit de auto, werd alleen door mijn gordel tegengehouden, en kreeg toen het terugzwaaiende portier tegen mijn hoofd.
Ze trok de deur open, gaf me een harde trap tegen mijn borst, en ik vloog de auto weer in.
'Laten we er geen al te grote troep van maken,' zei ze. 'De schoonmaakploeg is al onderweg.'
Ze draaide zich half om en nu wees haar wapen naar Charlie op de achterbank. Toen hoorden we het. In het struikgewas achter ons.
Er werd een auto gestart die met brullende motor onze richting uit kwam.
Rhonda keek geschrokken op toen een kleine donkere auto uit het struikgewas opdook en recht op ons afstormde.
Haar linkerarm beschreef een halve boog.
De koplampen van de aanstormende auto vlogen aan.
Haar andere arm schoot omhoog naar haar ogen.
De auto denderde door.
Er klonk een explosie vlak bij mijn hoofd. Ik voelde een vlaag hete lucht in mijn gezicht, zag een wirwar van rood haar en bleke benen en armen voorbijschieten, hoorde een schreeuw abrupt eindigen en het geluid van scheurend metaal. Een seconde later was de auto ons gepasseerd.
Ik knipperde met mijn ogen en zag dat het pistool, het openstaande portier en Rhonda Harris verdwenen waren.

67

Nou, niet helemaal verdwenen. Ze lagen zo'n vijftien meter verderop in een slordige hoop van bloed, botten en metaal. Godzijdank was het donker en kon ik geen afzonderlijke delen onderscheiden. Naast de warboel stond het kleine autootje met draaiende motor. De koplampen gleden over het struikgewas toen de auto langzaam omdraaide. Ik klikte mijn gordel los en strompelde de deurloze taxi uit. Mijn knieën knikten zo erg dat ik mijn evenwicht verloor, op de grond viel en mijn broek hoorde scheuren. Verdwaasd krabbelde ik overeind. Ik rook een mengeling van kruit, uitlaatgassen, angst, de ijzerachtige geur van bloed, en nog iets anders, iets zoetigs, wat me vaag bekend voorkwam en keek om me heen. De anderen stonden ook naast de taxi en zagen er net zo verward en verdwaasd uit als ik. Ze staarden me aan. Ik haalde mijn schouders op. Langzaam liepen we op het kleine autootje af, aarzelend en heel argwanend, alsof het een wild dier was dat zich naar ons omdraaide zodat het zijn prooi kon bespringen.
Ik probeerde een blik in het autootje te werpen, maar het licht van de koplampen verblindde me en hoewel ik met mijn hand het felle licht afschermde, zag ik alleen de gedeukte bumper, het kogelgat in de voorruit en de twee lichtstralen die steeds dichterbij kwamen.
De auto stopte, het portier ging open, een klein, tenger silhouet verscheen en stapte in het licht van de koplampen.
Lavender Hill.
'Wat een prachtige avond, nietwaar, Victor? Doet me denken aan de Bayous, maar denk nu niet dat ik een habitué van de Bayous ben, want ik heb al mijn eigen tanden nog en alligatorstoofpot heeft me nooit bekoord. Toch hangt in dit stukje New Jersey diezelfde sfeer van dreigend geweld, vind je ook niet?'
'Lav, kerel,' was alles wat ik kon uitbrengen.
'Victor, wat ben je toch weer geestig. Je moet me alles vertellen over je tripje naar L.A. Heb je nog filmsterren gezien? Alan Ladd, dat was pas een ster. Leeft die nog?'
'Wat doe je hier, Lav?'
'Je vertelde me dat je je cliënt naar huis zou brengen zodat hij me het schilderij kon verkopen. Het leek me een goed idee om ervoor te zorgen dat jullie veilig op de plek van bestemming zouden arriveren. Is dat je cliënt?'

'Charlie Kalakos,' zei ik, 'mag ik je voorstellen aan Lavender Hill.'
'Hé, man,' zei Charlie, 'bedankt...'
'Bedankt dat ik je leven heb gered? Ach, het was niets.' Hij draaide zich om naar het levenloze lichaam van Rhonda Harris. 'Hoewel, misschien niet helemaal.'
'Hoe ben je hier gekomen?' vroeg ik. 'Hoe heb je me weten te volgen? Ik heb zo veel voorzorgsmaatregelen genomen.'
'Je voorzorgsmaatregelen zullen best heel ingenieus zijn geweest, maar aangezien het eindresultaat je een pistool tegen je hoofd opleverde, waren ze misschien niet zo effectief als je hoopte. Maar nee, ik ben jou niet gevolgd, lieve jongen.'
'Hoe dan?'
'Ik ben haar gevolgd.' Hij gebaarde naar de slordige hoop botten en bloed op de grond. 'Zodra ik haar zag, wist ik dat ze gevaarlijk was. Ik ken het type. Ik bén het type. Had ik je niet gezegd dat ze op bloed uit was?'
'Ik dacht dat je dat metaforisch bedoelde.'
'Ik meen altijd letterlijk wat ik zeg, Victor. Dat zou je onderhand moeten weten. Ik ben haar hiernaartoe gevolgd. Ik begreep dat ze een rendez-vous opzette. Ik heb mijn auto op een open plek in het struikgewas neergezet en gewacht. Alleen ik, mijn auto en mijn richtmicrofoon. Een fantastisch apparaatje, hoewel ik hem nooit in het openbaar zou gebruiken. Met die koptelefoon op lijk ik prinses Leia wel.'
'Dus je hebt het gehoord over het meisje,' zei ik.
'Ja, dat heb ik gehoord. Te triest voor woorden, wat kan ik er verder nog over zeggen?' Hij keek op zijn horloge. 'Maar Pistolen Paulette zei iets over een schoonmaakploeg die onderweg was. Ik neem aan dat ze Charlies oude vrienden van de Warrick-bende bedoelde, die deze kant uit snellen om zich van jullie lijken te ontdoen. Misschien dat we dit gezellige onderonsje beter een andere keer kunnen voortzetten. Charles, ben je bereid om het schilderij te verkopen?'
'Nee,' zei hij. 'Het spijt me. Ik weet dat ik je iets schuldig ben omdat je ons leven hebt gered, maar ik wil het niet verkopen. Ik wil het gewoon teruggeven.'
'Weet je dat zeker? Ik heb al regelingen getroffen om het voorwerp van de hand te doen. Het komt niet bij jouw oude vriend terecht, dat kan ik je verzekeren.'
'Ik wil geen winst slaan uit wat er gebeurd is, omdat daar niets goeds uit kan voortkomen, als je snapt wat ik bedoel.'
'Niet echt. En jij, Joseph? Wil jij het geld waar je jaren op hebt gewacht ook aan je neus voorbij laten gaan?'
'Ik wil er geen cent van hebben,' zei Joey.
'Ach, wat een teleurstelling. Kennelijk zijn jullie ten prooi gevallen aan

nobele, zij het ietwat sentimentele gevoelens, en daar zal ik geen afbreuk aan doen. Ik zou niet durven. Maar van jou valt het me tegen, Victor, dat je niet hebt geprobeerd om ze tot rede te brengen. Ik had graag een blik op dat sublieme meesterwerkje geworpen. Helaas. Ik zal jullie nog een laatste raad geven: vlucht alsof de duivel je op de hielen zit. Ik moet er ook vandoor. Er schijnt een Fabergé-ei aangeboden te worden in een trailerpark in Toledo. In Toledo, dat geloof je toch niet? De herkomst is niet helemaal duidelijk, maar met een Fabergé-ei is dat altijd zo, nietwaar? Ik bedoel maar, de laatste rechtmatige eigenaar werd door Lenin een kopje kleiner gemaakt. Dus wie er een vindt, mag het houden, lijkt me. Ciao, vrienden.'
Hij stapte in zijn gedeukte auto, klikte de koplampen aan alsof hij een laatste groet bracht en reed de weg op in westelijke richting. Richting Ohio, nam ik aan. Hij was als een geparfumeerde wervelwind mijn leven binnen gestoven, had me bedreigd, mijn leven gered, en nu verdween hij weer uit mijn leven. Wat kom je toch bijzondere mensen tegen in dit vak. Ik zou hem bijna missen.
'We moeten hiervandaan,' zei ik.
'Iedereen instappen dan,' zei Joey.
'Er zit geen deur meer in,' zei ik.
'Ik kan ook rijden zonder deur.'
'Dat zal best,' zei ik, 'maar ik denk niet dat we ver komen voor de politie ons aan de kant zet, jij wel? En waarschijnlijk heeft ze de schoonmaakploeg verteld in wat voor auto we rijden. Als we ze onderweg tegenkomen, draaien ze meteen om en komen ze achter ons aan.'
'Maar het is Hookies auto. Die kan ik niet zomaar achterlaten.'
'Die halen we later op en dan hangen we er meteen een nieuwe deur in, dat beloof ik.'
'Het is trouwens toch een oud barrel,' zei hij.
'Hoe komen we hier dan vandaan?' vroeg Monica.
'We nemen haar auto.' Ik wees naar de bloederige massa op de grond. 'We moeten haar tas zien te vinden.'
'Man, laat dat beetje kleingeld toch zitten,' zei Charlie.
'We hebben haar autosleutels nodig,' zei ik. 'En haar mobieltje. Joey, kijk in haar auto of de sleutels er soms in zitten. De rest gaat op zoek naar haar tas. Die moet hier ergens liggen.'
Het pistool lag half verscholen tussen wat onkruid. Ik pakte het voorzichtig bij de trekkerbeugel op en stopte het in mijn jaszak. Joey kwam terug met het bericht dat de auto op slot zat, dus bleven we zoeken, en al zoekende kwamen we steeds dichter bij de verwrongen massa metaal en vlees.
'Ze had mooi haar,' zei Monica, toen we langs het lijk liepen. 'Ik heb altijd rood haar gewild.'
Een heel stuk verderop, voorbij het lijk en voorbij het portier, bijna aan de

rand van het parkeerterreintje, vonden we de tas. Mobieltje, portefeuille, maar geen sleutels.
'Die zullen er wel uit gevlogen zijn toen de auto haar raakte en ergens in het struikgewas zijn beland,' merkte ik op. Het kon nog wel een uur duren voor we ze vonden.
'Ik kan het slot van haar auto wel openkrijgen,' zei Charlie.
'Zitten er niet allerlei elektronische beveiligingssnufjes in verwerkt?'
'Daar kan ik wel omheen werken,' zei Joey.
Ik bleef staan en staarde hem aan.
'Hé, jij was de man met het plan,' zei Joey. 'We volgden jou.'
'Laten we maken dat we hier als de sodemieter vandaan komen.'
Anderhalve minuut later zaten we in Rhonda's auto, de motor snorde, en Joey Pride reed het parkeerterrein af.
'Ga maar naar het oosten,' zei ik.
'Terug naar de kust?'
'Terug naar de Garden State Parkway en dan nemen we de Atlantic City Expressway,' zei ik. 'Dat duurt misschien wat langer, maar dat is altijd nog beter dan een ontmoeting met een stel moordzuchtige klootzakken op een klein weggetje terug naar Philly.'
Hij deed wat ik zei en ik pleegde mijn telefoontjes.

68

Ik wist niet dat ik in een race zat.
Dat had ik natuurlijk moeten weten omdat het zo voor de hand lag. Maar op dat moment was ik voornamelijk bezig met overleven. Dus namen we de omweg terug naar Philadelphia en belde ik McDeiss. Ik vertelde welk nummer Rhonda het laatst had gebeld zodat hij haar medeplichtigen kon opsporen en gaf hem ook een beschrijving van Fred en Louie. Hij beloofde dat hij een team agenten naar Schmidty's verlaten boerenmarkt zou sturen om de schoonmaakploeg op te pakken die Rhonda had opgetrommeld.
'Er ligt ook nog een cadeautje voor ze klaar,' zei ik. 'Een lijk.'
'Verdomme, Carl, wat is er in vredesnaam aan de hand?'
'Weet je nog dat je dacht dat die oude huurmoordenaar Ralph Ciulla en Stanford Quick had vermoord?'
'Bedoel je die vent uit Allentown?'
'Je had gelijk dat hij verantwoordelijk was voor die moorden, alleen was het geen vent.'
'Dat meen je niet!'
'Ik heb twee zaken voor je opgelost, dus je mag me wel bedanken. Je kunt zelfs het moordwapen van me krijgen, dat zit in mijn zak. En als je erachter bent wie ze in werkelijkheid is, pak dan haar vader op. Ze heeft het familiebedrijf van hem overgenomen. En, staat alles klaar voor ons?'
'We hebben een kordon om het huis van mevrouw Kalakos gelegd en bij de afrit van de Tacony-Palmyrabrug staat een politiefalanx klaar die jullie door de stad loodst. Zit je nog steeds in die groen met witte taxi?'
'Niet meer,' zei ik.
'Waarom niet?'
'We hebben een ongelukje gehad. We rijden nu in een andere auto.'
'Die hebben jullie onderweg ergens opgepikt?'
'Zo zou je het kunnen zeggen,' antwoordde ik.
'En krijg ik nog te horen wat voor auto dat is?'
'Liever niet. Ik zit niet op een politiefalanx te wachten waardoor iedereen in de stad precies weet waar we zitten. Wat is een falanx eigenlijk? Noem je twee ook een falanx als ze heel, heel groot zijn?'
'Hang nu niet de held uit, Carl,' zei McDeiss.

'Mij niet gezien. Maar maak je geen zorgen, er rijdt een groen met witte taxi naar je falanx toe.'
'Wat?'
'Zorg nu maar dat je falanx klaarstaat om de taxi op te vangen en hem naar het huis van mevrouw Kalakos te escorteren. Laat je colonne daar een tijdje staan en leidt de optocht dan terug naar het hoofdbureau. Veilig genoeg, lijkt me. Maar wij komen niet naar het huis van mevrouw Kalakos, we spreken ergens anders af.'
'Waar dan?'
'Op een andere plek. Ik wil dat je daar onopvallend naartoe komt, dus geen gillende politiesirenes of andere toestanden. Wacht tot de grote optocht begint en sluip dan stilletjes weg. Alleen jij, Slocum, Hathaway en een forensisch team om een lijk te onderzoeken. Lukt dat, denk je?'
'Dat lukt wel. Waar spreken we af?'
'In de kelder van Ralph Ciulla's huis. Nog één dingetje. Het pikhouweel dat je in Stanford Quicks auto had gevonden?'
'Ja, wat is daarmee?'
'Neem dat ding maar mee.'
'Wat ligt daar in vredesnaam?'
'Een onopgeloste zaak,' zei ik.
Monica reed ons de stad in. Ik had geen flauw idee wie er achter ons aan zat, maar ik nam aan dat we minder snel in de gaten zouden lopen met een knappe vrouw achter het stuur.
Toen we de Walt Whitmanbrug bereikten, belde ik Beth op haar mobieltje. Het werd tijd om het lokaas in stelling te brengen. Ze was eerder op de dag naar het station gegaan, had een groen met witte taxi aangehouden en toerde nu door de stad. De taxichauffeur had geen flauw idee wat er voor hem in petto lag, maar ik nam aan dat het extra honderdje dat Beth hem had gegeven en het feit dat hij deel mocht uitmaken van een echte falanx, een hoop zou vergoeden. Toen we de rivier de Delaware overstaken, dirigeerde zij hem naar de afrit van de Tacony-Palmyrabrug.
Terwijl we over de I-95 zoefden, bracht Beth verslag uit. Het was net een parade, vertelde ze, met de politieauto's, de sirenes en de zwaailichten. McDeiss had zelfs voor een paar motoragenten gezorgd. Die man wist tenminste hoe je een falanx moest opzetten. Maar niemand probeerde haar tegen te houden, nergens een legertje boeven, geen vuurgevecht, geen gevaar. Kennelijk had Rhonda Harris haar bloedhonden teruggefloten voor Lavender Hill haar voorgoed het zwijgen had opgelegd.
We namen de afslag naar Cottman Avenue, tuften kalm door de stad naar het noordoosten en naderden het steegje achter Ralph Ciulla's huis vanaf de andere kant. Ik zag niets verdachts, niets vreemds. Monica zette de grijze huurauto stil voor het paadje naar de veranda.

Ik stapte uit, klopte even op het stuk zwaar metaal in mijn zak en keek om me heen. Niets te zien. Ik liep naar de dichte kelderdeur toe en duwde hem langzaam open. Er brandde geen licht binnen.
'Hallo,' zei ik zachtjes.
'Ook hallo,' fluisterde McDeiss.
'Nog nieuws uit New Jersey?'
'Ze hebben het lijk gevonden en vier verdachten opgepakt, inclusief de twee die jij me beschreven had.'
'Mooi zo. Oké, een momentje, we komen eraan.'
Ik liep terug naar het steegje en gebaarde naar Monica. Ze stapte uit. Daarna tikte ik op de voorruit en krabbelden de twee die op de achterbank hadden gelegen overeind. Ze klauterden zo snel mogelijk de auto uit, als je al over snel kunt spreken bij twee oude mannen met stijve gewrichten en spieren, en glipten de kelder in. Monica en ik volgden.
Toen ik de deur achter ons sloot, ging plotseling het licht aan en zagen we ons ontvangstcomité. Twee forensisch rechercheurs met hun koffertjes, twee agenten in uniform met hun geweren in de aanslag, Slocum en Hathaway die in een hoekje stonden en McDeiss die op de steel van een roestige, oude pikhouweel leunde en midden in de kelder stond.
'Welkom thuis, Charlie Kalakoo,' bulderde McDeiss. 'We waren al een tijdje naar je op zoek.'
'Ik ben de stad uit geweest,' zei Charlie.
'We willen straks even gezellig met je babbelen,' zei McDeiss.
'Dat komt straks, rechercheur,' zei ik. 'Alles op zijn tijd. Eerst moet er nog een serieuze zaak afgehandeld worden.'
Ik draaide me om, wierp een blik op de werkbank en knipperde met mijn ogen. Langzaam liep ik ernaartoe. De voorste plank was losgewrikt van het ijzeren frame en de twee pijpen aan de voorkant waren naar buiten getrokken. Ik keek in beide. Beide waren leeg.
'Hoe lang zijn jullie hier al?' vroeg ik.
'Een minuut of tien,' zei Slocum.
'Zat de deur op slot toen jullie aankwamen?'
'Nee.'
'Verdomme,' zei ik. 'Nu snap ik waarom hij zo'n haast had. Toledo, laat me niet lachen.'
'Over wie heb je het, Carl?' vroeg McDeiss.
'Ik heb het over een klein mannetje dat Lavender Hill heet. Ik wist niet dat ik in een race zat, hij wel. Hij heeft met zijn richtmicrofoon alles gehoord wat Charlie vertelde. Hij is degene die onze vriendin uit Allentown voor zijn rekening heeft genomen, rechercheur, en nadat hij dat gedaan had, haastte hij zich hierheen om zich het schilderij toe te eigenen. De Rembrandt is alweer gestolen.'

'We vinden hem wel,' zei McDeiss.
'Dat betwijfel ik,' zei ik. 'Maar het schilderij is toch altijd al bijzaak geweest. Nietwaar, Jenna?'
'Ja. Altijd al.'
'Het wordt tijd om ons op de hoofdzaak te richten. Gelden alle voorwaarden van onze deal nog?'
'Zeker,' zei Slocum.
'Oké, dan. Joey, weet jij nog waar het gat zat?'
Joey keek me aan en knikte.
'Wijs maar aan.'
Hij keek om zich heen en liep door naar achteren. Hij zette een stapel dozen weg en wees naar een paar barsten in de oneffen betonnen vloer. 'Daar.'
McDeiss pakte het pikhouweel op en stak het naar de forensisch rechercheurs uit. Een van hen liep op McDeiss af toen Charlie ineens van zich liet horen.
'Mag ik het doen?' vroeg hij. 'Dat gat heeft me altijd achtervolgd. Mag ik het openmaken?'
'Het doorprikken van de zweer?' vroeg ik.
'Ja, zoiets.'
Ik keek naar McDeiss. Hij dacht er even over na en keek naar de twee forensisch rechercheurs, die hun schouders ophaalden. McDeiss draaide zich om naar Charlie en stak hem het pikhouweel toe.
'Ik zal ook helpen.' Joey zette nog een paar dozen weg en creëerde wat meer ruimte.
Charlie Kalakos zwaaide het pikhouweel omhoog en liet de scherpe punt met kracht op het beton neerkomen. Het bleek een dunne, broze betonlaag te zijn die zich gemakkelijk gewonnen gaf. Charlie trok het pikhouweel los en bracht het weer omhoog. Toen hij na een tijdje begon te hijgen van inspanning, nam Joey het gereedschap van hem over. Een van de technisch rechercheurs bukte zich om een paar losse brokstukken weg te halen. Toen zwaaide Joey het pikhouweel omhoog en sloeg hard toe.
Charlie Kalakos en Joey Pride braken stukje bij beetje door de betonlaag heen die de misdaden uit hun verleden bedekte. Het was een langzaam proces en Slocum, McDeiss, Jenna Hathaway, Monica Adair en ik keken zwijgend toe; sommigen stoïcijns en anderen met tranen in hun ogen. We wisten wat we zouden aantreffen en zagen ertegen op.

69

'Ik heb hem thuisgebracht, mevrouw Kalakos,' zei ik.
'Jij goede jongen, Victor,' zei ze. 'Ik weten jij doen wat ik zeg.'
'Bedankt voor uw vertrouwen,' zei ik.
De kamer was donker, er hing een walm wierook, en ik zat weer op de stoel naast het bed. Mevrouw Kalakos lag zoals altijd stil en stijf in bed. Toch zag ze er anders uit. Gewoonlijk zat haar grijze haar nogal slordig, maar vanavond was het netjes gekamd, getoupeerd en vastgezet met haarspeldjes. Haar wangen hadden blozende cirkeltjes, ze had felrood gestifte lippen met midden op haar bovenlip twee hoekige boogjes, en ze droeg kant. Net miss Havisham die op haar bruidegom wachtte. Jakkes.
'Waar mijn jongen? Waar?' vroeg ze.
'Hij staat op de gang omdat ik eerst even met u over hem wilde praten.'
'Mij niet wachten laten, Victor. Ik, oude vrouw. Niet veel tijd meer. Jij hem brengen. Nu.'
'Charlie wil u ook graag zien, mevrouw Kalakos. Hij is opgewonden en bang tegelijk.'
'Waarom hij bang zijn voor oude vrouw?'
'Omdat u zijn moeder bent. Dat zou iedereen de stuipen op het lijf jagen.'
'Jij oude vrouw vleien, Victor?'
'Dat was niet mijn opzet, mevrouw. Ik wil u alleen vertellen dat uw zoon de laatste tijd nogal wat te verduren heeft gehad, en vooral vandaag. Een paar uur geleden probeerde iemand hem nog te vermoorden. En wat nog veel belangrijker is, hij voelde zich gedwongen om een duister geheim uit zijn verleden op te graven. Iets wat het gevolg was van de inbraak van dertig jaar geleden.'
'Wat jij mij willen vertellen, Victor?'
'Er werd een meisje vermoord.'
'Een meisje?'
'Ja, Chantal Adair. Het meisje dat vermist werd.'
'Ik nog weten.'
'Ze werd vermoord door Teddy, omdat ze Charlie en Teddy met de buit van de inbraak zag. Charlie heeft haar niet vermoord, maar hij wist er wel van. Daarom ging hij het slechte pad op, daarom belandde hij in de Warrick-bende en daarom sloeg hij uiteindelijk op de vlucht. En daarom zal hij een

paar jaar de gevangenis in moeten. Hij weet dat u daarachter zult komen en daarom vroeg hij me dat alvast aan u te vertellen.'
'Daarom mijn Charlie zijn leven vergooien?'
'Dat klopt, ja.'
'Hij nog grotere idioot zijn dan ik denken.'
'Wat ik u wil vragen, mevrouw Kalakos, is om hem niet te hard te vallen.'
'Wat jij van mij denken, Victor? Ik monster zijn?'
'Nee, mevrouw. Gewoon een moeder.'
'Oké, nu jij mij verteld hebben, Victor. Geen uitstel meer. Nu jij mijn jongen halen.'
Ik stond op, liep naar de deur, trok hem open en knikte naar het kleine groepje dat buiten stond te wachten.
Thalassa, grijs, kromgebogen en nerveus, stapte als eerste naar binnen. 'Mama,' zei ze. Mevrouw Kalakos lag roerloos op bed met gesloten ogen alsof ze al dagen bewusteloos was en niet een paar minuten geleden nog met me had gesproken. 'Mama? Mama? Ben je er nog?'
'Ja,' zei mevrouw Kalakos met zwakke stem, maar duidelijk genietend van het drama aan haar sterfbed. 'Ik nog steeds leven. Wat jij willen, kindje?'
'Charles is hier,' zei Thalassa luid, alsof ze het tegen iemand had die een halve kilometer verderop stond. 'Mijn broer, uw zoon, Charles. Hij is naar huis gekomen om afscheid te nemen.'
'Charlie? Hier? Mijn Charlie? Mijn kindje? Jij hem bij mij brengen, lieverd.'
Thalassa liep naar de deur en liet Charlie Kalakos binnen. Charlie was in de handboeien geslagen en McDeiss volgde hem op de voet. Hij stapte aarzelend naar voren, knielde bij zijn stervende moeder neer, sloeg zijn geboeide handen ineen en legde ze op het bed.
'Mama?'
Zonder haar ogen te openen, stak ze haar hand uit naar Charlie. Toen ze de bovenkant van zijn kale hoofd voelde, gleed haar hand over zijn voorhoofd naar zijn ogen, zijn neus en zijn kin en toen weer omhoog naar zijn mond.
'Charlie? Jij teruggekomen zijn?'
'Ja, mama.'
'Jij afscheid komen nemen. Jij laatste wens oude moeder respecteren.'
'Ja, mama.'
'Jij dichterbij komen, kindje.'
'Ja, mama.' Charlie boog zich naar voren zodat zijn lippen bijna zijn moeders wang raakten.
Ze trok haar linkerhand weg, bracht hem omhoog en gaf hem een harde klap in zijn gezicht. Het klonk als een schot dat binnenshuis werd afgevuurd.
'Hoe stom jij zijn?' Haar ogen waren open en keken haar zoon aan. 'Waarom jij zo lang vluchten? Waarom jij bij ons weggaan zodat wij eindjes aan

elkaar moeten knopen? Wij bijna huis kwijtgeraakt zijn. Waarom jij jouw vriend meisje laten vermoorden? Jij zwak, jij altijd al zwak. Wanneer jij eindelijk man worden, Charlie?'
'Mama,' zei hij. Met geboeide handen veegde hij de tranen van zijn wangen.
'Waarom wachten tot zij jou vermoorden? Ik jou eigenlijk moeten vermoorden.'
'Mama. Ik kwam afscheid nemen.'
Ze ging rechtop zitten. 'Waarom afscheid nemen? Ik nergens naartoe gaan. Jij nooit slim geweest, Charlie, dat jouw probleem. Jij nooit slim genoeg of sterk genoeg. Jouw hele leven jij al mislukking.'
'Het spijt me, mama.' Charlie begon hartverscheurend te snikken.
'Nou jij huilen om wat jij mij aangedaan hebben? Nou jij huilen? Jij denken, huilen helpt? Jij hier komen, jij domme jongen.' Ze stak haar beide handen uit. 'Jij bij moeder komen, jij bij mij komen, kindje.'
'Het spijt me,' zei Charlie.
'Ik weten jij spijt hebben.'
'Mammie?'
'Ja, mijn zoon. Stil maar en bij mij komen.'
En Charlie die ongegeneerd huilde, legde zijn hoofd op haar magere, ingevallen borst. Ze sloeg haar armen om hem heen en trok hem dicht tegen zich aan, alsof ze alle leven uit hem wilde persen. Charlie huilde; Thalassa, die een stukje opzij stond, huilde ook; en mevrouw Kalakos, die haar zoon eindelijk bij zich had, huilde ook.
Deze gruwelijke geschiedenis was begonnen toen een moeder me smeekte haar zoon thuis te brengen en nu was de familie Kalakos eindelijk herenigd: de angstaanjagende, oude vrouw die niets schuwde om mensen in haar macht te krijgen, de oude man die nooit volwassen was geworden en de zus die een stukje opzij stond, alsof dat altijd haar plek was geweest. Ik had de drie herenigd en daar was ik blij om. En ondanks het Kabuki-drama dat zich net voor mijn ogen had afgespeeld, hield ik het ook niet droog toen ik het tafereeltje zag. Hoe de onderlinge verhoudingen in deze familie ook lagen, hoe die kluwen van affiniteit, afkeer en verraad ook in elkaar zat – en ik durfde te wedden dat zelfs Freud die niet kon ontrafelen zonder er zelf in verstrikt te raken – was de emotie die op dat moment in die vreemde, donkere kamer voelbaar was, schrikbarend puur en oprecht. Ik weet niet of er verlossing bestaat, maar als er zoiets zuivers uit zo'n verziekte toestand kan voortvloeien, krijg ik toch weer hoop voor deze wereld.

70

Ze begroeven Chantal Adair onder een blinkende zomerzon op een stralende dag. In de dagbladen had gestaan dat de familie een kleine, intieme plechtigheid op het kerkhof wilde, maar hun wensen werden genegeerd. De buren uit het noordoosten kwamen opdraven: uit Frankford en Mayfair, Bridesburg en Oxford Circle, en Rhawhnhurst en Tacony. Mensen van alle rassen, van alle religies, mensen die te jong waren om het verhaal te kennen en mensen die oud genoeg waren om het alweer vergeten te zijn; ze kwamen allemaal om een kind van de stad te begraven, een van hun eigen vlees en bloed.

We zijn hier in Philadelphia beter in het rouwen om een kind dan in het zorgen voor eentje.

Toen een priester een paar woorden zei, gevolgd door een man die op Ulysses S. Grant leek, stond ik achteraan in de menigte. Als laatste kwam Monica Adair naar voren om iets te zeggen. Ik stond te ver weg om alles te verstaan, hoorde alleen het rijzen en dalen van hun stemmen en af een toe een woord dat benadrukt werd, maar de strekking was even helder als de hemel die dag. Chantal was een geschenk van God; wat er met haar was gebeurd, was een misdaad die de hele mensheid had getroffen; en nu had God, die haar al in zijn warme omhelzing had gesloten, haar lichaam bij haar familie teruggebracht.

Ik neem aan dat er in de speeches zijdelings werd gerefereerd aan haar moordenaar, meer was ook niet nodig. De foto's van Theodore Purcell die geboeid uit zijn huis in Hollywood werd geleid, hadden in alle dagbladen en roddelbladen gestaan. De producer van *Tony in Love* en *The Dancing Shoes* had een gerenommeerde advocaat in de arm genomen en kreeg de complete beroemdheid-voor-de-rechtbankbehandeling. Zijn woordvoerder, ene Reginald Winters, verklaarde dat meneer Purcell verwachtte vrijgesproken te worden en dan zou hij een nieuwe film uitbrengen, gebaseerd op het fantastische script dat hij onlangs had aangekocht. Er school zelfgenoegzaamheid in Teddy's blik toen de paparazzi hem van alle kanten fotografeerden. Zat hij in de problemen? Nou en of. Maar hij stond ook volop in de schijnwerpers. Hij was weer helemaal terug.

Charlie Kalakos kon niet bij de begrafenis aanwezig zijn omdat hij in beschermende hechtenis zat. Joey Pride had besloten niet te komen omdat

hij vond dat hij niet het recht had om samen met de familie te rouwen na wat hij gedaan had en waarover hij zo lang gezwegen had. Toch was ik niet in mijn eentje naar de begrafenis gekomen. Zanita Kalakos had per se mee gewild. Ze was tot ieders stomme verbazing van haar sterfbed opgestaan, vervolgens door haar onvoorstelbaar sterke dochter de trap af gedragen en zat nu naast me in een rolstoel. We keken samen toe toen de kleine kist in de aarde werd neergelaten.
'Jij mij bij familie brengen,' zei ze, nadat de plechtigheid was afgelopen.
Ik wierp een snelle blik op mijn horloge. 'Daar heb ik geen tijd voor, ik ben al aan de late kant. Dit duurde langer dan ik had verwacht.'
'Jij mij bij familie brengen, nu. Ik met familie van meisje moeten praten, is plicht.'
Ik sputterde tegen, maar ze wuifde mijn protesten met een kort handgebaar weg. Ik pretendeerde niet eens dat ik sterk genoeg was om tegen de oude vrouw en haar plichtsgevoel in te gaan. Langzaam duwde ik de rolstoel over het pad naar voren.
Uiteraard stond er een rij mensen te wachten om de familie te condoleren. Ik keek nog een keer op mijn horloge en probeerde voor te dringen – ruim baan voor de invalide, dat idee – maar dat werkte niet. We moesten wachten terwijl jong en oud, vrienden en vreemden, als een stortvloed aan rouwenden hun condoleances aanboden.
Eindelijk liepen we langs het open graf en bereikten we de voorste rij stoelen waar de familie Adair zat. Ik verwachtte eigenlijk donkere zonnebrillen en rode neuzen van het huilen te zien, maar zag iets anders. De Adairs zagen er kalm, bijna opgewekt uit, alsof de sombere wolk verdriet en onzekerheid die ruim een kwart eeuw hun leven had overschaduwd eindelijk was opgelost en de zon weer een kans had gegeven. Mevrouw Adair zag er rustiger uit en had zelfs blosjes op haar wangen en ook meneer Adair leek veranderd, alsof er een zware last van zijn schouders was verdwenen.
'O, Victor, daar ben je,' zei mevrouw Adair, die opstond om me te begroeten en me hartelijk omhelsde. 'Wat fijn dat je gekomen bent. Bedankt. Voor alles. Monica blijft maar over je praten.'
'Zo, zo,' zei ik.
'Jullie zullen het wel moeilijk krijgen met zo'n langeafstandsrelatie,' zei mevrouw Adair toen ze mijn hand schudde, 'maar ik weet zeker dat jullie er wel wat op bedenken.'
'Langeafstandsrelatie?'
'Jij mij voorstellen,' blafte mevrouw Kalakos, die het gesprek onderbrak.
Ik schrok van haar gesnauw en deed een stap naar achteren. 'Meneer en mevrouw Adair, mag ik u voorstellen aan Zanita Kalakos. De moeder van Charlie Kalakos.'
Mevrouw Adair liet haar blik naar het verschrompelde, oude besje in de rol-

stoel glijden en er verscheen een nietszeggende blik op haar gezicht, alsof ze niet zeker wist hoe ze de vrouw tegemoet zou treden. Na even geaarzeld te hebben, boog ze zich naar mevrouw Kalakos toe en schudde ze met een hartelijke glimlach op haar gezicht de hand van de oude vrouw.
'Ik zeggen willen,' zei mevrouw Kalakos, 'ik verschrikkelijk vinden dat mijn zoon deel uitmaken van wat er met uw mooie dochter gebeurd zijn.'
'Hoe lang hebt u uw zoon niet gezien, mevrouw Kalakos?'
'Vijftien jaren ik mijn jongen niet zien.'
'Ik weet hoe moeilijk dat geweest moet zijn.'
'Ja, jij weten. Jij lieve vrouw zijn.'
'Ik ben blij dat u uw zoon terug hebt.'
'Ja, ik dat zien kunnen. Maar ik denken dat deel van mijn zoon, misschien beste deel, in graf liggen bij jouw dochter.'
'Ik denk dat ik begrijp wat u bedoelt, mevrouw Kalakos,' zei mevrouw Adair. 'En dank u voor uw komst, dat betekent meer voor ons dan u misschien beseft.'
'Ik hopen jullie nu rust krijgen,' zei mevrouw Kalakos.
Even later duwde ik de rolstoel een stukje verder, naar het volgende familielid. Richard Adair zat naast zijn vader met een vreemde, gespannen blik op zijn gezicht en zijn ogen schoten nerveus heen en weer. Hij was bleek en leek zich niet op zijn gemak te voelen in het pak dat veel te strak zat, maar hij had het huis verlaten. Dat was in elk geval een stap in de goede richting.
'Richard.' Ik knikte hem toe.
'Hoi, Victor.'
'Hoe gaat het met je?'
'Wat denk je?'
'Geloof me, dat blijft niet zo, langzaam zal het beter gaan.'
'Wat weet jij daar verdomme vanaf?'
'Alleen dat het langzaam beter zal gaan.'
'En daar moet ik blij om zijn? Dat maakt alles weer goed?'
Toen we voor Monica stonden, sloeg ze haar armen om mijn nek en fluisterde ze in mijn oor: 'Dank je, dank je, dank je.' Ze zag er die dag uit als een knappe studente en ik moet toegeven dat haar omhelzing veel te goed aanvoelde.
'Dit is mevrouw Kalakos. Charlies moeder.'
'Dank u voor uw komst,' zei Monica.
'Natuurlijk, liefje. Jij aantrekkelijk zijn. Jij huis hebben voor Victor?'
'Nee, mevrouw. Alleen een hond.'
'Jammer, maar dat betekenen Thalassa nog kans hebben.'
'Wat hoor ik over een neprelatie die een langeafstandsrelatie schijnt te worden?' vroeg ik.
'Ik ga verhuizen. Naar de Westkust.'

'Hollywood?'
'Waarom niet? Jij zegt steeds dat ik mijn leven moet veranderen. Misschien heb je wel gelijk. En weet je, de sfeer die daar hangt, bevalt me wel.'
'Heb je al onderdak?'
'Lena zei dat ik een tijdje bij haar en Bryce mocht blijven.'
'Lena?'
'Ja.'
'Lena?'
'Ik weet dat het bizar overkomt, maar we hebben contact gehouden. Zelfs toen ik het wist, had ik nog steeds het gevoel dat we zussen waren. Daar had ik behoefte aan, Lena ook en volgens mij Chantal ook. Lena zei dat ze me aan een baantje kon helpen. Misschien ga ik echt op een advocatenkantoor werken. En misschien ga ik ook wel naar een paar audities.'
'Dansen?'
'Acteren. In reclames en zo.'
'Dus je wilt actrice worden?'
'Waarom niet? Je kent me. Ik hou er wel van om in de schijnwerpers te staan. En weet je, het klinkt misschien vreemd maar ik voel me bevrijd. Alsof ik kan gaan en staan waar ik maar wil en kan doen wat ik wil. Victor, het is net alsof de hele toestand: jij, de tatoeage, het tripje naar Californië om Lena te ontmoeten, Charlie en die afgrijselijke vrouw met haar wapen, of dat Chantals manier was om me de waarheid te laten zien. Toen ze mijn zus opgroeven, is de knellende band die mijn hele leven bepaalde, verbroken. En wat doe je wanneer het doel van je leven verdwijnt?'
'Dan ga je naar L.A. om soapactrice te worden,' zei ik. 'Je gaat het daar helemaal maken, Monica, dat weet ik zeker. Zoals Teddy al zei, iemand uit Philly krijgt alles voor elkaar als je haar maar uit Philly haalt.'
'Houden we wel contact?'
'Natuurlijk houden we contact,' beloofde ik.
'Victor, ken je mijn oom Rupert en mijn nichtje Ronnie al?'
Ze gebaarde naar Ulysses S. Grant, die iets verderop stond. Als je hem een blauw uniform aantrok en een fles whisky gaf, zag je hem in gedachten de charge in Cold Harbor al leiden. Toch was het niet oom Rupert die mijn aandacht trok, het was de vrouw die naast hem stond en zich nu stilletjes uit de voeten maakte. Ze was me eerder niet opgevallen, maar toen ze een bezorgde blik over haar schouders wierp, zag ik haar gezicht en stond mijn hart even stil.
Ik had haar al eerder gezien. We hadden samen wat gedronken. Ik had geprobeerd haar te versieren. Godver de godver. Zij was de vrouw die ik die bewuste avond in Chaucer's had ontmoet, waarna ik de volgende dag wakker werd met een tatoeage op mijn borst. Het blonde stuk met de paardenstaart en het eau-de-Harley-luchtje was Chantals nichtje, Ronnie, geweest.

'Godver de godver,' zei ik.
'Wat?' vroeg Monica.
'Ik ben zo terug,' zei ik tegen mevrouw Kalakos. Ik liet haar bij het open graf achter en beende Ronnie achterna.
Ze zag me aankomen, begon sneller te lopen, bleef staan, draaide zich om en wierp me een uitdagende blik toe. Ze was aantrekkelijk en droeg een rok, maar er verscheen een harde uitdrukking in haar ogen en ze zou me zonder problemen tegen de grond kunnen slaan, daar twijfelde ik niet aan.
'Wat heb je gedaan? Heb je iets in mijn drankje gegooid, me naar een tatoeagetent gesleept en de naam van je nichtje op mijn borstkas laten graveren zodat ik die nooit meer zou vergeten?'
'Zoiets, ja,' zei ze.
'Waarom?'
'Zodat iemand het zich zou herinneren,' zei ze. 'Rechercheur Hathaway had mijn vader lang geleden verteld dat hij vermoedde dat er een verband bestond tussen die vijf en Chantal. Toen zag ik jou ineens op televisie, je zag er zo zelfingenomen uit toen je Charlie de Griek de deal van zijn leven probeerde te bezorgen. Ik vond dat iemand zich de naam van het kleine meisje moest herinneren dat verdwenen was. Tim, een vriend van me, heeft een tattooshop aan Arch. Hij wilde het wel doen.'
'Had je me geen brief kunnen sturen?'
Er verscheen een grijns op haar knappe gezichtje. 'Dit leek me effectiever. En trouwens, ik vond dat je het verdiende omdat je er zo arrogant uitzag op televisie.' Ze sloeg haar blik neer. 'Maar Monica heeft verteld hoe aardig je voor haar bent geweest, dus ik voel me wel schuldig.'
'Mooi zo. Ik kan je laten oppakken voor mishandeling.'
'Dat weet ik.'
'Ik kan je voor de rechter slepen en je helemaal kaalplukken.'
'Ik heb alleen een motor.'
'Een Harley?'
'Denk je dat je mans genoeg bent om erop te rijden?'
'Je hebt echt een rotstreek uitgehaald.'
'Dat weet ik. Ik zal de laserbehandeling betalen om de tattoo te laten verwijderen.'
'Dat is wel het minste,' zei ik. Ik keek achterom naar de familie Adair, die bij elkaar zat en naar het open graf waarin de kleine kist was verdwenen. 'Als ik hem laat verwijderen.'
Ze keek me schuin aan.
'Je vriend heeft goed werk geleverd,' zei ik. 'En ik ben eraan gewend geraakt.'
'Ik ben altijd al gek geweest op een man met een tattoo,' zei Ronnie.
Ik keek naar haar, naar haar knappe gezichtje, naar haar brede, gespierde

schouders en zei: 'Zullen we een keer iets gaan drinken om erover te kletsen?'
Ja, ik weet het, ik ben een in- en intriest geval.

71

Vanwege de begrafenis was ik aan de late kant voor de overdracht van het huis. Ik was zelfs later dan ik dacht, want toen ik de vergaderzaal binnenstormde in de verwachting de verkopers, de makelaars en de notaris aan te treffen met zijn verzameling stempels en zegels, zag ik alleen Beth zitten. Op de tafel voor haar lag een stapel paperassen.

'Heb ik alles gemist?' vroeg ik.

'Niet veel,' zei ze.

'Hoe is het gegaan?' vroeg ik.

'Niet,' antwoordde ze. 'Ik heb me teruggetrokken.'

'Wat?'

'Ik heb me teruggetrokken. Ik heb het huis niet gekocht. Ik ben nog steeds hypotheekloos en ook nog steeds dakloos.'

'Dus je vond het huis uiteindelijk toch niet alles?'

'Nee, ik vond het fantastisch. Het was perfect.'

Ik ging naast haar zitten en nam haar onderzoekend op. Ik had verwacht dat ze van slag zou zijn of somber, maar ze leek blij, bijna uitgelaten.

'Waarom heb je het dan niet gedaan, Beth?'

'Denk je dat mensen echt kunnen veranderen?'

'Geen idee. Charlie heeft een paar miljoen afgeslagen omdat hij het schilderij wilde teruggeven, hoewel dat iets anders is gelopen. Hij lijkt een andere weg te zijn ingeslagen. Maar Theresa Wellman is wel teruggevallen in haar oude gewoontes.'

'Ik was er kapot van toen ik haar die avond dronken en volkomen stoned aantrof. Ze was zich totaal niet bewust van haar dochter, die in de kamer ernaast zat. Ik zat helemaal fout toen ik haar zaak aannam.'

'Je zag dat ze iemand nodig had en je probeerde haar te helpen.'

'Ik had iemand nodig en daar gebruikte ik haar voor. Maar toen ik haar helemaal van de wereld op dat bed zag liggen, zag ik voor het eerst in lange tijd mijn eigen leven duidelijk voor me.'

'Wat zag je dan?'

'Dat het de laatste paar jaar geen lolletje moet zijn geweest om met mij samen te werken, of wel?'

'Soms niet, misschien.'

'Dat is zachtjes uitgedrukt. Ik was een jammerende, ontevreden zeurkous

die in hetzelfde kringetje bleef ronddraaien. Dat heb ik nooit gewild. Een huis kopen en al die kleine kamertjes met mijn kleine plannetjes vullen, zou het alleen maar erger maken. Ik vind het fijn om je partner te zijn, Victor, maar onze advocatenpraktijk is een heel andere kant op gegaan dan ik verwacht had. Ik denk dat ik er een tijdje afstand van moet nemen.'
'Neem een paar weken vrij.'
'Ik heb wat meer tijd nodig.'
'Ik zal geen strafrechtzaken meer doen.'
'Maar je bent gek op strafrecht en je bent er goed in. Jij hebt je plek gevonden. Ik zoek nog naar de mijne.'
'Die vinden we samen wel.'
'Nee, dat denk ik niet. Hoe lang heb ik het nu al over de wereldreis die ik wil maken? Naar Khartoem, Cambodja en Kathmandu?'
'Ik wist niet dat je dat serieus bedoelde.'
'Dat was ook niet zo, maar nu wel. Ik heb altijd het soort vrouw willen zijn dat zichzelf vindt in Kathmandu. Zo iemand ben ik nu niet, en dat huis zou me daar niet bij helpen. Maar zodra ik Nepal binnen stap, zal ik wel zo'n vrouw zijn.'
'Dus je gaat echt?'
'Ik kan bijna niet wachten.'
'Wanneer kom je terug?'
'Als mijn geld op is, denk ik.'
'Ik heb een honorarium voor de Kalakos-zaak gekregen. Als je me een beetje tijd geeft, kan ik je je deel geven.'
'Een beetje tijd? Waarom? Moet je een paar weken wachten voor je de cheque kunt innen?'
'Eerlijk gezegd, was het geen cheque. Het was een betaling in natura.'
'Victor.'
'Geen zorgen. Ik ken een vent die een vent kent die dat kan regelen. Volgens mij levert het aardig wat op.'
'Hou jij het maar, hou alles maar. Ik heb voorlopig geen geld nodig. Wat me het meest dwarszit, is dat ik jou in de steek laat. Gebruik mijn aandeel maar om de firma draaiende te houden.'
'Derringer & Carl.'
'Je zult mijn naam van het briefpapier moeten halen.'
'Nooit. Jij bent onze buitenlandse branche.'
'Toch wel jammer, want ik was echt gek op dat huis.'
'Het was een spookhuis. Sheila vertelde dat. Iemand heeft er ooit zelfmoord gepleegd.'
'Dat heeft ze mij niet verteld.'
'Ze wilde je niet afschrikken.'
'Ik hou wel van spoken.'

We zaten een paar minuten zwijgend bij elkaar en eigenlijk al gescheiden, omdat we ieder een andere richting uit zouden gaan. Toen begon ik te lachen.
'Wat?'
'Ik stelde me Sheila's gezicht voor toen je zei dat de koop niet doorging.'
'Ze was niet blij.'
'Nee. Waarschijnlijk had ze je het liefst de nek omgedraaid.'
'Zo erg was het ook weer niet. Ze zei zelfs dat ze het begreep. Ze vertelde dat ze zelf ook een huis zou kopen, maar dat ze erover dacht om zich terug te trekken uit die deal.'
Ik keek Beth aan, had even tijd nodig om het uit te vogelen en begon toen opnieuw te lachen.
En dat was het moment, daar in die vergaderzaal, dat ik van een tweemanszaak overstapte naar een eenmanszaak. Daar had ik altijd tegen opgezien omdat ik het dan in mijn eentje moest zien te redden, maar nu het zover was, voelde het niet eens zo beroerd aan. Ik had een kantoor, een carrière, en een la vol glimmers die ik met niemand hoefde te delen. Ik zou Beth missen, zeker, maar het geld zou een uitstekende balsem zijn voor mijn gekwetste gevoelens.
Het leverde helaas niet zoveel balsem op als ik had gehoopt.

'Nep,' zei Brendan LaRouche, die kantoor hield op de tweede verdieping van een pand in Jeweler's Row. Hij rommelde tussen de slordige hoop juwelen en kettingen die ik op zijn bureau had gedeponeerd. 'Nep, nep, nep.'
'Wat bedoel je?'
'Wat denk je dat ik bedoel, Victor? Het zijn allemaal imitaties en niet eens goede. Heb je er wel goed naar gekeken?'
'Ik weet niet eens waarop ik zou moeten letten.'
'De kettingen zijn te zwaar voor goud. Hoogstwaarschijnlijk lood, verguld met een goedkoop koperlaagje. De diamanten zijn van glas. Ze schitteren niet en hebben geen diepte. Dat kan ik met het blote oog al zien. En zie je de kleuren van die saffieren en robijnen? Het zijn imitaties, en nog slechte ook. Met de technologie van tegenwoordig kun je de kleur zo dicht benaderen dat alleen een deskundige de echte van de imitaties kan onderscheiden. Maar hier heb ik geen expert voor nodig. Nep, nep, nep, nep.'
'Wat levert het dan op?'
'Dit soort snuisterijtjes wordt per kilo verkocht.'
'Nee, hè!'
'Had je beter nieuws verwacht?'
'Daar hoopte ik wel op.'
'Wie heeft je deze rommel aangesmeerd?'
'Een Griekse haai,' zei ik, 'met vlijmscherpe tanden.'

'Die wil ik wel ontmoeten. Ik doe graag zaken met genadeloze zakenlui.'
'Brendan, je mag een gehaaide zakenman zijn, maar geloof me, je haalt het niet bij die vrouw.'
Daar stond ik dan, het honorarium voor mijn avonturen met Charlie de Griek dat ik uiteindelijk in handen zou krijgen nadat mijn zogenaamde schat gewogen was, zou net genoeg zijn om ergens een flinke biefstuk van te eten. En aangezien Beth op het punt stond naar Kathmandu te vertrekken, ik geen cent had overgehouden aan de Kalakos-zaak, maar wel de huur, het gas, licht, water, het salaris van mijn secretaresse, de huur van mijn kopieermachine en mijn contributie aan de orde van advocaten moest betalen, ging mijn toekomst er met de minuut somberder uitzien. Ik gokte dat ik het nog een maand, misschien twee, kon uitzingen voor ik de tent moest sluiten. Ik voelde me een complete mislukkeling en zat mistroostig voor me uit te staren toen een somber uitziende man in een zwart pak mijn kantoor binnenstapte.
'Ik schaam me dat ik het moet zeggen, meneer Carl, maar ik geloof dat ik een advocaat nodig heb.' Hij had zich voorgesteld als Samuel Beauregard.
Ik vroeg hem wat de problemen waren.
Hij vertelde dat hij betrokken was geraakt bij activiteiten in Philadelphia die de aandacht van de autoriteiten hadden getrokken. Ik vroeg hem wat voor soort activiteiten hij bedoelde.
'Daar wil ik liever niet over uitweiden,' zei Beauregard. 'Laten we het erop houden dat ze nogal onsmakelijk waren, zachtjes uitgedrukt. Voor een man als ik zeer aangenaam, maar voor anderen waarschijnlijk onsmakelijk. Wat ik nodig heb, is een advocaat die ik om advies kan vragen. Iemand die het klappen van de zweep kent in deze stad, iemand bij wie ik dag en nacht kan aankloppen om mijn belangen te behartigen, mocht de situatie daarom vragen.'
Ik vroeg hem of ik iemand voor hem moest aanbevelen.
'O, nee, meneer Carl, ik wil u. Ik heb gehoord dat u de juiste persoon bent. Ik heb mijn huiswerk gedaan en u uitgekozen voor deze nogal delicate opdracht.'
Ik vertelde hem dat ik me gevleid voelde.
'En omdat ik verlang dat u dag en nacht voor me klaarstaat, meneer Carl, voor het geval dat nodig mocht zijn, ben ik uiteraard bereid u een genereus voorschot te betalen.' Beauregard reikte in zijn zwarte jas en haalde er een cheque uit tevoorschijn. 'Ik hoop dat dit voldoende is.'
Ik nam de cheque aan, las het bedrag en slikte bijna mijn tong in.
Je hoefde geen hersenchirurg te zijn om door te hebben wat hier gebeurde. Lavender Hill, die vreemde man met zijn vreemde gevoel voor fatsoen, hield zich aan zijn deel van de overeenkomst waarin ik nooit had toegestemd. Dit was mijn commissie voor de Rembrandt die hij uit Ralphie Meats huis had

gestolen en aan een privéverzamelaar had verkocht. Een honorarium aannemen voor een illegale transactie was een flagrante schending van alle regels die de orde van advocaten eropna hield en werd strafbaar gesteld in diverse hoofdstukken van het wetboek van strafrecht van de staat Pennsylvania. Beth was het geweten van onze advocatenpraktijk geweest en ik wist wat zij gedaan zou hebben, maar Beth maakte niet langer deel uit van de firma. Ik was degene die nu in mijn eentje dit soort beslissingen moest nemen.

Het hele verhaal van Charlie en Chantal en Monica en mijn tatoeage stond op het punt een totaal andere wending te nemen. Na mijn bezoekje aan Hollywood dacht ik dat ik wist wat voor soort man ik wilde worden. Genadeloos, een tweede Sammy Glick, iemand die zijn eigen succes bepaalde. Dat was niet goed afgelopen voor Teddy Pravitz of Hugo Farr, en ook niet voor Charlie of Joey of Ralphie Meat. Niet eens voor mijn oma Gilda. En ook niet voor mij. De les die ik daaruit kon trekken was dat verandering mogelijk was, maar dat er ook risico's aan verbonden waren: in wie je veranderde, lag voor een groot deel aan hoe je die verandering tot stand bracht.

Dus misschien moest ik toch een andere weg inslaan. Misschien moest ik Charlies voorbeeld volgen en wat betrouwbaarder worden. Misschien moest ik een man worden die rechtschapenheid hoog in het vaandel droeg. Dat klonk goed. Een man die rechtschapenheid hoog in het vaandel droeg. In gedachten zag ik dat vaandel al wapperen. Zo iemand zou ik kunnen worden. Waarom niet? En wie weet, misschien bracht dat een verandering in mijn leven teweeg die ik nooit had kunnen voorzien. Misschien brachten goede dingen ook weer goede dingen voort, misschien verloochende karma zich niet. Een verandering ten goede, dat moest het worden. Terwijl Samuel Beauregard op mijn antwoord wachtte, liet ik mijn blik nog een keer over de cheque dwalen.

Zou ik hem aannemen?

Zeg het maar.